令和6年版教科書対応

板書で見る全単元の授業のすべて 国語 小学校6年 下

中村和弘 監修
西川義浩・秦美穂 編著

東洋館出版社

まえがき

令和２年に全面実施となった小学校の学習指導要領では、これからの時代に求められる資質・能力や教育内容が示されました。

この改訂を受け、これからの国語科では、

・言語活動を通して「言葉による見方・考え方」を働かせながら学習に取り組むことができるようにする。

・単元の目標／評価を、〔知識及び技能〕と〔思考力、判断力、表現力等〕のそれぞれの指導事項を結び付けて設定し、それらの資質・能力が確実に身に付くよう学習過程を工夫する。

・「主体的・対話的で深い学び」の視点から、単元の構成や教材の扱い、言語活動の設定などを工夫する授業改善を行う。

などのことが求められています。

一方で、こうした授業が全国の教室で実現するには、いくつかの難しさを抱えているように思います。例えば、言語活動が重視されるあまり、「国語科の授業で肝心なのは、言葉や言葉の使い方などを学ぶことである」という共通認識が薄れているように感じています。

あるいは、活動には取り組めているけれども、「今日の学習で、どのような言葉の力が付いたのか」が、子供たちだけでなく教師においても、ややもすると自覚的でない授業を見ることもあります。

国語科の授業を通して「どんな力が付けばよいのか」「何を教えればよいのか」という肝心な部分で、困っている先生方が多いのではないかと思います。

＊　　　　　　　　　　＊

さて、『板書で見る全単元の授業のすべて 小学校国語』（本シリーズ）は、平成29年の学習指導要領の改訂を受け、令和２年の全面実施に合わせて初版が刊行されました。このたび、令和６年版の教科書改訂に合わせて、本シリーズも改訂することになりました。

GIGA スクール構想に加え、新型コロナウイルス感染症の猛威などにより、教室での ICT 活用が急速に進み、この４年間で授業の在り方、学び方も大きく変わりました。改訂に当たっては、単元配列や教材の入れ替えなど新教科書に対応するだけでなく、ICT の効果的な活用方法や、個別最適な学びと協働的な学びを充実させるための手立てなど、今求められる授業づくりを発問と子供の反応例、板書案などを通して具体的に提案しています。

＊　　　　　　　　　　＊

日々教室で子供たちと向き合う先生に、「この単元はこんなふうに授業を進めていけばよいのか」「国語の授業はこんなところがポイントなのか」と、国語科の授業づくりの楽しさを感じながらご活用いただければ幸いです。

令和６年４月

中村　和弘

本書活用のポイント―単元構想ページ―

本書は、各学年の全単元について、単元全体の構想と各時間の板書のイメージを中心とした本時案を紹介しています。各単元の冒頭にある単元構想ページの活用のポイントは次のとおりです。

教材名と指導事項、関連する言語活動例

本書の編集に当たっては、令和6年発行の光村図書出版の国語教科書を参考にしています。まずは、各単元で扱う教材とその時数、さらにその下段に示した学習指導要領に即した指導事項や関連する言語活動例を確かめましょう。

単元の目標

単元の目標を示しています。各単元で身に付けさせたい資質・能力の全体像を押さえておきましょう。

評価規準

ここでは、指導要録などの記録に残すための評価を取り上げています。本書では、記録に残すための評価は❶❷のように色付きの丸数字で統一して示しています。本時案の評価で色付きの丸数字が登場したときには、本ページの評価規準と併せて確認することで、より単元全体を意識した授業づくりができるようになります。

同じ読み方の漢字　（2時間扱い）

単元の目標

知識及び技能	・第5学年までに配当されている漢字を読むことができる。第4学年までに配当されている漢字を書き、文や文章の中で使うとともに、第5学年に配当されている漢字を漸次書き、文や文章の中で使うことができる。((1)エ)
学びに向かう力、人間性等	・言葉がもつよさを認識するとともに、進んで読書をし、国語の大切さを自覚して思いや考えを伝え合おうとする。

評価規準

知識・技能	❶第5学年までに配当されている漢字を読んでいる。第4学年までに配当されている漢字を書き、文や文章の中で使うとともに、第5学年に配当されている漢字を漸次書き、文や文章の中で使っている。(〔知識及び技能〕(1)エ)
主体的に学習に取り組む態度	❷同じ読み方の漢字の使い分けに関心をもち、同訓異字や同音異義語について進んで調べたり使ったりして、学習課題に沿って、それらを理解しようとしている。

単元の流れ

時	主な学習活動	評価
1	学習の見通しをもつ 同訓異字を扱ったメールのやり取りを見て、気付いたことを発表する。 同訓異字と同音異義語について調べるという見通しをもち、学習課題を設定する。 同じ読み方の漢字について調べ、使い分けられるようになろう。 教科書の問題を解き、同訓異字や同音異義語を集める。 〈課外〉・同訓異字や同音異義語を集める。 ・集めた言葉を教室に掲示し、共有する。	❶
2	集めた同訓異字や同音異義語から調べる言葉を選び、意味や使い方を調べ、ワークシートにまとめる。 調べたことを生かして、例文やクイズを作って紹介し合い、同訓異字や同音異義語の意味や使い方について理解する。 学習を振り返る 学んだことを振り返り、今後に生かしていきたいことを発表する。	❷

授業づくりのポイント

〈単元で育てたい資質・能力〉

本単元のねらいは、同じ読み方の漢字の理解を深め、正しく使うことができるようにすることである。

同じ読み方の漢字
156

単元の流れ

単元の目標や評価規準を押さえた上で、授業をどのように展開していくのかの大枠をここで押さえます。各展開例は学習活動ごとに構成し、それぞれに対応する評価をその右側の欄に示しています。

ここでは、「評価規準」で挙げた記録に残すための評価のみを取り上げていますが、本時案では必ずしも記録には残さない、指導に生かす評価も示しています。本時案での詳細かつ具体的な評価の記述と併せて確認することで、指導と評価の一体化を意識することが大切です。

また、学習の見通しをもつ 学習を振り返るという見出しが含まれる単元があります。見通しをもたせる場面と振り返りを行う場面を示すことで、教師が子供の学びに向かう姿を見取ったり、子供自身が自己評価を行う機会を保障したりすることに活用できるようにしています。

そのためには、どのような同訓異字や同音異義語があるか、国語辞典や漢字辞典などを使って進んで集めたり意味を調べたりすることに加えて、実際に使われている場面を想像する力が必要となる。

選んだ言葉の意味や使い方を調べ、例文やクイズを作ることで、漢字の意味を捉えたり、場面に応じて使い分けたりする力を育む。

[具体例]

○教科書に取り上げられている「熱い」「暑い」「厚い」を国語辞典で調べると、その言葉の意味とともに、熟語や対義語、例文が掲載されている。それらを使って、どう説明したら意味が似通っているときでも正しく使い分けることができるかを考え、理解を深めることができる。

〈教材・題材の特徴〉

教科書で扱われている同訓異字や同音異義語は、子どもに身に付けさせたい漢字や言葉ばかりであるが、ともすれば練習問題的な扱いになりがちである。子ども一人一人に応じた配慮をしながら、主体的に考えて取り組める活動にすることが大切である。

本教材での学習を通して、同訓異字や同音異義語が多いという日本語の特色とともに、一文字で意味をもち、使い分けることができる漢字の豊かさに気付かせたい。そのことが、漢字に対する興味・関心や学習への意欲を高めることになる。

[具体例]

○導入では、同訓異字によってすれ違いが起こる事例を提示する。生活の中で起こりそうな場面を設定することで、これから学習することへの興味・関心を高めるとともに、その事例の内容から課題を見つけ、学習の見通しをもたせることができる。

〈言語活動の工夫〉

数多くある同訓異字や同音異義語を区別して正しく使えるようになることを目標に、集めた言葉を付箋紙またはホワイトボードアプリにまとめる。言葉を集める際は、「自分たちが使い分けられるようになりたい漢字」という視点で集めることで、主体的に学習に取り組めるようにする。

さらに、例文やクイズを作成する過程では、使い分けができるような内容になっているかどうか、友達と互いにアドバイスし合いながら対話的に学習を進められるようにする。自分が理解するだけでなく、友達に自分が調べたことを分かりやすく伝えたいという相手意識を大切にしたい。

〈ICT の効果的な活用〉

調査：言葉集めの際は、国語辞典や漢字辞典を用いたい。しかし、辞典の扱いが厳しい児童にはインターネットでの検索を用いてもよいこととし、意味や例文の確認のために辞典を活用するよう声を掛ける。

記録：集めた言葉をホワイトボードアプリに記録していくことで、どんな言葉が集まったのかをクラスで共有することができる。

共有：端末のプレゼンテーションソフトなどを用いて例文を作り、同訓異字や同音異義語の部分を空欄にしたり、選択問題にしたりすることで、もっとクイズを作りたい、友達と解き合いたいという意欲につなげたい。

157

授業づくりのポイント

ここでは、各単元の授業づくりのポイントを取り上げています。

全ての単元において〈単元で育てたい資質・能力〉を解説しています。単元で育てたい資質・能力を確実に身に付けさせるために、気を付けたいポイントや留意点に触れています。授業づくりに欠かせないポイントを押さえておきましょう。

他にも、単元や教材文の特性に合わせて〈教材・題材の特徴〉〈言語活動の工夫〉〈他教材や他教科との関連〉〈子供の作品やノート例〉〈並行読書リスト〉などの内容を適宜解説しています。これらの解説を参考にして、学級の実態に応じた工夫を図ることが大切です。各項目では解説に加え、具体例も挙げていますので、併せてご確認ください。

ICT の効果的な活用

1人1台端末の導入・活用状況を踏まえ、本単元におけるICT 端末の効果的な活用について、「調査」「共有」「記録」「分類」「整理」「表現」などの機能ごとに解説しています。活用に当たっては、学年の発達段階や、学級の子供の実態に応じて取捨選択し、アレンジすることが大切です。

本ページ、また本時案ページを通して、具体的なソフト名は使用せず、原則、下記のとおり用語を統一しています。ただし、アプリ固有の機能などについて説明したい場合はアプリ名を記載することとしています。

〈ICT ソフト：統一用語〉

Safari、Chrome、Edge →ウェブブラウザ ／ Pages、ドキュメント、Word →文書作成ソフト
Numbers、スプレッドシート、Excel →表計算ソフト ／ Keynote、スライド、PowerPoint →プレゼンテーションソフト ／ クラスルーム、Google Classroom、Teams →学習支援ソフト

本書活用のポイント―本時案ページ―

単元の各時間の授業案は、板書のイメージを中心に、目標や評価、学習の進め方などを合わせて見開きで構成しています。各単元の本時案ページの活用のポイントは次のとおりです。

本時の目標

本時の目標を示しています。単元構想ページとは異なり、各時間の内容により即した目標を示していますので、「授業の流れ」などと併せてご確認ください。

本時の主な評価

ここでは、各時間における評価について2種類に分類して示しています。それぞれの意味は次のとおりです。

○❶❷などの色付き丸数字が付いている評価

指導要録などの記録に残すための評価を表しています。単元構想ページにある「単元の流れ」の表に示された評価と対応しています。各時間の内容に即した形で示していますので、具体的な評価のポイントを確認することができます。

○「・」の付いている評価

必ずしも記録に残さない、指導に生かす評価を表しています。以降の指導に反映するための教師の見取りとして大切な視点です。指導との関連性を高めるためにご活用ください。

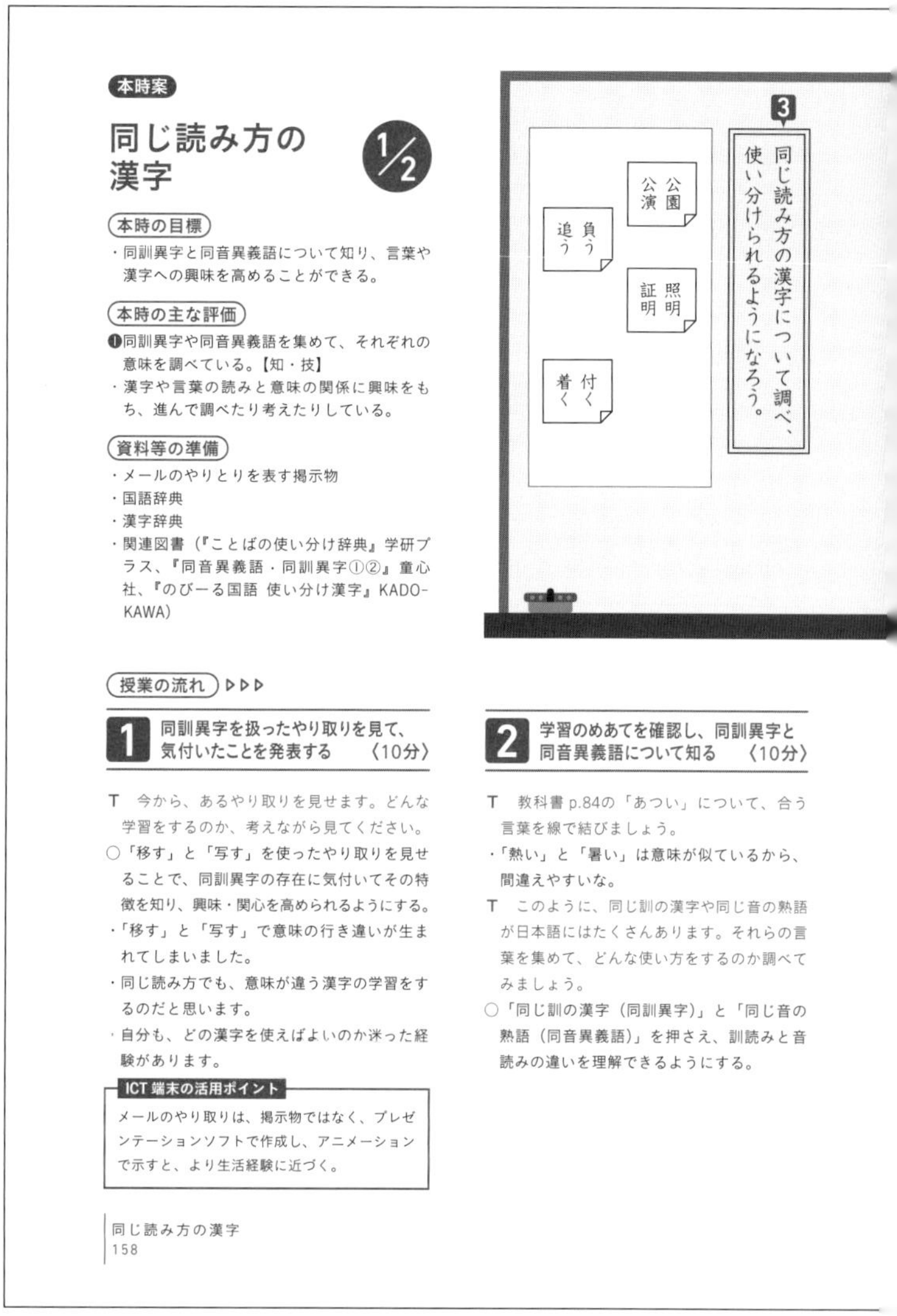

本時案

同じ読み方の漢字 1/2

本時の目標

・同訓異字と同音異義語について知り、言葉や漢字への興味を高めることができる。

本時の主な評価

❶同訓異字や同音異義語を集めて、それぞれの意味を調べている。【知・技】

・漢字や言葉の読みと意味の関係に興味をもち、進んで調べたり考えたりしている。

資料等の準備

・メールのやりとりを表す掲示物

・国語辞典

・漢字辞典

・関連図書（『ことばの使い分け辞典』学研プラス、『同音異義語・同訓異字①②』童心社、『のびーる国語 使い分け漢字』KADOKAWA）

授業の流れ ▷▷▷

1 同訓異字を扱ったやり取りを見て、気付いたことを発表する 〈10分〉

T 今から、あるやり取りを見せます。どんな学習をするのか、考えながら見てください。

○「移す」と「写す」を使ったやり取りを見せることで、同訓異字の存在に気付いてその特徴を知り、興味・関心を高められるようにする。

・「移す」と「写す」で意味の行き違いが生まれてしまいました。

・同じ読み方でも、意味が違う漢字の学習をするのだと思います。

・自分も、どの漢字を使えばよいのか迷った経験があります。

ICT端末の活用ポイント

メールのやり取りは、掲示物ではなく、プレゼンテーションソフトで作成し、アニメーションで示すと、より生活経験に近づく。

2 学習のめあてを確認し、同訓異字と同音異義語について知る 〈10分〉

T 教科書p.84の「あつい」について、合う言葉を線で結びましょう。

・「熱い」と「暑い」は意味が似ているから、間違えやすいな。

T このように、同じ訓の漢字や同じ音の熟語が日本語にはたくさんあります。それらの言葉を集めて、どんな使い方をするのか調べてみましょう。

○「同じ訓の漢字（同訓異字）」と「同じ音の熟語（同音異義語）」を押さえ、訓読みと音読みの違いを理解できるようにする。

同じ読み方の漢字
158

資料等の準備

ここでは、板書をつくる際に準備するとよいと思われる絵やカード等について、箇条書きで示しています。なお、⬇の付いている付録資料については、巻末にダウンロード方法を示しています。

ICT端末の活用ポイント／ICT等活用アイデア

必要に応じて、活動の流れの中でのICT端末の活用の具体例や、本時におけるICT活用の効果などを解説しています。

学級の子供の実態に応じて取り入れ、それぞれの考えや意見を瞬時に共有したり、分類することで思考を整理したり、記録に残して見返すことで振り返りに活用したりなど、学びを深めるための手立てとして活用しましょう。

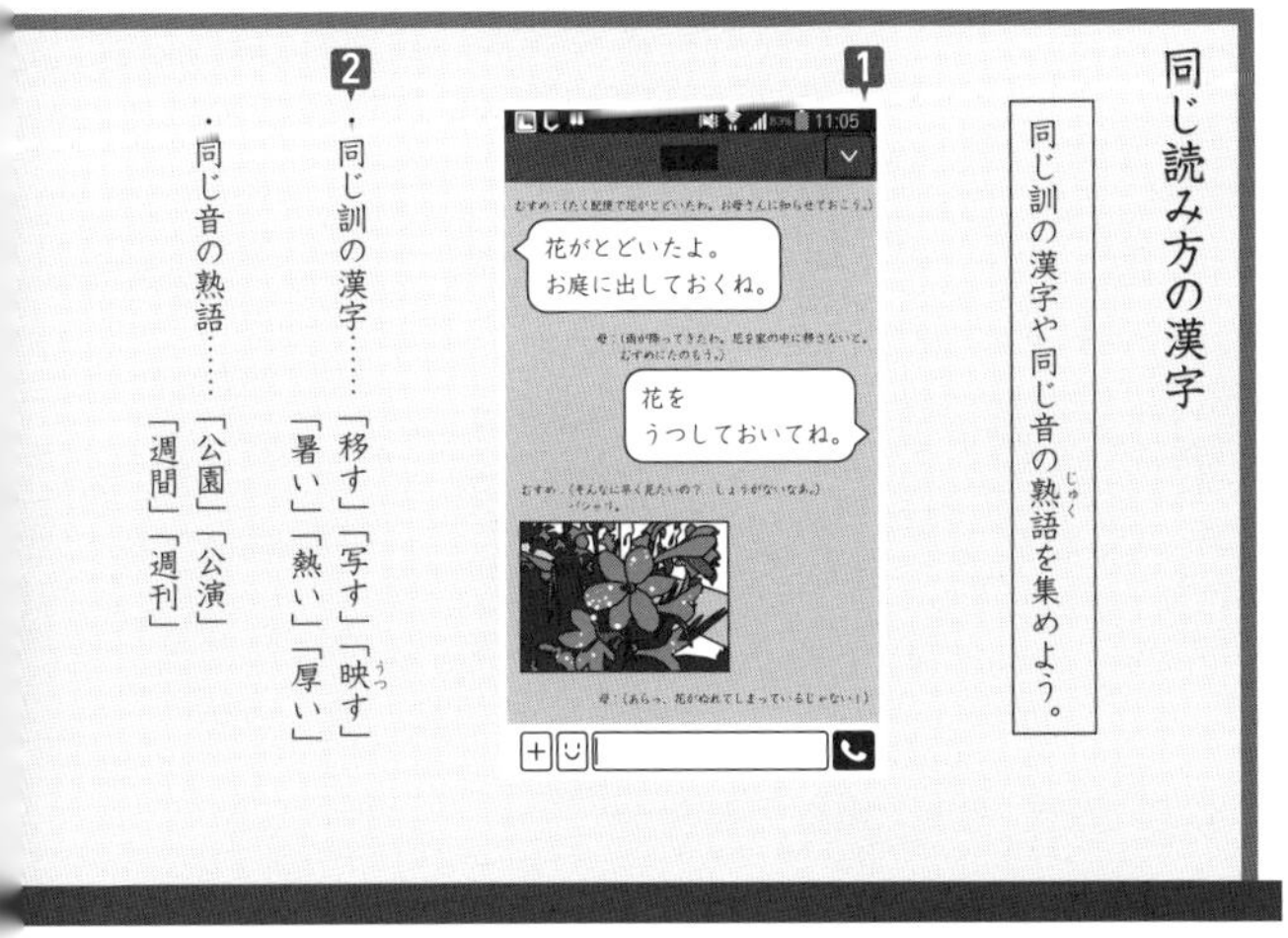
同じ読み方の漢字
同じ訓の漢字や同じ音の熟《じゅく》語を集めよう。
1
花がとどいたよ。
お庭に出しておくね。
花を
うつしておいてね。
2
・同じ訓の漢字……「移す」「写す」「映《うつ》す」
「暑い」「熱い」「厚い」
・同じ音の熟語……「公園」「公演」
「週間」「週刊」

ICT 等活用アイデア

調査活動を広げる工夫

第１時と第２時の間の課外で、同訓異字・同音異義語を集める活動を行う。辞典だけでなく、経験やインタビュー、さらにインターネットなどを活用するとよい。

また、集めた言葉を「同じ訓の字」と「同じ音の熟語」に分けてホワイトボードアプリに記録していくことで、友達がどんな言葉を見つけたのか、どのくらい集まったのかをクラスで共有することができる。

3 教科書の問題を解き、同訓異字や同音異義語を集める 〈25分〉

T　同じ訓の漢字や同じ音の熟語は、意味を考えて、どの漢字を使うのが適切かを考えなければなりません。教科書の問題を解いて、練習してみましょう。

○初めから辞典で調べるのではなく、まずは子ども自身で意味を考えさせたい。難しい子どもには、ヒントとなるような助言をする。

T　これまで習った漢字の中から、自分たちが使い分けられるようになりたい同じ訓の漢字や、同じ音の熟語を集めてみましょう。

○漢字辞典や国語辞典だけでなく、関連図書を準備しておくとよい。

T　次時は、理解を深めたい字の使い分け方について調べて、友達に伝えましょう。

第1時
159

本時の板書例

子供たちの学びを活性化させ、授業の成果を視覚的に確認するための板書例を示しています。学習活動に関する項立てだけでなく、子供の発言例なども示すことで、板書全体の構成をつかみやすくなっています。

板書に示されている12などの色付きの数字は、「授業の流れ」の各展開と対応しています。どのタイミングで何を提示していくのかを確認し、板書を効果的に活用することを心掛けましょう。

色付きの吹き出しは、板書をする際の留意点です。実際の板書では、テンポよくまとめる必要がある部分があったり、反対に子供の発言を丁寧に記していく必要がある部分があったりします。留意点を参考にすることで、メリハリをつけて板書を作ることができるようになります。

その他、色付きの文字で示された部分は実際の板書には反映されない部分です。黒板に貼る掲示物などが当たります。

これらの要素をしっかりと把握することで、授業展開と一体となった板書を作り上げることができます。

よりよい授業へのステップ

ここでは、本時の指導についてポイントを絞って解説しています。授業を行うに当たって、子供がつまずきやすいポイントやさらに深めたい内容について、各時間の内容に即して実践的に示しています。よりよい授業づくりのために必要な視点を押さえましょう。

授業の流れ

1時間の授業をどのように展開していくのかについて示しています。

各展開例について、主な学習活動とともに目安となる時間を示しています。導入に時間を割きすぎたり、主となる学習活動に時間を取れなかったりすることを避けるために、時間配分もしっかりと確認しておきましょう。

各展開は、T：教師の発問や指示等、・：予想される子供の反応例、○：留意点等の3つの内容で構成されています。この展開例を参考に、各学級の実態に合わせてアレンジを加え、より効果的な授業展開を図ることが大切です。

板書で見る全単元の授業のすべて

国語 小学校6年下 ―令和6年版教科書対応―

もくじ

1

第 6 学年における
授業づくりのポイント

「主体的・対話的で深い学び」を目指す授業づくりのポイント

1　国語科における「主体的・対話的で深い学び」の実現

平成29年告示の学習指導要領では、国語科の内容は育成を目指す資質・能力の３つの柱の整理を踏まえ、〔知識及び技能〕と〔思考力、判断力、表現力等〕から編成されている。これらの資質・能力は、国語科の場合は言語活動を通して育成される。

つまり、子供の取り組む言語活動が充実したものであれば、その活動を通して、教師の意図した資質・能力は効果的に身に付くということになる。逆に、子供にとって言語活動がつまらなかったり気が乗らなかったりすると、資質・能力も身に付きにくいということになる。

ただ、どんなに言語活動が魅力的であったとしても、あるいは子供が熱中して取り組んだとしても、それらを通して肝心の国語科としての資質・能力が身に付かなければ、本末転倒ということになってしまう。

このように、国語科における学習活動すなわち言語活動は、きわめて重要な役割を担っている。その言語活動の質を向上させていくための視点が、「主体的・対話的で深い学び」ということになる。学習指導要領の「指導計画の作成と内容の取扱い」では、次のように示されている。

> 単元など内容や時間のまとまりを見通して、その中で育む資質・能力の育成に向けて、児童の主体的・対話的で深い学びの実現を図るようにすること。その際、言葉による見方・考え方を働かせ、言語活動を通して、言葉の特徴や使い方などを理解し自分の思いや考えを深める学習の充実を図ること。

ここにあるように、「主体的・対話的で深い学び」の実現は、「資質・能力の育成に向けて」工夫されなければならない点を確認しておきたい。

2　主体的な学びを生み出す

例えば、「読むこと」の学習では、子供の読む力は、何度も文章を読むことを通して高まる。ただし、「読みましょう」と教師に指示されて読むよりも、「どうしてだろう」と問いをもって読んだり、「こんな点を考えてみよう」と目的をもって読んだりした方が、ずっと効果的である。問いや目的は、子供の自発的な読みを促してくれる。

教師からの「〇場面の人物の気持ちを考えましょう」という指示的な学習課題だけでは、こうした自発的な読みが生まれにくい。「〇場面の人物の気持ちは、前の場面と比べてどうか」「なぜ、変化したのか」「ＡとＢと、どちらの気持ちだと考えられるか」など、子供の問いや目的につながる課題や発問を工夫することが、主体的な学びの実現へとつながる。

この点は、「話すこと・聞くこと」や「書くこと」の授業でも同じである。「まず、こう書きましょう」「書けましたか。次はこう書きましょう」という指示の繰り返しで書かせていくと、活動がいつの間にか作業になってしまう。それだけではなく、「どう書けばいいと思う？」「前にどんな書き方を習った？」「どう工夫して書けばいい文章になるだろう？」などのように、子供に問いかけ、考えさせながら書かせていくことで、主体的な学びも生まれやすくなる。

3　対話的な学びを生み出す

対話的な学びとして、グループで話し合う活動を取り入れても、子供たちに話し合いたいことがなければ、形だけの活動になってしまう。活動そのものが大切なのではなく、何かを解決したり考えたりする際に、１人で取り組むだけではなく、近くの友達や教師などの様々な相手に、相談したり自分の考えを聞いてもらったりすることに意味がある。

そのためには、例えば、「疑問（○○って、どうなのだろうね？）」「共感や共有（ねえ、聞いてほしいんだけど……）」「目的（いっしょに、○○しよう！）」「相談（○○をどうしたらいいのかな）」などをもたせることが有用である。その上で、何分で話し合うのか（時間）、誰と話し合うのか（相手）、どのように話し合うのか（方法や形態）といったことを工夫するのである。

また、国語における対話的な学びでは、相手や対象に「耳を傾ける」ことが大切である。相手の言っていることにしっかり耳を傾け、「何を言おうとしているのか」という意図など考えながら聞くということである。

大人でもそうだが、思っていることや考えていることなど、頭の中の全てを言葉で言い表すことはできない。だからこそ、聞き手は、相手の言葉を手がかりにしながら、その人がうまく言葉にできていない思いや考え、意図を汲み取って聞くことが大切になってくる。

聞くとは、受け止めることであり、フォローすることである。聞き手がそのように受け止めてくれることで、話し手の方も、うまく言葉にできなくても口を開くことができる。対話的な学びとは、話し手と聞き手とが、互いの思いや考えをフォローし合いながら言語化する共同作業である。対話することを通して、思いや考えが言葉になり、そのことが思考を深めることにつながる。

国語における対話的な学びの場面では、こうした言葉の役割や対話をすることの意味などに気付いていくことも、言葉を学ぶ教科だからこそ、大切にしていきたい。

4　深い学びを生み出す

深い学びを実現するには、言葉による見方・考え方を働かせ、言語活動を通して国語科としての資質・能力を身に付けることが欠かせない（「言葉による見方・考え方」については、次ページを参照）。授業を通して、子供の中に、言葉や言葉の使い方についての発見や更新が生まれるということである。

国語の授業は、言語活動を通して行われるため、どうしても活動することが目的化しがちである。だからこそ、読むことでも書くことでも、「どのような言葉や言葉の使い方を学習するために、この活動を行っているのか」を、常に意識して授業を考えていくことが最も大切である。

そのためには、例えば、学習指導案の本時の目標と評価を、できる限り明確に書くようにすることが考えられる。「○場面を読んで、人物の気持ちを想像する」という目標では、どのような語句や表現に着目し、どのように想像させるのかがはっきりしない。教材研究などを通して、この場面で深く考えさせたい叙述や表現はどこなのかを明確にすると、学習する内容も焦点化される。つまり、本時の場面の中で、どの語句や表現に時間をかけて学習すればよいかが見えてくる。全部は教えられないので、扱う内容の焦点化を図るのである。焦点化した内容について、課題の設定や言語活動を工夫して、子供の学びを深めていく。言葉や言葉の使い方についての、発見や更新を促していく。評価についても同様で、何がどのように読めればよいのかを、子供の姿で考えることでより具体的になる。

このように、授業のねらいが明確になり、扱う内容が焦点化されると、その部分の学習が難しい子供への手立ても、具体的に用意することができる。どのように助言したり、考え方を示したりすればその子供の学習が深まるのかを、個別に具体的に考えていくのである。

「言葉による見方・考え方」を働かせる授業づくりのポイント

1 「言葉を学ぶ」教科としての国語科の授業

国語科は「言葉を学ぶ」教科である。

物語を読んで登場人物の気持ちについて話し合っても、説明文を読んで分かったことを新聞にまとめても、その言語活動のさなかに、「言葉を学ぶ」ことが子供の中に起きていなければ、国語科の学習に取り組んだとは言いがたい。

「言葉を学ぶ」とは、普段は意識することのない「言葉」を学習の対象とすることであり、これもまたあまり意識することのない「言葉の使い方」（話したり聞いたり書いたり読んだりすること）について、意識的によりよい使い方を考えたり向上させたりしていくことである。

例えば、国語科で「ありの行列」という説明的文章を読むのは、アリの生態や体の仕組みについて詳しくなるためではない。その文章が、どのように書かれているかを学ぶために読む。だから、文章の構成を考えたり、説明の順序を表す接続語に着目したりする。あるいは、「問い」の部分と「答え」の部分を、文章全体から見つけたりする。

つまり、国語科の授業では、例えば、文章の内容を読み取るだけでなく、文章中の「言葉」の意味や使い方、効果などに着目しながら、筆者の書き方の工夫を考えることなどが必要である。また、文章を書く際にも、構成や表現などを工夫し、試行錯誤しながら相手や目的に応じた文章を書き進めていくことなどが必要となってくる。

2 言葉による見方・考え方を働かせるとは

平成29年告示の学習指導要領では、小学校国語科の教科の目標として「言葉による見方・考え方を働かせ、言語活動を通して、国語で正確に理解し適切に表現する資質・能力を次のとおり育成することを目指す」とある。その「言葉による見方・考え方を働かせる」ということついて、『小学校学習指導要領解説　国語編』では、次のように説明されている。

> 言葉による見方・考え方を働かせるとは、児童が学習の中で、対象と言葉、言葉と言葉との関係を、言葉の意味、働き、使い方等に着目して捉えたり問い直したりして、言葉への自覚を高めることであると考えられる。様々な事象の内容を自然科学や社会科学等の視点から理解することを直接の学習目的としない国語科においては、言葉を通じた理解や表現及びそこで用いられる言葉そのものを学習対象としている。このため、「言葉による見方・考え方」を働かせることが、国語科において育成を目指す資質・能力をよりよく身に付けることにつながることとなる。

一言でいえば、言葉による見方・考え方を働かせるとは、「言葉」に着目し、読んだり書いたりする活動の中で、「言葉」の意味や働き、その使い方に目を向け、意識化していくことである。

前に述べたように、「ありの行列」という教材を読む場合、文章の内容の理解のみを授業のねらいとすると、理科の授業に近くなってしまう。もちろん、言葉を通して内容を正しく読み取ることは、国語科の学習として必要なことである。しかし、接続語に着目したり段落と段落の関係を考えたりと、文章中に様々に使われている「言葉」を捉え、その意味や働き、使い方などを検討していくことが、言葉による見方・考え方を働かせることにつながる。子供たちに、文章の内容への興味をもたせるとともに、書かれている「言葉」を意識させ、「言葉そのもの」に関心をもたせることが、国語科の授業では大切となる。

3 〔知識及び技能〕と〔思考力、判断力、表現力等〕

言葉による見方・考え方を働かせながら、文章を読んだり書いたりさせるためには、〔知識及び技能〕の事項と〔思考力、判断力、表現力等〕の事項とを組み合わせて、授業を構成していくことが必要となる。文章の内容ではなく、接続語の使い方や文末表現への着目、文章構成の工夫や比喩表現の効果など、文章の書き方に目を向けて考えていくためには、そもそもそういった種類の「言葉の知識」が必要である。それらは主に〔知識及び技能〕の事項として編成されている。

一方で、そうした知識は、ただ知っているだけでは、読んだり書いたりするときに生かされてこない。例えば、文章構成に関する知識を使って、今読んでいる文章について、構成に着目してその特徴や筆者の工夫を考えてみる。あるいは、これから書こうとしている文章について、様々な構成の仕方を検討し、相手や目的に合った書き方を工夫してみる。これらの「読むこと」や「書くこと」などの領域は、〔思考力、判断力、表現力等〕の事項として示されているので、どう読むか、どう書くかを考えたり判断したりする言語活動を組み込むことが求められている。

このように、言葉による見方・考え方を働かせながら読んだり書いたりするには、「言葉」に関する知識・技能と、それらをどう駆使して読んだり書いたりすればいいのかという思考力や判断力などの、両方の資質・能力が必要となる。単元においても、〔知識及び技能〕の事項と〔思考力、判断力、表現力等〕の事項とを両輪のように組み合わせて、目標／評価を考えていくことになる。先に引用した『解説』の最後に、「『言葉による見方・考え方』を働かせることが、国語科において育成を目指す資質・能力をよりよく身に付けることにつながる」としているのも、こうした理由からである。

4 他教科等の学習を深めるために

もう１つ大切なことは、言葉による見方・考え方を働かせることが、各教科等の学習にもつながってくる点である。一般的に、学習指導要領で使われている「見方・考え方」とは、その教科の学びの本質に当たるものであり、教科固有のものであるとして説明されている。ところが、言葉による見方・考え方は、他教科等の学習を深めることとも関係してくる。

これまで述べてきたように、国語科で文章を読むときには、書かれている内容だけでなく、どう書いてあるかという「言葉」の面にも着目して読んだり考えたりしていくことが大切である。

この「言葉」に着目し、意味を深く考えたり、使い方について検討したりすることは、社会科や理科の教科書や資料集を読んでいく際にも、当然つながっていくものである。例えば、言葉による見方・考え方が働くということは、社会の資料集や理科の教科書を読んでいるときにも、「この言葉の意味は何だろう、何を表しているのだろう」と、言葉と対象の関係を考えようとしたり、「この用語と前に出てきた用語とは似ているが何が違うのだろう」と言葉どうしを比較して検討しようとしたりするということである。

教師が、「その言葉の意味を調べてみよう」「用語同士を比べてみよう」と言わなくても、子供自身が言葉による見方・考え方を働かせることで、そうした学びを自発的にスタートさせることができる。国語科で、言葉による見方・考え方を働かせながら学習を重ねてきた子供たちは、「言葉」を意識的に捉えられる「構え」が生まれている。それが他の教科の学習の際にも働くのである。

言語活動に取り組ませる際に、どんな「言葉」に着目させて、読ませたり書かせたりするのかを、教材研究などを通してしっかり捉えておくことが大切である。

学習評価のポイント

1 国語科における評価の観点

各教科等における評価は、平成29年告示の学習指導要領に沿った授業づくりにおいても、観点別の目標準拠評価の方式である。学習指導要領に示される各教科等の目標や内容に照らして、子供の学習状況を評価するということであり、評価の在り方としてはこれまでと大きく変わることはない。

ただし、その学習指導要領そのものが、「知識及び技能」「思考力、判断力、表現力等」「学びに向かう力、人間性等」の資質・能力の３つの柱で、目標や内容が構成されている。そのため、観点別学習状況の評価についても、この３つの柱に基づいた観点で行われることとなる。

国語科の評価観点も、これまでの５観点から次の３観点へと変更される。

「（国語への）関心・意欲・態度」 「話す・聞く能力」 「書く能力」 「読む能力」 「（言語についての）知識・理解（・技能）」	→	「知識・技能」 「思考・判断・表現」 「主体的に学習に取り組む態度」

2 「知識・技能」「思考・判断・表現」の評価規準

国語科の評価観点のうち、「知識・技能」と「思考・判断・表現」については、それぞれ学習指導要領に示されている〔知識及び技能〕と〔思考力、判断力、表現力等〕と対応している。

例えば、低学年の「話すこと・聞くこと」の領域で、夏休みにあったことを紹介する単元があり、次の２つの指導事項を身に付けることになっていたとする。

・音節と文字との関係、アクセントによる語の意味の違いなどに気付くとともに、姿勢や口形、発声や発音に注意して話すこと。　〔知識及び技能〕(1)イ

・相手に伝わるように、行動したことや経験したことに基づいて、話す事柄の順序を考えること。　〔思考力、判断力、表現力等〕A話すこと・聞くことイ

この単元の学習評価を考えるには、これらの指導事項が身に付いた状態を示すことが必要である。したがって、評価規準は次のように設定される。

「知識・技能」	姿勢や口形、発声や発音に注意して話している。
「思考・判断・表現」	「話すこと・聞くこと」において、相手に伝わるように、行動したことや経験したことに基づいて、話す事柄の順序を考えている。

このように、「知識・技能」と「思考・判断・表現」の評価については、単元で扱う指導事項の文末を「～こと」から「～している」として置き換えると、評価規準を作成することができる。その際、単元で育成したい資質・能力に照らして、指導事項の文言の一部を用いて評価規準を作成する場合もあることに気を付けたい。また、「思考・判断・表現」の評価を書くにあたっては、例のように、冒頭に「『話すこと・聞くこと』において」といった領域名を明記すること（「書くこと」「読む

こと」も同様）も必要である。

3 「主体的に学習に取り組む態度」の評価規準

一方で、「主体的に学習に取り組む態度」の評価については、指導事項の文言をそのまま使うということができない。学習指導要領では、「学びに向かう力、人間性等」については教科の目標や学年の目標に示されてはいるが、指導事項としては記載されていないからである。そこで、「主体的に学習に取り組む態度」の評価規準は、それぞれの単元で、育成する資質・能力と言語活動に応じて、次のように作成する必要がある。

「主体的に学習に取り組む態度」の評価規準は、次の①～④の内容で構成される（〈　〉内は当該内容の学習上の例示）。

①粘り強さ〈積極的に、進んで、粘り強く等〉
②自らの学習の調整〈学習の見通しをもって、学習課題に沿って、今までの学習を生かして等〉
③他の２観点において重点とする内容（特に、粘り強さを発揮してほしい内容）
④当該単元（や題材）の具体的な言語活動（自らの学習の調整が必要となる具体的な言語活動）

先の低学年の「話すこと・聞くこと」の単元の場合でいえば、この①～④の要素に当てはめてみると、例えば、①は「進んで」、②は「今までの学習を生かして」、③は「相手に伝わるように話す事柄の順序を考え」、④は「夏休みの出来事を紹介している」とすることができる。

この①～④の文言を、語順などを入れ替えて自然な文とすると、この単元での「主体的に学習に取り組む態度」の評価規準は、

「主体的に学習に取り組む態度」	進んで相手に伝わるように話す事柄の順序を考え、今までの学習を生かして、夏休みの出来事を紹介しようとしている。

と設定することができる。

4 評価の計画を工夫して

学習指導案を作る際には、「単元の指導計画」などの欄に、単元のどの時間にどのような言語活動を行い、どのような資質・能力の育成をして、どう評価するのかといったことを位置付けていく必要がある。評価規準に示した子供の姿を、単元のどの時間でどのように把握し記録に残すかを、計画段階から考えておかなければならない。

ただし、毎時間、全員の学習状況を把握して記録していくということは、現実的には難しい。そこで、ABC といった記録に残す評価活動をする場合と、記録には残さないが、子供の学習の様子を捉え指導に生かす評価活動をする場合との、２つの学習評価の在り方を考えるとよい。

記録に残す評価は、評価規準に示した子供の学習状況を、原則として言語活動のまとまりごとに評価していく。そのため、単元のどのタイミングで、どのような方法で評価するかを、あらかじめ計画しておく必要がある。一方、指導に生かす評価は、毎時間の授業の目標などに照らして、子供の学習の様子をそのつど把握し、日々の指導の工夫につなげていくことがポイントである。

こうした２つの学習評価の在り方をうまく使い分けながら、子供の学習の様子を捉えられるようにしたい。

板書づくりのポイント

1 縦書き板書の意義

国語科の板書のポイントの１つは、「縦書き」ということである。教科書も縦書き、ノートも縦書き、板書も縦書きが基本となる。

また、学習者が小学生であることから、板書が子供たちに与える影響が大きい点も見過ごすことができない。整わない板書、見にくい板書では子供たちもノートが取りにくい。また、子供の字は教師の字の書き方に似てくると言われることもある。

教師の側では、ICT 端末や電子黒板、デジタル教科書を活用し、いわば「書かないで済む板書」の工夫ができるが、子供たちのノートは基本的に手書きである。教師の書く縦書きの板書は、子供たちにとっては縦書きで字を書いたりノートを作ったりするときの、欠かすことのできない手がかりとなる。

デジタル機器を上手に使いこなしながら、手書きで板書を構成することのよさを再確認したい。

2 板書の構成

基本的には、黒板の右側から書き始め、授業の展開とともに左向きに書き進め、左端に最後のまとめなどがくるように構成していく。板書は45分の授業を終えたときに、今日はどのような学習に取り組んだのかが、子供たちが一目で分かるように書き進めていくことが原則である。

黒板の右側　授業の始めに、学習日、単元名や教材名、本時の学習課題などを書く。学習課題は、色チョークで目立つように書く。

黒板の中央　授業の展開や学習内容に合わせて、レイアウトを工夫しながら書く。上下二段に分けて書いたり、教材文の拡大コピーや写真や挿絵のコピーも貼ったりしながら、原則として左に向かって書き進める。チョークの色を決めておいたり（白色を基本として、課題や大切な用語は赤色で、目立たせたい言葉は黄色で囲むなど）、矢印や囲みなども工夫したりして、視覚的にメリハリのある板書を構成していく。

黒板の左側　授業も終わりに近付き、まとめを書いたり、今日の学習の大切なところを確認したりする。

3 教具を使って

⑴ 短冊など

画用紙などを縦長に切ってつなげ、学習課題や大切なポイント、キーワードとなる教材文の一部などを事前に用意しておくことができる。チョークで書かずに短冊を貼ることで、効率的に授業を進めることができる。ただ、子供たちが短冊をノートに書き写すのに時間がかかったりするなど、配慮が必要なこともあることを知っておきたい。

⑵ ミニホワイトボード

グループで話し合ったことなどを、ミニホワイトボードに短く書かせて黒板に貼っていくと、それらを見ながら、意見を仲間分けをしたり新たな考えを生み出したりすることができる。専用のものでなくても、100円ショップなどに売っている家庭用ホワイトボードの裏に、板磁石を両面テープで貼るなどして作ることもできる。

⑶ 挿絵や写真など

物語や説明文を読む学習の際に、場面で使われている挿絵をコピーしたり、文章中に出てくる写真や図表を拡大したりして、黒板に貼っていく。物語の場面の展開を確かめたり、文章と図表との関係を考えたりと、いろいろな場面で活用できる。

⑷ ネーム磁石

クラス全体で話合いをするときなど、子供の発言を教師が短くまとめ、板書していくことが多い。そのとき、板書した意見の上や下に、子供の名前を書いた磁石も一緒に貼っていく。そうすると、誰の意見かが一目で分かる。子供たちも「前に出た〇〇さんに付け加えだけど……」のように、黒板を見ながら発言をしたり、意見をつなげたりしやすくなる。

4 黒板の左右に

⑴ 単元の学習計画や本時の学習の流れ

単元の指導計画を子供向けに書き直したものを提示することで、この先、何のためにどのように学習を進めるのかという見通しを、子供たちももつことができる。また、今日の学習が全体の何時間目に当たるのかも、一目で分かる。本時の授業の進め方も、黒板の左右の端や、ミニホワイトボードなどに書いておくこともできる。

⑵ スクリーンや電子黒板

黒板の上に広げるロール状のスクリーンを使用する場合は、当然その分だけ、板書のスペースが少なくなる。電子黒板などがある場合には、教材文などは拡大してそちらに映し、黒板のほうは学習課題や子供の発言などを書いていくことができる。いずれも、黒板とスクリーン（電子黒板）という２つをどう使い分け、どちらにどのような役割をもたせるかなど、意図的に工夫すると互いをより効果的に使うことができる。

⑶ 教室掲示を工夫して

教材文を拡大コピーしてそこに書き込んだり、挿絵などをコピーしたりしたものは、その時間の学習の記録として、教室の背面や側面などに掲示していくことができる。前の時間にどんなことを勉強したのか、それらを見ると一目で振り返ることができる。また、いわゆる学習用語などは、そのつど色画用紙などに書いて掲示していくと、学習の中で子供たちが使える言葉が増えてくる。

5 上達に向けて

⑴ 板書計画を考える

本時の学習指導案を作るときには、板書計画も合わせて考えることが大切である。本時の学習内容や活動の進め方とどう連動しながら、どのように板書を構成していくのかを具体的にイメージすることができる。

⑵ 自分の板書を撮影しておく

自分の授業を記録に取るのは大変だが、「今日は、よい板書ができた」というときには、板書だけ写真に残しておくとよい。自分の記録になるとともに、印刷して次の授業のときに配れば、前時の学習を振り返る教材として活用することもできる。

⑶ 同僚の板書を参考にする

最初から板書をうまく構成することは、難しい。誰もが見よう見まねで始め、工夫しながら少しずつ上達していく。校内でできるだけ同僚の授業を見せてもらい、板書の工夫を学ばせてもらうとよい。時間が取れないときも、通りがかりに廊下から黒板を見させてもらうだけでも勉強になる。

ICT 活用のポイント

1 ICT を活用した国語の授業をつくる

GIGA スクール構想による 1 人 1 台端末の整備が進み、教室の学習環境は様々に変化している。子供たちの手元にはタブレットなどの ICT 端末があり、教室には大型のモニターやスクリーンが用意されるようになった。また、校内のネットワーク環境も整備されて、かつては学校図書館やパソコンルームで行っていた調べ学習も、教室の自分の席に座ったままでいろいろな情報にアクセスできるようになった。

一方、子供たちの机の上には、これまでと同じく教科書やノートもあり、前面には黒板もあって様々に活用されている。紙の本やノート、黒板などを使って手で書いたり読んだりする学習と、ICT を活用して情報を集めたり共有したりする学習との、いわば「ハイブリッドな学び」が生まれている。

それぞれの学習方法のメリットを生かし、学年の発達段階や学習の内容に合わせて、活用の仕方を工夫していきたい。

2 国語の授業での ICT 活用例

ICT の活用によって、国語の授業でも次のような学習活動が可能になっている。本書でも、単元ごとに様々な活用例を示している。

共有する

文章を読んだ意見や感想、また書いた作文などをアップロードして、その場で互いに読み合うことができる。また、付箋機能などを使って、考えを整理したり、意見を視覚化して共有しながら話合いを行ったりすることもできる。ICT を活用した共有や交流は、国語の授業の様々な場面で工夫することができる。

書く

書いたり消したり直したりすることがしやすい点が、原稿用紙に書くこととの違いである。字を書くことへの抵抗感を減らす点もメリットであり、音声入力からまずテキスト化して、それを推敲しながら文章を作っていくという支援が可能になる。同時に、思考の速度に入力の速度が追いつかないと、かえって書きにくいという面もあり、また国語科は縦書きが多いので、その点のカスタマイズが必要な場合もある。

発表資料を作る

プレゼンテーションソフトを使って、調べたことなどをスライドにまとめることができる。写真や図表などの視覚資料も活用しやすく、文章と視覚資料を組み合わせたまとめを作りやすいというメリットがある。また、調べる活動もインターネットを活用する他、アンケートフォームを使うことでクラス内や学年内の様々な調査活動が簡単に行えるようになり、それらの調査結果を生かした意見文や発表資料を作ることが可能になった。

録音・録画する

話合いの単元などでは、グループで話し合っている様子を自分たちで録画し、それを見返しながら学習を進めることができる。また、音読・朗読の学習でも、自分の声を録音しそれを聞きながら、読み方の工夫へとつなげることができ、家庭学習でも活用することができる。一方、教材作成の面からも利便性が高い。例えば、教師がよい話合いの例とそうでない例を演じた動画教材を作って授業中に効果的に使うなど、様々な工夫が可能である。

蓄積する

自分の学習履歴を残したり、見返すことがしやすくなったりする点がメリットである。例えば、毎時の学習感想を書き残していくことで、単元の中の自分の考えの変化に気付きやすくなる。あるいは書いた作文を蓄積することで、以前の「書くこと」の単元でどのような書き方を工夫していたかをすぐに調べることができる。それらによって、自分の学びの成長を実感したり、前に学習したことを今の学習に生かしたりしやすくなる。

3 ICT 活用の留意点

(1) 指導事項に照らして活用する

例えば、「読むこと」には「共有」の指導事項がある。先に述べたように、ICT の活用によって、感想や意見はその場で共有できるようになった。一方で、そうした活動を行えば、それで「共有」の事項を指導したということにはならない点に気を付ける必要がある。

高学年では「文章を読んでまとめた意見や感想を共有し、自分の考えを広げること」(「読むこと」カ)とあるので、「自分の考えを広げること」につながるように意見や感想を共有させるにはどうすればよいか、そうした視点からの指導の工夫が欠かせない。

(2) 学びの土俵から思考の土俵へ

ICT は子供の学習意欲を高める側面がある。同時に、例えば、調べたことをプレゼンテーションソフトを使ってスライドにまとめる際に、字体やレイアウトのほうに気が向いてしまい、「元の資料をきちんと要約できているか」「使う図表は効果的か」など、国語科の学習として大切な思考がおろそかになりやすい、そうした一面もある。

ICT の活用で「学びの土俵」にのった子供たちが、国語科としての学習が深められる「思考の土俵」にのって、様々な言語活動に取り組めるような指導の工夫が必要である。

(3)「参照する力」を育てる

ICT を活用することで、クラス内で意見や感想、作品が瞬時に共有できるようになり、例えば、書き方に困っているときには、教師に助言を求めるだけでなく、友達の文章を見て書き方のコツを学ぶことも可能になった。

その際に大切なのは、どのように「参照するか」である。見ているだけは自分の文章に生かせないし、まねをするだけでは学習にならない。自分の周りにある情報をどのように取り込んで、自分の学習に生かすか。そうした力も意識して育てることで、子供自身が ICT 活用の幅を広げることにもつながっていく。

(4) 子供が選択できるように

ICT を活用した様々な学習活動を体験することで、子供たちの中に多様な学習方法が蓄積されていく。これまでのノートやワークシートを使った学習に加えて、新たな「学びの引き出し」が増えていくということである。その結果、それぞれの学習方法の特性を生かして、どのように学んでいくのかを子供たちが選択できるようになる。例えば、文章を書くときにも、原稿用紙に手で書く、ICT 端末を使ってキーボードで入力する、あるいは下書きは画面上の操作で推敲を繰り返し、最後は手書きで残すなど、いろいろな組み合わせが可能になった。

「今日は、こう使うよ」と教師から指示するだけでなく、「これまで ICT をどんなふうに使ってきた?」「今回の単元ではどう使っていくとよいだろうね?」など、子供たちにも方法を問いかけ、学び方を選択しながら活用していくことも大切になってくる。

〈第５学年及び第６学年　指導事項／言語活動一覧表〉

教科の目標

	言葉による見方・考え方を働かせ、言語活動を通して、国語で正確に理解し適切に表現する資質・能力を次のとおり育成することを目指す。
知識及び技能	(1)　日常生活に必要な国語について、その特質を理解し適切に使うことができるようにする。
思考力、判断力、表現力等	(2)　日常生活における人との関わりの中で伝え合う力を高め、思考力や想像力を養う。
学びに向かう力、人間性等	(3)　言葉がもつよさを認識するとともに、言語感覚を養い、国語の大切さを自覚し、国語を尊重してその能力の向上を図る態度を養う。

学年の目標

知識及び技能	(1)　日常生活に必要な国語の知識や技能を身に付けるとともに、我が国の言語文化に親しんだり理解したりすることができるようにする。
思考力、判断力、表現力等	(2)　筋道立てて考える力や豊かに感じたり想像したりする力を養い、日常生活における人との関わりの中で伝え合う力を高め、自分の思いや考えを広げることができるようにする。
学びに向かう力、人間性等	(3)　言葉がもつよさを認識するとともに、進んで読書をし、国語の大切さを自覚して、思いや考えを伝え合おうとする態度を養う。

〔知識及び技能〕

（１）言葉の特徴や使い方に関する事項

(1)　言葉の特徴や使い方に関する次の事項を身に付けることができるよう指導する。	
言葉の働き	ア　言葉には、相手とのつながりをつくる働きがあることに気付くこと。
話し言葉と書き言葉	イ　話し言葉と書き言葉との違いに気付くこと。 ウ　文や文章の中で漢字と仮名を適切に使い分けるとともに、送り仮名や仮名遣いに注意して正しく書くこと。
漢字	エ　第５学年及び第６学年の各学年においては、学年別漢字配当表*の当該学年までに配当されている漢字を読むこと。また、当該学年の前の学年までに配当されている漢字を書き、文や文章の中で使うとともに、当該学年に配当されている漢字を漸次書き、文や文章の中で使うこと。
語彙	オ　思考に関わる語句の量を増し、話や文章の中で使うとともに、語句と語句との関係、語句の構成や変化について理解し、語彙を豊かにすること。また、語感や言葉の使い方に対する感覚を意識して、語や語句を使うこと。
文や文章	カ　文の中での語句の係り方や語順、文と文との接続の関係、話や文章の構成や展開、話や文章の種類とその特徴について理解すること。
言葉遣い	キ　日常よく使われる敬語を理解し使い慣れること。
表現の技法	ク　比喩や反復などの表現の工夫に気付くこと。
音読、朗読	ケ　文章を音読したり朗読したりすること。

＊…学年別漢字配当表は、『小学校学習指導要領（平成29年告示）』（文部科学省）を参照のこと

（２）情報の扱い方に関する事項

(2)　話や文章に含まれている情報の扱い方に関する次の事項を身に付けることができるよう指導する。	
情報と情報との関係	ア　原因と結果など情報と情報との関係について理解すること。
情報の整理	イ　情報と情報との関係付けの仕方、図などによる語句と語句との関係の表し方を理解し使うこと。

（３）我が国の言語文化に関する事項

(3)　我が国の言語文化に関する次の事項を身に付けることができるよう指導する。	
伝統的な言語文化	ア　親しみやすい古文や漢文、近代以降の文語調の文章を音読するなどして、言葉の響きやリズムに親しむこと。 イ　古典について解説した文章を読んだり作品の内容の大体を知ったりすることを通して、昔の人のものの見方や感じ方を知ること。
言葉の由来や変化	ウ　語句の由来などに関心をもつとともに、時間の経過による言葉の変化や世代による言葉の違いに気付き、共通語と方言との違いを理解すること。また、仮名及び漢字の由来、特質などについて理解すること。
書写	エ　書写に関する次の事項を理解し使うこと。 (ア)用紙全体との関係に注意して、文字の大きさや配列などを決めるとともに、書く速さを意識して書くこと。 (イ)毛筆を使用して、穂先の動きと点画のつながりを意識して書くこと。 (ウ)目的に応じて使用する筆記具を選び、その特徴を生かして書くこと。
読書	オ　日常的に読書に親しみ、読書が、自分の考えを広げることに役立つことに気付くこと。

〔思考力、判断力、表現力等〕

Ａ　話すこと・聞くこと

	(1)　話すこと・聞くことに関する次の事項を身に付けることができるよう指導する。

話すこと	話題の設定	ア　目的や意図に応じて、日常生活の中から話題を決め、集めた材料を分類したり関係付けたりして、伝え合う内容を検討すること。
	情報の収集	
	内容の検討	
	構成の検討	イ　話の内容が明確になるように、事実と感想、意見とを区別するなど、話の構成を考えること。
	考えの形成	
	表現	ウ　資料を活用するなどして、自分の考えが伝わるように表現を工夫すること。
	共有	
聞くこと	話題の設定	【再掲】ア　目的や意図に応じて、日常生活の中から話題を決め、集めた材料を分類したり関係付けたりして、伝え合う内容を検討すること。
	情報の収集	
	構造と内容の把握	エ　話し手の目的や自分が聞こうとする意図に応じて、話の内容を捉え、話し手の考えと比較しながら、自分の考えをまとめること。
	精査・解釈	
	考えの形成	
	共有	
話し合うこと	話題の設定	【再掲】ア　目的や意図に応じて、日常生活の中から話題を決め、集めた材料を分類したり関係付けたりして、伝え合う内容を検討すること。
	情報の収集	
	内容の検討	
	話合いの進め方の検討	オ　互いの立場や意図を明確にしながら計画的に話し合い、考えを広げたりまとめたりすること。
	考えの形成	
	共有	
(2)　(1)に示す事項については、例えば、次のような言語活動を通して指導するものとする。		
	言語活動例	ア　意見や提案など自分の考えを話したり、それらを聞いたりする活動。 イ　インタビューなどをして必要な情報を集めたり、それらを発表したりする活動。 ウ　それぞれの立場から考えを伝えるなどして話し合う活動。

B　書くこと

(1)　書くことに関する次の事項を身に付けることができるよう指導する。	
題材の設定	ア　目的や意図に応じて、感じたことや考えたことなどから書くことを選び、集めた材料を分類したり関係付けたりして、伝えたいことを明確にすること。
情報の収集	
内容の検討	
構成の検討	イ　筋道の通った文章となるように、文章全体の構成や展開を考えること。
考えの形成	ウ　目的や意図に応じて簡単に書いたり詳しく書いたりするとともに、事実と感想、意見とを区別して書いたりするなど、自分の考えが伝わるように書き表し方を工夫すること。
記述	エ　引用したり、図表やグラフなどを用いたりして、自分の考えが伝わるように書き表し方を工夫すること。
推敲	オ　文章全体の構成や書き表し方などに着目して、文や文章を整えること。
共有	カ　文章全体の構成や展開が明確になっているかなど、文章に対する感想や意見を伝え合い、自分の文章のよいところを見付けること。
(2)　(1)に示す事項については、例えば、次のような言語活動を通して指導するものとする。	
言語活動例	ア　事象を説明したり意見を述べたりするなど、考えたことや伝えたいことを書く活動。 イ　短歌や俳句をつくるなど、感じたことや想像したことを書く活動。 ウ　事実や経験を基に、感じたり考えたりしたことや自分にとっての意味について文章に書く活動。

C　読むこと

(1)　読むことに関する次の事項を身に付けることができるよう指導する。	
構造と内容の把握	ア　事実と感想、意見などとの関係を叙述を基に押さえ、文章全体の構成を捉えて要旨を把握すること。 イ　登場人物の相互関係や心情などについて、描写を基に捉えること。
精査・解釈	ウ　目的に応じて、文章と図表などを結び付けるなどして必要な情報を見付けたり、論の進め方について考えたりすること。 エ　人物像や物語などの全体像を具体的に想像したり、表現の効果を考えたりすること。
考えの形成	オ　文章を読んで理解したことに基づいて、自分の考えをまとめること。
共有	カ　文章を読んでまとめた意見や感想を共有し、自分の考えを広げること。
(2)　(1)に示す事項については、例えば、次のような言語活動を通して指導するものとする。	
言語活動例	ア　説明や解説などの文章を比較するなどして読み、分かったことや考えたことを、話し合ったり文章にまとめたりする活動。 イ　詩や物語、伝記などを読み、内容を説明したり、自分の生き方などについて考えたことを伝え合ったりする活動。 ウ　学校図書館などを利用し、複数の本や新聞などを活用して、調べたり考えたりしたことを報告する活動。

第６学年の指導内容と身に付けたい国語力

1 第６学年の国語力の特色

第６学年は、小学校での学びの完成期とも言える学年である。〔知識及び技能〕〔思考力、判断力、表現力等〕の確かな育成とともに、これまでの学びで培って生きた〔学びに向かう力、人間性等〕の態度の育成も、中学校への繋がりを見据えて、授業をデザインしていく必要がある。

〔知識及び技能〕に関する目標は全学年共通である。第６学年では、それぞれの子供において、個人差が顕著になってくることを念頭に置きたい。活動の中を通して、これまで学んだ知識・技能を子供がいかんなく発揮できるように、個への手立てが不可欠となってくる。授業を考える際にも、全体の流れはもちろんのこと、個に応じた手立ても準備する必要があるだろう。

〔思考力、判断力、表現力等〕に関する目標では、「自分の思いや考え」を「広げることができるようにすること」に重点を置くよう示されている。個々に閉じた学習ではなく、対話的な活動を通して、自分の抱いている考えに他の視点からの意見を加えて、さらに考えを広げていけるようにしたい。自分一人では気付くことのできなかった新しい考えや思いの境地に至る過程は、より深い思考が可能となる高学年の子供だからこそ得られる学びのおもしろさとも言える。

〔学びに向かう力、人間性等〕に関する目標では、「言葉がもつよさ」を「認識すること」に、加えて「読書」については「進んで読書をすること」に重点を置くよう示されている。これらは他の力の育成を支えるものであり、相互に作用しながら育まれるものである。学習活動のまとめに自分の学びを振り返ることで、言葉についての捉えが更新されたり、言葉を通して自分に何がもたらされたのかを自覚したりすることを心掛けたい。

2 第６学年の学習指導内容

〔知識及び技能〕

全学年に共通している目標は、「日常生活に必要な国語の知識や技能を身に付けるとともに、我が国の言語文化に親しんだり理解したりすることができるようにする」である。

学習指導要領では、「(1)言葉の特徴や使い方に関する事項」「(2)情報の扱い方に関する事項」「(3)我が国の言語文化に関する事項」から構成されている。「(2)情報の扱い方に関する事項」は、今回の改訂で新設されたものである。これらを指導する際には、〔思考力、判断力、表現力等〕で構成されているものだけを取り出して別個に指導したり、先に〔知識及び技能〕を身に付けさせたりするというように順序性をもたせて扱うものではない。つまり、目的なく練習的な活動のみに終始したり、知識や技能を覚えさせた後に本来の活動に入ったりするといった授業を推奨しているのではないということである。学習者が、単元の中心となる言語活動を通して〔知識及び技能〕を習得していくように、授業をデザインすることが望ましい。第６学年の教科書では、基本的に〔知識及び技能〕を指導の中心に据えた教材であっても、〔思考力、判断力、表現力等〕における「A　話すこと・聞くこと」「B　書くこと」「C　読むこと」の指導事項に関連させて構成しているのは、そうした考えに基づくものである。

「(1)言葉の特徴や使い方に関する事項」は、言葉の特徴や使い方に関する内容を指導する事項である。小学校の最終段階である第６学年では、身に付けたことを実際に使ったり、使い慣れていったりすることが求められている。国語の授業に限らず、実生活における様々な場面で意識して使っていけるように指導することが不可欠である。１年間の学校行事や特別活動との関連を考慮しながら、年間を通して経験を積み重ねながら、使える知識・技能にしていくように心掛けたい。

「⑵情報の扱い方に関する事項」では、話や文章に含まれている情報を取り出して整理したり、その関係を捉えたりすることを指導する。第６学年では、原因と結果の因果関係を明確にすることや、複数の情報を関係付けたり、図などで関係を表したりすることが示されている。我々に情報を伝えるためのツールは日々増え続けている。それぞれの特徴を踏まえるとともに、目的に合わせて使い分けていくことができるように指導することが大切である。

「⑶我が国の言語文化に関する事項」は、我が国の言語文化に関する事項である。昔の人のものの見方や感じ方について知ったり、言葉が時代を経てどのように変化してきたのかを知ったりするようにする。そのためには言語文化に触れたり親しんだりするだけでなく、対象について俯瞰した位置からの考察を忘れないようにしたい。時代背景や言語文化の背景にある人の思考に目を向けさせるように授業をデザインしたい。

今回の改訂では、読書も〔知識及び技能〕に位置付けられている。自分にとっての読書行為をメタに捉えること、すなわち読書の意義や効用について捉え、読書によって多様な視点から物事を考えるようになり、自分の考えが広がっていくという実感をもたせたい。学習活動の中で、自分の読書経験を振り返り、そこから自分にもたらされたものは何かを考えることが大切と言えるだろう。

〔思考力、判断力、表現力等〕

第５学年及び第６学年の目標は、「筋道立てて考える力や豊かに感じたり想像したりする力を養い、日常生活における人との関わりの中で伝え合う力を高め、自分の思いや考えを広げることができるようにする」である。したがって、「話すこと・聞くこと」「書くこと」「読むこと」において、筋道を立てて考える力を育成すること、その考えや思いを広げることを重点的に指導していくことになる。そして、これらの指導事項は、言語活動を通して指導していくことになる。

① A 話すこと・聞くこと

高学年の「話すこと」では、「話題の設定、情報の収集、内容の検討」において、「目的や意図に応じて、日常生活の中から話題を決め、集めた材料を分類したり関係付けたりして、伝え合う内容を検討すること」、「構成の検討、考えの形成」においては、「事実と感想、意見とを区別するなど、話の構成を考えること」、「表現、共有」においては、「自分の考えが伝わるように表現を工夫すること」が示されている。構成や表現については、「B　書くこと」「C　読むこと」の領域で学んだ内容とも関連させながら、指導していくとよい。

「聞くこと」では、話し手や自分の「意図に応じて」内容を捉え、双方の考えを比較しながら、「自分の考えをまとめる」ことが示されている。単元全体の目的と関連させながら、この時間は何のために聞くのか、その目的を聞き手が明確にもつことが重要である。目的によって特に何を中心に聞き取るのか、聞き手の構えが変わってくる。例えば教科書にある『聞いて、考えを深めよう』では、テーマについての自分の考えを深めるという目的のために、どのような聞き方をすればよいかが示されている。話し合いの活動の中で聞く力も育んでいくようにするとよい。

「話し合うこと」では、「互いの立場や意図を明確にしながら計画的に」話し合うことが求められる。そのため、話し合いの目的や方向性を事前に確認しながら、必要な準備を行い、話題についてどのような考えをもっているのかを共有しておくようにしたい。

② B 書くこと

高学年の「書くこと」では、「話題の設定、情報の収集、内容の検討」において、「目的や意図に応じて、感じたことや考えたことなど」から書きたいことを選び、「集めた材料を分類したり関係付けたりして」何を伝えたいのかを明確にすることが示されている。問題意識に基づいて自分の考えを書くための準備を丁寧に行う必要がある。

「構成の検討」においては、首尾一貫した展開になるように「筋道の通った文章」とすることが示され、そのために「文章全体の構成や展開を考える」ことが求められている。「序論―本論―結論」という構成が一般的であり、それを基本として段落の内容を考えたり書き方を工夫したりする。「読むこと」の説明的な文章で学んだ内容とも関連させて指導するとよいだろう。「記述」に入る前の前段階で、自分の考えは何か、それをどのように構成するのか、といった見通しを具体的にもてているかどうかが、この先の「記述」の過程に大きく影響することは言うまでもない。

「考えの形成、記述」においては「目的や意図に応じて簡単に書いたり詳しく書いたりする」ことや、「事実と感想、意見とを区別して書いたりする」ことが示されている。ここでは、「図表やグラフ」等の「引用」についても触れられており、どのように出典を明記するのが適切かも必ず指導する。インターネットやSNSの普及によって重要度を増している項目であるので、小学校段階できちんと指導しておくことが重要であろう。著作権を尊重する態度を育むことも教育上忘れてはならないことである。

「推敲」においては、「文章全体の構成や書き表し方などに着目して」書き記した文章を読み返し、文章を整えることが示され、「共有」においても、「文章全体の構成や展開が明確になっているか」等の観点から、自分の文章の内容や表現のよさを見いだしていくことが示されている。「目的や意図」に応じた「文章全体」の一貫性が重視されているのであり、高学年における「書くこと」の指導事項の最大の特徴と考えてよいだろう。

これらの指導事項は、学習過程に沿って構成されている。言わば一連の学習のプロセスが示されているわけで、単元によって軽重を付けたり重点化したりしながらも、どれかが独立して取り扱われるということはない。「書くこと」の単元の基本的な授業の流れを形成していると言えよう。

③C 読むこと

今回の改訂では、「読むこと」の学習過程も明確に示され、その中に指導事項が位置付けられている。言わば「読むこと」の授業の枠組み、「読むこと」では何を指導するのか、学習者は何ができるようになることが求められているのか、よりはっきり示されたと言えるだろう。

高学年の「読むこと」では、「構造と内容の把握」において、説明的な文章では、「文章全体の構成を捉えて要旨を把握すること」が、文学的な文章では、「登場人物の相互関係や心情など」を捉えることが示されている。文章全体の内容や特徴について、その概要をつかむことが、より深い学びへの土台になる。「精査・解釈」では、説明的な文章では、「必要な情報を見付けたり、論の進め方について考えたりすること」が、文学的な文章では、「人物像や物語などの全体像」を具体的に想像したり、「表現の効果」を考えたりすることが示されている。筆者がどのように情報を整理して意見をまとめているのかを考えたり、読者としてこの物語をどのように解釈したのか、具体的な叙述に基づいて考えたりすることが求められる。「考えの形成」では、「自分の考えをまとめること」が、また「共有」では「自分の考えを広げること」が示されている。友達との対話を通して「自分の考えを広げる」ためには、その前段階として自分の考えを明確にもっている必要がある。文章から自分が見いだしたことは何か、考えたことは何かをまとめた上で、考えの交流をするようにしたい。もちろん無目的な交流では、学習者に考えの深まりや広がりは期待することはできない。何について考えるのか、学習問題を明確につかむことが不可欠である。

これらの学習過程並びに指導事項は順番に沿って取り扱うものではない。単元のねらいや教材によって、行きつ戻りつしながら考えを広げたり深めたりできるように、学習計画については授業者の創意工夫が期待されるところである。

3 第6学年における国語科の学習指導の工夫

この学習はどこに向かっていくのか、どのような方法で学びを進めていくのかをしっかりとつかんでいなければ、よりよい学びを展開することはできない。「話すこと・聞くこと」「書くこと」であれば、目的意識と相手意識は欠かせないものであり、「読むこと」であれば、学習問題の設定は不可欠といえる。学びの見通しを共有するために、活動に入る前の丁寧な導入を心掛け、また、既習事項であっても必要に応じて確認をするなど、子供の実態を踏まえた手立てを工夫するようにしたい。

①話すこと・聞くことにおける授業の工夫について

【話型の活用】何をどのように話せばよいのか、まずは目的に応じて基本的な話型を身に付けることが必要である。その活動に必要な話型をいくつか取り上げ、子供に示すことが一般的であるが、その話型を使うこと自体が目的になってしまうこともある。基本的な話型にとどまらず、話し合いの中で子供が使った効果的な話し方を教師が取り上げたり子供に気付かせたりして、学級の学びの履歴に残していくようにしたい。具体的には基本的な話型に随時付け足していくような提示資料を作り、必要な時に子供が自分から目を向けることができるようにするとよいだろう。

【自分の学びを捉える方法】音声言語は発せられたとたんに消えてしまうものである。そのため、自分あるいは自分たちの学びがどうだったのか、客観的に捉えることが難しい。相互評価の場を設けて友達同士で伝え合うことや、視聴覚機器を使って話し合いを記録し、聞き直すことで自分の学びの成果を見極めるようにしたい。音声を文字言語に起こして、全体を俯瞰して捉えるのも効果的である。

【生かす場の見通しをもつ】学んだことを積極的に発揮できる場として、特別活動や総合的な学習の時間等の活動と連携していくようにする。学んだことはどんなときに生かすことができそうかということについて振り返りの中で話題にすることで、生かす場の見通しをもつ。自ら意識して役立てようとする学習者の姿が期待できる。

②書くことにおける授業の工夫について

【学習モデルの提示】「書くこと」の単元のゴールは、必ず何らかの文や文章を書くことである。そのためゴールのイメージを明確にもたせるためにも、学習モデルを早い段階で子供に提示したい。教科書では、必ず完成モデルを例示しているので、それを丁寧に共有することで、目的、内容、構成や表現の特徴、文量などをつかむことができる。単元のゴールに向かって何をどうすればよいのか学習者に単元の全体像が見えてくる。

【学習計画の提示】ゴールまでの過程を確認しながら学習を進めるようにしたい。そのためにも、学習計画を提示して、全体で共有するようにしたい。基本的に授業は、教室にいる全員が同じように段階を踏んで進めていくことが求められるが、書く活動はその進み具合に個人差が出やすい活動である。自分は今どの段階にいるのかを把握することで、自分の学びを調整できるようにしたい。「もう一度、文章構成を練り直したい」「よりよい表現はないか、もう少し考えたい」等、主体的な学習者であればあるほど、必要に応じて前の過程に立ち戻ったり、計画を見直したりすることがある。そのためにも学習過程を常に意識しながら、学習計画に幅をもたせておくことも必要であろう。

【交流活動】でき上がった作品の交流に限らず、学習過程の様々な段階で意図的に考えの交流ができる場を設けたい。例えば「構成の検討」において、内容は筋が通っているか。「考えの形成、記述」

においては表現の工夫は適切かどうか等、自分の目ではなかなか判断することが難しい。学習過程のそれぞれの段階で、他者の目を通して意見をもらい、それを踏まえて手を加えていくようにしたい。

③読むことにおける授業の工夫について

【ノートの活用】ワークシートで学習を進めることも大切にしつつ、自分で自分の学習ノートを作ることも大事にしたい。文学的な文章であれば心情曲線を自分のノートに自ら作ったり、説明的な文章であれば内容を整理して表にまとめてみたり、ワークシートを使わなくても既習事項を生かしたノートを自分で作ることができるようにしたい。ノートを作っていく過程は、自分の考えを明確にしていく過程でもある。

【学習者の問いから学習問題を立てる】この単元ではどんなことを追究するのか、主体的な学習を実現するためにも、学習者の問いや疑問から学習問題を立てて授業を進めたい。一般的には初読の感想を共有し、それを皆で整理していく中で、学習問題が形成される。「皆で考えたいことはどんなことか」という視点をもって学習問題を検討するとよいだろう。その際留意しなくてはいけないことは、ある部分だけに目を向けた一問一答のような解決にならないようにすることである。例えば文学的な文章においては、学習問題の追究において、物語の内容や登場人物の心情の変化、題名、表現等、様々な要素が関連することが多い。それぞれの要素を学習者が関連付けながら問題解決できるように、問題解決の見通しをもつことを大事にしたい。

【交流活動】考えを深めていくためには、自分自身の考えをはっきりもつことが欠かせない。その上で、互いの考えをどのように交流していくのか、「読むこと」においても様々な方法がある。教師がファシリテーターとなって学級全体で学習問題についての考えを交流する場合もあれば、小グループに分かれて話し合い、グループを組み替えて続けていくという方法もある。子供の実態に合わせた交流を設定するようにしたい。前者の場合は、関連し合う意見を結び付けたり、観点ごとに整理したりするなど、板書で話し合いを整理することが大切である。後者の場合は、考えが深まるようにグループ構成を十分配慮することを忘れないようにしたい。

④語彙指導や読書指導などにおける授業の工夫について

【活動を通して新しい言葉に出合う】言語活動を通して、様々な言葉に意識的に目を向けるようにしたい。例えば、調べたことを書く活動の中では、伝聞「〜そうだ」「〜とだそうです」といった文末表現や、具体例を示す「例えば〜」「具体的には〜」といった表現を実際に使うことになる。また、話し合いの活動では、思考を整理するために「〜ということは、つまり……」「まとめると〜」等の言葉を使うことになる。活動をする上で出合った言葉を使用場面に応じて整理し蓄積していくことで、日常化を図るようにする。言葉のノートを作って、子供が個々に溜めていくようにしたり、教室内に言葉コーナーをつくって残していったりしてもよい。

【授業と関連させた並行読書】司書教諭や近隣の公立図書館と連携して、単元における関連書籍を集めて、いつでも子供が手に取れるように学習環境を整えておきたい。単元の構成によっては、授業に対して関連図書を読む活動を設定し、中心となる教材と比較検討するなどの活動も考えられる。

【本の紹介】高学年の子供は、友達から薦められた本を手に取る姿をよく見せる。そこで、朝の常時活動として、子供が順番に本の紹介をしたり、教師から本の紹介をしたりする。物語に偏ることも多いので、様々なジャンルの本に目を向けるよう、意図的に紹介する本にテーマを設けるとよい。

2

第 6 学年の授業展開

作品の世界を想像しながら読み、考えたことを伝え合おう

やまなし／［資料］イーハトーヴの夢

8 時間扱い

単元の目標

知識及び技能	・文章の構成や展開、文章の種類とその特徴について理解することができる。((1)カ) ・比喩や反復などの表現の工夫に気付くことができる。((1)ク)
思考力、判断力、表現力等	・物語の全体像を具体的に想像したり、表現の効果を考えたりすることができる。(C エ)
学びに向かう力、人間性等	・言葉がもつよさを認識するとともに、進んで読書をし、国語の大切さを自覚して、思いや考えを伝え合おうとする。

評価規準

知識・技能	❶文章の構成や展開、文章の種類とその特徴について理解している。(〔知識及び技能〕(1)カ) ❷比喩や反復などの表現の工夫に気付いている。(〔知識及び技能〕(1)ク)
思考・判断・表現	❸「読むこと」において、物語の全体像を具体的に想像したり、表現の効果を考えたりしている。(〔思考力、判断力、表現力等〕C エ)
主体的に学習に取り組む態度	❹粘り強く物語の全体像を具体的に想像したり、表現の効果を考えたりして、学習の見通しをもって作品世界について考えたことを伝え合おうとしている。

単元の流れ

次	時	主な学習活動	評価
一	1	**学習の見通しをもつ** 「問いをもとう」「目標」から学習問題を設定し、学習計画を立てる。	
二	2	「やまなし」を読み、2枚の青い幻灯に描かれた世界であることを捉え、それを絵や図で表す。	❶❷
	3	「［資料］イーハトーヴの夢」を読み、宮沢賢治の生き方や考え方について感想を話し合う。	
	4	「やまなし」の中の「五月」の情景を表現に着目しながら想像する。	❸
	5	「やまなし」の中の「十二月」の情景を表現に着目しながら想像する。	❸
	6	「五月」と「十二月」を関連させながら、「やまなし」という題名の意味について考える。	❸
	7	作品に込められた作者の思いを考え、自分の考えをまとめる。 書いたものを読み合い、感想を交流する。	❹

三	8	学習を振り返る 学習を振り返る。	

授業づくりのポイント

〈単元で育てたい資質・能力〉

本単元でのねらいは、独特の表現に着目しながら、「やまなし」の作品世界を想像し、考えたことを伝え合うことである。表現と挿絵に注目しながら「やまなし」の世界を捉えた上で、オノマトペなどの言葉から感じ取れるイメージについて話し合ったり、川底の世界の様子を想像したりするようにしたい。

[具体例]

○「ラムネのびんの月光」という比喩表現や、「月光のにじがもかもか集まりました」というオノマトペ表現は、この作品特有の表現である。学習者がそこからどんな様子をイメージしたか、交流することで、「やまなし」の作品世界を広げていくようにしたい。

〈教材・題材の特徴〉

宮沢賢治作品に特有とも言えるオノマトペにあふれた作品である。冒頭「小さな谷川の底を写した、二枚の青い幻灯です」と終わりの「私の幻灯は、これでおしまいであります」という枠組みは、この作品は映像であることを示しており、この作品を読むための大前提となる。「クラムボン」や「イサド」といった言葉に対する説明が一切なされていないのも、読者は、映像をそのまま見ているのだという枠組みによるものと言える。「五月」と「十二月」の川底の世界を、読者は、小さなかにの視点に寄り添って見ていくことになる。どのような言葉・表現で映し出されているのかを味わいながら、挿絵も活用して、それぞれの世界の様子を想像するようにしたい。

[具体例]

○生物が躍動感に満ちた「五月」の水底の世界は、小さなかににとっては恐怖の時間でもある。反対に寒さに震える「十二月」は、小さなかににとってはやまなしの実が熟すのを待つ、楽しみに満ちた穏やかな時間である。かにの視点に立って世界を見たときに、人間とは別の時間が流れているということを感じ取らせたい。

〈読書リスト〉

読書指導に関連させて、宮沢賢治作品を手に取ることのできる環境を用意するとよい。本単元では、「やまなし」に焦点化しているが、他の作品も視野に入れることで「やまなし」という作品世界の捉えは、学習者の中でより深いものになっていく。もちろん「やまなし」について話し合っているときには他の作品が話題になると、話合いが拡散してしまう。並行読書というよりは、発展的な学習のための資料として、第7・8時以降に生かしていけるとよいだろう。

〈ICT の効果的な活用〉

調査：馴染みのない事物について ICT 端末で調べる。「かわせみ」「かばの花」「金雲母」「金剛石」など子供にとって馴染みのないものについては、画像で確認するとよいだろう。

本時案

やまなし

1/8

本時の目標

・学習課題をつかみ、単元の学習の見通しをもつことができる。

本時の主な評価

・読んで感じたことや考えたことを基に、学習課題について進んで考えている。

資料等の準備

・「やまなし」「かわせみ」「清流」などの写真

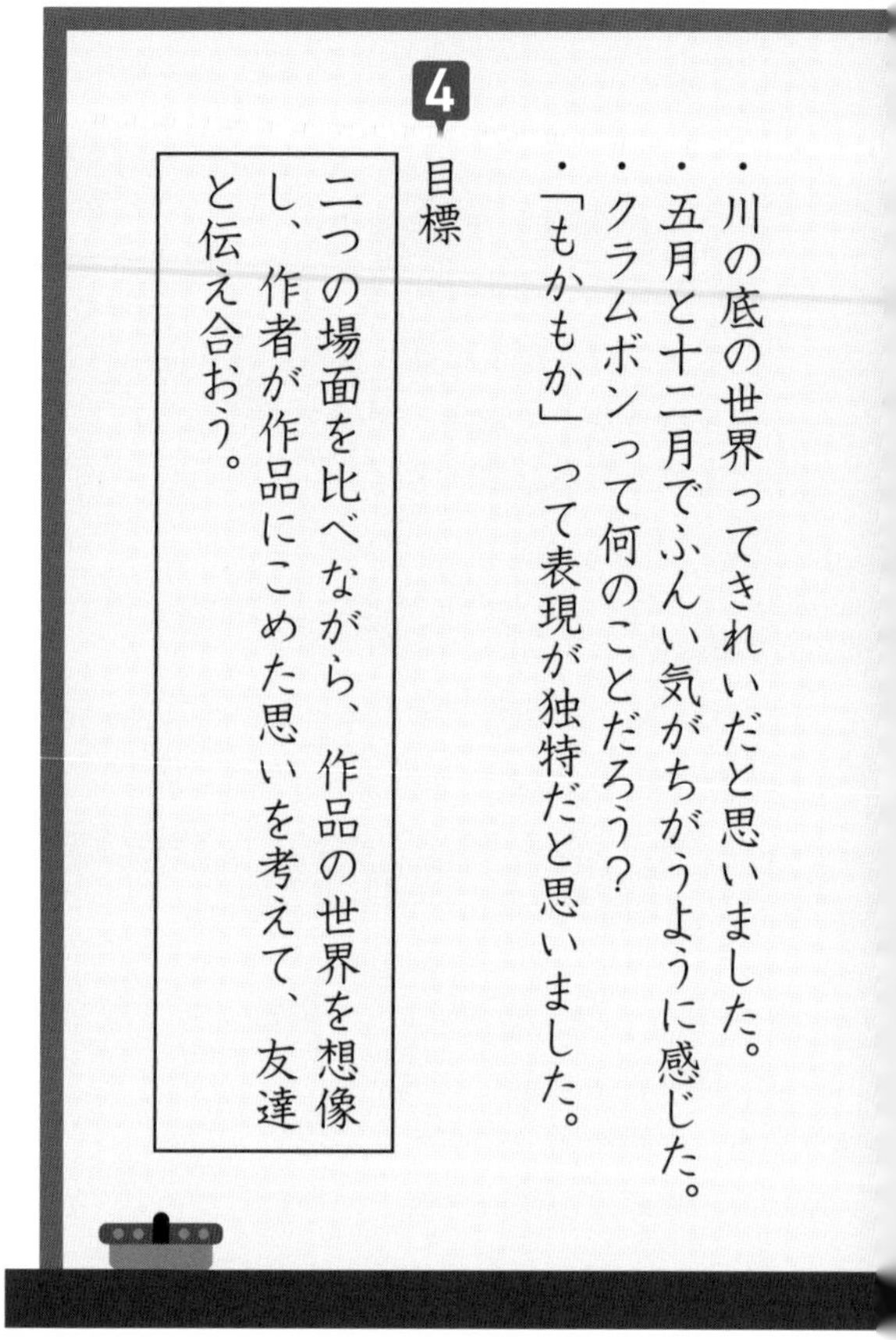

・川の底の世界ってきれいだと思いました。
・五月と十二月でふんい気がちがうように感じた。
・クラムボンって何のことだろう?
・「もかもか」って表現が独特だと思いました。
4
目標
二つの場面を比べながら、作品の世界を想像し、作者が作品にこめた思いを考えて、友達と伝え合おう。

授業の流れ ▷▷▷

1 「やまなし」という題名からどんな物語か想像する 〈10分〉

T　これから読む物語は、「やまなし」という題名です。読む前にどんな内容か想像してみましょう。

○作品世界につながるように、やまなしやかわせみ等、物語に登場するものの写真を見せたりしてもよい。

・伝説のやまなしを取りに行く物語。

・やまなしをめぐって生き物たちがけんかする物語。

○ドラマティックな起伏のあるストーリーを想像する子供が多いことが予想される。

2 教師の範読を聞く 〈12分〉

T　これから先生が読みます。どんな情景が浮かんできたか想像しながら聞いてください。後で感想を聞きます。

○この後に何をするのか、どんなことに気を付けて聞くのか、子供が先の見通しをもちやすいような言葉かけをしてから範読する。

○範読の際は、情景を想像しやすいように、ゆっくり読むことを心がける。また、「やまなし」「かわせみ」「清流」等、作品に登場するものの写真を掲示しながら範読する。

ICT 端末の活用ポイント

かわせみや清流など、子供に馴染みのないものについては、自分で画像や映像を探して見るようにしてもよい。

やまなし　宮沢賢治

「やまなし」という物語を読み、学習の見通しをもとう。

1 「やまなし」どんな物語？
・伝説のやまなしを取りに行く物語かも。
・やまなしをめぐって生き物たちがけんかする物語かも。

2 どんな情景が浮かんできたか考えながら読もう。

3 読んだ感想

3 感想を話し合う 〈13分〉

T　どんな感想をもったか教えてください。
・川の底の世界ってきれいだと思いました。
・「五月」と「十二月」で雰囲気が違う印象。
・クラムボンって何のことだろう？
・表現が独特だと思いました。

○子供の発言に対しては「どうしてそう思ったの？」「どの叙述のことかな？」と補助発問をして、できるだけ具体的に話せるようにする。まずは、率直な感想を自由に言わせ、子供の感想から、「五月」と「十二月」の違いや独特の作品世界に目を向けさせる。

4 学習計画を立てる 〈10分〉

○教科書 p.132の「問いをもとう」と「目標」を確認し、「二つの場面を比べながら、作品の世界を想像し、作者が作品にこめた思いを考えて、友達と伝え合おう」というこの学習の目標を子供と共有する。

T　「五月」と「十二月」で川底の雰囲気が違ったり、表現が独特だったりするのが特徴的ですね。この単元では、作品の独特な世界を想像し、考えたことを伝え合うようにしましょう。

本時案

やまなし

2/8

本時の目標

・物語「やまなし」の構成や表現の特徴、大まかな内容について捉えることができる。

本時の主な評価

❶「五月と「十二月」という文章の構成や物語の展開についてつかんでいる。【知・技】
❷特徴的なオノマトペ等、「やまなし」における独特な表現に気付いている。【知・技】

資料等の準備

・特になし

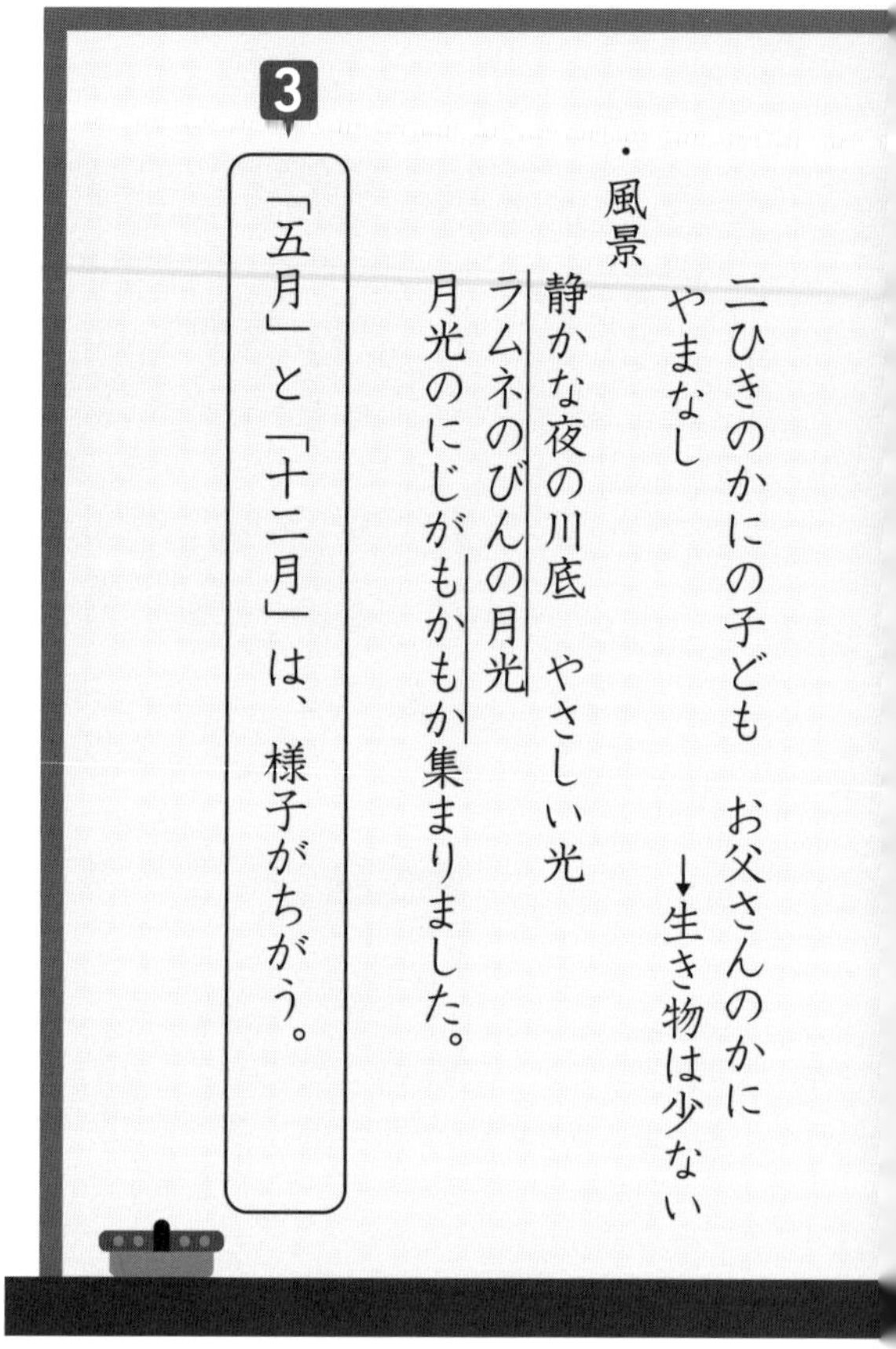

二ひきのかにの子ども　お父さんのかに
やまなし
↓生き物は少ない
・風景
静かな夜の川底　やさしい光
ラムネのびんの月光
月光のにじがもかもか集まりました。
3
「五月」と「十二月」は、様子がちがう。

授業の流れ ▷▷▷

1 「二枚の青い幻灯」ということについて話し合う 〈7分〉

T　今日は、作品の独特な世界を捉えて、自分の考えをまとめていくための第一歩として、作品の大枠を捉えていきます。「やまなし」では最初に「小さな谷川の底を写した、二枚の青い幻灯です」と書いてあります。どういうことでしょう。
○教科書 p.132「とらえよう」を確認する。
○「幻灯」という言葉の意味を伝える。
・映画みたいなものかなあ。
・普通の物語とは違って、観客になって画面の中の世界を見てということかな。
T　これまで読んできた物語とは違った読み方ができそうですね。
○めあてを確認する。

2 表現に注目して、二つの場面の風景を想像する 〈18分〉

T　「五月」と「十二月」に出てくるものは何か整理しましょう。また、谷川の様子が分かる表現に注目して、その風景を想像しましょう。
○「出てくるもの」「風景」などの視点を示し、気が付いたことをノートに書かせる。教師は机間指導を行い、子供に「本文のどこからそう考えたのか」を確認していくようにする。独特な言い回しや表現に基づいて想像している子供を称賛する。
○挿絵も手がかりにしてよいことを確認する。

やまなし　　宮沢賢治

1 「小さな谷川の底を写した、二枚の青い幻灯」とは？

・映画みたいなもの。

・観客として画面の中の世界を見てみる。

2 二枚の青い幻灯にえがかれた五月と十二月の風景を想像しよう。

どのような風景？

※本文のどこから考えたか、はっきりさせる。

【五月】

・出てくるもの

二ひきのかにの子ども　お父さんのかに　魚

クラムボン　かわせみ　↓多くの生き物

・風景

水の底で光と影がゆらめいている

日光の黄金は、夢のように水の中に降ってきました。

まっすぐなかげの棒

【十二月】

・出てくるもの

3 「五月」と「十二月」の風景について交流する　〈20分〉

T　それぞれ登場するものや、風景について考えたことを交流しましょう。

○小グループ（４人程度）で行うようにする。

・「五月」は、たくさんの生き物が出てきます。

・「クラムボン」とは何だろう。

・「十二月」の「ラムネのびんの月光」は、ぼわっとした優しい光が差し込んでいる風景だと思います。

・雰囲気も違っているように思います。

○小グループでの交流が終わったら、全体交流をし、板書で整理する。特徴的な表現には傍線を引くなどして、雰囲気の違いに着目させる。

よりよい授業へのステップアップ

様々な読み方があることを自覚する

宮沢賢治の作品は、これまで教科書で読んできた物語のように登場人物の心情を考える学習とは違った学びをするのに適している。

登場人物の心情の変化や成長を考えることに慣れている子供は、この「やまなし」でも、これまでの経験から２匹のかにの成長を考えようとしがちである。「幻灯に映された風景」であることを強調し、どんな風景なのか想像することをしっかり押さえることが重要である。

読み方には様々な方法があるということを意識するようにさせたい。

本時案

やまなし／［資料］イーハトーヴの夢 3/8

本時の目標

・「［資料］イーハトーヴの夢」を読み、宮沢賢治の生き方や考え方について感想を話し合うことができる。

本時の主な評価

・資料を読んで、自分が考えたことについて話し合っている。

資料等の準備

・宮沢賢治の関連書籍（伝記、作品、絵本など）

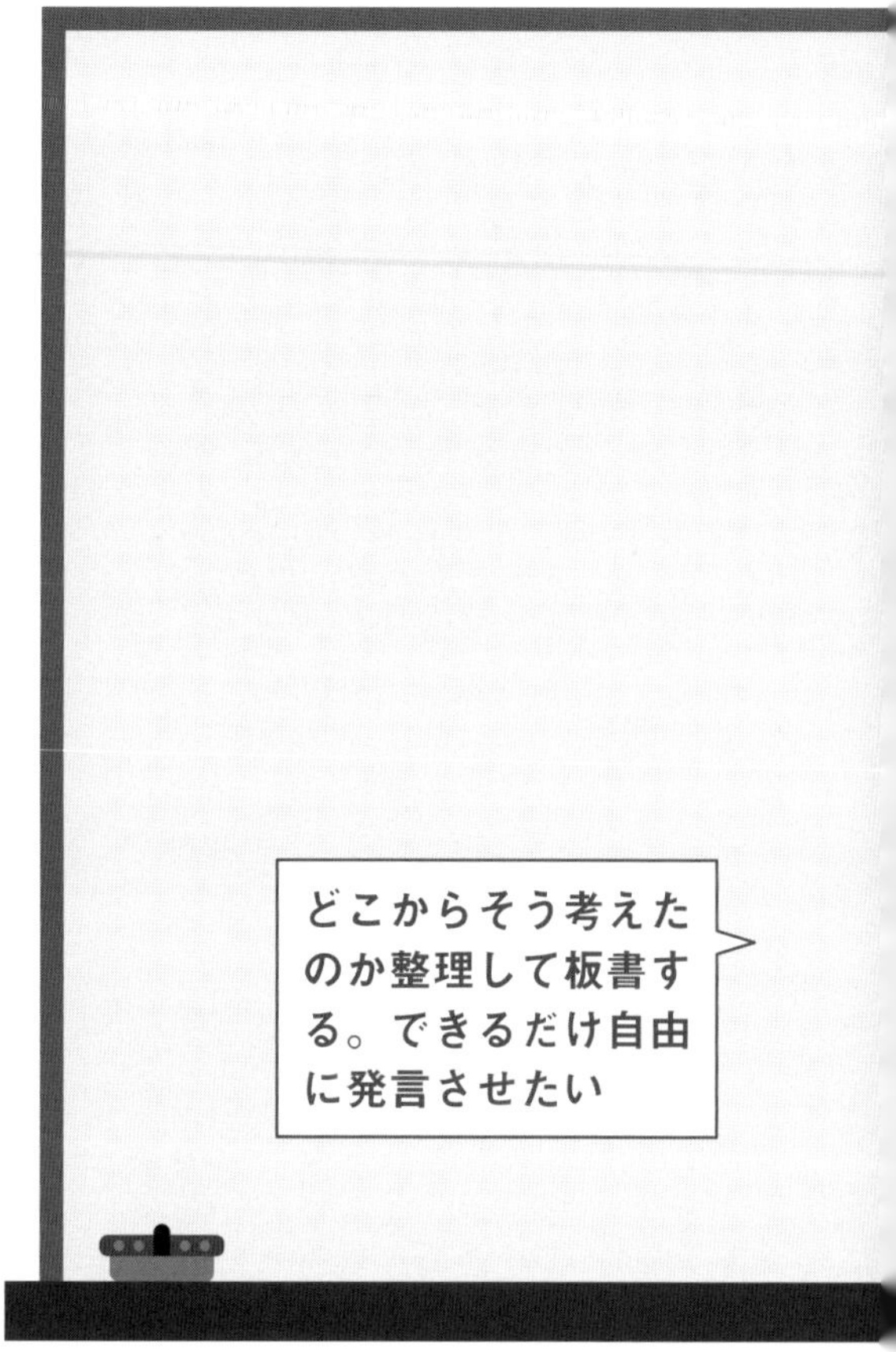
どこからそう考えたのか整理して板書する。できるだけ自由に発言させたい

授業の流れ ▷▷▷

1 宮沢賢治について知っていることを話し合う〈5分〉

○「［資料］イーハトーヴの夢」に関心をもてるように、子供が知っていることを聞き出す。

T 「やまなし」を書いたのは宮沢賢治という人です。この人について知っていることはありますか。

・「銀河鉄道の夜」という作品を読んだことがあります。

・「雨ニモ負ケズ」という詩も有名ですよね。

○宮沢賢治の伝記や、様々な作品集を教室に集めておき、示すようにするとよい。

2 「［資料］イーハトーヴの夢」の範読を聞く〈15分〉

T 教科書 p.132「とらえよう」のステップとして「［資料］イーハトーヴの夢」を読んで宮沢賢治という人物の生き方について考えてみましょう。この文章を今から読むので、宮沢賢治の生き方について考えながら聞くようにしてください。

○何のために範読を聞くのか、目的をしっかりと伝える。

○生き方や考え方が分かる叙述に傍線等の印を付けながら聞くように促すとよい。

やまなし　宮沢賢治

1 宮沢賢治について
・「銀河鉄道の夜」「風の又三郎」が有名。
・「雨ニモ負ケズ」という詩も有名。
・岩手県に住んでいた。

2 宮沢賢治の生き方について考えよう。

「[資料] イーハトーヴの夢」
生き方や考え方が分かるところにサイドラインを引く。

3 宮沢賢治の生き方や考え方
・「いねの心が分かる人間になれ」
↓植物にも寄りそおうとしている。
・苦しい農作業の中に、楽しさを見つける。
↓前向き
・肺炎で苦しんでいても、肥料のことを聞きに来た来客にていねいに対応する
↓こまっている人を見捨てられない

3 宮沢賢治の生き方や考え方について交流する　〈25分〉

T　宮沢賢治の生き方や考え方について考えたことを交流しましょう。

○本文の叙述から自分が考えた宮沢賢治の生き方や考え方を交流する。
・「いねの心が分かる人間になれ」
　→植物にも寄り添おうとする生き方
・苦しい農作業の中に、楽しさを見付ける
　→前向きな生き方
・肺炎で苦しんでいても肥料のことを聞きに来た来客に丁寧に対応する
　→困っている人を見捨てられない　など

よりよい授業へのステップアップ

図書資料の活用

宮沢賢治の関連資料として、伝記に限らず、多くの作品が学校図書館や公共の図書館で用意できる。連携をして子供がいつでも手に取れる環境を整えるとよい。本時においては導入で子供の発言に合わせて本を紹介し、授業後に興味をもった子供が自由に作品を読んで興味・関心を広げられるようにしたい。

「やまなし」以外の作品を一つ読むなど、課題図書として扱うのもよいだろう。

本時案

やまなし

4/8

本時の目標

・「やまなし」の中の「五月」の風景や様子について、表現に着目しながら想像することができる。

本時の主な評価

❸物語における「五月」の風景や生き物の様子を具体的に想像したり、表現の効果を考えたりしている。【思・判・表】

資料等の準備

・模造紙（ICT 機器で代用可）
・魚の絵 01-01
・くちばしの絵 01-02
・おびえているかにの絵 01-03

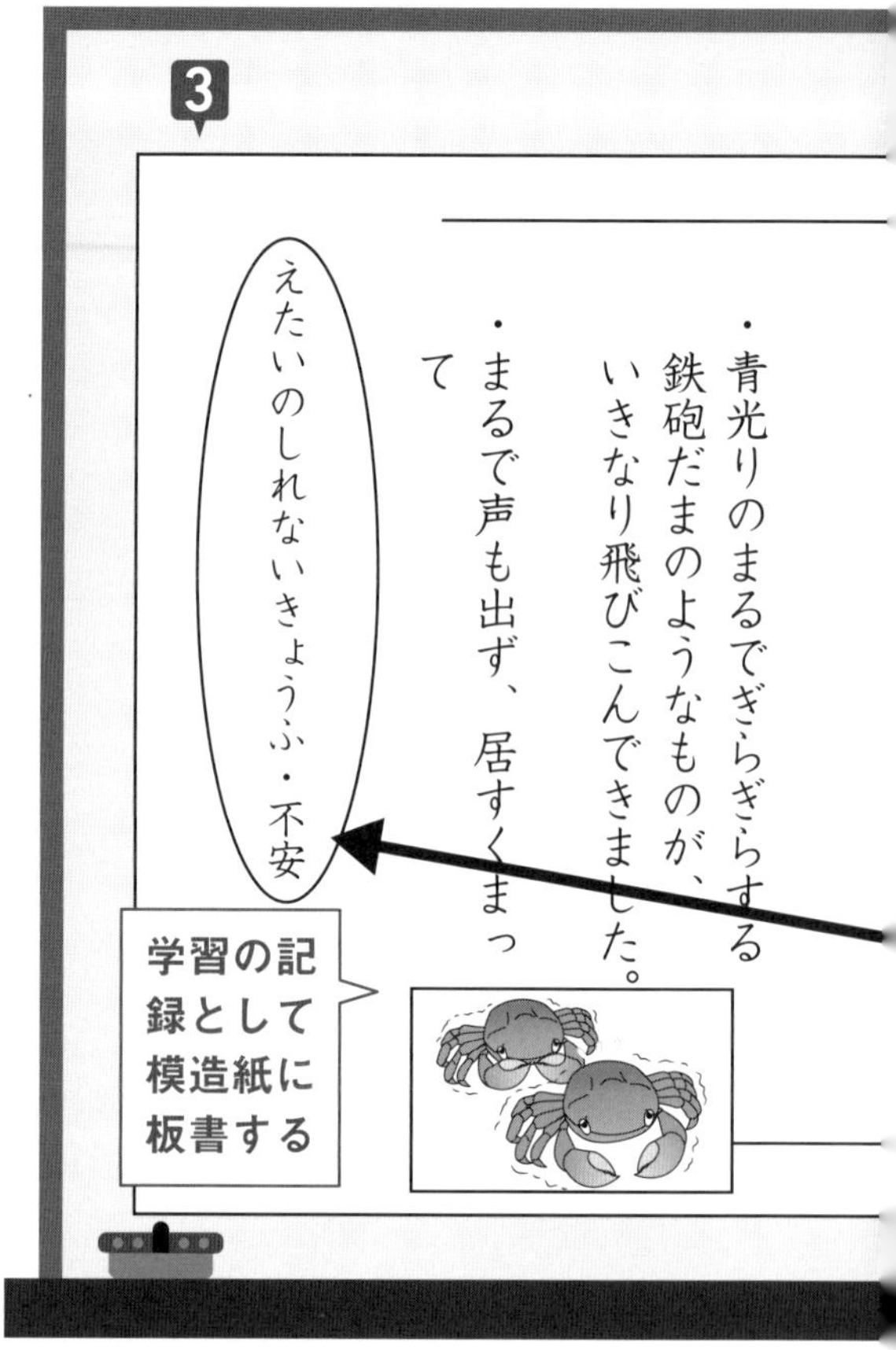

授業の流れ ▷▷▷

1 読み深める見通しを確認する 〈5分〉

○教科書 p.132～133の「とらえよう」→「ふかめよう」→「まとめよう」→「ひろげよう」というステップを確認し、この時間がどこに位置付くのか確かめる。

T これから「やまなし」の世界を読み深めていきましょう。読み深めていくために、「五月」と「十二月」の風景や水の底の生き物たちの様子を想像して、題名の意味について考えていきます。今日は「五月」に注目していきましょう。

2 「五月」の表現や挿絵からその風景や様子を想像する 〈15分〉

T 「五月」を読んで、その表現や挿絵からどんな風景や様子が想像できるか考えましょう。

○一人読みで、気になる表現を見付け、傍線を引く。挿絵も味わいながら、どんな風景や様子が想像できたかノートにまとめるようにする。

【着目させたい叙述例】

・かぷかぷ笑ったよ
・つうと銀の色の腹をひるがえして
・波から来る光のあみが、底の白い岩の上で、美しくゆらゆらのびたり縮んだりしました
・青光りのまるでぎらぎらする鉄砲だまのようなものが、いきなり飛びこんできました

など

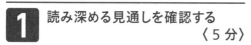

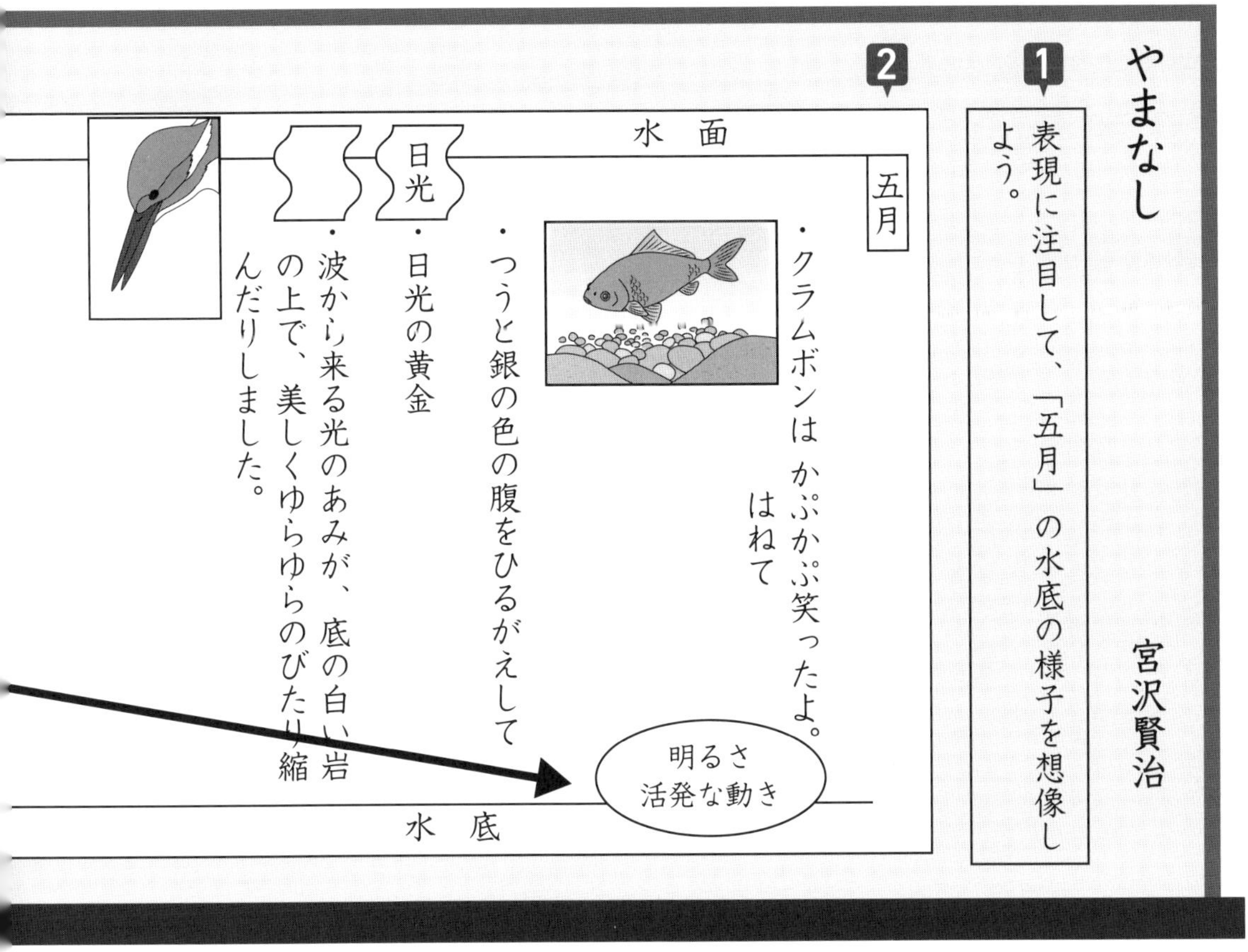
やまなし
宮沢賢治
1
表現に注目して、「五月」の水底の様子を想像しよう。
2
水面
五月
・クラムボンは かぷかぷ笑ったよ。
はねて
・つうと銀の色の腹をひるがえして
日光
・日光の黄金
・波から来る光のあみが、底の白い岩の上で、美しくゆらゆらのびたり縮んだりしました。
明るさ
活発な動き
水底

3 「五月」の川底の情景について交流する 〈25分〉

T 考えたことを発表してください。

・「日光の黄金」という表現は、水の中のきらきらした風景が浮かんできます。

・「青光りのまるでぎらぎらする鉄砲だま」って、かわせみが突然飛び込んできた様子ですよね。小さなかにから見たら得体のしれない恐怖だと思います。

○発言を整理しながら情景を板書で描いていく。生命の躍動感は水底の生き物にとっては死と隣り合わせであることに気付かせる。

○後で「十二月」と対比できるように、模造紙に発言をまとめるようにする。

T みんなの考えを聞いて、自分のノートに付け足しをしましょう。

よりよい授業へのステップアップ

全体交流の利点

この時間の交流は全体で行っている。全体交流の場合は、教師が意図的に子供を指名したり、板書の中で発言を関係付けたりして、交流の目的に応じて授業の流れをより支えることができる。一方、小グループでの交流の場合は、より多くの子供に発言の機会を与えることができる。

どのように交流活動をすればよいか、授業のねらいや展開に応じて全体と小グループを使い分けるようにしたい。

本時案

やまなし

5/8

本時の目標

・「やまなし」の中の「十二月」の風景や様子について、表現に着目しながら想像することができる。

本時の主な評価

❸物語における「十二月」の風景や生き物の様子を具体的に想像したり、表現の効果を考えたりしている。【思・判・表】

資料等の準備

・模造紙（ICT 機器で代用可）
・かにの絵 01-04
・やまなしの絵 01-05

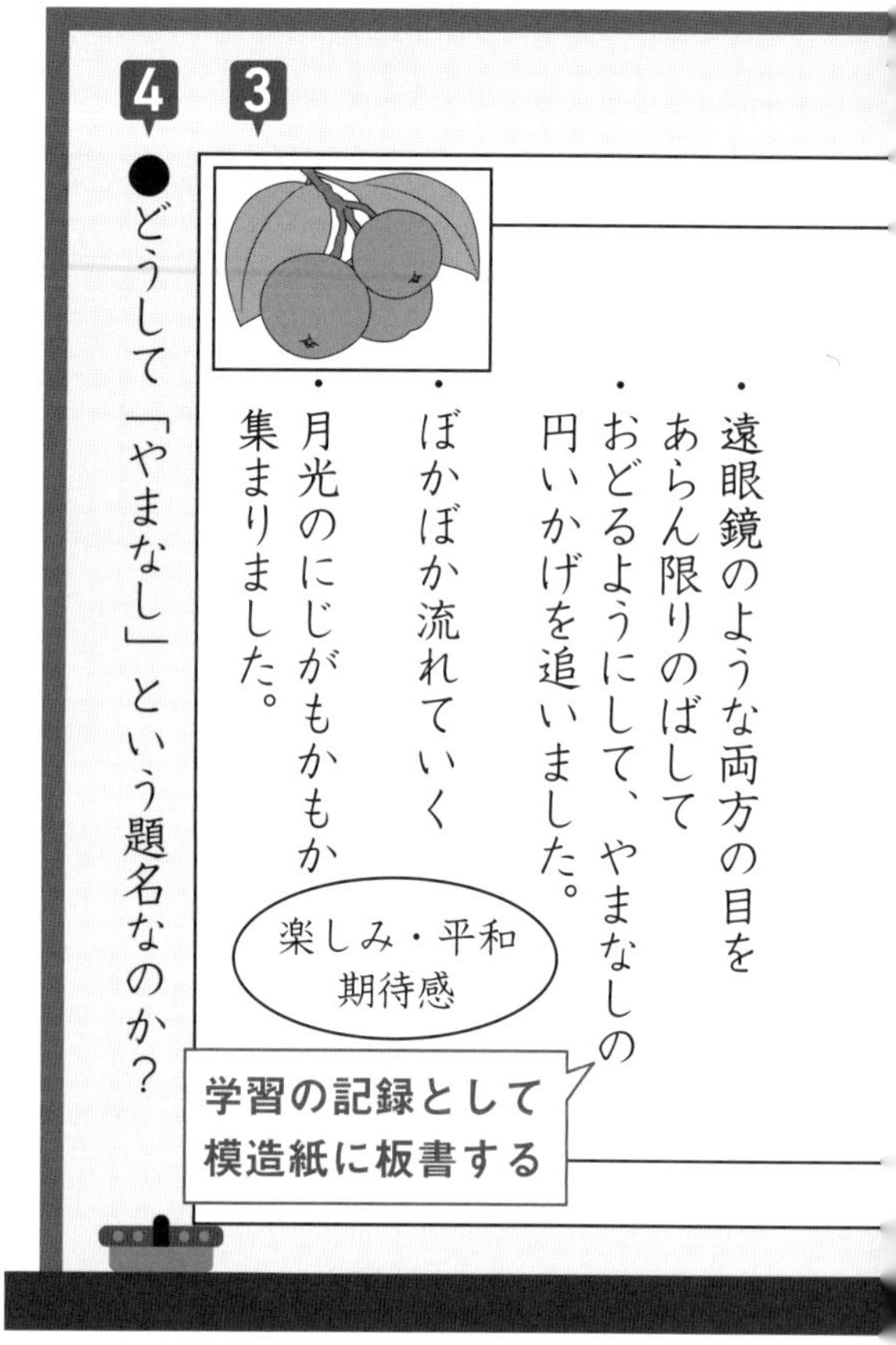

3
4
・遠眼鏡のような両方の目をあらん限りのばして
・おどるようにして、やまなしの円いかげを追いました。
・ぼかぼか流れていく
・月光のにじがもかもか集まりました。
楽しみ・平和
期待感
●どうして「やまなし」という題名なのか？
学習の記録として
模造紙に板書する

授業の流れ ▷▷▷

1 この時間の活動を確認する 〈5分〉

○前時の板書（模造紙）から、「五月」の情景を振り返る。

T 「五月」では、「かぷかぷ」や、たとえの表現に注目して想像したら、生き生きした水の中の情景やかわせみの恐怖が浮かんできました。では「十二月」はどうなのでしょうか。

ICT 端末の活用ポイント

模造紙に記録する方法以外に、前時の板書をICT 端末で撮影して記録し、手元でいつでも振り返ることができるようにしてもよい。

2 「十二月」の心引かれる表現から情景を想像する 〈15分〉

T 前時と同じように「十二月」を読んで、自分が気になる表現を見付け、そこからどんな風景や様子が想像できるか考えましょう。挿絵も味わいながら考えましょう。

○一人読みで、心引かれる表現を見付け、傍線を引く。挿絵も参照し、どんな情景が想像できたかをノートにまとめさせる。

【着目させたい叙述例】

・ラムネのびんの月光
・そのとき、トブン
・遠眼鏡のような両方の目をあらん限りのばして
・ぼかぼか流れていくやまなし
・月光のにじがもかもか集まりました

など

やまなし

宮沢賢治

1 表現に注目して、「十二月」の水底の様子を想像しよう。

2

十二月

・白いやわらかな丸石
・小さなきりの形の水晶のつぶ
・金雲母のかけら

・冷たい水の底まで、ラムネのびんの月光がいっぱいにすき通り

・波の音がひびいてくるだけ
・そのとき、トブン。（やわらかさ）

静けさ
やさしさ

3 「十二月」の川底の情景について交流する 〈23分〉

T　考えたことを発表してください。

○前時と同様に、全体で想像したことを交流する。

・「トブン」という音は、丸いものが水の中に落ちてきた感じがする。やわらかい印象。

・「ラムネのびんの月光」って、月の優しい光がぼやけて広がっているように感じます。

・なんだか「五月」のときとは情景がまるで違うな。

○静寂の中でかにが抱く期待感に気付くようにしたい。

○「五月」同様に、模造紙に発言をまとめるようにする。

T　みんなの考えを聞いて、自分のノートに付け足しをしましょう。

4 次時の見通しをもつ 〈2分〉

T　次は「五月」と「十二月」を比較して、どうして「十二月」にしか出てこない「やまなし」が題名になっているのかを考えていきましょう。

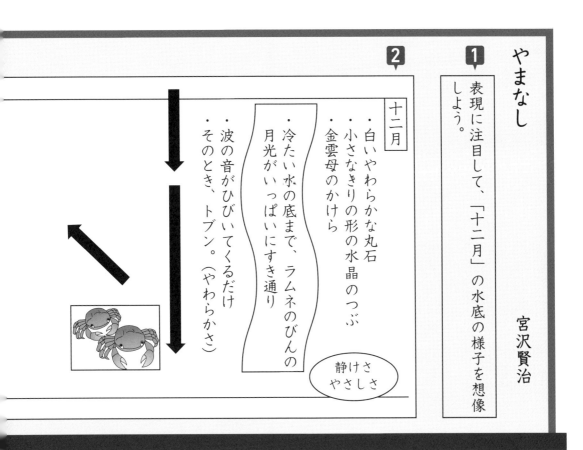

本時案

やまなし

6/8

本時の目標

・「五月」と「十二月」を関連させながら、「やまなし」という題名の意味について考えることができる。

本時の主な評価

❸「やまなし」を読んで理解したことに基づいて、題名の意味について自分の考えをまとめている。【思・判・表】

資料等の準備

・「五月」と「十二月」の板書の模造紙（ICT機器で代用可）
・ワークシート 01-06

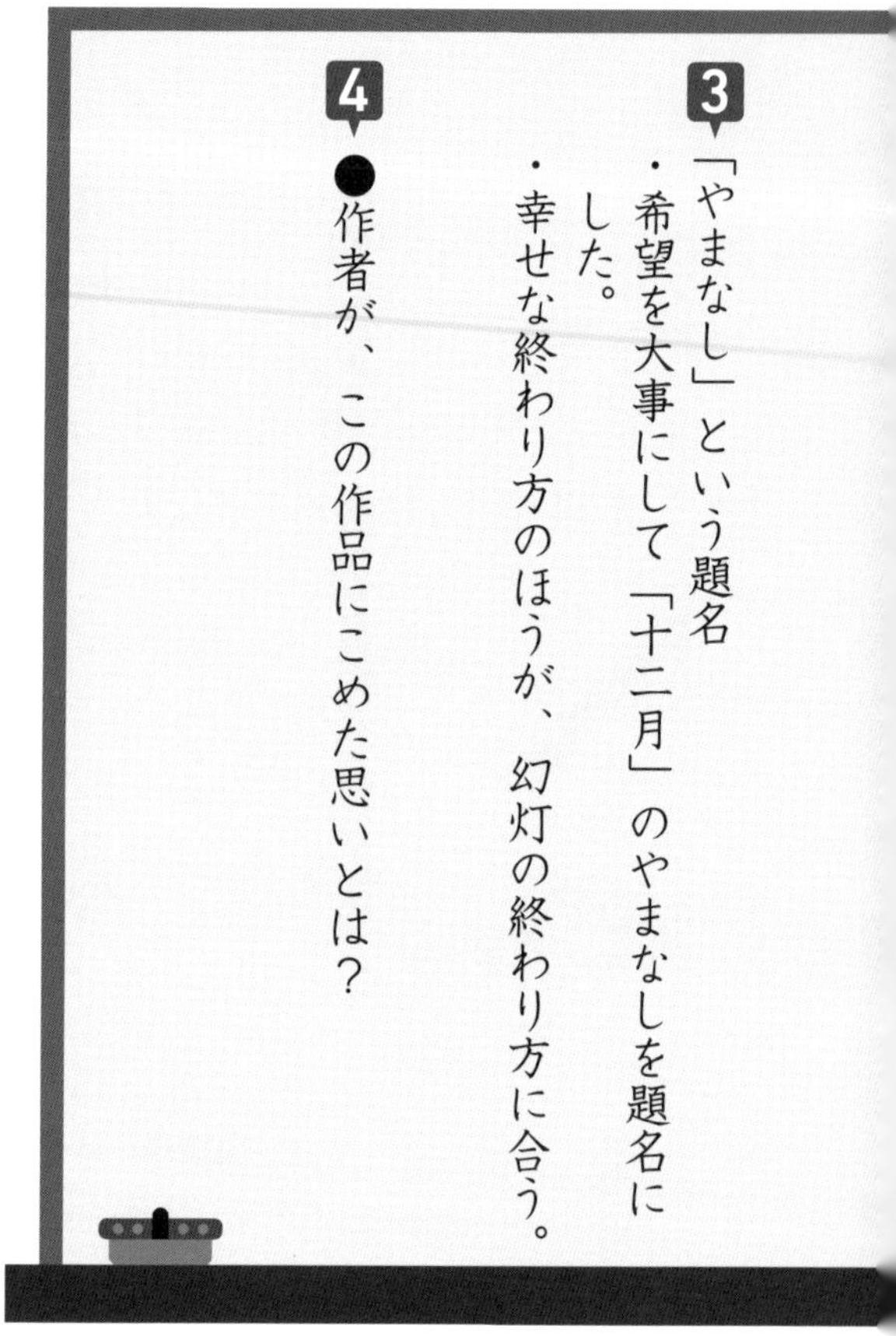

3
「やまなし」という題名
・希望を大事にして「十二月」のやまなしを題名にした。
・幸せな終わり方のほうが、幻灯の終わり方に合う。
4
●作者が、この作品にこめた思いとは？

授業の流れ ▷▷▷

1 この時間の活動を確認する 〈2分〉

○前時までの板書（模造紙）から、「五月」と「十二月」の情景の違いを振り返る。

T 「五月」と「十二月」とでは、水の底の情景がずいぶん違っていました。今日は「五月」と「十二月」を比較して、どうして「やまなし」という題名なのか考えてみましょう。

2 「五月」と「十二月」を観点に沿って比較する 〈20分〉

T 「五月」と「十二月」を次の観点で比較してみましょう。対比したことで考えたことをノート（ワークシートを使用してもよい）にまとめましょう。

○教科書 p.133に示された次の観点を確認する。

・かにの会話や様子
・水や光の様子
・上から来たもの

また、読者として前時までに感じた点も振り返りながら考えをまとめるように促す。

T みんなで整理してみましょう。

○観点ごとに板書で整理する。

やまなし

宮沢賢治

1 「五月」と「十二月」を比べて、どうして「やまなし」という題名なのか考えよう。

2

かにの会話や様子　水や光の様子　上から来たもの

「五月」
笑った
死んだ
殺された
こわいよ

日光
黄金《きん》

かわせみの
とがったくちばし

えたいのしれない
きょうふ　不安

「十二月」
あわが大きいよ
ぼくのほう、大きいよ
いいにおい
おいしそう

月光
青白い

やまなし

楽しみ　平和
期待感

3 題名の意味について考える〈20分〉

T　どうして「十二月」にしか出てこない「やまなし」が題名なのでしょう。あなたの考えを書きましょう。

○一つの考えに収斂させていく必要はない。子供が何に根拠を見いだすか整理して板書するとよい。

・作者と関連させて：「[資料] イーハトーヴの夢」でも、「未来に希望をもつ」ことを大事にしていたとあった。わくわくする希望を大事にして「十二月」のやまなしを題名にしたのだと思う。

・読者の受け取り方として：幸せな終わり方のほうが、幻灯の終わり方としてふさわしいと思う。　など

4 次時の見通しをもつ〈3分〉

○「とらえよう」→「ふかめよう」→「まとめよう」→「ひろげよう」というステップを思い出させ、次の時間は「まとめよう」「ひろげよう」であることを確認する。

T　ここまで作品に描かれた世界を、表現や「五月」「十二月」の対比から考えてきました。次は「まとめよう」「ひろげよう」として、作者がこの作品に込めた思いについて、自分の考えを書きましょう。

本時案

やまなし

7/8

本時の目標

・作品に込められた作者の思いについて考えたことを交流し、感想を交流することができる。

本時の主な評価

❹作品に込められた作者の思いについて考えたことを進んで伝え合い、作品についての自分の考えを広げたり深めたりしようとしている。【態度】

資料等の準備

・ネームカード
・付箋

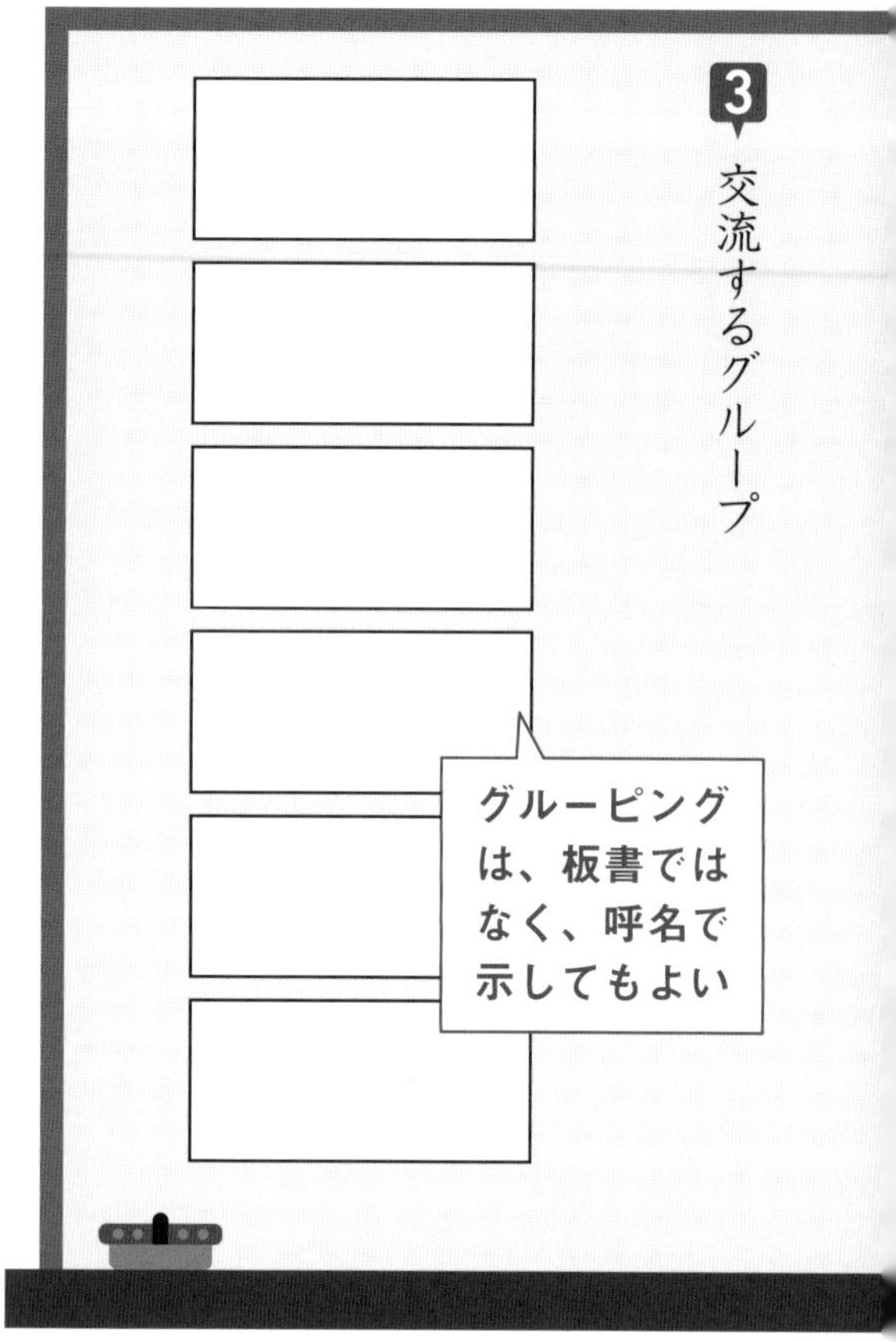
3
交流するグループ
グルーピングは、板書ではなく、呼名で示してもよい

授業の流れ ▷▷▷

1 ここまでの学習を振り返る 〈5分〉

T　ここまで作品に描かれた世界を表現や「五月」と「十二月」の対比から考えてきました。また、宮沢賢治という作家の生き方や考え方にも目を向けたり、「やまなし」という題名についても考えたりしてきました。今日は「まとめよう」「ひろげよう」として、作者がこの作品に込めた思いについて、自分の考えを書きましょう。

○「とらえよう」→「ふかめよう」→「まとめよう」→「ひろげよう」というステップを再確認し、この時間がどこに位置付くのか確かめる。

2 作品に込めた作者の思いについて自分の考えをまとめる 〈20分〉

T　作者がこの作品に込めた思いについて、どのような点から考えたのかを明らかにしながら文章にまとめましょう。

○以下の視点から考えるように促す。「独特な表現から受ける印象」「『五月』と『十二月』との比較」「題名から考えられること」「宮沢賢治の生き方や考え方」。

ICT 端末の活用ポイント

学習支援ソフトを活用して自分の考えをまとめさせてもよい。誰がどの視点から考えたのか、全体の意見を確認させた上で交流させることができる。

やまなし

宮沢賢治

1 作者がこの作品にこめた思いについて考えよう。

2 【考えるための観点】↓観点を選んで考えよう

＊独特な表現から受ける印象から考える

＊「五月」と「十二月」を比べて考える

＊題名から考える

＊宮沢賢治の生き方や考え方から考える

ネームカードを貼らせる

3 まとめた文章を読み合い、感想を伝え合う 〈20分〉

T　自分がどの視点から考えたのか、ネームカードを黒板に貼りましょう。

○どの視点から考えたのか、可視化する。これを見ながら教師がその場で４名程度の小グループをつくる。グループはＡ「同じ視点で集める」、Ｂ「異なる視点で集める」のどちらかで構成する。Ａの場合、同じ視点でも考えることの違いから子供の思考の深まりが期待できる。Ｂは作者の思いについて多角的な視点で捉えることで子供の思考の広がりが期待できる。

T　グループで机を合わせて、文章を読み合って考えたことを交流しましょう。読んで考えたことを付箋に書いて渡しましょう。

ICT 等活用アイデア

ICT 端末の活用と対面の交流

「授業の流れ」３で示した交流については、自分（たち）は、何を知りたいのかを考えさせて交流する対象を選ばせてもよいだろう。

まず学習支援ソフトの意見交流ツールで、誰がどんな考えをもっているのか確認する。その上で自分の考えを深めるために交流したい相手を決め、自由に移動して話し合う時間を取り、一定の時間で相手を変えるようにする。

子供が目的をもって歩き回りながら、教室の至るところで積極的に交流を行う姿が期待できる。

本時案

やまなし

8/8

本時の目標

・学習全体を振り返り、自分が学んだことやこれからに生かしたいことを確かめることができる。

本時の主な評価

・学習全体を振り返り、自分が学んだことやこれからに生かしたいことについて考えている。

資料等の準備

・ワークシート 01-07

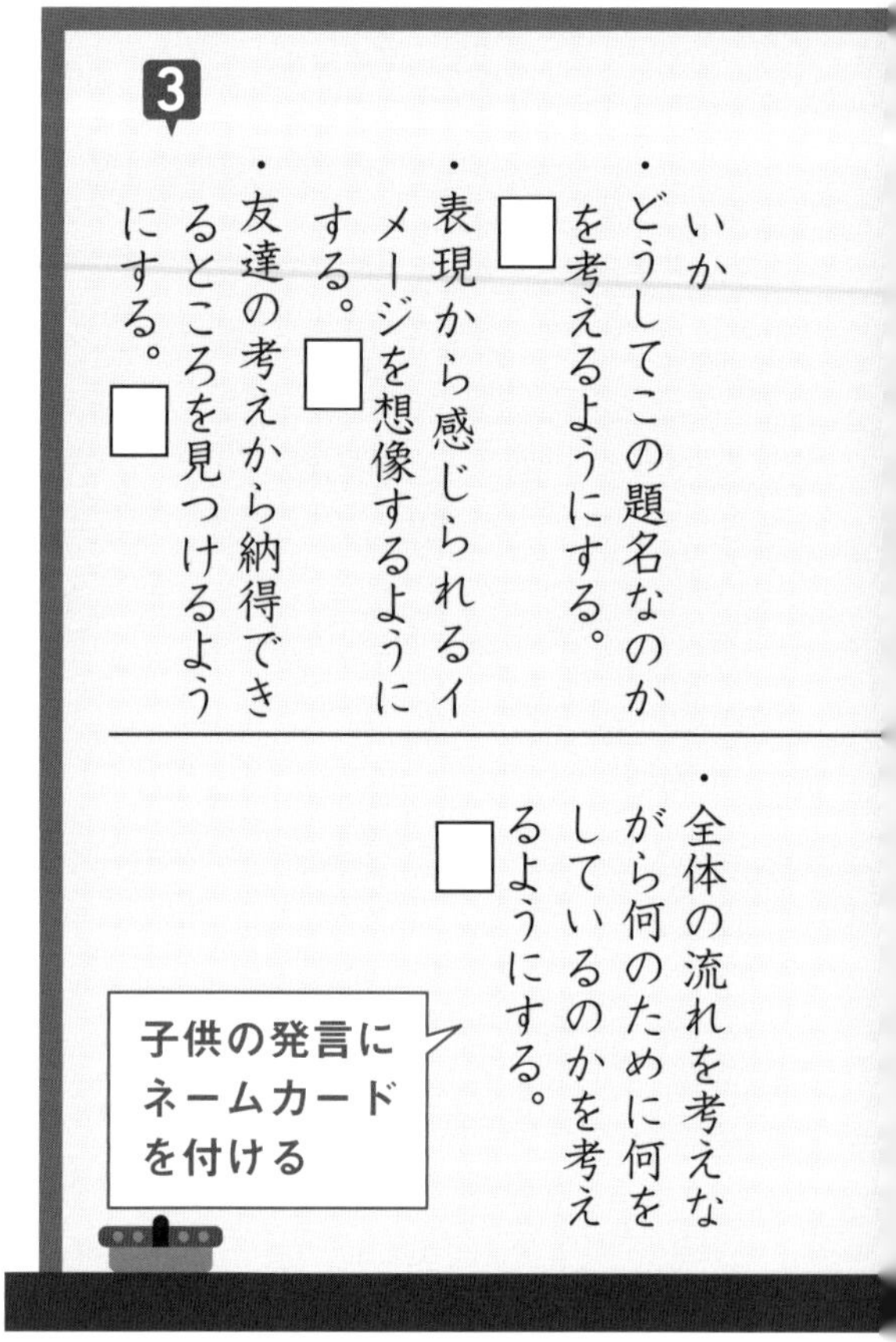

いか
・どうしてこの題名なのかを考えるようにする。
・表現から感じられるイメージを想像するようにする。
・友達の考えから納得できるところを見つけるようにする。
3
・全体の流れを考えながら何のために何をしているのかを考えるようにする。
子供の発言にネームカードを付ける

授業の流れ ▷▷▷

1 この時間の活動を確認する 〈2分〉

T　この単元での学習を振り返って、気付いたことやできるようになったことを考えてみましょう。

○自分（たち）の学びにおいて身に付けたことを確認することを伝える。

2 振り返る視点を確認し、自分の学びを振り返る 〈18分〉

T　視点に沿って、自分の学びを振り返ってみましょう。

○教科書 p.133「ふりかえろう」を確かめ、振り返る視点を確認する。ワークシートを配布する。

・どのような言葉や表現に引かれたか。
・どのような点に着目して、作品に描かれた世界を捉えたか。
・作品の世界をより深く味わうために、これからどんな読み方をしていきたいか。
・その他に自分の学びを振り返ってこれからに生かせそうなこと。

やまなし

宮沢賢治

1 学習をふり返って、気づいたことやできるようになったことを考えよう。

2 観点に沿って自分の学びをふり返ってみよう。

●ひかれた言葉や表現
・「クラムボンは、笑ったよ。」「クラムボンは、かぷかぷ笑ったよ。」→くり返し
・青光りのまるでぎらぎらする鉄砲だまのようなもの □
・光の黄金のあみはゆらゆらゆれ □
・ぼかぼか流れていくやまなし □

●どのような点に着目して作品世界をとらえたか
・とくちょう的な表現 □
・題名から □
・場面の対比 □
・作者の宮沢賢治がこめた思いは何か □

●より深く味わうためにどんな読み方をしていきた

●他にこれからに生かせそうなこと

3 全体で共有する 〈25分〉

T　自分の学びを振り返って考えたことをみんなで話し合いましょう。

○視点ごとに発言するようにする。できるだけたくさんの子供の発言を聞き出し、板書で整理する。

○具体的な叙述やエピソードなどを確認しながら、考えたことを共有するようにする。

・「クラムボンは」の繰り返しの会話が不思議な印象で面白かったです。

・二つの場面を比較して同じところや違うところを考えると、それぞれの場面の様子が考えやすくなります。

よりよい授業へのステップアップ

自分の学びを振り返る

自分ができるようになったことや、これから生かしていきたいことを言語化することは、資質・能力を育む上で大切なことである。できるようになったことや気付いたことを教師と子供で共有し、価値付けていくことで、今後に生かしていくことのできる学びの成果となる。話し合ったことは、整理して掲示するなどしていつでも振り返ることができるようにしておくと、他の学習にも転用する意識が高まっていくだろう。

資　料

1 第4時資料　挿絵

01-01

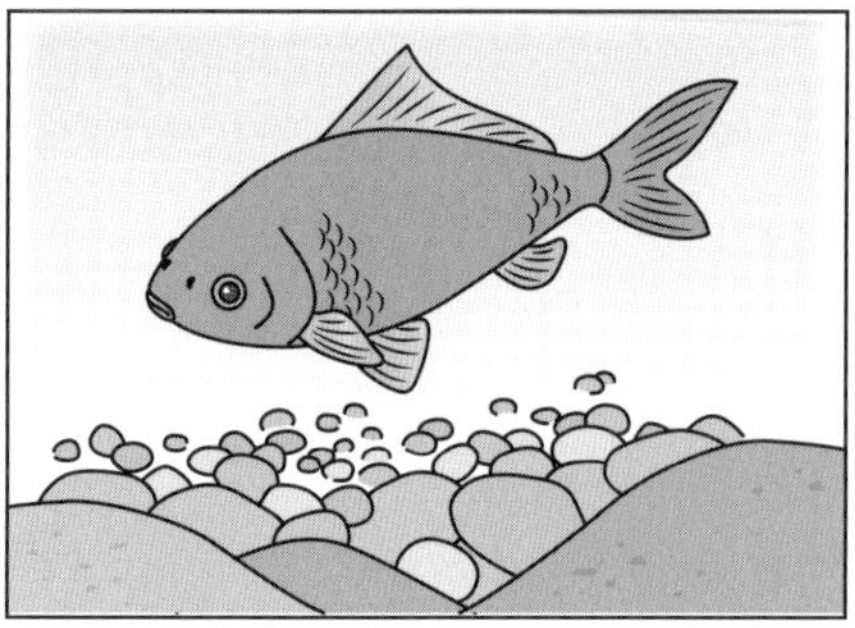

01-02

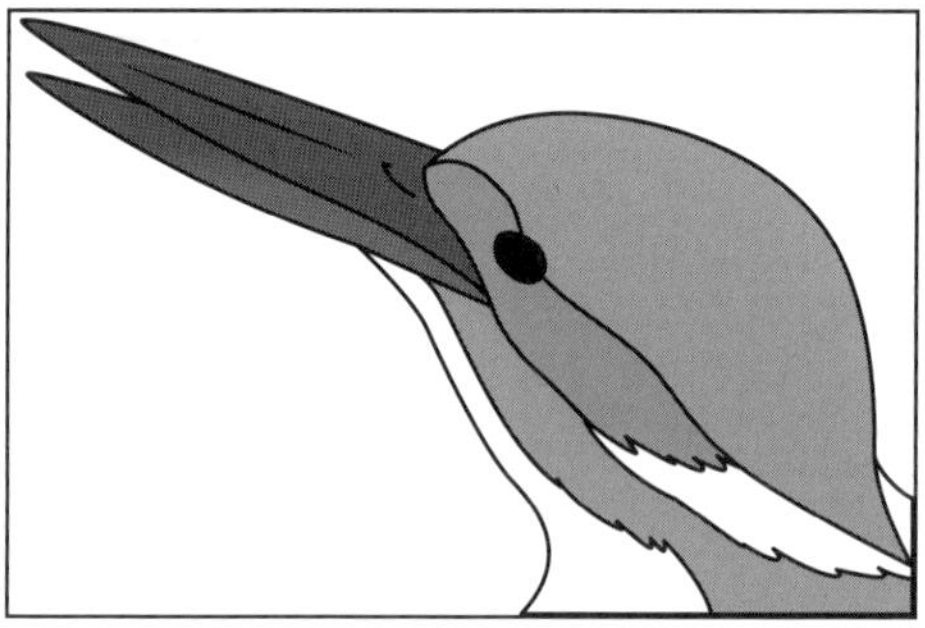

01-03

2 第5時資料　挿絵

01-04

01-05

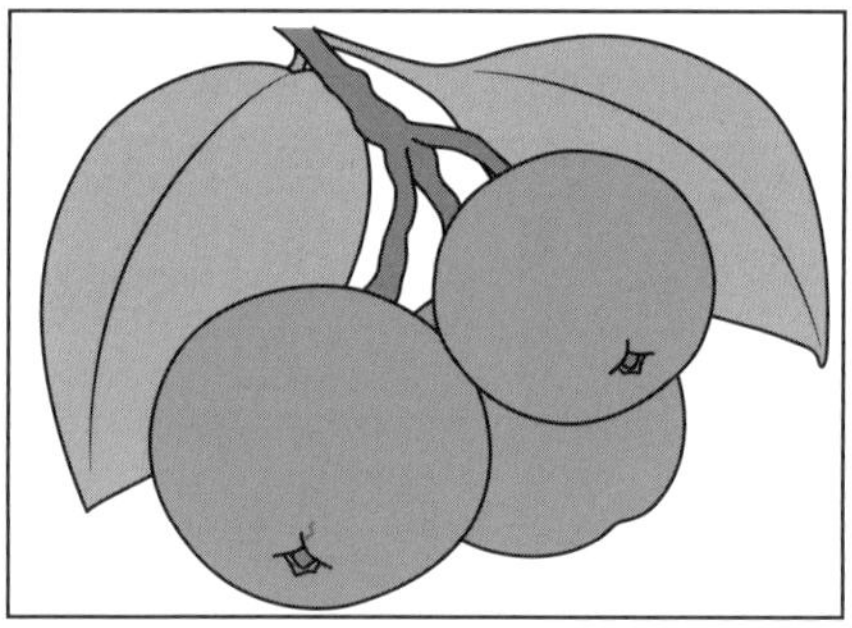

3 第 6 時資料　ワークシート（記入例） 01-06

やまなし

「五月」と「十二月」を比べて、どうして「やまなし」という題名なのか考えよう。

名前（　　　　）

	かにの会話や様子	水や光の様子	上から来たもの	受ける印象
五月	笑った 死んだ 殺された 分からない 死んでしまった こわいよ ぶるぶるふるえている	日光の黄金は、夢のように水の中に降っている 昼 まっすぐなかげの棒が、ななめに水の中に並んで立っている 光のあみはゆらゆら、のびたり縮んだりしている	かわせみのとがったくちばし	えたいのしれないきょうふ 不安
十二月	よほど大きくなった あわが大きいよ ぼくのほう、大きいよ いいにおい おいしそうだね	ラムネのびんの月光がいっぱいにすき通っている 夜 辺りはしんとしている 月が明るく水がきれい 波は青白いほのおをゆらゆらと上げた	やまなし	期待感 平和 楽しさ

どうして「やまなし」という題名なのか、自分の考えを書こう。

例
やまなしは、未来を楽しみにするかにの思いがつまったものです。不安なことがあっても、必ず希望があるというメッセージからやまなしという題名なのでは、と思います。

4 第 8 時資料　ワークシート（記入例） 01-07

やまなし

学習をふり返って、気づいたことやできるようになったことを考えよう。

名前（　　　　）

ひかれた言葉や表現	どのような点に着目して作品世界をとらえたか	より深く味わうためにどんな読み方をしていきたいか	他にこれからに生かせそうなこと
例 117ページ3行目 「光の黄金のあみはゆらゆらゆれ、あわはつぶつぶ流れました。」 水の中の様子を表す表現として「光の黄金のあみはゆらゆらゆれ」という表現はぴったりだと思いました。	例 ぼくは、宮沢賢治の作品をはじめて読んだのですが、これまで出合ったことのない表現が多いことに気づきました。そこで、特ちょうのある表現を探しながら作品を考えていきました。	例 表現から感じられるイメージを想像しながら読むと、これまで感じられなかった場面の様子が頭にうかんできました。今まではさっと読んでしまっていたけれど、表現にもっと注目するようにしていきたいと思います。	例 「どうしてその題名なのか」を考えると、その物語にぐっとせまることができると思いました。これからも題名の意味には注目して読んでいきたいと思います。

漢字の広場③　（1時間扱い）

単元の目標

知識及び技能	・第5学年までに配当されている漢字を書き、文や文章の中で使うことができる。((1)エ)
思考力、判断力、表現力等	・書き表し方などに着目して、文や文章を整えることができる。(B オ)
学びに向かう力、人間性等	・言葉がもつよさを認識するとともに、進んで読書をし、国語の大切さを自覚して、思いや考えを伝え合おうとする。

評価規準

知識・技能	❶第5学年までに配当されている漢字を書き、文や文章の中で使っている。(〔知識及び技能〕(1)エ)
思考・判断・表現	❷「書くこと」において、書き表し方などに着目して、文や文章を整えている。(〔思考力、判断力、表現力等〕B オ)
主体的に学習に取り組む態度	❸積極的に第5学年までに配当されている漢字を使い、これまでの学習を生かして絵に沿った創作文を書こうとしている。

単元の流れ

次	時	主な学習活動	評価
一	1	ペアで漢字の読み方や正しい書き方を確認する。 教科書の挿絵と漢字を照らし合わせ、物語の展開をつかむ。 言葉の意味を考えながら、既習の漢字を正しく使って物語を書く。 書いた文章を読み合う。	 ❶❷ ❸

授業づくりのポイント

〈単元で育てたい資質・能力〉

本単元のねらいは、５年生までに学習した漢字を正しく読んだり書いたりし、文や文章の中で使う力を育むことである。

普段の漢字の学習では、読み方や書き順、画数、由来、熟語、文章での活用が中心となって行われている。しかし、高学年になると、漢字の学習に十分な時間を費やすことができなくなる傾向になる。そのような状況の中、子供たちは難しい熟語や普段目にしない熟語も学んでいく。多くの漢字や熟語を読んだり書いたりできていても、文脈の中で言葉を正しく使用できる子供は少ないと感じる。

本単元は、漢字や熟語を物語に合わせて活用していく単元である。教科書に載っている漢字や熟語を使うだけでなく、物語の場面や文脈に合わせて言葉を吟味し、使用していく過程を大切にしていきたい。

〈教材・題材の特徴〉

魔法使いの冒険について絵と言葉で表されている。現実から離れた空想の世界であるため、自由にイメージを膨らませて物語を書いていく教材である。絵を追っていくだけでも、おおよその流れはつかめるが、提示された言葉を使うだけにとどまらず、場面の様子や魔法使い、猫の心情など、自分なりに自由に物語を膨らませる楽しさを味わえるとよい。

〈言語活動の工夫〉

本単元では、「絵の中の魔法使いの冒険について、作家になったつもりで物語を書く」という言語活動を設定する。子供たちに物語を自由に書かせると、物語の内容をどうするかに気を取られたり、イメージが膨らむことにより文章量が極端に多くなったりして、「漢字の意味を理解し、文章の中で正しく使う」というこの単元で付けたい力が身に付かないおそれがある。適切な文章を書くための手立てが必要となる。

[具体例]

○高学年になると、書く力に個人差が顕著に表れてくる。一人一人が言葉の意味を適切に捉え、登場人物の心情や場面の様子などを自由に膨らませて物語を書くためには、書く量を減らす手立ても必要である。この物語は13個のコマに分かれているため、物語の大枠を全体で共有し、学級の実態に応じて２～４人の小グループで取り組ませてもよい。また、リレー作文のようにペアで交互に文章を創作することも考えられる。

○作成した物語を朝の会や帰りの会で読むことによって、言葉への興味・関心を広げたり、「また書いてみたい」という気持ちを醸成させられたりするとよい。

〈ICT の効果的な活用〉

共有：でき上がった創作文を ICT 端末で写真に撮り、学習支援ソフトで共有することで、同じ漢字を使用していても、書かれた文や文章は異なることに気付くであろう。絵で表された場面と言葉との結び付きを考えることで、語彙を豊かに広げる学習となる。漢字を綴ることは大切な学習であるが、子供の実態に応じて文書作成ソフトなどで文をつくることも考えられる。

本時案

漢字の広場③

1/1

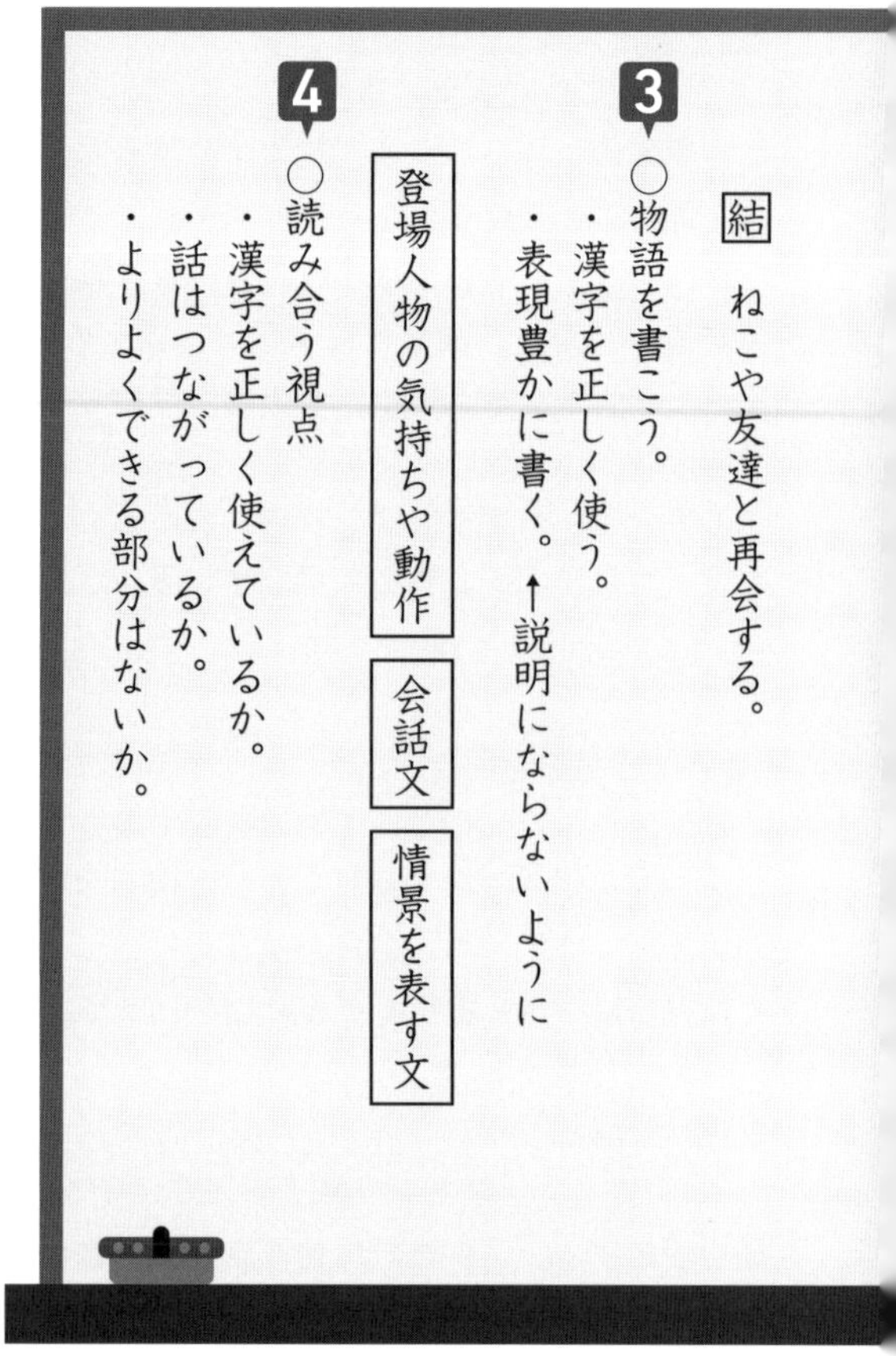

結
ねこや友達と再会する。
3
○物語を書こう。
・漢字を正しく使う。
・表現豊かに書く。↑説明にならないように
登場人物の気持ちや動作
会話文
情景を表す文
4
○読み合う視点
・漢字を正しく使えているか。
・話はつながっているか。
・よりよくできる部分はないか。

本時の目標

・第5学年までに配当されている漢字を書き、出来事を説明する文や文章の中で使うことができる。

本時の主な評価

❶第5学年までに配当されている漢字を書き、文や文章の中で使っている。【知・技】

❷書いた文章を読み直し、表現の適切さを確かめている。【思・判・表】

❸第5学年までに配当されている漢字を使い、これまでの学習を生かして絵に沿った創作文を書こうとしている。【態度】

資料等の準備

・教科書 p.135の拡大コピー（ICT 機器で代用可）

・国語辞典、漢字辞典

授業の流れ ▷▷▷

1 5年生で習った漢字の読み方や書き方を確認する 〈10分〉

T　教科書を見て、漢字の読み方や書き方を確認しましょう。

○教科書 p.135を拡大投影し、漢字の読み方を確認していく。ペアで問題を出し合い、楽しみながら読み方や書き方を確認できるとよい。

○正しく書くという点を押さえ、分からなかったり自信がもてなかったりする場合は、互いに教え合うように助言する。

2 挿絵と漢字を照らし合わせて、物語の展開を想像する 〈5分〉

T　挿絵と漢字を照らし合わせながら物語の展開を想像してみましょう。

○教科書の例文や教師のモデル文を参考にして、挿絵と漢字を照らし合わせていくことで、「物語を想像して書く」というイメージをもたせる。

○全体で大まかな物語の展開を確認しておくことで、漢字を正しく使って書くことを重視するとよい。

漢字の広場③

1

教科書p.135の拡大コピー

五年生までに習った漢字を正しく使い、作家になりきって物語を書こう。

○学習の流れ

1 漢字の読み方や書き方を確認する。
2 絵と漢字を照らし合わせて、物語の展開をつかむ。
3 漢字を正しく使って物語を書く。
4 書いた物語を読み合う。

2

○さし絵を見て物語の展開を想像してみよう。

起 鳥がまほう使いに招待状を持ってくる。旅に出る。
承 暴風雨で船がこわれ、独りぼっちになる。
転 てきが現れるが、勇者に助けてもらう。

子供が想像したことを発表させながら、大まかな物語の展開を押さえる

3 漢字を適切に使って創作文を書く〈20分〉

T　５年生で習った漢字を正しく使って、物語を書きましょう。

○物語を書き始める前に、小グループで物語の設定を決めた上で分担をする。コマ割りが４段になっているため、起承転結で分担できると子供も想像しやすくなるであろう。登場人物の名前、時、場所などの設定を決めてから物語を書いていけるようにしたい。

○「物語を書く」という言語活動を設定しているため、登場人物の行動だけを時系列で書くのではなく、登場人物の気持ちや情景を表す文などを書いている子供を認め、そのよさを広めていけるとよい。

4 書いた創作文を読み合う〈10分〉

T　友達が書いた文を読んで、漢字の使い方と、文や表現が適切かどうかを確認しましょう。

○友達の書いた文をつなげ、物語の展開を楽しみながら、漢字の使い方に目を向け、文を読ませていく。

・漢字の使い方は正しいか。
・話はつながっているか。
・よりよくできる部分はないか。

など、友達と話し合いながら、必要に応じて加筆修正できるとよい。

ICT 端末の活用ポイント

でき上がった物語文を ICT 端末で写真に撮り、学習支援ソフトで共有することで、友達の書いた文章のよさに気付けるようにしたい。

熟語の成り立ち　（2時間扱い）

単元の目標

知識及び技能	・語句の構成や変化について理解することができる。(⑴オ) ・第6学年までに配当されている漢字を読むとともに、漸次書き、文や文章の中で使うことができる。(⑴エ)
学びに向かう力、人間性等	・言葉がもつよさを認識するとともに、進んで読書をし、国語の大切さを自覚して、思いや考えを伝え合おうとする。

評価規準

知識・技能	❶語句の構成や変化について理解している。(〔知識及び技能〕⑴オ) ❷第6学年までに配当されている漢字を読むとともに、漸次書き、文や文章の中で使っている。(〔知識及び技能〕⑴エ)
主体的に学習に取り組む態度	❸進んで熟語の構成についての理解を深め、学習課題に沿って熟語を探したり組合せを考えたりしようとしている。

単元の流れ

次	時	主な学習活動	評価
一	1	新聞から漢字2字や漢字3字などの熟語を見付ける。 漢字2字の熟語の成り立ちを理解する。 新聞にある漢字2字の熟語は、どの組合せに当たるか考える。	❶❸
	2	漢字3字の熟語の成り立ちを理解する。 漢字4字以上の熟語の成り立ちを理解する。 漢字3字以上の熟語を考えて、その熟語がどの組合せに当たるか考える。 学習を振り返る	❷❸

授業づくりのポイント

〈単元で育てたい資質・能力〉

第4学年で、熟語とは2字以上の漢字で構成されている言葉であることを学習している。漢字2字の熟語を取り上げて、漢字を訓読みして熟語の意味を考えるなど、漢字1字1字がもつ意味から熟語の意味を捉えてきた。

今回の単元では、漢字2字以上の熟語の構成に着目して、その構成の特徴を理解する。例えば、2字の熟語では、似た意味の漢字の組合せ（「寒冷」「忠誠」など）、3字の熟語では、2字の語の頭に1字を加えた熟語（「低学年」「新記録」など）、4字の熟語では、1字の語の集まりから成る熟語（「春夏秋冬」「都道府県」など）、というように構成の特徴ごとに熟語を分類して、熟語を構造的に捉える力を育んでいく。身近にある熟語に対しても構造的に捉え直すことによって熟語の意味をより深く理解することができ、より的確な熟語を使って文章で表現する力も育むことが期待できる。

〈教材・題材の特徴〉

漢字２字、漢字３字、漢字４字以上の三つの熟語の構成について考える。それぞれ、以下のように分類されている。

○漢字２字の熟語
・似た意味の漢字の組合せ
・意味が対になる漢字の組合せ
・上の漢字が下の漢字を修飾する関係にある組合せ
・「～を」「～に」に当たる意味の漢字が下に来る組合せ
○漢字３字の熟語
・２字の語の頭に１字を加えた熟語
・２字の語の後ろに１字を加えた熟語
・１字の語の集まりから成る熟語
○漢字４字以上の熟語
・１字の語の集まりから成る熟語
・いくつかの語の集まりから成る熟語

熟語を構成する漢字の意味を考えさせ、どの組合せに当たるのか考えさせる。

〈言語活動の工夫〉

熟語の構成ごとに分類して熟語を書き込むことができるようなワークシートを作成する。新出漢字を使った熟語や日頃使っている熟語がどのような構成であるか考えて、ワークシートに書いて整理する。意味が分からない熟語は、漢字辞典を使って調べて考えるようにする。

［具体例］

２字や３字、４字といった熟語が使われている新聞記事を配布して、熟語集めをする。集めた熟語の構成を考えて、それぞれ分類してワークシートに整理する。学級をいくつかのグループに分け、グループごとに新聞記事を変えて調べさせると、学級全体でより多くの熟語を分類することができる。

〈ICT の効果的な活用〉

共有：漢字２字以上の熟語を考えて、その熟語がどの組合せになるか、クイズをつくる。学習支援ソフトを用いてクイズを共有し、みんなで問題を解く。

本時案

熟語の成り立ち 1/2

本時の目標

・語句の構成や変化について理解することができる。
・進んで熟語の構成についての理解を深め、学習課題に沿って熟語を探したり組合せを考えたりしようとする。

本時の主な評価

❶語句の構成や変化について理解している。【知・技】
❸進んで熟語の構成についての理解を深め、学習課題に沿って熟語を探したり組合せを考えたりしようとしている。【態度】

資料等の準備

・新聞記事のコピー
・新聞記事の拡大コピー（ICT 機器で代用可）
・漢字辞典
・ワークシート 03-01

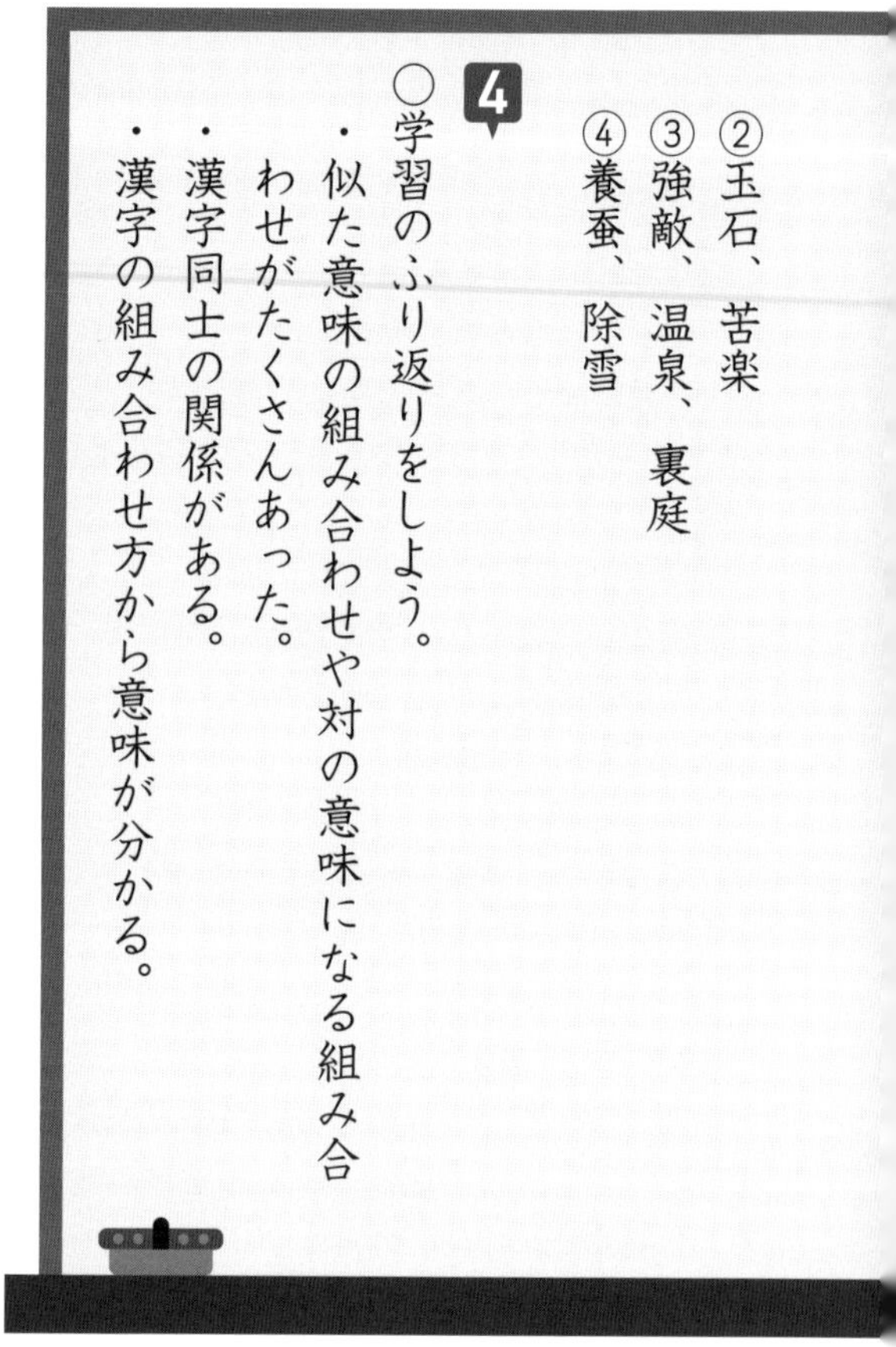

②玉石、苦楽
③強敵、温泉、裏庭
④養蚕、除雪
4
○学習のふり返りをしよう。
・似た意味の組み合わせや対の意味になる組み合わせがたくさんあった。
・漢字同士の関係がある。
・漢字の組み合わせ方から意味が分かる。

授業の流れ ▷▷▷

1 身の回りにある熟語を探す 〈10分〉

○新聞記事に書かれている熟語を探す活動を通して、熟語を構成する漢字の数に着目させる。
T　新聞記事には多くの熟語が使われています。知っている熟語を見付けたら、赤鉛筆で線を引きましょう。
○子供が読みやすい記事を選んで、コピーして配布する。
○どんな熟語があったかクラス全体で確認をする。
T　どんな熟語がありましたか。
○子供が挙げる熟語を文字数で分類しながら板書する。
T　板書を見て気付いたことはありますか。
・熟語が 2 字や 3 字などに分けられています。

2 2 字の熟語の成り立ちを理解する 〈20分〉

○熟語の成り立ちについて学習することを押さえる。
T　2 字の漢字からできている熟語には、次のような組合せがあります。
○教科書 p.136「漢字二字の熟語」を読む。例を挙げて、四つの組合せを確認する。
○ p.136下段に示されている熟語が、四つの組合せのうち、どの組合せになるか考える。
T　漢字の意味を調べて、どの組合せになるか考えましょう。
○漢字辞典を使って漢字の意味を調べる。熟語を分類してワークシートに書く。
○学級全体で組合せを確認する。

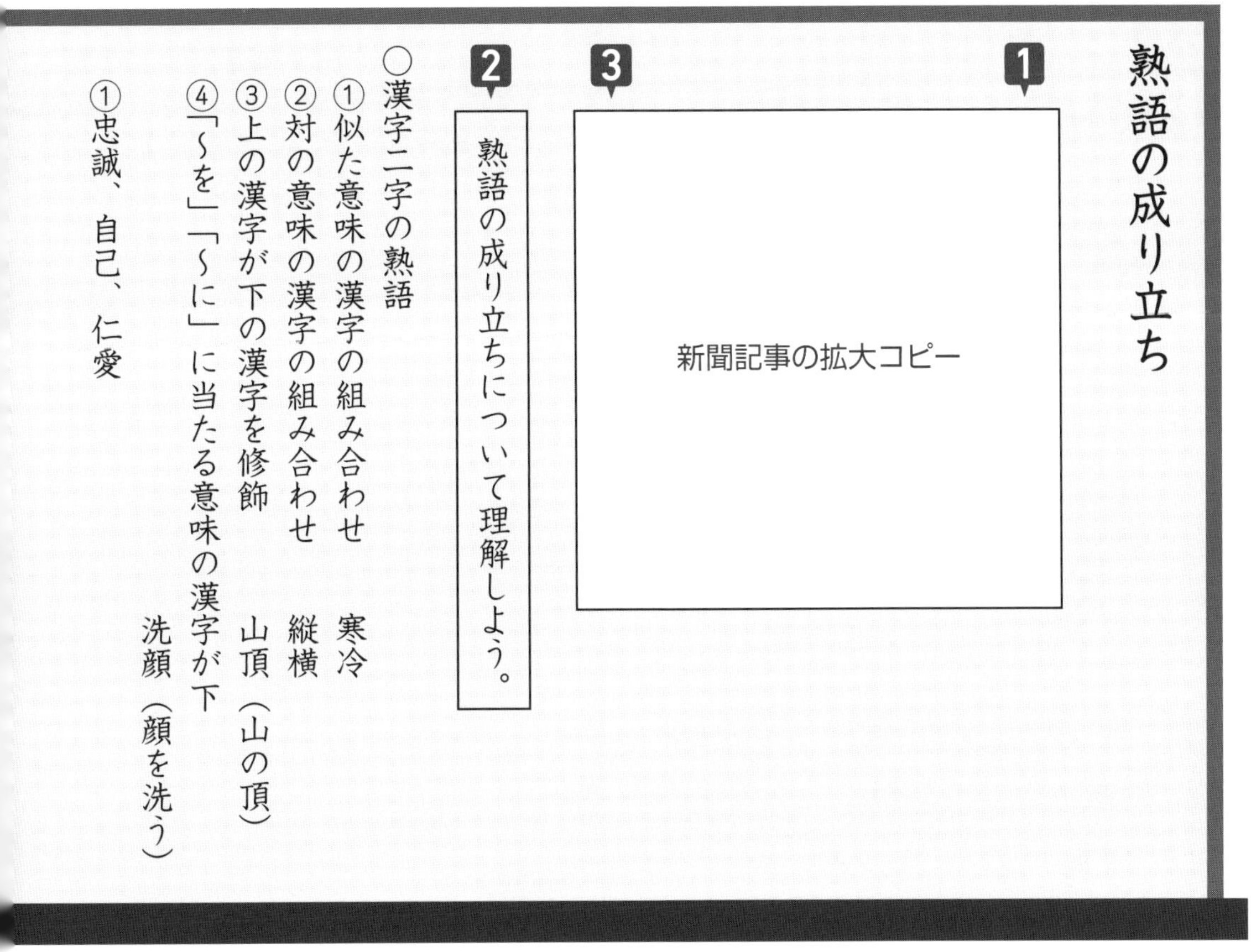
熟語の成り立ち
1
3
新聞記事の拡大コピー
2
熟語の成り立ちについて理解しよう。
○漢字二字の熟語
①似た意味の漢字の組み合わせ　寒冷
②対の意味の漢字の組み合わせ　縦横
③上の漢字が下の漢字を修飾　山頂（山の頂）
④「～を」「～に」に当たる意味の漢字が下　洗顔（顔を洗う）
①忠誠、自己、仁愛

3 新聞記事から見付けた熟語を分類する 〈10分〉

○漢字２字の熟語の成り立ちについての理解を深める。

T　先ほどの新聞記事の中にも、漢字２字の熟語がありました。どの組合せになるのか考えましょう。

○新聞記事から見付けた漢字２字の熟語を分類する。漢字の意味を調べて熟語を分類してワークシートに書く。

○早く終わった子供は、漢字辞典や漢字ドリルを活用して、新出漢字を使った熟語について調べる。どの組合せになるか考えてワークシートに書く。

○学級全体で組合せを確認する。

4 学習の振り返りをする 〈５分〉

T　今日は漢字２字の熟語の成り立ちについて学習しました。気付いたことや考えたことはありますか。

・似た意味の組合せや対の意味になる組合せがたくさんありました。

・上の漢字が下の漢字を修飾している熟語のように、漢字同士の関係があることが分かりました。

・漢字の組合せ方から熟語の意味が分かったり、意味が想像できたりすると思いました。

○次の授業では、漢字３字以上の熟語の成り立ちについて学習することを確認する。

本時案

熟語の成り立ち　2/2

本時の目標

・第６学年までに配当されている漢字を読むとともに、漸次書き、文や文章の中で使うことができる。
・進んで熟語の構成についての理解を深め、学習課題に沿って熟語を探したり組合せを考えたりしようとする。

本時の主な評価

❷第６学年までに配当されている漢字を読むとともに、漸次書き、文や文章の中で使っている。【知・技】
❸進んで熟語の構成についての理解を深め、学習課題に沿って熟語を探したり組合せを考えたりしようとしている。【態度】

資料等の準備

・漢字辞典
・ワークシート 03-01

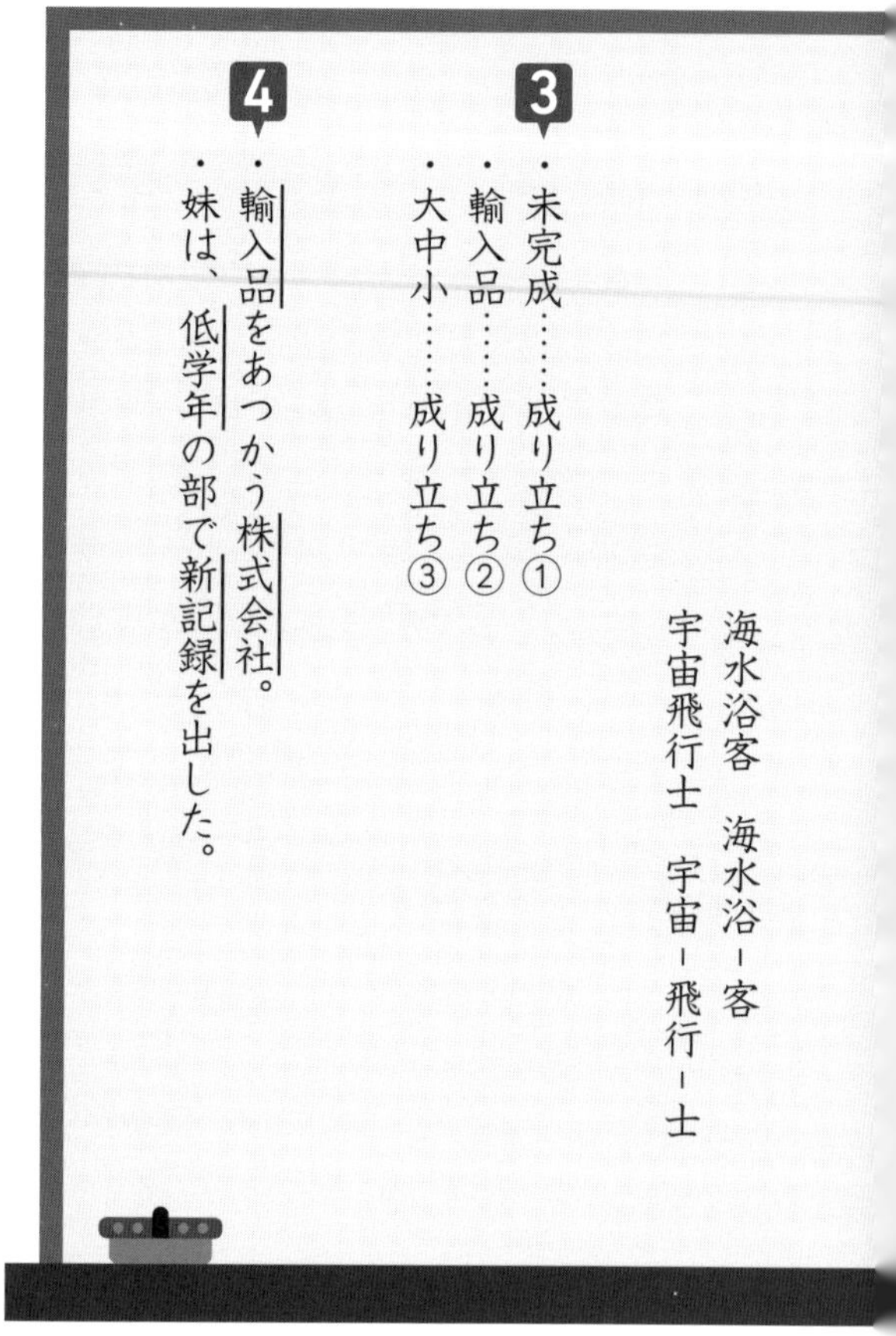

授業の流れ ▷▷▷

1 めあてを確かめる 〈５分〉

T　前回の授業で、新聞記事の中から熟語を探しました。漢字が３字以上の熟語もありましたね。
○前時で黒板に書いた漢字３字以上の熟語を板書する。
T　このような熟語がありましたが、漢字３字以上の熟語はどのような成り立ちでしょうか。
・漢字２字のように法則がありそう。
・上の漢字が下の漢字を修飾する関係みたいな熟語もありそうです。
○熟語を構成する漢字に着目して考えることを押さえる。
T　漢字３字以上の熟語の成り立ちを確認していきましょう。

2 漢字３字以上の熟語の成り立ちを理解する 〈15分〉

T　漢字３字で成り立つ熟語には、次のような組合せがあります。
○教科書 p.136「漢字三字の熟語」を読む。例を挙げて、三つの組合せを確認する。
○「画一的」「合理化」など、子供が日頃使わない熟語が教科書に取り上げられているため、意味を丁寧に確認する。
T　漢字４字以上の熟語は、次のような組合せでできています。
○ p.137「漢字四字以上の熟語」を読む。例を挙げて、二つの組合せを確認する。
T　新聞記事から見付けた熟語はどの組合せになるでしょう。
○どの組合せに当たるのか考えて、組合せを学級全体で確認する。

熟語の成り立ち

1 熟語の成り立ちについて理解しよう。

2

○漢字三字の熟語

①一字の漢字と二字の漢字

・上の語が下の語の性質・状態を限定

低|学年　新|記録　高|性能

・不・未・無・非など、上の語が下の語を打ち消す

不|安定　未|解決　無|意識　非|常識

②二字の漢字と一字の漢字

・上の語が下の語を修飾して、物事の名前になっている

運動|場　銀河|系　加盟|国

・上の語に下の語が意味をそえる

的……～のような（性質をもつ）

意欲|的　典型|的　画一|的

化……～のようになる

自動|化　近代|化　合理|化

③一字の語の集まり

市町村　衣食住　松竹梅

○漢字四字以上の熟語

①一字の語の集まり

春夏秋冬　都道府県　東西南北

②いくつかの語の集まり

株式会社　株式-会社

3 漢字３字以上の熟語の成り立ちを考える　〈10分〉

○漢字３字以上の熟語の成り立ちについての理解を深める。

T　知っている漢字３字以上の熟語の成り立ちを考えましょう。

○漢字辞典を使って漢字３字以上の熟語を見付けてもよい。

T　熟語の成り立ちを友達と確かめ合いましょう。

○班の友達と互いの熟語を確かめる。

ICT 端末の活用ポイント

漢字３字以上の熟語を考えて、その熟語がどの組合せになるかクイズをつくる。学習支援ソフトを用いてクイズを共有し、全員で問題を解く。

4 熟語を使って文章を書き、熟語への理解を深める　〈15分〉

○本時までに扱った熟語を使って文章を書く。実際に使うことで熟語への理解を深める。

T　この単元で出てきた熟語を使って文章を書きましょう。

○教師が考えた文を例示する。

○２字、３字、４字の熟語からいくつか選んでノートに文章を書く。

○学級全体で文章を発表する。

T　この単元では、熟語を構成する漢字に着目して成り立ちを考えました。

○単元の学習を振り返り、感想をノートに書く。

資料

1 第1・2時資料　ワークシート 03-01

熟語の成り立ち

名前（　　　　　　　　　　）

	組み合わせ方		熟語　※分からない熟語は、漢字の意味を調べましょう。
漢字二字の熟語			
漢字三字の熟語			
漢字四字以上の熟語			

2 第１・２時資料　ワークシート（記入例）

熟語の成り立ち

名前（　　　　　　　　　　）

	組み合わせ方		熟語　※分からない熟語は、漢字の意味を調べましょう。
漢字二字の熟語	似た意味		寒冷　忠誠　自己　仁愛
	対の意味		縦横　玉石　苦楽
	上の漢字が下の漢字を修飾する関係にある。		山頂　強敵　温泉　裏庭
	「〜を」「〜に」に当たる意味の漢字が下に来る。		洗顔　養蚕　除雪
漢字三字の熟語	二字の語の頭に一字	上の語が下の語の性質・状態などを限定する。	低学年　新記録　高性能
		不・未・無・非など、上の語が下の語を打ち消す。	不安定　未解決　無意識　非常識
	二字の語の後ろに一字	上の語が下の語を修飾して、物事の名前になる。	運動場　銀河系　加盟国
		上の語に下の語が意味をそえて、様子や状態を表す。	意欲的　典型的　画一的　自動化　近代化　合理化
	一字の語の集まり		市町村　衣食住　松竹梅
漢字四字以上の熟語	一字の語の集まり		春夏秋冬　都道府県　東西南北
	いくつかの語の集まり		株式会社　海水浴客　宇宙飛行士

季節の言葉３

秋の深まり　（１時間扱い）

単元の目標

知識及び技能	・語句と語句との関係について理解し、語彙を豊かにするとともに、語感や言葉の使い方に対する感覚を意識して、語や語句を使うことができる。((1)オ)
思考力、判断力、表現力等	・目的や意図に応じて、感じたことや考えたことなどから書くことを選び、伝えたいことを明確にすることができる。(Bア)
学びに向かう力、人間性等	・言葉がもつよさを認識するとともに、進んで読書をし、国語の大切さを自覚して、思いや考えを伝え合おうとする。

評価規準

知識・技能	❶語句と語句との関係について理解し、語彙を豊かにするとともに、語感や言葉の使い方に対する感覚を意識して、語や語句を使っている。(〔知識及び技能〕(1)オ)
思考・判断・表現	❷「書くこと」において、目的や意図に応じて、感じたことや考えたことなどから書くことを選び、伝えたいことを明確にしている。(〔思考力、判断力、表現力等〕Bア)
主体的に学習に取り組む態度	❸積極的に季節を表す語彙を豊かにし、これまでの学習を生かして俳句や短歌をつくろうとしている。

単元の流れ

次	時	主な学習活動	評価
一	1	二十四節気を確かめ、教科書に挙げられた俳句や短歌を音読したり、秋にまつわる語句を集めたりする。 自分が伝えたい「秋」についての俳句や短歌を創作し、グループで読み合い、感想を伝え合う。	❶ ❷❸

授業づくりのポイント

〈単元で育てたい資質・能力〉

本単元のねらいは、二十四節気を中心とした季節を表す言葉に親しみ、語彙を豊かにしたり、言葉に対する感覚を意識して使う力を育んだりすることである。現代は、気候変動の進行や行事に触れる機会の減少などにより、季節を感じられる機会が減っている。そのため、子供にとって、季節にまつわる言葉の語感を醸成したり、語彙を増やしたりすることが難しくなっていると言える。

本単元では、二十四節気にある秋の言葉や、俳句・短歌から、身の回りにある秋についてのイメージを広げたり、子供自ら俳句や短歌を創作したりする。これらの活動を通して、季節の言葉の語感、調子やリズムに親しむことの楽しさに触れられるようにする。

[具体例]
○既習の二十四節気を想起し、１年間を通して同様の言葉があることを確かめる。ICT 端末や写真等も活用し、秋についてのイメージを膨らませるような活動の工夫をする。
○短歌や俳句の音読に繰り返し取り組むことで、言葉のリズムや言い回しに慣れ、普段使い慣れない言葉にも関心をもたせたい。秋を表す言葉を意識しながら読み、短歌や俳句に描かれた秋の情景を思い浮かべることで、秋のイメージを更に広げていくことができるだろう。

〈教材・題材の特徴〉

本教材は、二十四節気の暦の言葉について知り、季節感を味わうとともに、日本人古来の美意識や自然観について学ぶことのできるものである。言葉にまつわる写真やイラストを用いて情景を可視化し、子供の感性や情操を養うことをねらっている。

更にここでは「秋」について詠まれた短歌１首と俳句２句が挙げられている。四季折々の美しさが凝縮された作品の表現に親しみ、先人のものの見方や感じ方に触れる機会を大切にしたい。また、自ら俳句や短歌を創作することで、季節を感じつつ、言葉に対する感覚を磨くことができるようにする。

[具体例]
○二十四節気とは、日本の四季に根差した言葉として知られている。その時期にあった言葉を教室に掲示することで、子供が日常生活の中で季節感を養う場を設定することができる。
○年間を通して、季節にまつわる言葉に親しむことのできるコーナーを設けておく。常時活動として、俳句や短歌を掲示したり、行事について紹介したりすることで、季節にまつわる言葉に親しむ態度を育てることができる。

〈言語活動の工夫〉

身の回りで感じた秋の風景や、それにまつわる伝えたいことを集め、秋についてのイメージを膨らませ、俳句や短歌にして表現する活動に取り組む。語彙を増やすために、どのような言葉を使って表現するのか、必要に応じて思考ツールも使いながら考えを整理できるようにする。

「たのしみは」において短歌の創作を行っているが、ここでは技巧的な指導は過度に行わないよう配慮する。比較的自由な発想で、日常生活の中の季節を感じる瞬間を切り取り、表現することができるようにしたい。また、完成した作品を学級で読み合う時間を設定し、相手の感じ方や言葉の使い方、表現の仕方を共有することで、自分の作品のよいところも見付けられるようにしていく。

[具体例]
○日常生活の中で「秋」に触れた風景や体験などをメモできるような環境を整えておくとよい。
○二十四節気に触れる際、子供の思う「秋」とは暦がずれていることを確認しながら、自分の生活を振り返らせる。ずれていることを補正する必要はないが、日本古来の季節感を確かめることを意識しておく。

〈ICT の効果的な活用〉

共有：ICT 端末の撮影機能を用いて、身の回りの「秋」について写真を撮り、共有してもよい。

本時案

秋の深まり

1/1

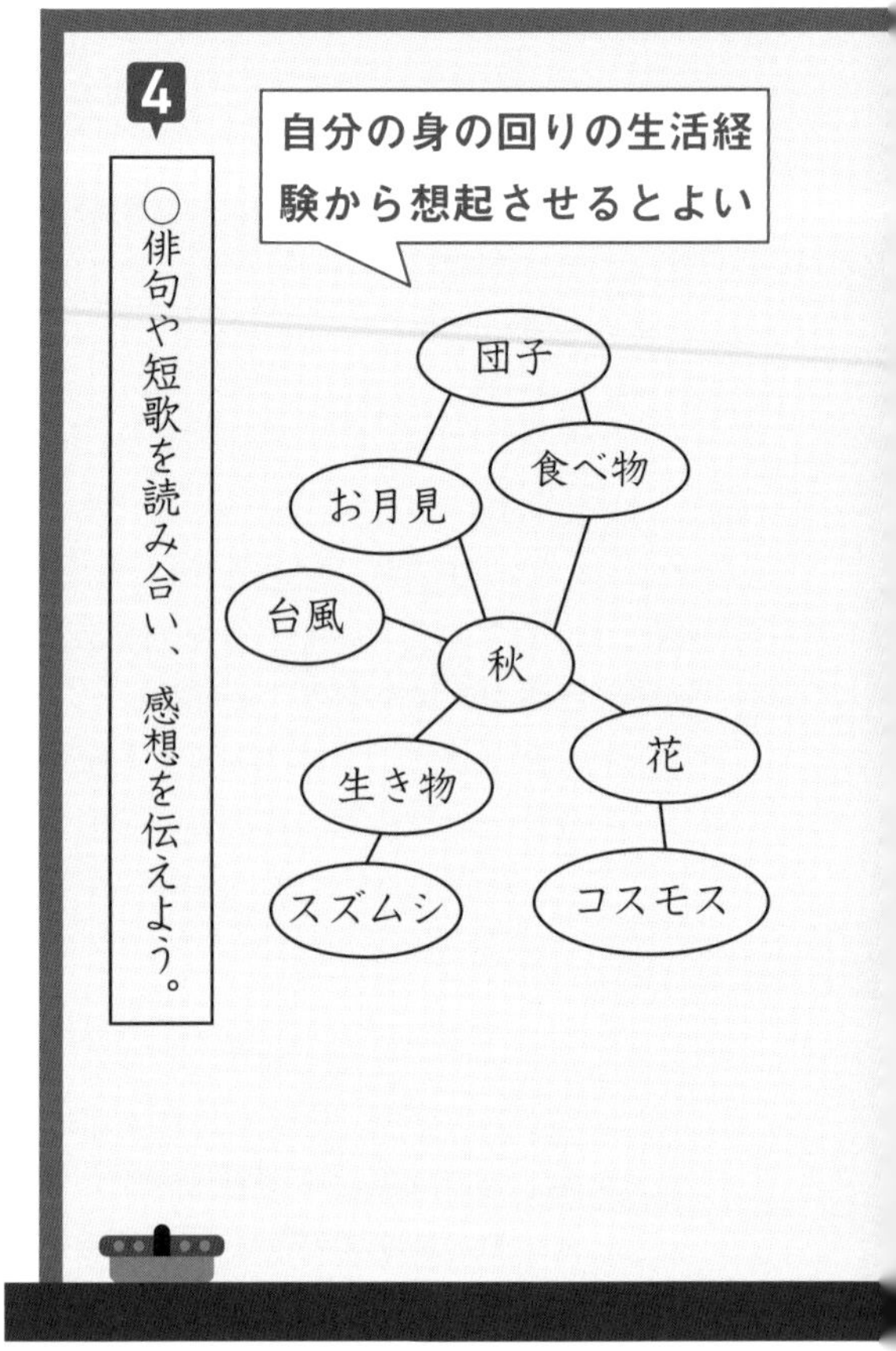
4
○俳句や短歌を読み合い、感想を伝えよう。
自分の身の回りの生活経験から想起させるとよい
団子
食べ物
お月見
台風
秋
生き物
花
スズムシ
コスモス

本時の目標

・「秋」にまつわる語句に触れて語彙を豊かにし、伝えたいことを進んで俳句や短歌に表すことができる。

本時の主な評価

❶秋に関する語句について、その語感や意味、使い方を理解して使っている。【知・技】
❷自分の身近な秋について、集めた語句を使って俳句や短歌をつくっている。【思・判・表】

資料等の準備

・二十四節気を表すイメージの写真（教科書 p.138〜139のもの）
・歳時記等、季語を調べるための資料

授業の流れ ▷▷▷

1 二十四節気を知り、秋にまつわる言葉に出会う 〈10分〉

T　教科書にある、秋を表す二十四節気にある言葉を確かめましょう。
○写真を示しながら、二十四節気にある秋の言葉について押さえていく。
○暦の上では8月頃から秋であることに触れ、日常的に感じる秋にまつわる感覚と違うことに気付かせたい。
○「立秋」や「秋分」といった耳慣れた語句に触れ、子供が興味・関心をもてるよう配慮する。

ICT 端末の活用ポイント

二十四節気にまつわるものでなくても、写真からイメージを共有することもできる。秋にまつわる写真を事前に配布しておいてもよい。

2 短歌や俳句から、秋の様子を想像する 〈10分〉

○教科書 p.138〜139にある秋の短歌や俳句を紹介し、音読しながら、言葉の調子や響き、リズムに親しむ。
T　これらの短歌や俳句からは、どのような秋の様子が想像できますか。
・秋の風が心地よい感じが想像できます。
・二十四節気にある「白露」が使われています。
○短歌は5・7・5・7・7音、俳句は5・7・5音であることに触れる。未習事項も含まれるので、音数に気を付けることを伝える程度でよい。

秋の深まり

「秋」にまつわる語句を使い、俳句や短歌を作ろう。

1 「二十四節気」とは……こよみの上での季節を表す語句

立秋　処暑　白露　秋分　寒露　霜降

3 写真や ICT 機器で掲示し、イメージしやすくする

教科書p.138～139の写真

2

とことはに吹く夕暮の風なれど
秋立つ日こそ涼しかりけれ
藤原公実

白露や茨の刺に一つづつ
与謝蕪村

鶏頭に霜見る秋の名残かな
正岡子規

○「秋」にまつわる語句を集め、俳句や短歌に使いたい語句を選ぼう。

3 秋にまつわる語句を集め、俳句や短歌をつくる〈15分〉

T　自分の生活を振り返り、秋の風景や出来事、体験を思い出しましょう。イメージマップを活用して語句を集めるのもいいですね。

・「秋」といえば、栗やブドウなどおいしいものがたくさんあるイメージです。

・お月見や紅葉狩りなどの楽しみもあります。

・スズムシの音色がきれいだと思います。

T　集めた語句の中から使いたいものを選び、俳句か短歌をつくってみましょう。

○俳句や短歌の表現技巧（切れ字、季語の数等）についての指導は、本時では行わない。

○創作が難しい子供には、教科書にある俳句や短歌を視写したり、選んだ理由を述べさせたりしてもよい。

4 友達と読み合い、感想を伝え合う〈10分〉

T　できた俳句や短歌を読み、感想を伝え合いましょう。

○できた俳句や短歌は、清書をして教室や廊下に掲示したり、書写の時間に半紙に書いたりして、作品として仕上げてもよい。

・秋の行事を楽しんでいる様子がよく伝わってきます。

・紅葉がとてもきれいだったことが、うまく表現されていました。

ICT 端末の活用ポイント

学習支援ソフトを使って作品を提出することも可能である。詠んだ場面の挿絵や写真をワンポイントで入れてもよい。

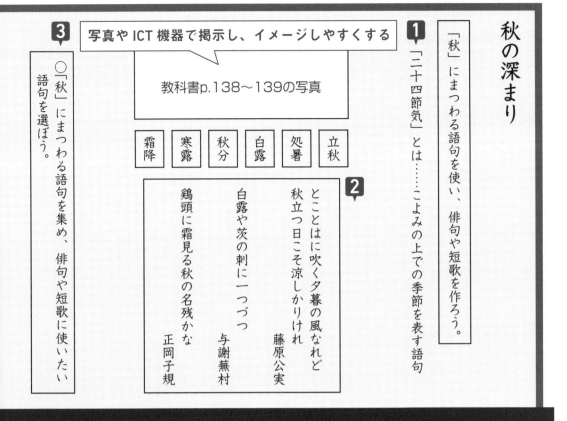

目的や条件に応じて話し合おう

みんなで楽しく過ごすために／［コラム］伝えにくいことを伝える

6時間扱い

単元の目標

知識及び技能	・言葉には、相手とのつながりをつくる働きがあることに気付くことができる。((1)ア) ・思考に関わる語句の量を増し、話や文章の中で使うとともに、語句と語句との関係、語句の構成や変化について理解し、語感や言葉の使い方に対する感覚を意識して、語や語句を使うことができる。((1)オ)
思考力、判断力、表現力等	・互いの立場や意図を明確にしながら計画的に話し合い、考えを広げたりまとめたりすることができる。(A オ) ・目的や意図に応じて、日常生活の中から話題を決め、集めた材料を分類したり関係付けたりして、伝え合う内容を検討することができる。(A ア)
学びに向かう力、人間性等	・言葉がもつよさを認識するとともに、進んで読書をし、国語の大切さを自覚して、思いや考えを伝え合おうとする。

評価規準

知識・技能	❶言葉には、相手とのつながりをつくる働きがあることに気付いている。(〔知識及び技能〕(1)ア) ❷思考に関わる語句の量を増し、話や文章の中で使うとともに、語句と語句との関係、語句の構成や変化について理解し、語感や言葉の使い方に対する感覚を意識して、語や語句を使っている。(〔知識及び技能〕(1)オ)
思考・判断・表現	❸「話すこと・聞くこと」において、互いの立場や意図を明確にしながら計画的に話し合い、考えを広げたりまとめたりしている。(〔思考力、判断力、表現力等〕A オ) ❹「話すこと・聞くこと」において、目的や意図に応じて、日常生活の中から話題を決め、集めた材料を分類したり関係付けたりして、伝え合う内容を検討している。(〔思考力、判断力、表現力等〕A ア)
主体的に学習に取り組む態度	❺粘り強く考えを広げたりまとめたりし、学習の見通しをもって話し合おうとしている。

単元の流れ

次	時	主な学習活動	評価
一	1	学習の見通しをもつ 活動について、何を決める必要があるのか、議題を確かめる。 活動の目的や条件をはっきりさせ、話合いの見通しをもつ。	
	2	議題について自分の考えを明確にする。	❹

二	3	話合いの仕方を確かめる。 グループの中で役割を決め、進行計画を立てる。	❺
	4	進行計画に沿って話し合う。	❸
	5	話合いで決まった仮の結論を実際に試し、問題点や改善点が生じた場合には、考えを広げる話合いとまとめる話合いを繰り返す。	❸
三	6	話し合ったことをクラスで共有し、話合いの仕方のよかった点など感想を伝え合う。 学習を振り返る	❶❷

授業づくりのポイント

〈単元で育てたい資質・能力〉

本単元では、互いの立場や意図を明確にしながら計画的に話し合い、質問をして考えを広げたり、問題点や改善点を明らかにしてまとめたりすることができる力を育む。また、話合いの目的や意図に応じて、複数の意見を関連付ける言葉を使う能力も高めたい。計画的に話し合い、納得する結論を導くには、みんなが何のために話し合い、どんな条件の下、話合いを進めていくのかを十分に理解することが重要である。また、話し合っている際も、目的と条件を照らし合わせて検討するように意識させたい。互いに歩み寄れるところはないかと客観的に話合いを捉えさせたり、話合いで解決すべき点を明らかにさせたりして、みんなが納得できる結論にたどり着くようにする。みんなで話し合ってよかったと実感できる単元にしたい。

〈教材・題材の特徴〉

学校や地域の行事では、６年生が中心となって活動を行うことが多い。この教材のように「どのような活動をすれば、参加した人みんなが楽しめるのか」という議題は、多くの６年生が解決したい議題ではないだろうか。教材では、意見を述べたり質問をしたりする機会が一人一人に十分に確保できるようにグループでの話合いを行う。教材には話合いの動画もあるので、話合いの前に見ておくと、見通しをもつことができる。話合いにおいて意識する点や言葉が具体的に示されているので、どのように進めていいか分からなくなったときや学習の振り返りに積極的に活用させたい。

〈言語活動の工夫〉

グループの中で司会や記録係を決めて話合いを行う。予め、進行計画と時間配分をグループで共通理解して時間内に進められるようにする。話したり聞いたりしながら記録を取ることは難しいので、発言者ごとに付箋の色を変え、内容を手短にメモするようにする。

〈ICT の効果的な活用〉

共有：学習支援ソフトで、学習の見通しや議題、目的、条件についての板書を写真で共有する。目的や条件に照らし合わせて考える際に活用することができる。また、他のグループの話合いの動画を見て、よかった点や改善点など検証することができる。

記録：記録係は自分たちの話合いをICT端末で録画する。メモを取る必要がないため、話合いに集中できる。また、自分たちの話合いがどのように進んでいたのか、検証することができる。そのほかに、どのように話合いを進めていたのか評価として活用することもできる。

提出：学習支援ソフトを通して、授業で学んだことなどの振り返りを提出する。

本時案

みんなで楽しく過ごすために 1/6

本時の目標

・学習の見通しをもつことができる。

本時の主な評価

・学習の見通しをもっている。

資料等の準備

・議題、目的、条件を書くための模造紙（ICT機器で代用可）

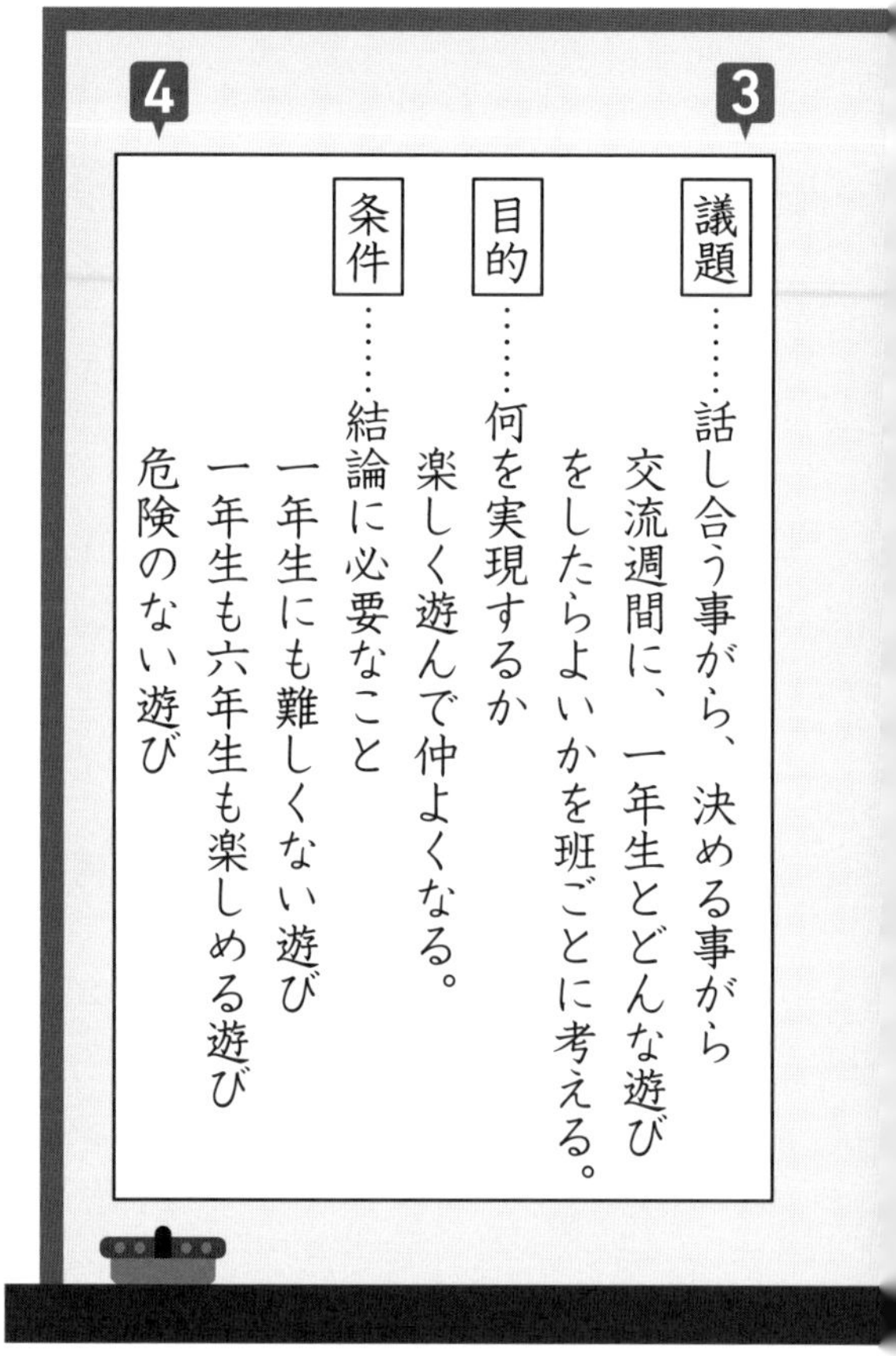

4
3
議題……話し合う事がら、決める事がら
交流週間に、一年生とどんな遊び
をしたらよいかを班ごとに考える。
目的……何を実現するか
楽しく遊んで仲よくなる。
条件……結論に必要なこと
一年生にも難しくない遊び
一年生も六年生も楽しめる遊び
危険のない遊び

授業の流れ ▷▷▷

1 これまでの話合いを振り返り、問いを立てる 〈10分〉

○参加するみんなが納得できる結論を出すことができた話合いを想起する。

T　話合いで、みんなが納得する結論を出せたことはありますか。それはどうしてできたのですか。

・みんなが納得する結論になったことはあります。お互いの考えやその理由を聞いて、共通点を見付けることができたからです。

・みんなが納得した結論だったのか分かりません。何を基準に結論を出すのか分からず、多数決で結論を出すこともありました。

T　どのように話し合うと、みんなが納得する、よりよい結論にたどり着けるでしょうか。この単元で考えていきましょう。

2 単元の目標を確認する 〈10分〉

○教科書 p.140上段を読む。

T　この単元では、みんなで楽しく過ごすために、どんな活動を行うとよいかグループで話し合います。

○ p.141の「目標」を確認する。目的や条件に応じて話し合うことを押さえる。

○ p.140下段「見通しをもとう」を読む。

T　単元は大きく四つの活動に分かれます。

①決めよう・集めよう

②準備しよう

③話そう・聞こう

④つなげよう

みんなで楽しく過ごすために

1

〈問い〉

みんながなっとくできる結論が出せるような話し合いにするためには、どのように話し合うといいだろう？

2

〈目標〉

目的や条件に応じて、みんながなっとくできる結論にたどり着けるような話し合いをしよう。

○目的と条件に照らして、複数の意見を関連づける言葉を使う。

考えをつなげる・

考えを比べる言葉

○質問して考えを広げたり、問題点や改善点を明らかにして考えをまとめたりする。

3 議題を確かめ、目的と条件を明確にする 〈20分〉

○教科書 p.141上段を読む。

T　では、自分たちが中心となって行う活動について、何を決める必要があるのか、議題を確かめましょう。

・「交流週間に、１年生とどんな遊びをしたらよいか」。

T　遊びの目的をはっきりさせましょう。

・楽しく遊んで仲よくなります。

T　どんな遊びだといいですか。条件をはっきりさせましょう。

・１年生にも分かりやすいルールの遊び。

・１年生も６年生も楽しめる遊び。

○実際に６年生が中心となる活動内容に合わせて議題や目的、条件を決める。

4 話合いの見通しをもつための観点を確認する 〈５分〉

T　話合い全体を通して意識しておきたいことは、「議題」「目的」「条件」の三つです。

○教科書 p.141下段「話し合いの見通しをもつための観点」を読む。

○単元全体の学習の流れを確かめ、次の学習では議題について自分の考えを整理することを確認する。

ICT 端末の活用ポイント

端末のメモ機能や文書作成機能を用いて、議題、目的、条件をまとめる。次時の学習活動の前に振り返ることができるようにする。

本時案

みんなで楽しく過ごすために 2/6

本時の目標

・課題について、主張や理由、根拠の観点で考え方を整理することができる。

本時の主な評価

❹課題について、主張や理由、根拠の観点で考え方を整理している。【思・判・表】

資料等の準備

・前時に確認した議題、目的、条件を書くための模造紙（ICT 機器で代用可）

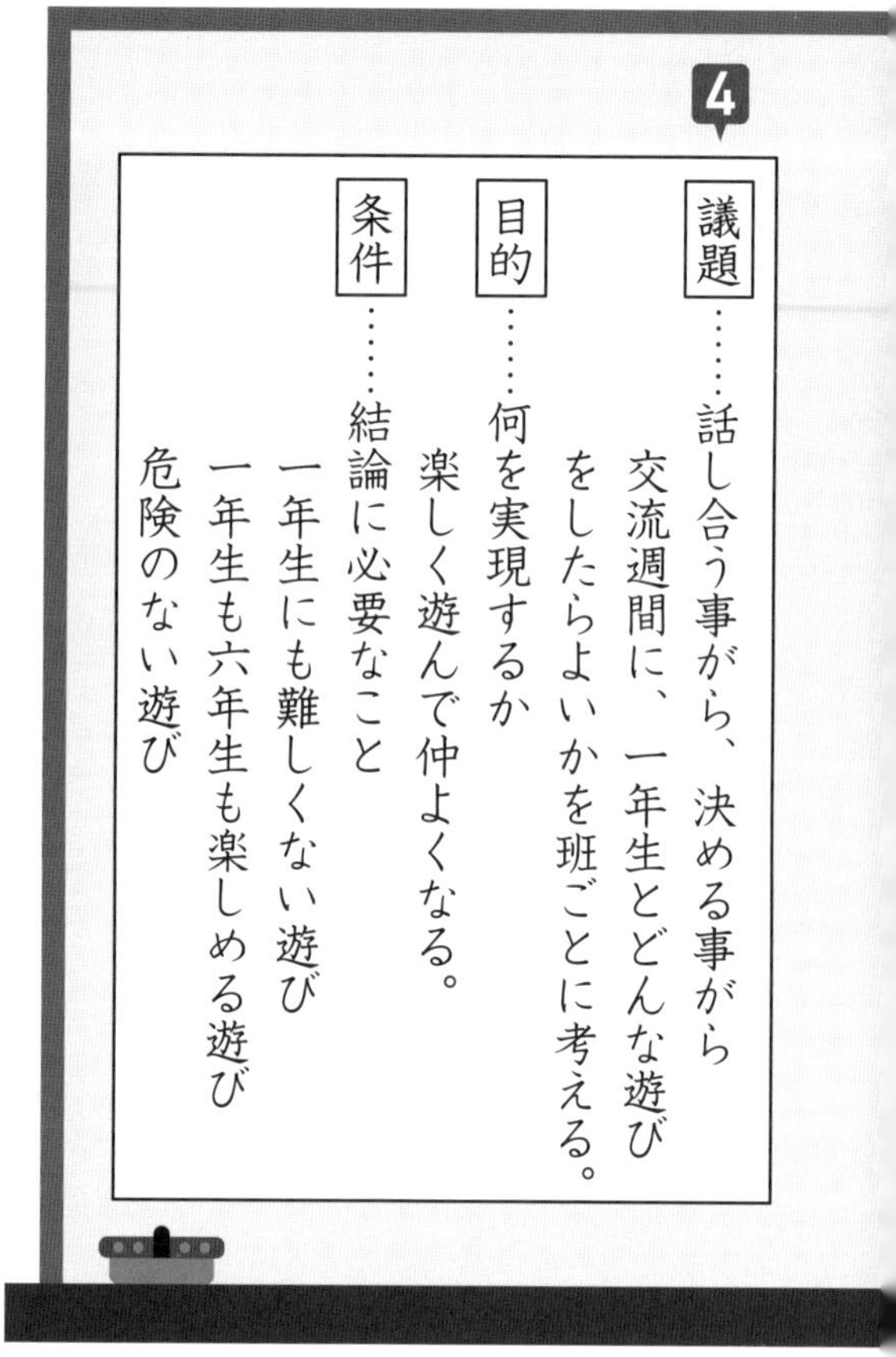
4
議題……話し合う事がら、決める事がら
交流週間に、一年生とどんな遊び
をしたらよいかを班ごとに考える。
目的……何を実現するか
楽しく遊んで仲よくなる。
条件……結論に必要なこと
一年生にも難しくない遊び
一年生も六年生も楽しめる遊び
危険のない遊び

授業の流れ ▷▷▷

1 前時の学習を振り返る 〈10分〉

○目的や条件に応じて話し合う単元であることを確認する。

T　今回の単元の目標は何ですか。

・「目的や条件に応じて、みんなが納得できる結論にたどり着けるような話し合いをしよう」です。

T　話合いの議題は何ですか？

・「交流週間に、1年生との遊びをどんな遊びにするとよいか」です。

・班ごとに話し合います。

T　遊びの目的は何ですか？

・楽しく遊んで仲よくなることです。

T　遊びの条件はどんな条件ですか？

○前時における条件を確認する。

2 本時のめあてを確認し、考えの整理の仕方を確かめる 〈15分〉

T　今日は「交流週間における1年生との遊び」について、自分の考えを整理しましょう。

○教科書 p.142「考えを書き出した例」を読む。

T　主張、理由、根拠の三つの観点で考えを整理します。三つの観点の意味を確認しましょう。

○ p.142「考えを整理するための観点」を読み、理由と根拠の違いを確認する。

T　自分の考えを明らかにする際、大事にしないといけないことは何ですか。

・目的と条件に合わせることです。

T　この例を参考にして、自分の考えを整理してみましょう。

みんなで楽しく過ごすために

1

〈目標〉
目的や条件に応じて、みんながなっとくできる結論にたどり着けるような話し合いをしよう。

2

議題について、自分の考えを整理しよう。

3

・だるまさんが転んだ
↓遊びの中で名前を呼ぶことがあるので、より仲よくなれる。

・バナナおに
↓おにになった人たちやにげる人たちがおたがいに協力しようとして仲よくなれる。

・大なわ
↓とび方や入るタイミングを教えるなど六年生が工夫する。

3 議題に対する考えを整理する 〈15分〉

○ノートに箇条書きで書く。
○遊びの名称だけでなく、どんな遊びなのか、ほかの人に分かるように説明を加える。
○書き終わったら、目的と条件に合っているか見直しをする。
○机間指導をしながら、子供の考えをいくつか板書で示す。
T 友達とお互いの考えを読み合いましょう。
○目的と条件に合った主張になっているか確認し合う。必要であれば、加除修正する。

ICT 端末の活用ポイント

学習支援ソフトを活用して、教科書 p.142上段の「考えを書き出した例」のような三つの観点に分けて書き込めるようなワークシートを配布する。

4 学習を振り返る 〈5分〉

○目的や条件に照らし合わせて書くことや、理由や根拠を添えて考えを明らかにすることができたか振り返る。
T 次回は、グループで話合いの司会や記録の係を決め、話合いの進行計画を立てます。
○4人のグループを決めておく。クラスの実態に応じて、人数やメンバーを決める。

ICT 端末の活用ポイント

学習支援ソフトを活用して、考えを書いたワークシートを提出する。目的や条件に照らし合わせて自分の考えをまとめているか、確認することができる。

本時案

みんなで楽しく過ごすために 3/6

本時の目標

・粘り強く考えをまとめて、見通しをもって話合いの準備をすることができる。

本時の主な評価

❺粘り強く考えをまとめて、見通しをもって話し合おうとしている。

資料等の準備

・教科書 p.142下段「進め方の例」の拡大コピー（ICT 機器で代用可）
・「考えを広げる話し合い」と「考えをまとめる話し合い」を書くための模造紙（ICT 機器で代用可）

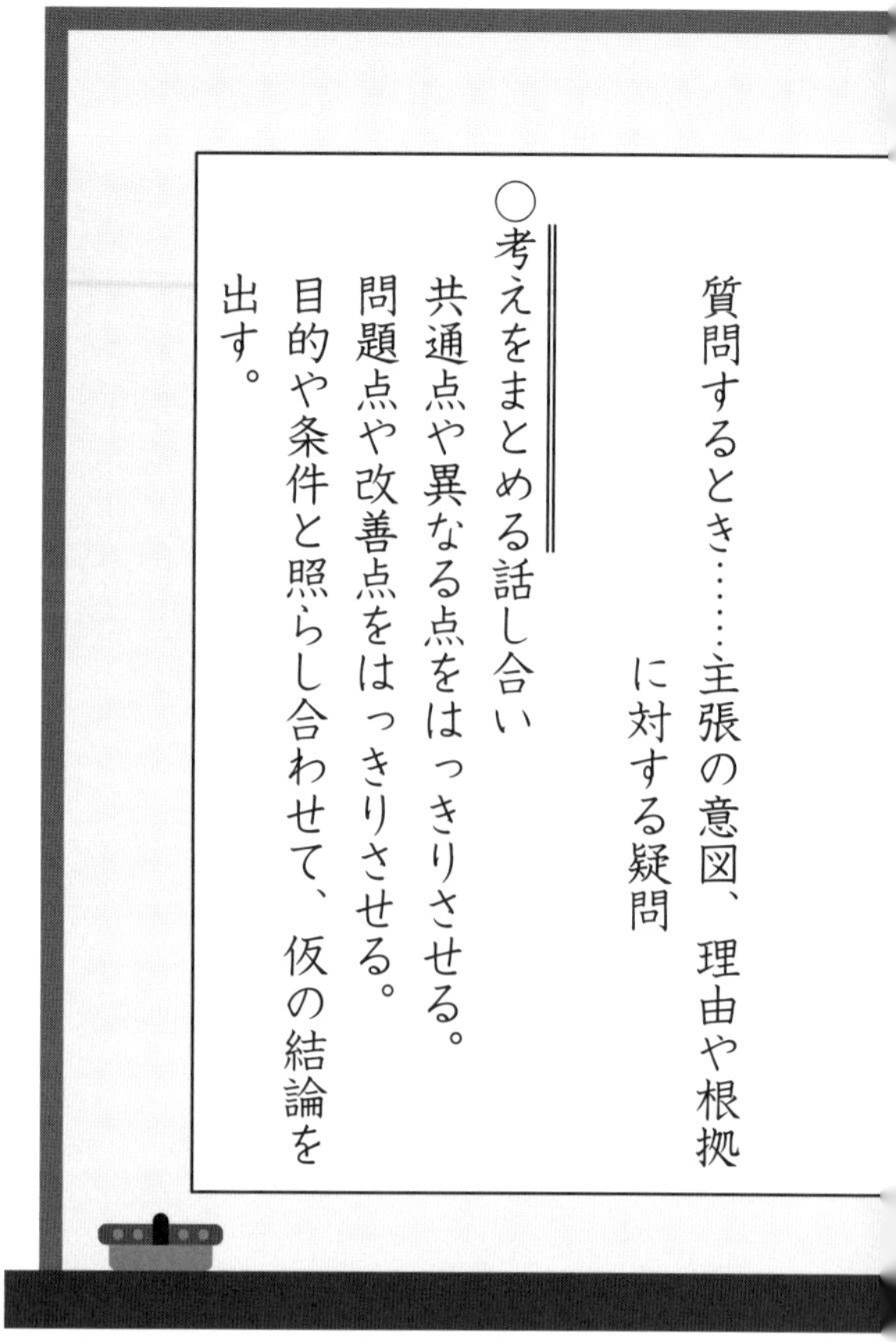

質問するとき……主張の意図、理由や根拠
に対する疑問
○考えをまとめる話し合い
共通点や異なる点をはっきりさせる。
問題点や改善点をはっきりさせる。
目的や条件と照らし合わせて、仮の結論を
出す。

授業の流れ ▷▷▷

1 本時のめあてを確かめる〈10分〉

○本時のめあてを確認する。
○これまでの話合いでは、どのような話合い方があったのか想起させる。
T　これまでの話合いの仕方を振り返りましょう。どのように話し合っていましたか。
・司会係や記録係を決めて話し合いました。
・分からないことがあると質問をしました。
・結論を出すときに多数決をしたこともありました。
○みんなが納得できる結論にたどり着けるような話合いにするために、本時では話合いの仕方を学ぶことを押さえる。

2 話合いの仕方を確認する〈10分〉

○教科書 p.142下段「進め方の例」を読む。
T　進め方の例を読んで、気付いたことはありますか。
・①②⑤は「考えを広げる話し合い」で、③④⑥は「考えをまとめる話し合い」になっています。
・「考えを広げる話し合い」と「考えをまとめる話し合い」が交互に行われています。
・仮の結論で、実際に遊びを試しています。
○「考えを広げる話し合い」と「考えをまとめる話し合い」の二つの仕方があることを押さえる。
○ p.143下段「考えを広げる話し合いのときは」と p.144下段「考えをまとめる話し合いのときは」を読み、一つ一つ確認する。

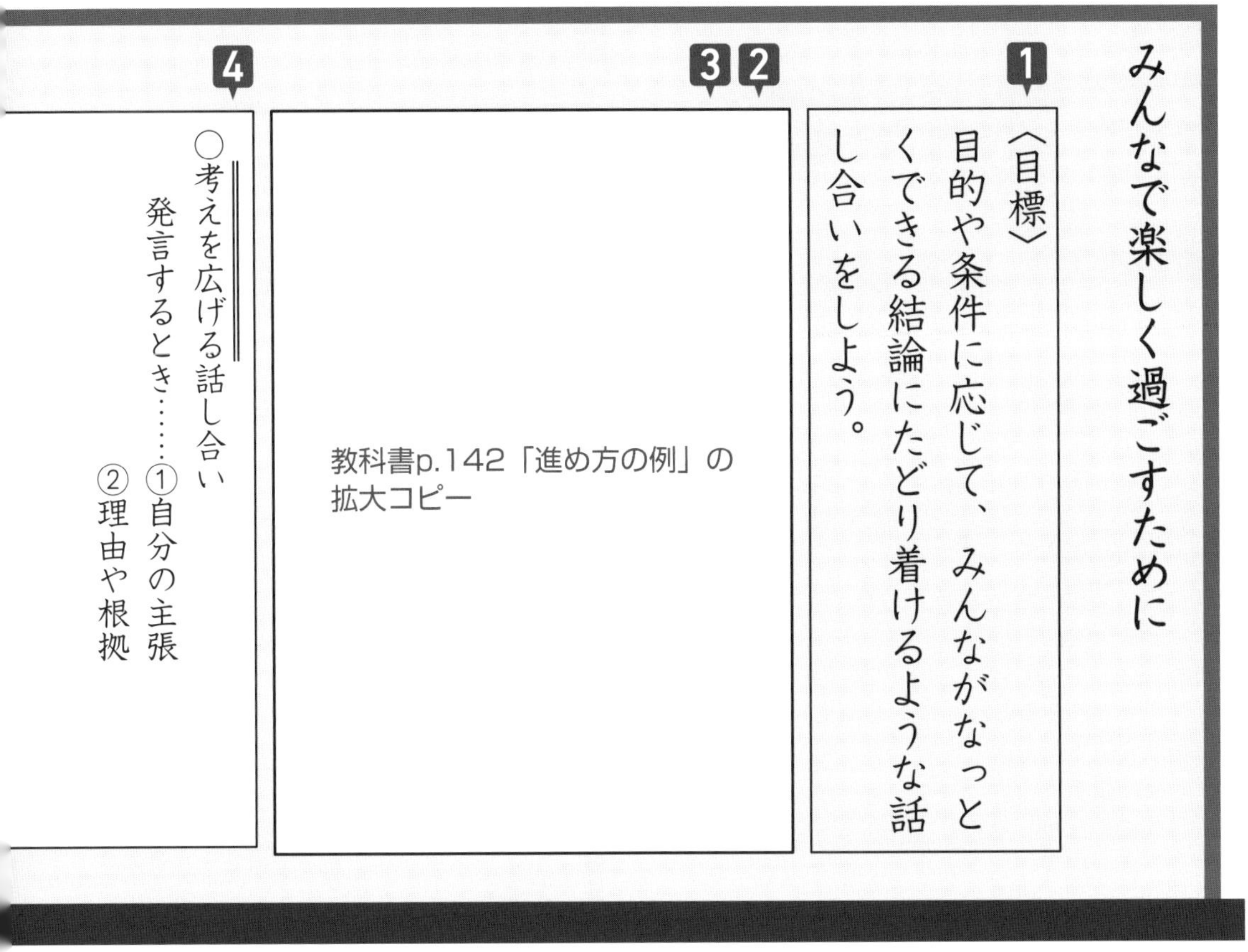
みんなで楽しく過ごすために
1
〈目標〉
目的や条件に応じて、みんながなっとくできる結論にたどり着けるような話し合いをしよう。
3 2
教科書p.142「進め方の例」の拡大コピー
4
○考えを広げる話し合い
発言するとき……①自分の主張
②理由や根拠

3 グループで進行計画を立てる〈20分〉

○話合いは20分間で２回行う。１回目の話合いでは仮の結論を出すこと、２回目の話合いでは最終的な結論を出すことを確認する。

T　まず、グループで司会と記録の役割を決めましょう。次に進行計画を立て、時間配分を決めましょう。

○進行計画が立てられたら、教科書 p.143下段「話し合うときに意識すること」をグループで読む。

○次の学習で、グループで話合いを行うことを確認する。

4 次時の学習の見通しをもつ〈５分〉

T　話合いの進行計画ができました。実際にどんなふうに話合いを進めているか動画を見てみましょう。

○教科書 p.143の二次元コードから動画を視聴する。

T　「考えを広げる場面」でしたか、「考えをまとめる場面」でしたか。他にも気が付いたことがありますか。

・「考えを広げる場面」でした。

・積極的に質問して、条件に合うかどうかを確かめていました。

本時案

みんなで楽しく過ごすために 4/6

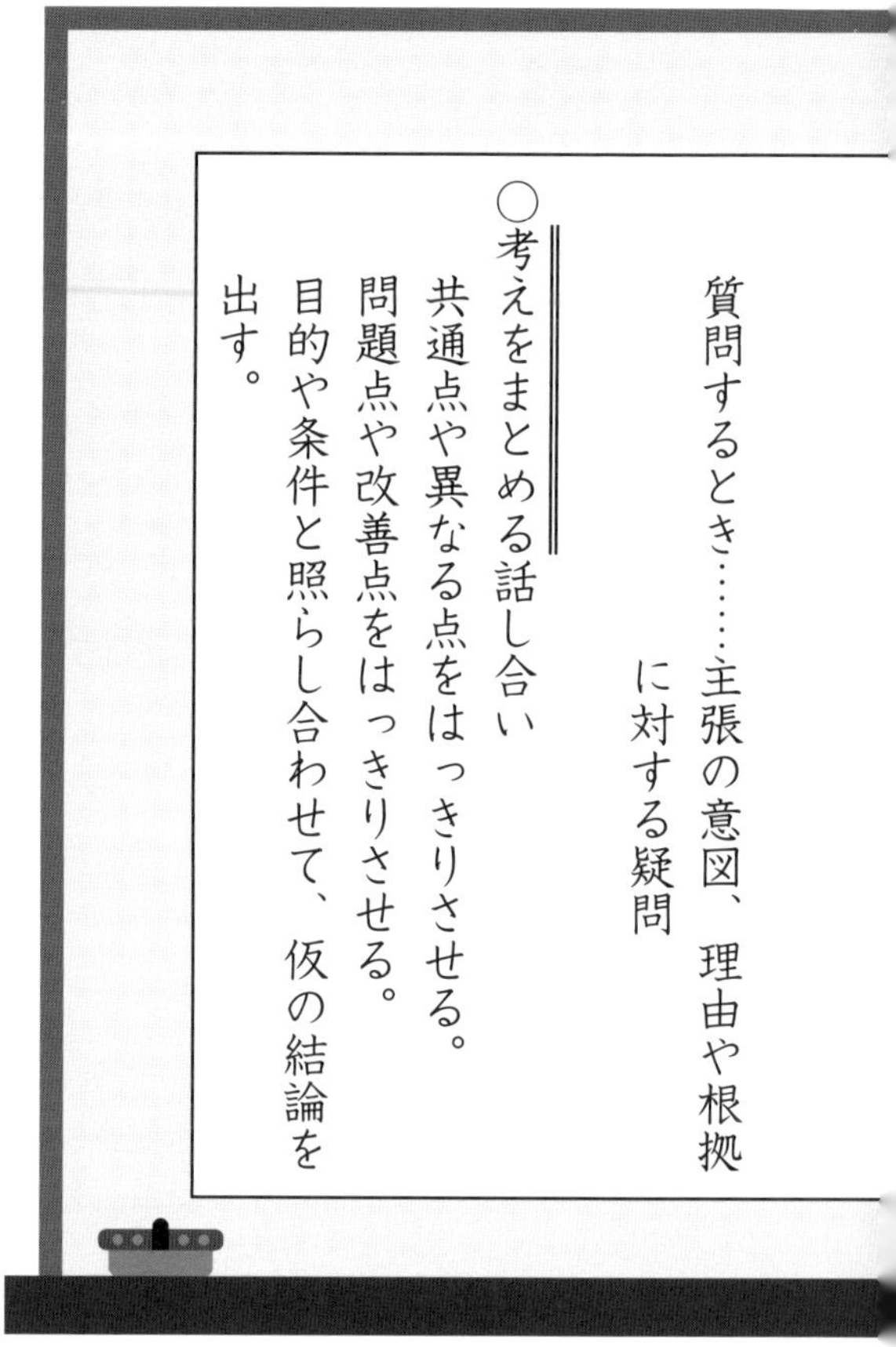

質問するとき……主張の意図、理由や根拠
に対する疑問
○考えをまとめる話し合い
共通点や異なる点をはっきりさせる。
問題点や改善点をはっきりさせる。
目的や条件と照らし合わせて、仮の結論を
出す。

本時の目標

・進行計画に沿って考えを広げたりまとめたりすることができる。

本時の主な評価

❸進行計画に沿って考えを広げたりまとめたりしている。【思・判・表】

資料等の準備

・教科書 p.142下段「進め方の例」の拡大コピー（ICT 機器で代用可）
・「考えを広げる話し合い」と「考えをまとめる話し合い」をまとめた模造紙（ICT 機器で代用可）

授業の流れ ▷▷▷

1 本時のめあてを確認する 〈5分〉

T 前時にグループで考えた進行計画に沿って話し合います。議題は何でしたか。
・1年生との遊びです。
T グループで作成した進行計画がありますね。今日は仮の結論まで出せるように、話合いを進めましょう。
○前時に作成した進行計画の流れをグループで確認する。
○司会や記録といった役割分担を確認する。
○本時では仮の結論を出すことを目標にする。
T 話合いで意識することが三つあります。
○教科書 p.143下段「話し合うときに意識すること」を確認する。

2 話合いの仕方を確認する〈10分〉

T 話合いでは、「考えを広げる話し合い」と「考えをまとめる話し合い」がありました。それぞれ、どんなことに気を付けるといいか確認しましょう。
○教科書 p.143下段「考えを広げる話し合いのときは」を読み、二次元コードから「考えを広げる話し合い」の動画を見る。
○ p.144下段「考えをまとめる話し合いのときは」を読み、「考えをまとめる話し合い」の動画を見る。
○ p.144下段「意見を整理するときの言葉」を読み、考えをつなげたり比べたりする役割の言葉を確認する。

みんなで楽しく過ごすために

1

〈目標〉
目的や条件に応じて、みんながなっとくできる結論にたどり着けるような話し合いをしよう。

進行計画に沿って、グループで話し合おう。

3 **2**

教科書p.142「進め方の例」の拡大コピー

4

○考えを広げる話し合い
発言するとき……①自分の主張
②理由や根拠

3 グループで話し合う 〈20分〉

○みんなが納得する結論にたどり着けるような話合いを目指すことを確認する。

T　それではグループで話合いを始めましょう。

○司会係は、進行計画に沿って話合いを進める。記録係は、話合いの過程が分かるように記録を取る。

○時間より早く仮の結論を出せたグループは、話合いについてグループで振り返る。

ICT 端末の活用ポイント

ICT 端末で話合いの動画を記録する。話合いの後に、進行計画に沿って話合いを進めることができたか、考えを広げる話合いができていたか、考えをまとめる話合いができていたか、といった観点で見直す。

4 話合いを振り返る 〈10分〉

T　学習を振り返りましょう。

○グループで話合いを振り返る。

T　「考えを広げる話し合いのときは」と「考えをまとめる話し合いのときは」の項目で、できていたと思うものにチェックをしましょう。

○仮の結論を導くことができたグループは、休み時間などに実際に遊んでみる。次回はその感想を基に話し合うことを確認する。

ICT 端末の活用ポイント

ICT 端末で話合いの動画を記録し、学習支援ソフトでその動画を提出する。立場や意図を明確にしながら話すことができたか、考えを広げるために相手に質問をすることができたか、など評価に活用する。

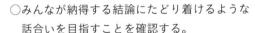

本時案

みんなで楽しく過ごすために 5/6

本時の目標

・進行計画に沿って考えを広げたりまとめたりすることができる。

本時の主な評価

❸進行計画に沿って考えを広げたりまとめたりしている。【思・判・表】

資料等の準備

・教科書 p.142下段「進め方の例」の拡大コピー（ICT 機器で代用可）
・「考えを広げる話し合い」と「考えをまとめる話し合い」をまとめた模造紙（ICT 機器で代用可）

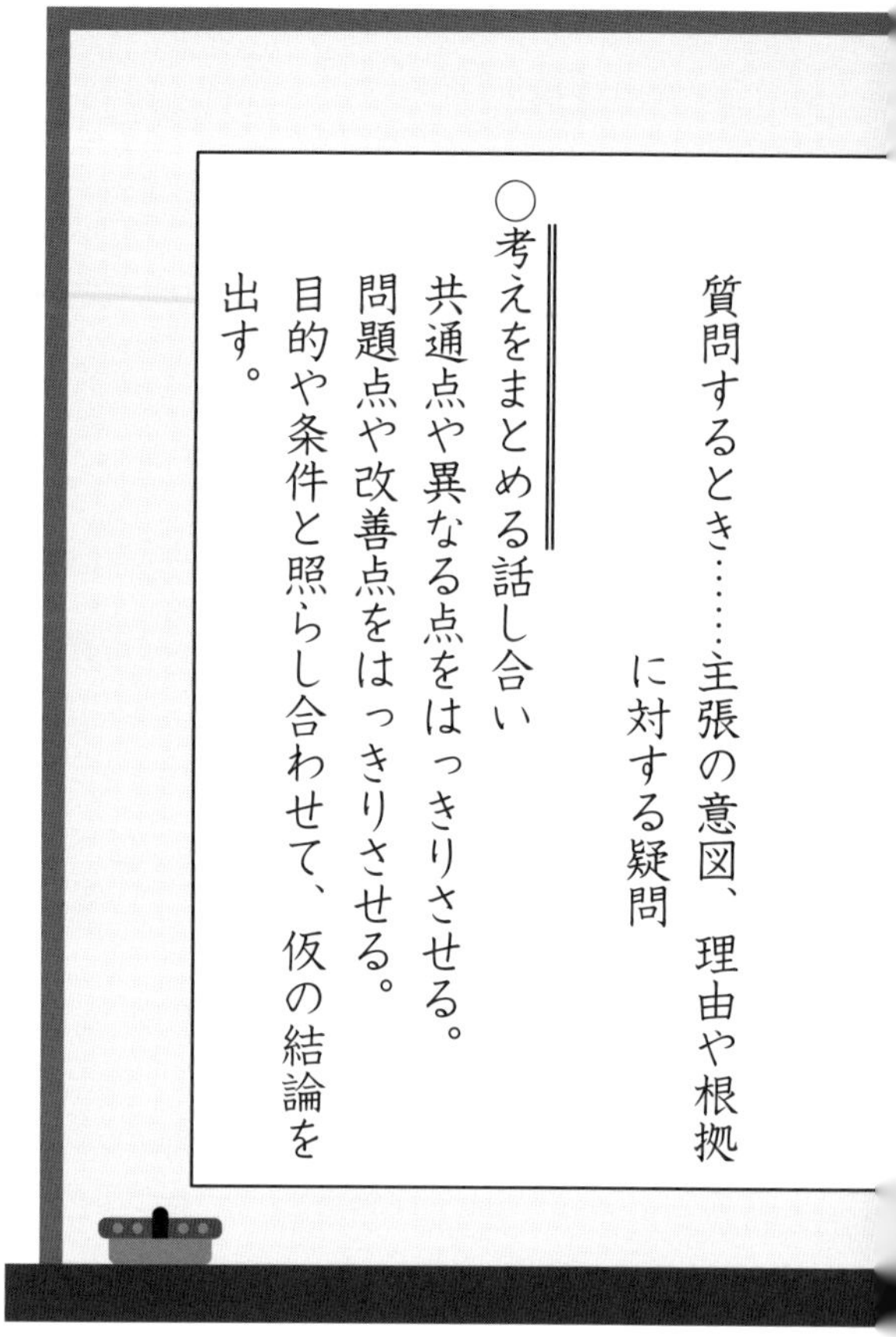

質問するとき……主張の意図、理由や根拠
に対する疑問
○考えをまとめる話し合い
共通点や異なる点をはっきりさせる。
問題点や改善点をはっきりさせる。
目的や条件と照らし合わせて、仮の結論を
出す。

授業の流れ ▷▷▷

1 前時を振り返り、めあてを確認する 〈10分〉

○前時の話合いの仕方について振り返る。

T　前時で確認した「考えを広げる話し合い」と「考えをまとめる話し合い」をすることができましたか。

・友達の考えの理由や根拠について質問をして、どんな遊びがよいか話し合えました。

・お互いの考えの共通点から仮の結論を出しました。

T　前回の話合いは、仮の結論を出すことを目標にしました。実際に、仮の結論で遊んでみて、気付いたことはありましたか。

・ルールが難しいことが分かりました。

・足が速い人が有利な遊びでした。

T　今日は実際に遊んだ感想を基に、問題点を明らかにして結論を出しましょう。

2 話合いの仕方を確認する 〈5分〉

T　話合いの動画をもう一度見てみましょう。どのようなことに気を付けているでしょうか。

○「考えを広げる話し合い」と「考えをまとめる話し合い」を確認する。

○本時では、どんなことに気を付けて話合いを進めていくかグループで確認する。

ICT 端末の活用ポイント

前時に記録した話合いの動画を学級全体で視聴する。相手の主張に対して、理由や根拠について疑問をもって質問をしている場面や、共通点や異なる点を明確にしている場面など、よかった点を見付けて本時の話合いに生かす。

みんなで楽しく過ごすために

1

〈目標〉
目的や条件に応じて、みんながなっとくできる結論にたどり着けるような話し合いをしよう。

進行計画に沿って、グループで話し合おう。

3 2

教科書p.142「進め方の例」の拡大コピー

4

○考えを広げる話し合い
発言するとき……①自分の主張
②理由や根拠

3 グループで話し合う 〈20分〉

T　今日はグループで結論を出します。遊びの目的と条件に照らし合わせて、結論を出しましょう。

○司会係は、進行計画に沿って話合いを進める。記録係は、話合いの過程が分かるように記録を取る。

○話合いが早く終わったグループは、話合いについてグループで振り返る。

ICT 端末の活用ポイント

ICT 端末で話合いの動画を記録する。話合いの後に、進行計画に沿って話合いを進めることができたか、「考えを広げる話し合い」ができていたか、「考えをまとめる話し合い」ができていたか、といった観点から見直す。

4 話合いを振り返る 〈10分〉

T　学習を振り返りましょう。

○話合いを振り返る。

T　前回の話合いと比べて、意識したことはありましたか。

・１年生と仲よくなるために、という目的と照らし合わせることを意識しました。

・歩み寄れるように共通点を見付けることです。

ICT 端末の活用ポイント

話合いを記録した動画を学習支援ソフトで提出する。立場や意図を明確にしながら話すことができたか、考えを広げるために相手に質問をすることができたか、など評価に活用する。

本時案

みんなで楽しく過ごすために／[コラム]伝えにくいことを伝える 6/6

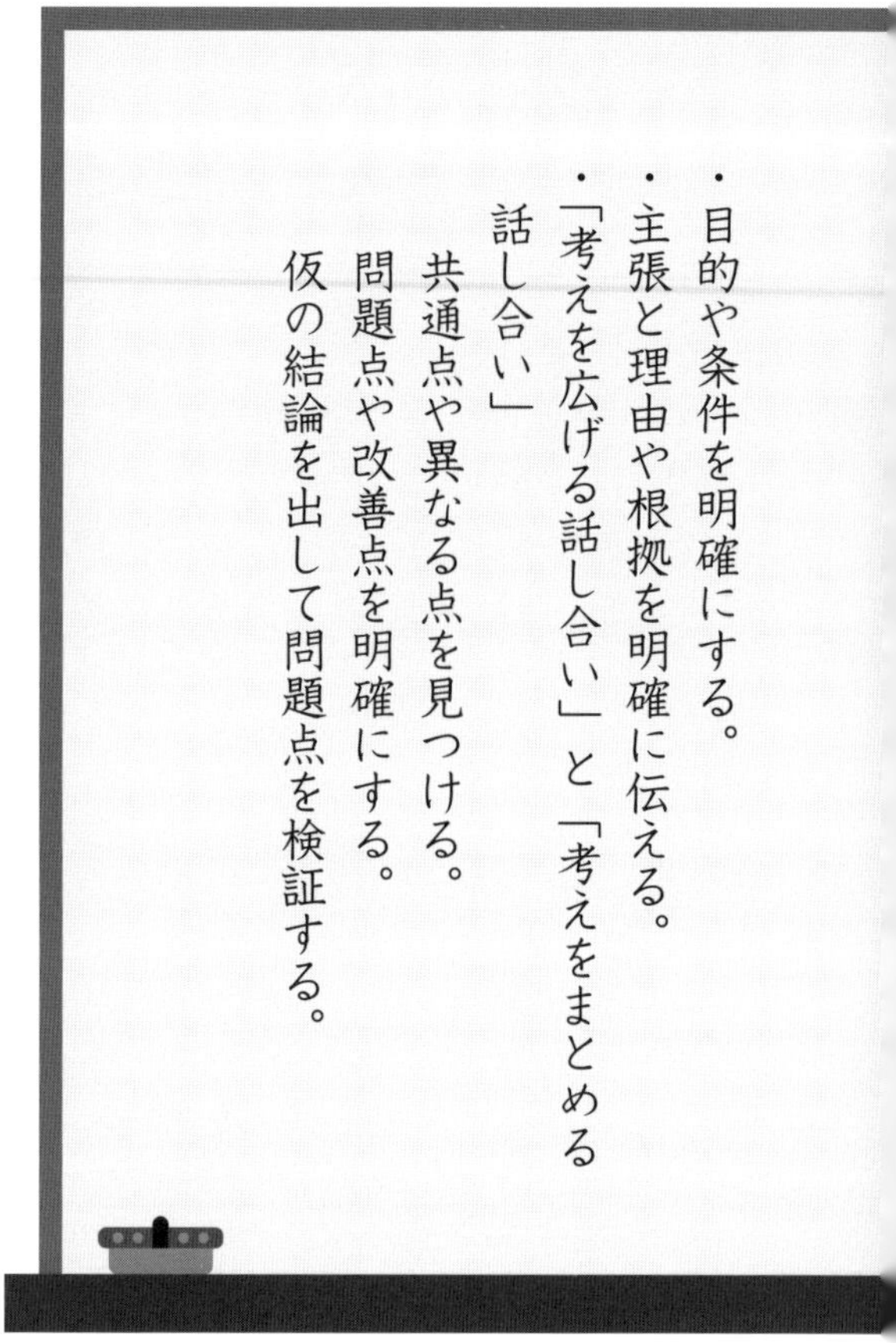
・目的や条件を明確にする。
・主張と理由や根拠を明確に伝える。
・「考えを広げる話し合い」と「考えをまとめる
話し合い」
共通点や異なる点を見つける。
問題点や改善点を明確にする。
仮の結論を出して問題点を検証する。

本時の目標

・考えをまとめたり、考えと考えをつなげたりする伝え方があることに気付くことができる。
・主張と理由、根拠を明確に伝えるために、伝えることの語順や語彙を意識して伝えることができる。

本時の主な評価

❶考えをまとめたり、考えと考えをつなげたりする伝え方があることに気付いている。【知・技】
❷主張と理由、根拠を明確に伝えるために、伝えることの語順や語彙を意識して伝えている。【知・技】

資料等の準備

・特になし

授業の流れ ▷▷▷

1 めあてを確認する 〈5分〉

○グループのみんなが納得できる結論を出すために、話合いではどのようなことを意識したのか振り返る。

T　今日は、話し合ったことをクラスで共有して、感想を伝え合いましょう。まずは、グループごとにどんな結論になったのか教えてください。

・おにごっこです。1年生と6年生がペアになって、手をつないでおにごっこをします。手を離さないように一緒に走ります。

・風船バレーです。1年生と6年生の混合のチームで丸くなりパスをします。風船を落とさずに何回パスをすることができたか競い合います。

2 話合いの仕方でよかった点を考える 〈10分〉

T　話合いの仕方でよかった点はどんな点ですか。ノートに書きましょう。

○自分やグループの友達のよかった点を具体的に書く。

○教科書 p.144の「意見を整理するときの言葉」の中で使うことができた言葉があれば、どのように使ったのか具体的に書く。

○教科書 p.143の「考えを広げる話し合いのときは」、p.144の「考えをまとめる話し合いのときは」の項目を参考にして考えてもよい。

○どのようにして結論まで導いたのか、など話合いで難しかったことを想起させて考えてもよい。

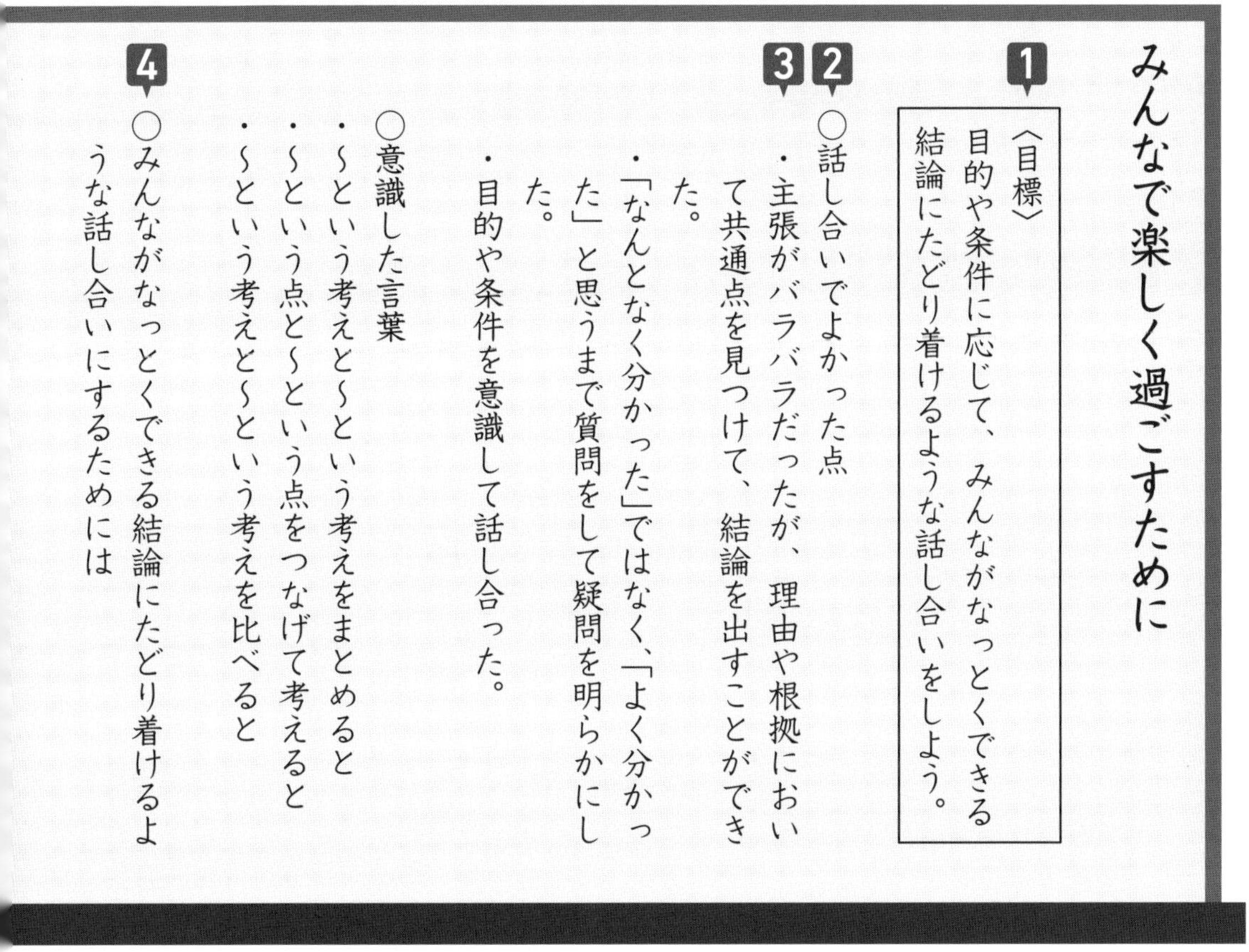
みんなで楽しく過ごすために
1
〈目標〉
目的や条件に応じて、みんながなっとくできる結論にたどり着けるような話し合いをしよう。
3 2
○話し合いでよかった点
・主張がバラバラだったが、理由や根拠において共通点を見つけて、結論を出すことができた。
・「なんとなく分かった」ではなく、「よく分かった」と思うまで質問をして疑問を明らかにした。
・目的や条件を意識して話し合った。
○意識した言葉
・〜という考えと〜という考えをまとめると
・〜という点と〜という点をつなげて考えると
・〜という考えと〜という考えを比べると
4
○みんながなっとくできる結論にたどり着けるような話し合いにするためには

3 感想を発表し合う 〈20分〉

T　どんな点がよかったのか発表しましょう。

・みんなの主張が違いましたが、理由や根拠において共通点を見付けた点です。

T　教科書の「考えを広げる話し合いのときは」や「考えをまとめる話し合いのときは」に書かれている項目以外に大切だと思ったことはありますか。

・相手の話の文脈を捉えて話すことです。

○言葉には相手とのつながりをつくる働きがあることに触れる。

ICT 端末の活用ポイント

学習支援ソフトで、よかった点など考えたことを学級で共有し、よいと思った友達の意見にマークを付ける。

4 単元を振り返る 〈10分〉

T　これまでの学習を振り返りましょう。

○教科書 p.145の「ふりかえろう」を読む。

T　みんなが納得できる結論を出すためには、どんなことが大切ですか。

・主張を理由や根拠を添えて話すことです。

・考えを広げたり、まとめたりして結論を出すことです。

・目的や条件を明確にしておくことです。

○ p.145の「たいせつ」を読む。

T　目的や条件に応じて話し合うことを学習しました。クラスで何かを決めるとき、目的や条件をはっきりさせて話し合っていきましょう。

○時間があるときに、p.146〜147の「伝えにくいことを伝える」を読む。

話し言葉と書き言葉　（1時間扱い）

単元の目標

知識及び技能	・話し言葉と書き言葉の違いに気付くことができる。((1)イ)
学びに向かう力、人間性等	・言葉がもつよさを認識するとともに、進んで読書をし、国語の大切さを自覚して、思いや考えを伝え合おうとする。

評価規準

知識・技能	❶話し言葉と書き言葉の違いに気付いている。(〔知識及び技能〕(1)イ)
主体的に学習に取り組む態度	❷進んで話し言葉と書き言葉の違いに気付き、これまでの学習を生かして設問に取り組もうとしている。

単元の流れ

次	時	主な学習活動	評価
一	1	話し言葉と書き言葉の特徴を理解する。 **学習の見通しをもつ** テーマを決めて友達とインタビューをし合い、聞き取ったことを文章に書く。 **学習を振り返る** 話し言葉と書き言葉について学習を振り返り、発表する。	❶ ❷

授業づくりのポイント

〈単元で育てたい資質・能力〉

本単元のねらいは、話し言葉と書き言葉の特色や役割に気付くことである。そのためには、話し言葉、書き言葉それぞれの表現上の特質を捉えることが必要となる。話を聞いて聞き取ったことを文章にすることで、相手や状況に応じて、それぞれの特質に配慮した使い分けを身に付けられるようにする。

高学年の子供でも、作文を指導すると書き言葉と話し言葉の混合がよく見られる。場や活動に応じて、書き言葉と話し言葉を使い分けることができるように、日頃から使い分けの意識を高める必要がある。ここではそのきっかけになるよう、実践的に考えるようにしたい。

[具体例]

○実生活に即して考えるきっかけとするために、日常の会話を例に示すとよい。例えば、「今日の給食が何か分かる？」と子供に問いかけ、「ええと、カレーとサラダだっけ？」「あ！　牛乳も」といった子供の答えをそのまま板書する。「ええと」や「あ！」など、書き言葉に必要でない表現に気付く場を意図的に設定し、その違いを意識するきっかけとする。

〈教材・題材の特徴〉

本教材は、聞いた話を基にメモにまとめる場面を例としてつくられた教材である。話し手が言った言葉と、聞き手が書いたメモの違いを問いかけることで、話し言葉と書き言葉の特色に目を向けることができるだろう。また、近年増えているデジタル機器でのやり取りについても取り上げている。メールや SNS でのやり取りは短い文で行われ、話し言葉を文字にして伝えることが多く、誤解を生まないための注意が必要であることも押さえることが大切である。更に、実際に友達とインタビューをし合い、それを文章に書くことで、どのような表現が適切であるか考えることができるだろう。

〈言語活動の工夫〉

話し言葉と書き言葉の違いについて、理解の定着のために友達とインタビューをし合い、文章に直す活動を行う。インタビューをして聞き取ったことを文章に書いた後、どのように語順を整えたか、話した表現のままになっていないかなどを確認することが大切である。

他の「話すこと・聞くこと」や「書くこと」の単元と関連させ、指導の際には、この教材に立ち返り適切な表現になっているか確認を促すなど、定着をしていくよう継続して指導するとよいだろう。

[具体例]

○ペアでテーマを決めたり、「好きな遊び」「週末にしたこと」など、教師が示したいくつかの選択肢の中からテーマを選んだりしてインタビューし合えるようにする。インタビューをして聞き取ったことを文章に書き、話し言葉と書き言葉の違いについて話し合う。

〈ICT の効果的な活用〉

表現：文書作成ソフトを用いて、インタビュー内容を文章にして入力する。修正しやすいので、話し言葉で書いてしまった表現を書き言葉に修正することもできる。

記録：ICT 端末の録音機能を用いてインタビューを録音する。聞き取ったことを文章に表した後に、録音を聞き返してどのような違いがあるか確かめることで、話し言葉と書き言葉の特質を理解できるようにする。

本時案

話し言葉と書き言葉

1/1

本時の目標

・話し言葉と書き言葉の違いに気付くことができる。

本時の主な評価

❶話し言葉と書き言葉の違いに気付いている。【知・技】
❷進んで話し言葉と書き言葉の違いに気付き、これまでの学習を生かして設問に取り組もうとしている。【態度】

資料等の準備

・教科書 p.148上段の拡大コピー（ICT 機器で代用可）

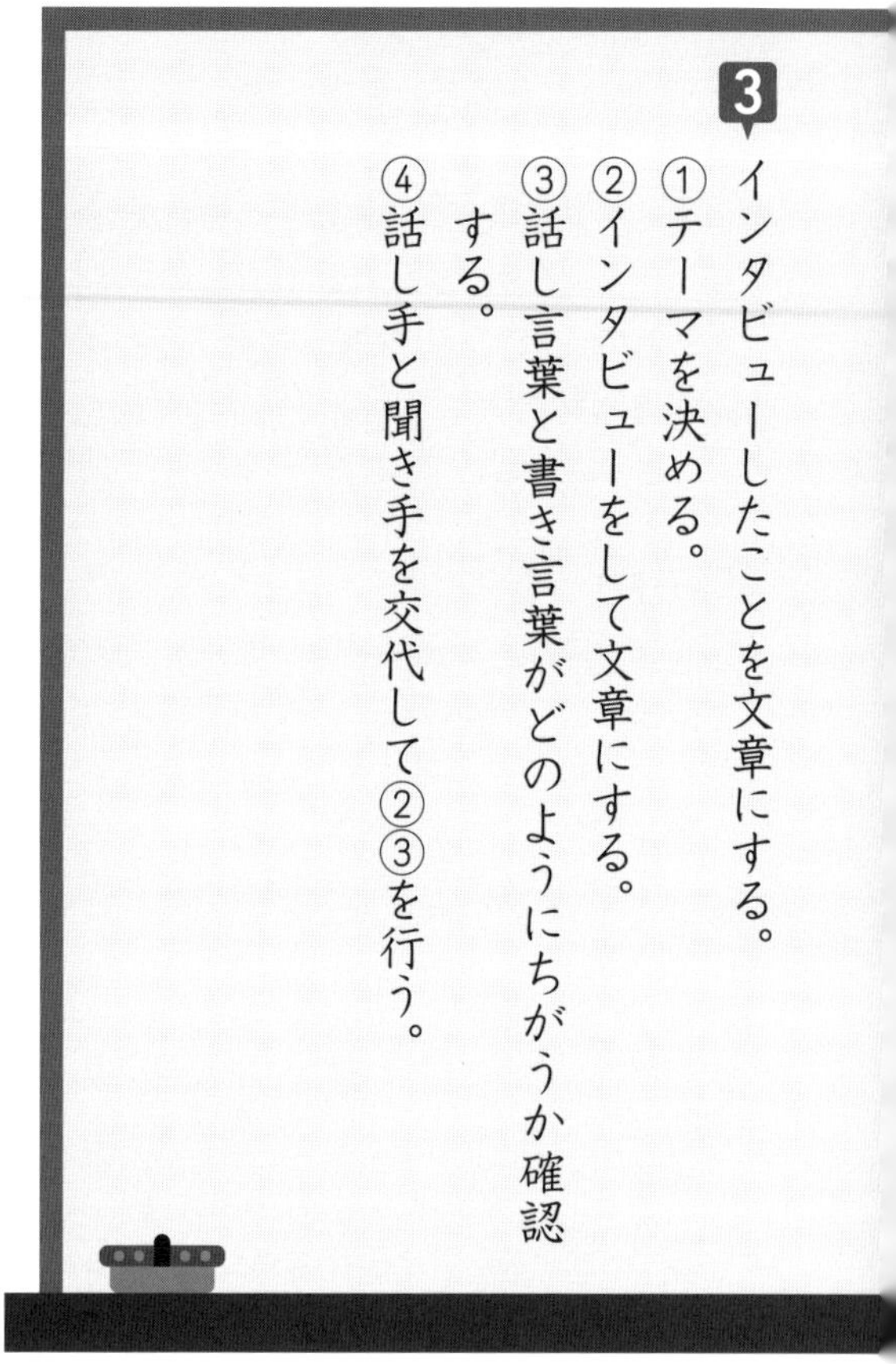
3
インタビューしたことを文章にする。
①テーマを決める。
②インタビューをして文章にする。
③話し言葉と書き言葉がどのようにちがうか確認する。
④話し手と聞き手を交代して②③を行う。

授業の流れ ▷▷▷

1 話し言葉と書き言葉の違いについて考える 〈5分〉

○日常の会話を基に、話し言葉と書き言葉について考えられるようにする。
T　今日の給食は何か分かりますか。
・ええと、カレーだと思います。
・あとサラダもあった気が。
・あ！　牛乳も！
○子供が言った言葉をそのまま板書する。
・「ええと」は書かなくていいと思います。
・言った言葉を全て書くと大変だし、分かりにくくなると思います。
T　話すときの言葉と書くときの言葉には、どのような違いがあるか考えていきましょう。
○本時のめあてを板書する。

2 話し言葉と書き言葉の特徴について理解する 〈15分〉

○教科書 p.148の上段を見て、シェフが話した言葉を、どのようにメモにしているか確かめる。
T　シェフの山本さんが話した言葉と、それを聞いてまとめた野田さんのメモにはどのような違いがありますか。
・必要な言葉だけ書かれています。
・分けて話していることが、まとめて書かれています。
・同じ意味ではあるけれど、短い言葉に書き換えられています。
○教科書 p.148～149を読んで、話し言葉と書き言葉の特徴について押さえ、板書にまとめる。

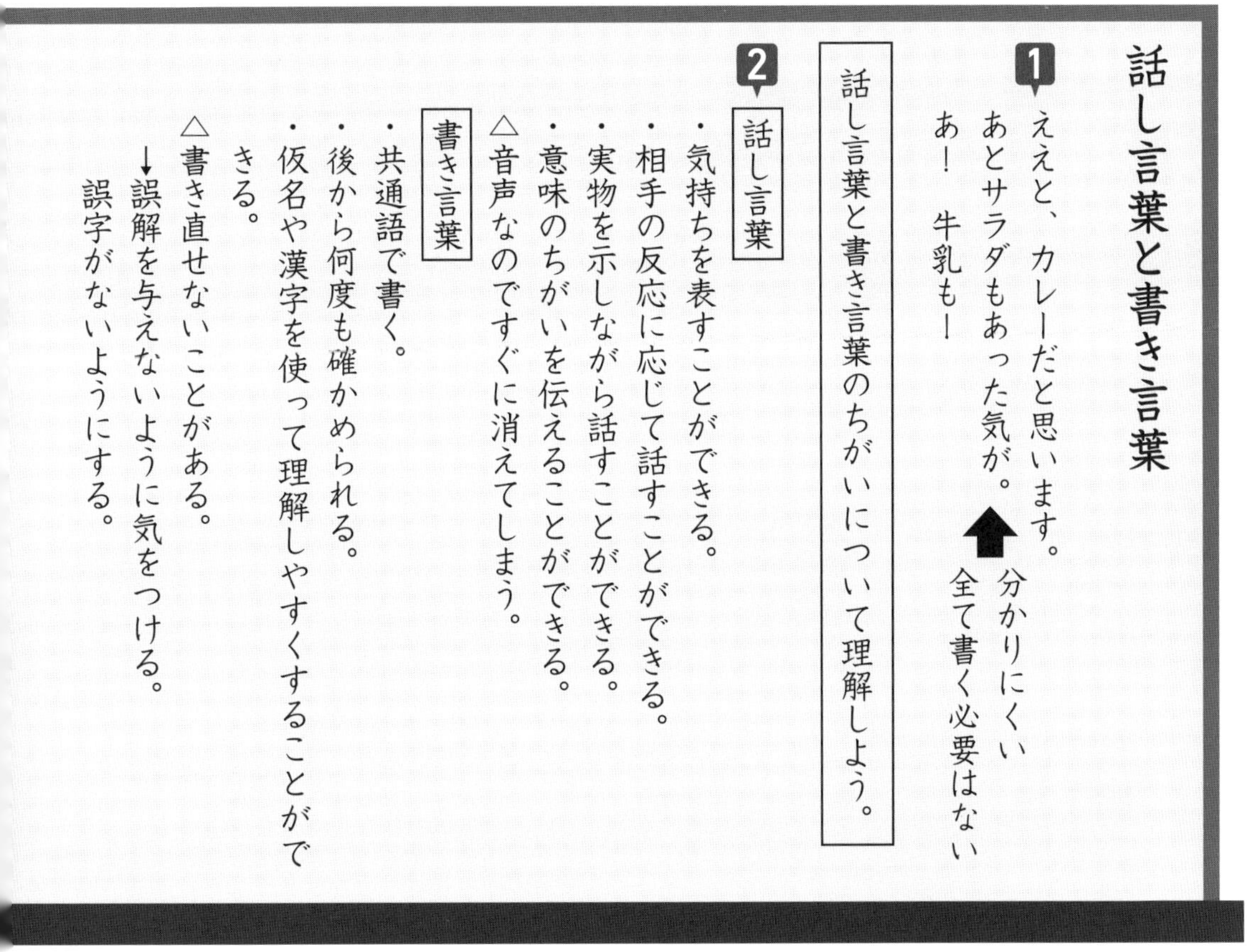
話し言葉と書き言葉
1
ええと、カレーだと思います。
あとサラダもあった気が。
あ！　牛乳も！
分かりにくい
全て書く必要はない
話し言葉と書き言葉のちがいについて理解しよう。
2
話し言葉
・気持ちを表すことができる。
・相手の反応に応じて話すことができる。
・実物を示しながら話すことができる。
・意味のちがいを伝えることができる。
△音声なのですぐに消えてしまう。
書き言葉
・共通語で書く。
・後から何度も確かめられる。
・仮名や漢字を使って理解しやすくすることができる。
△書き直せないことがある。
→誤解を与えないように気をつける。
誤字がないようにする。

3 テーマを決めて友達とインタビューし合い文章にする　〈25分〉

T　一人一人テーマを決めて、ペアの相手にインタビューをして、聞き取ったことを文章に書きましょう。

○テーマは学級の実態に応じて、「好きな遊び」「週末にしたこと」「過去と未来、行けるとしたらどちらに行きたいか」など、教師が示したいくつかの選択肢から選んでもよい。

○学習を振り返る。

T　話したり書いたりするときにはどのようなことに気を付けましたか。

・意味が伝わるように、聞き手の反応を見ながら言い換えたり付け加えたりしました。

・話を聞いて、本当に大切な言葉が分かるように書きました。

ICT 等活用アイデア

記録で振り返り、文章を書く

　インタビューし合って文章にする活動では、ICT 端末の録音機能を用いてインタビューを録音することも有効である。インタビューを文章にした後に録音した音声を聞き返し、文章との違いを比べる。書かなかったり書き換えたりした言葉を具体的に捉え、話し言葉と書き言葉の特質や違いを理解することができる。

　文章にする際は文書作成ソフトを用いると、話し言葉で書いてしまった表現を簡単に書き言葉に修正することができる。

伝えられてきた文化

古典芸能の世界／狂言「柿山伏」を楽しもう　2時間扱い

単元の目標

知識及び技能	・古典について解説した文章を読んだり、作品の内容の大体を知ったりすることを通して、昔の人のものの見方や感じ方を知ることができる。((3)イ) ・親しみやすい古典芸能の文章を音読するなどして、言葉の響きやリズムに親しむことができる。((3)ア)
学びに向かう力、人間性等	・言葉がもつよさを認識するとともに、進んで読書をし、国語の大切さを自覚して、思いや考えを伝え合おうとする。

評価規準

知識・技能	❶古典について解説した文章を読んだり、作品の内容の大体を知ったりすることを通して、昔の人のものの見方や感じ方を知っている。(〔知識及び技能〕(3)イ) ❷親しみやすい古典芸能の文章を音読するなどして、言葉の響きやリズムに親しんでいる。(〔知識及び技能〕(3)ア)
主体的に学習に取り組む態度	❸進んで昔の人のものの見方や感じ方を知り、これまでの学習を生かして「柿山伏」を音読したり演じたりしようとしている。

単元の流れ

次	時	主な学習活動	評価
一	1	五つの古典芸能について知る。	❶
二	2	「柿山伏」を読んで、狂言に親しむ。 学習を振り返る 興味をもった古典芸能を発表したり、昔の人と自分たちの共通点について話し合ったりする。	❷ ❸

授業づくりのポイント

〈単元で育てたい資質・能力〉

本単元では、古典芸能について知識を広げることが目標になる。そのためには、伝統的な文化に対する興味・関心をもたせたい。子供たちが知っていることを出し合いながら、古典芸能の様式や道具などが書かれた紹介文を読み、それぞれの古典芸能の特色に目を向けられるようにしたい。

学習の振り返りでは、関心をもった古典芸能を発表し合ったり、昔の人と現代に生きる自分たちの見方や感じ方と比べて、共通点について話し合ったりして、伝統的な文化を尊重する態度を育てるようにする。

［具体例］

○「柿の実」が当時どれほど貴重だったかを伝え、「柿の実」から、現代と当時の違いについて考えさせる。

○「愚かさ（失敗、ごまかし方）」や「笑い」に着目させることで、現代と当時の見方や考え方の共通点や相違点などについて考えさせる。

〈教材・題材の特徴〉

前半では、「能」「狂言」「人形浄瑠璃（文楽）」「歌舞伎」「落語」と五つの古典芸能について、特徴的な道具や場面の写真とともに短い文章で紹介されている。更に、絵本や落語の動画が二次元コードで２演目（「まんじゅうこわい」「初天神」）紹介されている。

後半には、狂言「柿山伏」の一部分が取り上げられている。山伏がカラスやサルのものまねをするくだりで、動作や台詞も分かりやすく、興味をもちやすい部分である。動画（二次元コード）が付いているので、狂言独特の言葉のリズムや言い回しなどを聞いて音読したり、動作を真似たりできる。

〈言語活動の工夫〉

興味・関心をもてるように教材や題材は精選されているが、古典芸能に馴染みがなかったり知らなかったりする子供も少なくない。親しみがもてるように楽しく学習に取り組ませたい。

前半部分では、事前に教師が簡単なクイズをつくって、古典芸能の特徴を提示していくこともできる。クイズの答えとともに、解説として教科書の紹介文を読むと、より興味・関心をもって読むことができるのではないだろうか。

後半の「柿山伏」では、動画を活用し、独特の言葉の響きやリズムを味わわせたい。見て、聞き、実際に真似て声に出してみるようにさせる。間違いや上手にできないことを気にせずに挑戦する雰囲気をつくるようにする。意欲をもって取り組むことを大いに認め、励ましたい。行事や他教科と連携する場があれば、衣装を工夫したり発表したりする活動も考えられる。

［具体例］

○古典芸能の特徴に着目できるような簡単なクイズを作成しておき、提示する。

例：人形浄瑠璃……一つの人形を３人の「人形つかい」で動かすことを伝え、その組合せを三択問題にする。答えを告げ、教科書の紹介文を読む。３人の「人形つかい」が人形を動かしているところの動画を視聴できると、更に興味・関心がもてるだろう。

〈ICT の効果的な活用〉

調査：興味をもった古典芸能について調べる。また、特徴的な道具や場面の写真を手元で拡大して見たり、一人一人、自分の ICT 端末で動画を視聴したりする。

記録：自分たちで取り組んだ「柿山伏」の音読や動作などを記録して振り返る。

本時案

古典芸能の世界 1/2

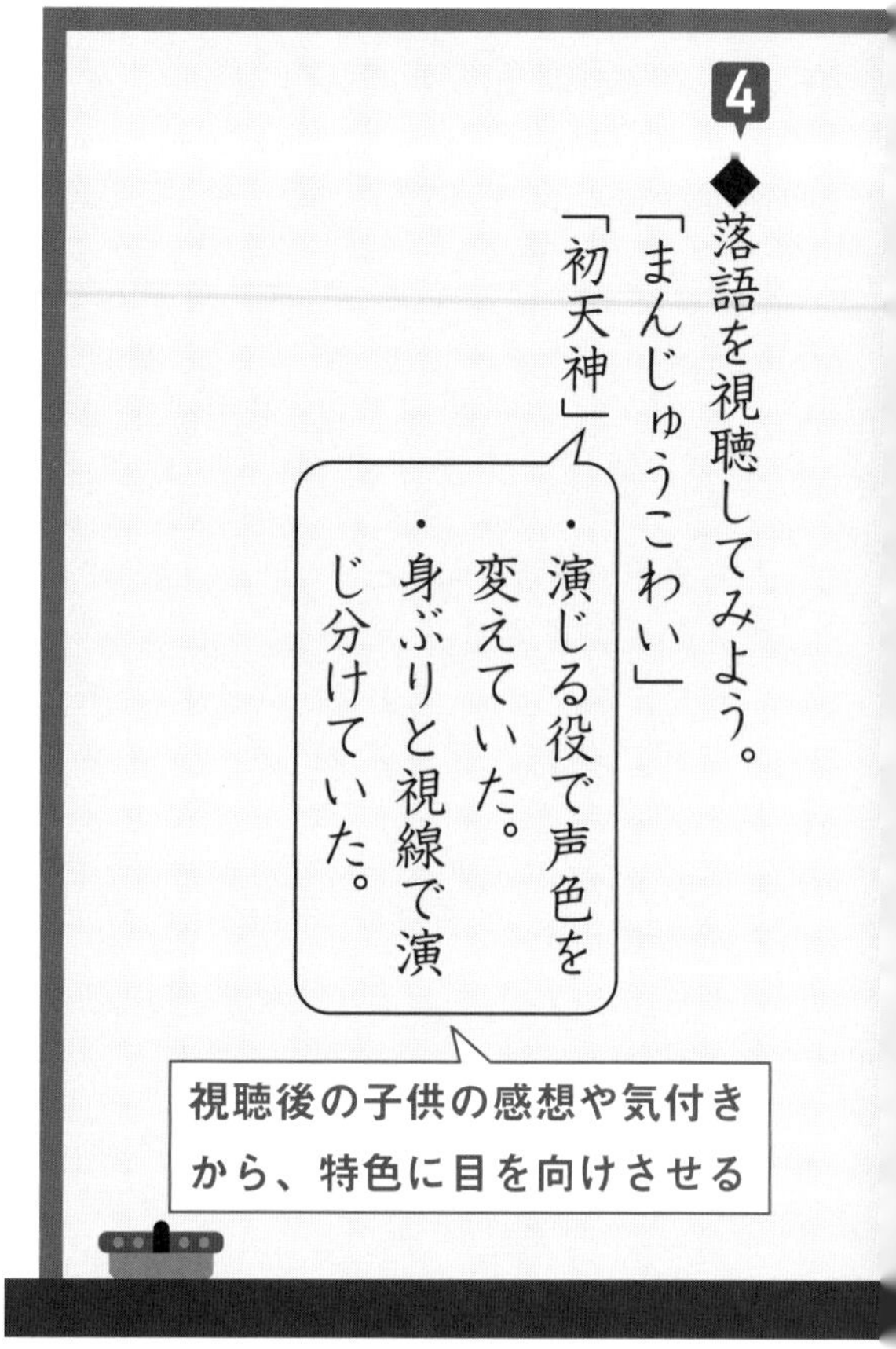
4
◆落語を視聴してみよう。
「まんじゅうこわい」
「初天神」
・演じる役で声色を変えていた。
・身ぶりと視線で演じ分けていた。
視聴後の子供の感想や気付きから、特色に目を向けさせる

本時の目標

・古典について解説した文章を読んだり、作品の内容の大体を知ったりすることを通して、昔の人のものの見方や感じ方を知ることができる。

本時の主な評価

❶古典について解説した文章を読んだり、作品の内容の大体を知ったりすることを通して、昔の人のものの見方や感じ方を知っている。【知・技】

資料等の準備

・クイズや画像（適宜）⏷ 07-01、02

授業の流れ ▷▷▷

1 学習のめあてを知る 〈5分〉

T　昔の人が楽しんだ演劇には、今も続いているものがあります。

○教科書 p.150〜151の「能」「狂言」「人形浄瑠璃（文楽）」「歌舞伎」「落語」を提示する。

T　長い間続いているということは、それだけ人々に愛されてきたものとも言えます。面白さの一端に触れながら、それぞれの特色を知っていきましょう。

2 知っていることを出し合う 〈5分〉

T　今までに聞いたり、見たりして知っていることはありますか。

・歌舞伎は、聞いたことがあります。歌舞伎役者の人がテレビドラマに出演しているのを見たことがあります。

・アニメの作品が歌舞伎になったとニュースになっていました。

・能面を見たことがあります。少し怖い感じがしました。

・落語家が大喜利に答えている番組を見たことがあります。

○子供たちの発言に関連して、適宜教科書の説明文に触れたり、写真に着目させたりする。

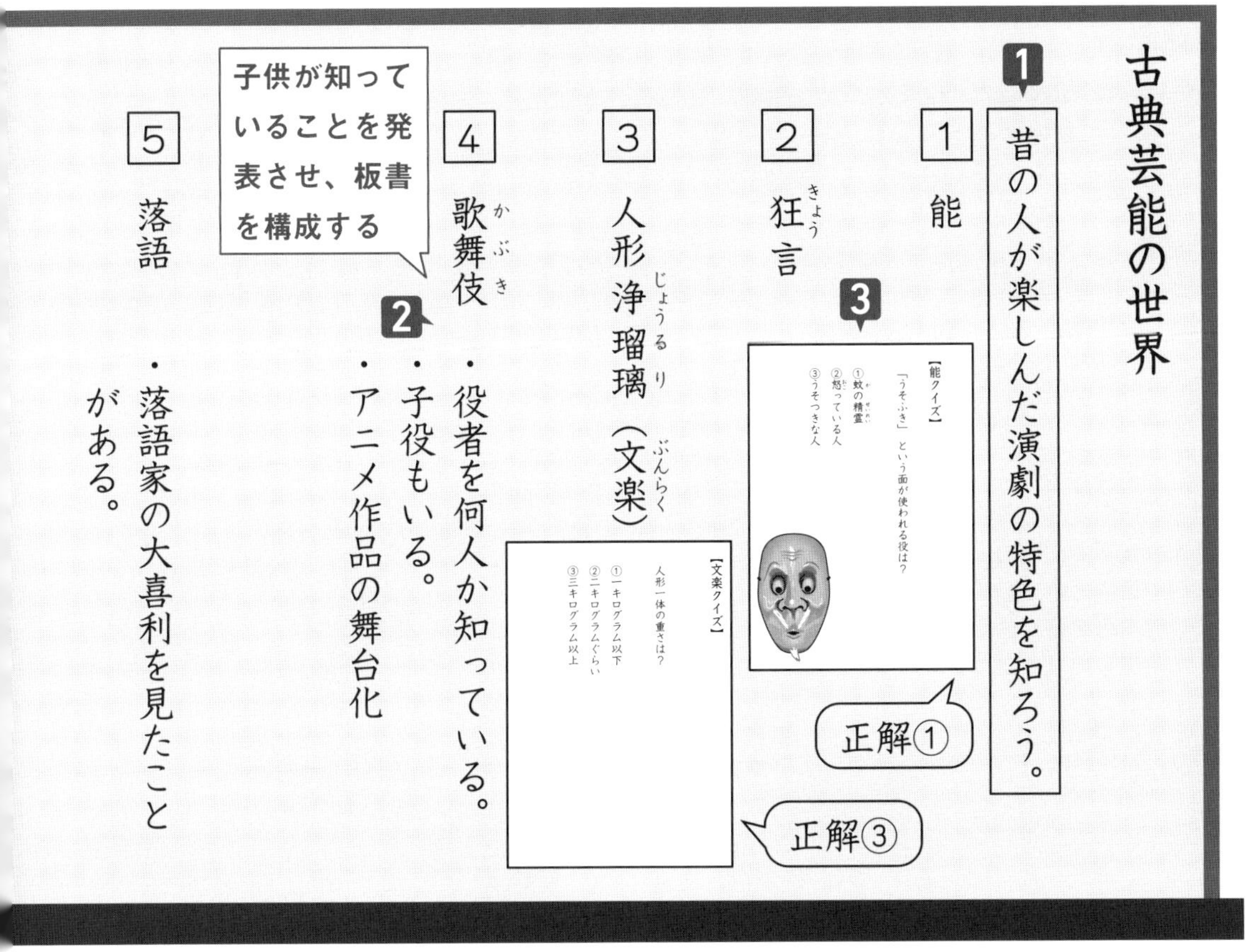

古典芸能の世界
1
昔の人が楽しんだ演劇の特色を知ろう。
1 能
2 狂《きょう》言
3 人形浄瑠璃《じょうるり》（文楽《ぶんらく》）
3
【能クイズ】
「うそふき」という面が使われる役は？
①蚊《か》の精霊《せいれい》
②怒《おこ》っている人
③うそつきな人
正解①
【文楽クイズ】
人形一体の重さは？
①一キログラム以下
②二キログラムぐらい
③三キログラム以上
正解③
4 歌舞伎《かぶき》
・役者を何人か知っている。
2
・子役もいる。
・アニメ作品の舞台化
子供が知っていることを発表させ、板書を構成する
5 落語
・落語家の大喜利を見たことがある。

3 古典芸能の特色を知る 〈20分〉

T　古典芸能に関するクイズを出します。三択問題になっているので、予想して答えてみてください。教科書にある説明文をヒントにしてもいいです。

〇クイズを出し、関心をもたせるようにする。正解を発表した後、解説として教科書の説明文を音読させ、特色を押さえる。

〇映像や写真を活用して興味をもたせる。できるだけ特色につながるようなクイズを用意する。

ICT 端末の活用ポイント

古典芸能について調べる時間を取ってもよい。時間を有効に使うため、予め参考になるサイトを絞っておき、示すようにしたい。

4 動画を視聴して感想を交流する 〈15分〉

T　「落語」の動画を視聴してみましょう。落語は、身振りを交えて 1 人で何人かを演じ分け、語る芸です。どのように演じているかにも注目してみましょう。

〇教科書 p.151の二次元コードから動画を視聴する。

・演じる役で声色を変えていたのがすごいと思いました。

・説明にあるとおり、身振りと視線で演じ分けていました。

ICT 端末の活用ポイント

教科書 p.151の二次元コードから落語を視聴する。全員で大きな画面で見てもよいが、イヤホンを使って、それぞれの ICT 端末で同時視聴すると、しぐさや視線により気付きやすくなる。

本時案

古典芸能の世界／狂言「柿山伏」を楽しもう　2/2

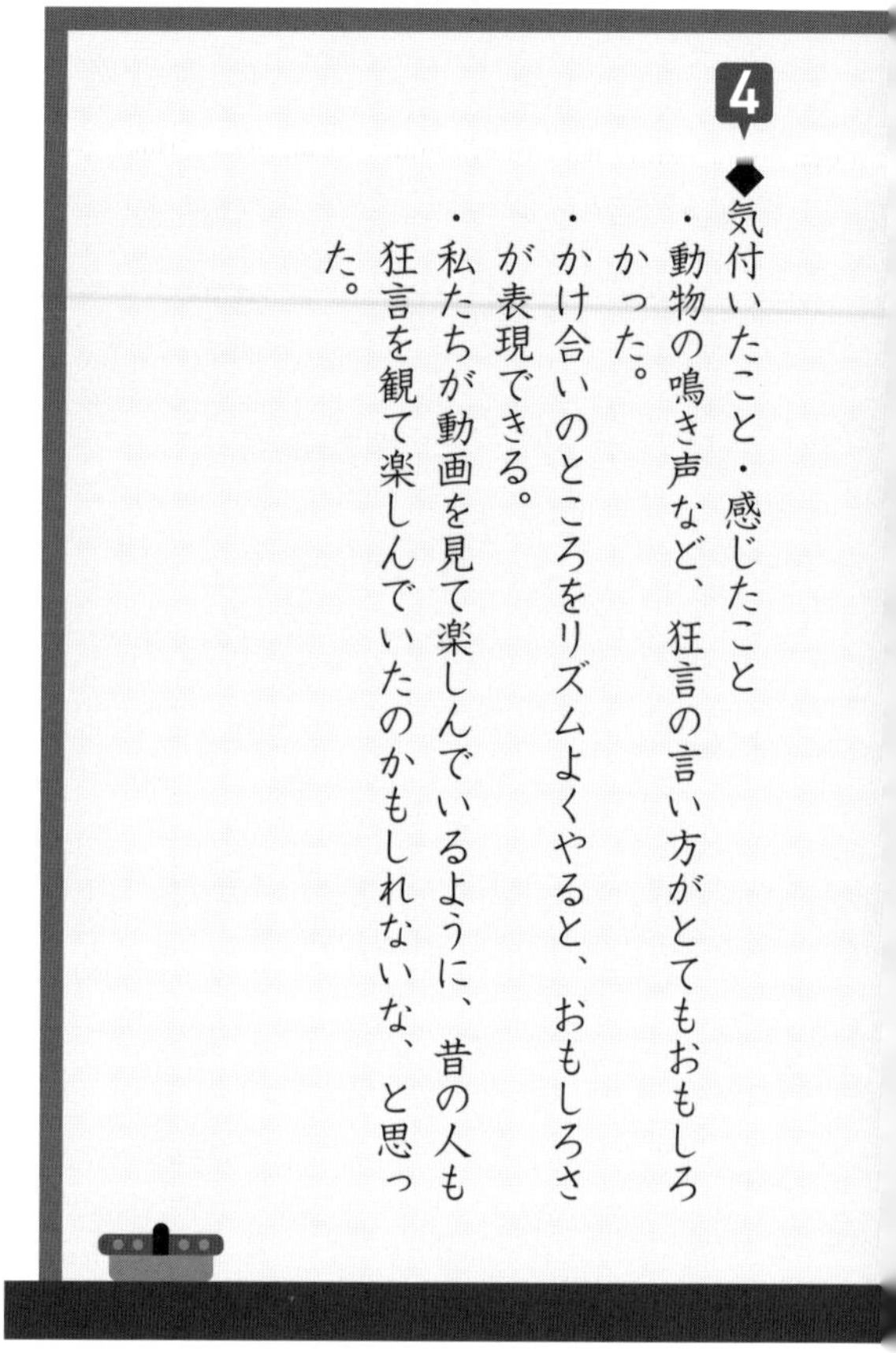
4
◆気付いたこと・感じたこと
・動物の鳴き声など、狂言の言い方がとてもおもしろかった。
・かけ合いのところをリズムよくやると、おもしろさが表現できる。
・私たちが動画を見て楽しんでいるように、昔の人も狂言を観て楽しんでいたのかもしれないな、と思った。

本時の目標

・狂言「柿山伏」を音読するなどして、言葉の響きやリズムに親しむことができる。

本時の主な評価

❷狂言「柿山伏」を音読するなどして、言葉の響きやリズムに親しんでいる。【知・技】
・進んで昔の人のものの見方や感じ方を知り、これまでの学習を生かして「柿山伏」を音読したり演じたりしようとしている。

資料等の準備

・特になし

授業の流れ ▷▷▷

1　学習のめあてを知る　〈5分〉

T　古典芸能の中の「狂言」に注目してみましょう。狂言では、様々な人物が引き起こす失敗や間違いが愉快に演じられます。狂言の面白さがよく分かる有名な演目の一つ「柿山伏」を音読してみましょう。
○作品のあらすじ、登場人物を紹介する。「山伏」についても説明する。
○子供たちが知っている「柿」と室町時代の「柿」では、捉え方が異なる。時代背景として「柿」が貴重な食べ物であったことを伝える。

2　「柿山伏」の動画を視聴する　〈7分〉

T　狂言の独特の言い回しやリズムを視聴してみましょう。
○動物の鳴き声、物まね、山伏と柿主のやり取りなど、着目すべき点を予め示しておく。
○教科書 p.152の二次元コードから動画を視聴する。
T　カラスの鳴き声は、「カーカー」と言われますが、この狂言の中ではどのようになっていましたか。
・「こかあ、こかあ」です。
T　そうです。この前後を演じてみましょう。
○音読練習につながるよう、試しに T-C で演じてみせる。

古典芸能の世界
狂言「柿山伏」を楽しもう

1 「柿山伏」を音読して、狂言に親しもう。

室町時代 ― 狂言

現代の「柿」と比較しながら示し、時代背景を伝える

柿《かき》
・大切な食料
・毎日見回りに行くくらい大事にしていた。
・あまい物はなかなか手に入らない時代に、とても貴重だった。

2 **3**

◆音読練習

動物の鳴き声を言葉で表す
・からす「こかあ、こかあ」
・さる「きゃあ、きゃあ」
・とび「ひいよろよろ、ひいよろ」

演者のかけ合い
・柿の木の上と下でのやりとり
・木から飛び下りるときのやりとり
「飛ぼうぞよ」―「ひい」

音読練習につながるような視点を示す

3 音読練習をする 〈20分〉

T　ペアで音読練習をしてみましょう。山伏と柿主の役割分担を相談して決めましょう。

○まずは、ペアで音読練習をさせる。慣れてきたところで、ペア同士で聞き合いをさせたり、発表をさせたりする。

・録画して見てみよう。
・山伏と柿主のかけ合いのところをもう１回動画で見て、手本にしよう。

ICT 端末の活用ポイント

音読練習では、自分たちの音読を録画再生することで振り返ることができる。また、独特の言い回しやリズムなどを何度でも再生できるので、練習時に適宜利用させることができる。

4 気付いたことを交流する 〈13分〉

○いくつかのペアをみんなの前で発表させてもよい。

T　「柿山伏」の音読練習でどんなことに気が付きましたか。

・柿主と山伏のかけ合い、「飛ぼうぞよ」「ひい」……のところをリズムよくやるとよいと思いました。
・発表を見ていて、楽しい気持ちになりました。昔の人もこんなふうに狂言を観て、楽しんでいたのかもしれないと思いました。
・私は動画を見ますが、見て楽しむのは、今も昔も同じだと思いました。

T　今後も古典芸能やそれらに触れる機会を大切にしていきましょう。

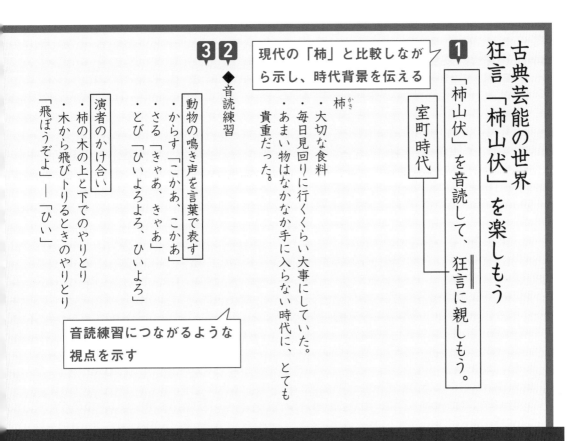

資料

1 第1時資料 クイズ 07-01

【能クイズ】

「うそふき」という面が使われる役は？

①蚊《か》の精霊《せいれい》
②怒《おこ》っている人
③うそつきな人

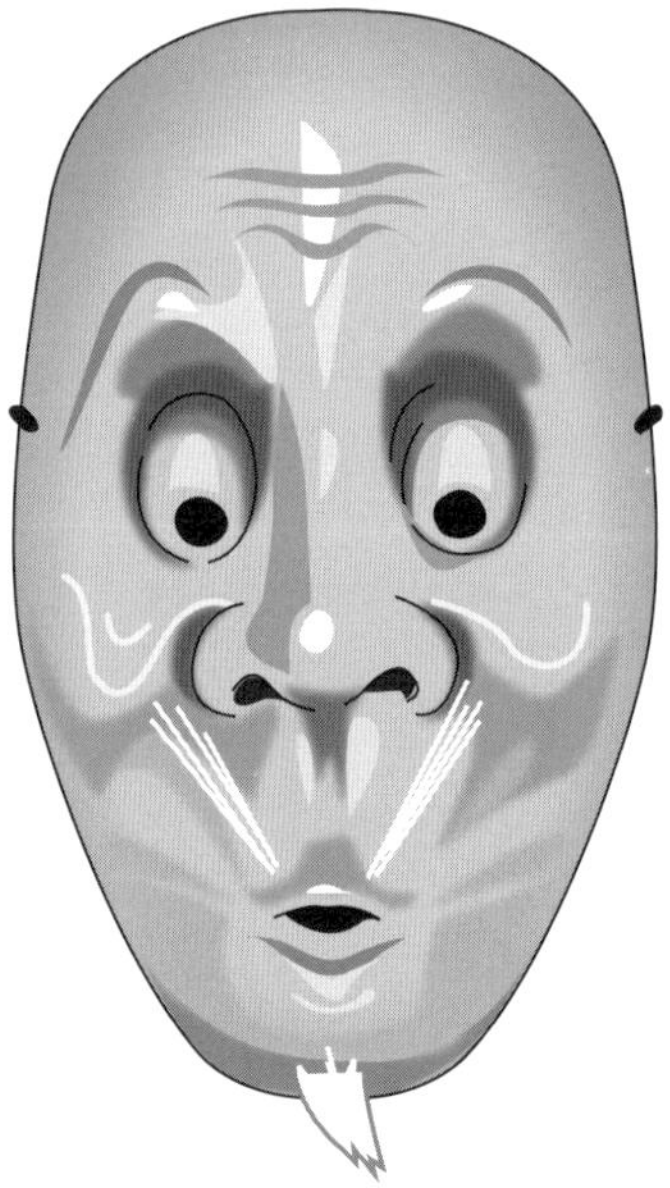

【文楽クイズ】

人形一体の重さは？

①一キログラム以下

②二キログラムぐらい

③三キログラム以上

筆者の工夫をとらえて読み、それをいかして書こう

『鳥獣戯画』を読む／発見、日本文化のみりょく

（10時間扱い）

単元の目標

知識及び技能	・比喩や反復などの表現の工夫に気付くことができる。(⑴ク) ・日常的に読書に親しみ、読書が、自分の考えを広げることに役立つことに気付くことができる。(⑶オ)
思考力、判断力、表現力等	・目的や意図に応じて、簡単に書いたり、詳しく書いたりするとともに、事実と感想、意見とを区別して書いたりするなど、自分の考えが伝わるように書き表し方を工夫することができる。(B ウ) ・目的に応じて、文章と図表などを結び付けるなどして必要な情報を見付けたり、論の進め方について考えたりすることができる。(C ウ)
学びに向かう力、人間性等	・言葉がもつよさを認識するとともに、進んで読書をし、国語の大切さを自覚して、思いや考えを伝え合おうとする。

評価規準

知識・技能	❶筆者の用いている比喩や反復などの表現の工夫に気付いている。(〔知識及び技能〕⑴ク) ❷日本文化のよさを伝える文章を書くために読書に親しみ、読書が自分の考えを広げることに役立つことに気付いている。(〔知識及び技能〕⑶オ)
思考・判断・表現	❸「書くこと」において、日本文化の魅力を伝えるという目的や意図に応じて、簡単に書いたり、詳しく書いたりするとともに、事実と感想、意見とを区別して書いたりするなど、自分の考えが伝わるように書き表し方を工夫している。(〔思考力、判断力、表現力等〕B ウ) ❹「読むこと」において、筆者の表現の工夫を捉えるために、文章と図表などを結び付けるなどして必要な情報を見付けたり、論の進め方について考えたりしている。(〔思考力、判断力、表現力等〕C ウ)
主体的に学習に取り組む態度	❺粘り強く論の進め方について考えたり、書き表し方を工夫したりし、学習の見通しをもって日本文化のよさを伝える文章を書こうとしている。

単元の流れ

次	時	主な学習活動	評価
一	1	『鳥獣戯画』や日本文化について知っていることを出し合う。 教材文を読み、「問いをもとう」を基に学習課題を設定し、学習計画を立てる。 学習の見通しをもつ	
	2	「『鳥獣戯画』を読む」の絵と文章を照らし合わせながら内容を捉える。	
二	3 4	筆者の絵や絵巻物を評価するものの見方（①論の展開、②表現の工夫、③絵の示し方）や、それを伝えるための工夫について気付いたことをまとめる。	❹

	5	筆者の工夫の中で、特に効果的だと思った点を理由とともにまとめ、共有する。 日本文化について書かれた本を読む。	❶❹
三	6	「問いをもとう」を基に、本を読んで興味をもった日本の文化の題材を選び、「『鳥獣戯画』を読む」で捉えた筆者の表現の工夫を生かして、日本文化のよさを伝える文章を書くという学習の見通しをもつ。	
	7	題材を決めて、情報を集める。	❷
	8	一番伝えたいことが効果的に伝わるように、構成を考える。	
	9	日本文化のよさを伝える文章を書き、友達と書き表し方を確かめる。	❸❺
	10	**学習を振り返る** 書いた文章を友達と読み合い、学習を振り返る。	

授業づくりのポイント

〈単元で育てたい資質・能力〉

本単元は、筆者の『鳥獣戯画』の見方を捉えるために、文章と図表などを結び付けるなどして、必要な情報を見付け、論の進め方について自分の考えをもつという「読むこと」のねらい、そして、そこで学んだ表現の工夫を生かして、日本文化のよさを伝える文章を書いて共有するという「書くこと」のねらいがあり、二つの領域を一つにまとめた単元である。一つの絵巻物を筆者がどのように評価し、その魅力についてどのように工夫して表現しているかを捉えることで、集めた情報を取捨選択し、自分自身の伝えたいことが効果的に伝わる表現方法を考えられるようにする。

［具体例］

○筆者がどのように「鳥獣戯画」を評価し、読み手である私たちにどのような表現で伝えているか表現の工夫を捉え、自分の考えをまとめる。（読むこと）

○筆者のような読み手を引き付ける表現の工夫を基に、日本文化のよさを伝える文章の語句や、書き表し方を考えて表現する。（書くこと）

〈教材・題材の特徴〉

本文では、論の展開の仕方、歯切れのよい端的な言葉で絵のすばらしさを伝える表現の工夫によって、読み手が『鳥獣戯画』の魅力を分かりやすく、印象的に感じることができる。これらの筆者の表現の工夫を捉え、特に効果的だと思う書き方に対して自分の考えをまとめることは、次の日本文化の魅力を伝える文章を書く上で非常に役立つ。学習の手引きを活用し、日本文化の魅力を効果的に伝えるという目的意識は、自分が調べた膨大な情報の中から、どの情報を選び、どのように表現したらよいかを考えて文章を書こうとする資質・能力を育成するのに適切である。資料を収集する活動とともに、目的や自分の考えを確かめながら構成を考え、記述する活動を十分に確保したい。

〈ICT の効果的な活用〉

表現：文書作成ソフトを活用すれば、推敲の際の検討が容易になる。「なぜその表現にしたか」「なぜその資料を用いたか」を観点として友達同士で文章を確かめ合い、言葉の取捨選択とともに、より効果的な資料を選んで挿入・削除したり、レイアウト機能を使って資料の位置を変更したりすることで、自分の考え（意図）に合わせた表現を工夫できるようにする。

本時案

『鳥獣戯画』を読む／発見、日本文化のみりょく 1/10

本時の目標

・筆者の表現の工夫に着目して読み、単元全体の学習の見通しをもとうとする。

本時の主な評価

・筆者の表現の工夫に着目して読み、学習課題を設定して、学習の見通しをもとうとしている。

資料等の準備

・本文冒頭の挿絵の拡大コピー（ICT 機器で代用可）
・高畑勲監督作品（数点）

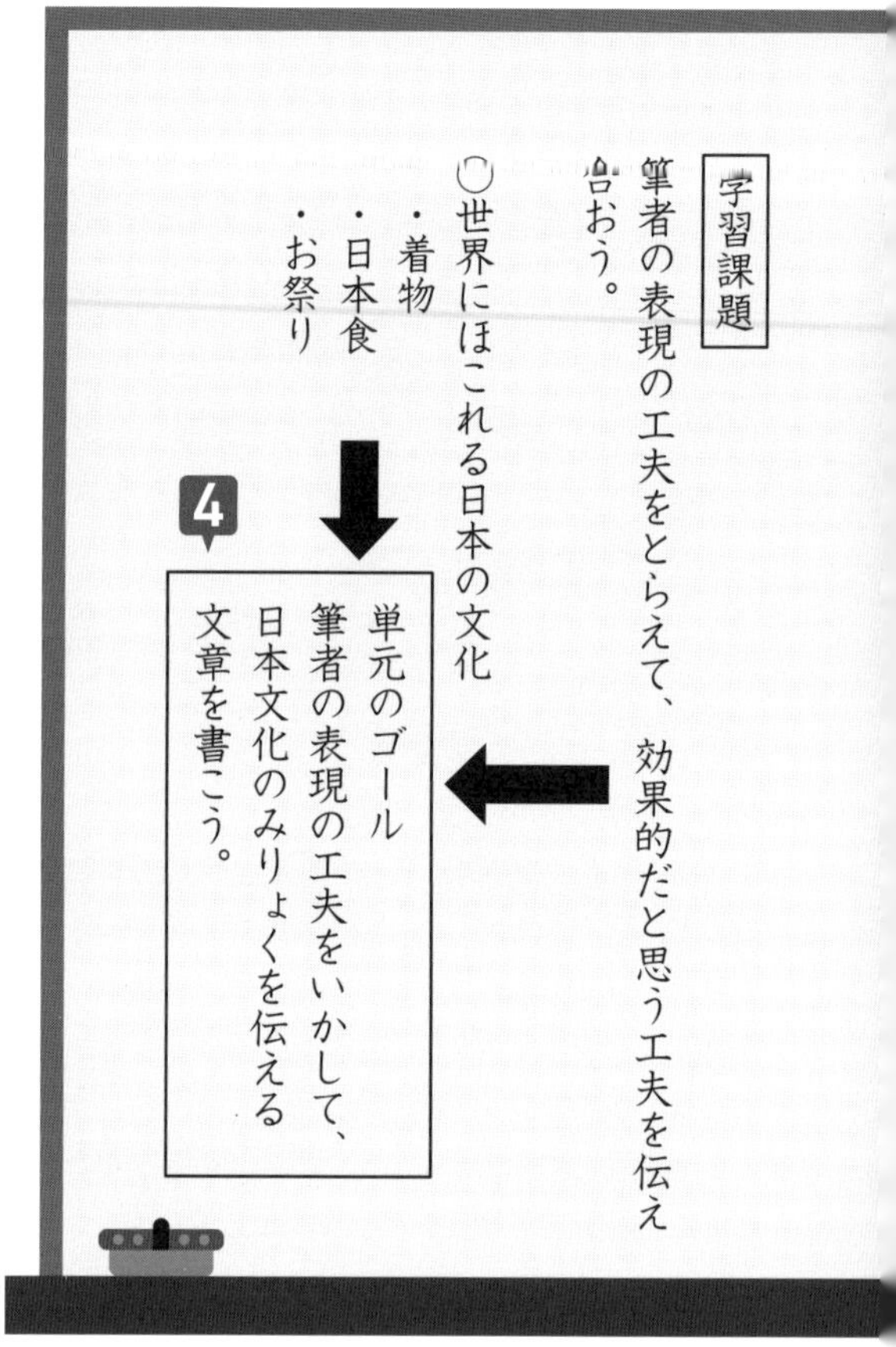

学習課題
筆者の表現の工夫をとらえて、効果的だと思う工夫を伝え合おう。
○世界にほこれる日本の文化
・着物
・日本食
・お祭り
4
単元のゴール
筆者の表現の工夫をいかして、日本文化のみりょくを伝える文章を書こう。

授業の流れ ▷▷▷

1 単元の扉を読み、気付いたこと、感じたことを発表する 〈5 分〉

○単元の扉（p.155）を読む。

T　みなさんは『鳥獣戯画』を知っていますか。みなさんにはこの絵がどのように見えますか。

・蛙や兎がとてもリアルに描かれています。
・人の動きみたいでかわいい。
・漫画のキャラクターのようです。

○ここでは、自由に発言をさせて、読むことへの意欲を喚起する。筆者についての説明はここでは行わない。

T　筆者は、この絵を評価しています。よい評価か、それとも悪い評価かを考えながら、本文を読みましょう。

2 本文を読み、筆者の『鳥獣戯画』の捉え方を確認する〈15分〉

T　（全文を読んでから）筆者は『鳥獣戯画』をどのように評価していましたか。

・よい評価です。「国宝の絵巻物」と言っています。

T　確かに国宝となれば、よいものだと分かります。では、筆者の考えとしてよいと認めていると分かるところはありますか。

・「人類の宝なのだ」と書いてあるので、やはりよいと思っていると思います。
・「見事にそれを表現している」と書いてあるので、褒めていると思います。

T　やはり、この文章で筆者は『鳥獣戯画』の魅力を伝えているようですね。「問いをもとう」を読み、考えをノートに書きましょう。

『鳥獣戯画』を読む　高畑勲

1

教科書p.155の挿絵

○気付いたこと
・動物がとてもリアル
・人のような動きをしている
・相撲をしているようだ
・漫画のキャラクターのようだ

2

○筆者の評価
・人類の宝
↓
よい評価

3

自分の問い

筆者はどのような書き方でみりょくを伝えているのだろう。
・言い切っている。
・いろいろなよさを伝える言葉を使っている。
・リズムがいい。

○高畑勲さんの代表作品

高畑勲監督作品の紹介

高畑勲監督作品の紹介

高畑勲監督作品の紹介

3 筆者の表現の工夫を伝え合い、単元の目標を捉える　〈15分〉

T　魅力が伝わる書き方について、考えを伝え合いましょう。
・「人類の宝なのだ」と言い切っていること。
・「見事に」「なんとすてきで」など褒める言葉の種類がたくさんあります。
・絵の説明にリズムがあって勢いがあります。
○筆者の高畑勲さんの作品を紹介し、筆者自身もアニメーション作品を生み出した人物であることを紹介する。
T　筆者は様々な表現の工夫を使って、『鳥獣戯画』の魅力を伝えようとしているようです。この学習を通して、その工夫と効果について考えていきましょう。

4 学習のゴールの見通しをもつ　〈10分〉

T　『鳥獣戯画』とは別に、魅力的な日本の文化には何がありますか。
・日本食。
・着物。
・お祭り。
○「『鳥獣戯画』を読む」の学習で学んだ筆者の表現の工夫を生かして、自分で日本文化の魅力を伝える文章を書くことが学習のゴールであることを伝える。
T　次の学習では、筆者の表現の工夫を知るために、本文を整理して読んでいきましょう。

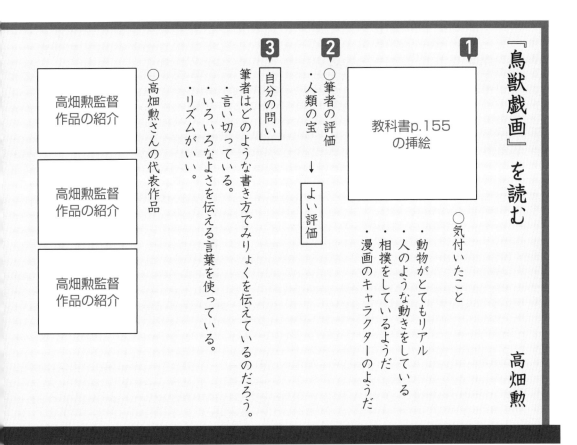

本時案

『鳥獣戯画』を読む

2/10

本時の目標

・絵と文章を照らし合わせながら読み、内容を捉えることができる。

本時の主な評価

・絵と文章を照らし合わせながら、筆者が絵に対して着目した部分を捉えている。

資料等の準備

・２枚の挿絵の拡大コピー（模造紙に貼ったものを準備し、書き込みができるようにしておく。ICT 機器で代用可）

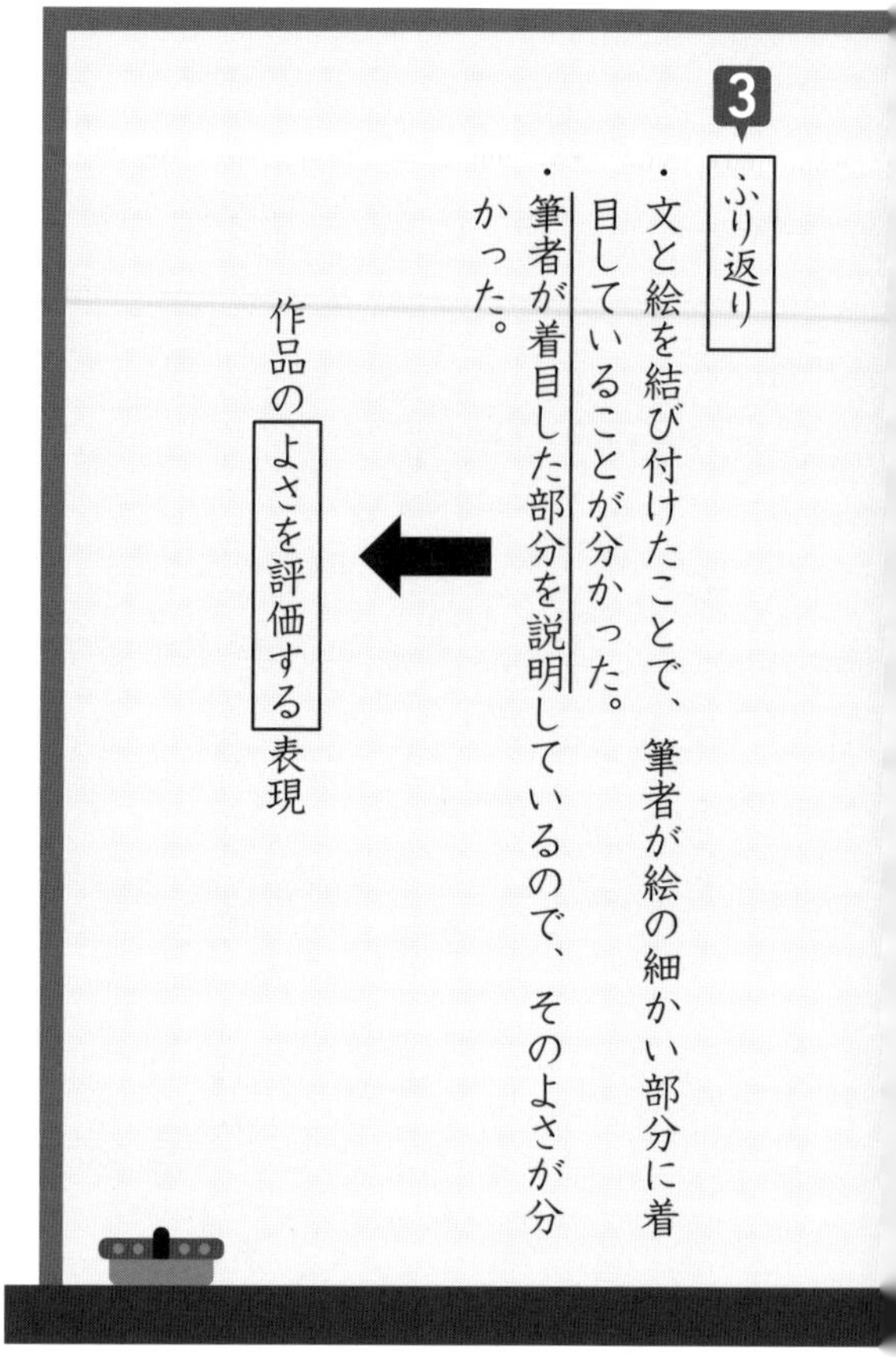
3
ふり返り
・文と絵を結び付けたことで、筆者が絵の細かい部分に着目していることが分かった。
・筆者が着目した部分を説明しているので、そのよさが分かった。
作品のよさを評価する表現

授業の流れ ▷▷▷

1 絵と文を結び付け、表現の工夫を考える 〈15分〉

T　教科書 p.165の「たいせつ」を読みましょう。

○絵に対して、何に着目し、どう評価をしているのかを見付けることが、筆者の工夫を捉えるために必要であることを押さえる。

T　筆者は絵のどの部分の何に着目しているのでしょうか。見付けたところに傍線を引きましょう。

○初めに、活動の見通しがもてるように「蛙と兎が相撲をとっている」の文に傍線を引き、文が示している絵と文を線で結び付ける活動を全体で行う。

2 筆者が着目した部分について共有する 〈15分〉

T　それぞれが見付けた、筆者が着目した絵の部分を共有しましょう。

○２枚の絵を黒板に掲示し、それぞれ出た意見を矢印で絵に書き込みながら確認する。

（１枚目）

・蛙が外掛け
・蛙が兎の耳をがぶりとかんだ。
・まだら模様があって、いく筋か背中が盛り上がっている。　等

（２枚目）

・蛙が兎を投げ飛ばしたように動いて見えた
・もんどりうって転がった兎
・目も口も笑っている。

『鳥獣戯画』を読む　高畑勲

1

絵と文章を照らし合わせながら、筆者は絵の何に着目しているか読み取ろう。

教科書p.157の挿絵

・蛙と兎が相撲をとっている。
・蛙が外掛け
・かわづ掛け
・まだら模様があって、いく筋か背中が盛り上がっている。

たいせつ
・筆者が何に着目し、どう評価しているかをとらえる。
・論の展開や表現、資料の使い方などについて、筆者の工夫とその意図や効果を考える。

2

教科書p.159の挿絵

・兎を投げ飛ばした蛙の口から線が出ている
・もんどりうって転がった兎
・投げられたのに目も口も笑っている。

3 本時の学習を振り返り、思ったことを伝え合う　〈15分〉

T　それぞれ筆者が絵の中で着目した部分について、気が付いたことはありますか。

・文と絵を結び付けたことで、筆者が絵の細かい部分に着目していることが分かりました。
・筆者が文章でよいところを説明しているから、読み手である私たちもそのよさが分かったのだと気付きました。
・筆者が着目した絵の部分の説明なのか、筆者の考え（評価）なのか。分けて考えるのが難しかったです。

T　筆者の着目した部分は分かっても、その説明に筆者の考えが述べられている部分もあるようです。筆者の評価と合わせて、次の時間で考えましょう。

よりよい授業へのステップアップ

筆者と読み手の視点の違い

筆者は独自の視点で『鳥獣戯画』のよさを捉え、評価している。子供は、筆者の表現の工夫を捉えるために、筆者がどこに着目していて、どう評価しているのかを文章から見付ける視点で学習している。筆者は絵を、学習者は文章を解釈しているため、学習の際に混同しやすい。子供の目的意識を明確にするために、導入の段階で教科書p.165の「たいせつ」を活用して身に付けたい力を共有し、掲示物等で常に意識できるようにするとよいだろう。

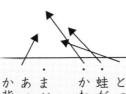

本時案

『鳥獣戯画』を読む

3/10

本時の目標

・『鳥獣戯画』の絵や絵巻物について、筆者の工夫を捉えるために、文章と絵を結び付けて必要な情報を見付けることができる。

本時の主な評価

❹筆者の表現の工夫を捉えるために文章と絵を結び付けて必要な情報を見付けている。【思・判・表】

資料等の準備

・前時で掲示した2枚の絵
・ワークシート 08-01
・ワークシートの拡大コピー（ICT 機器で代用可）

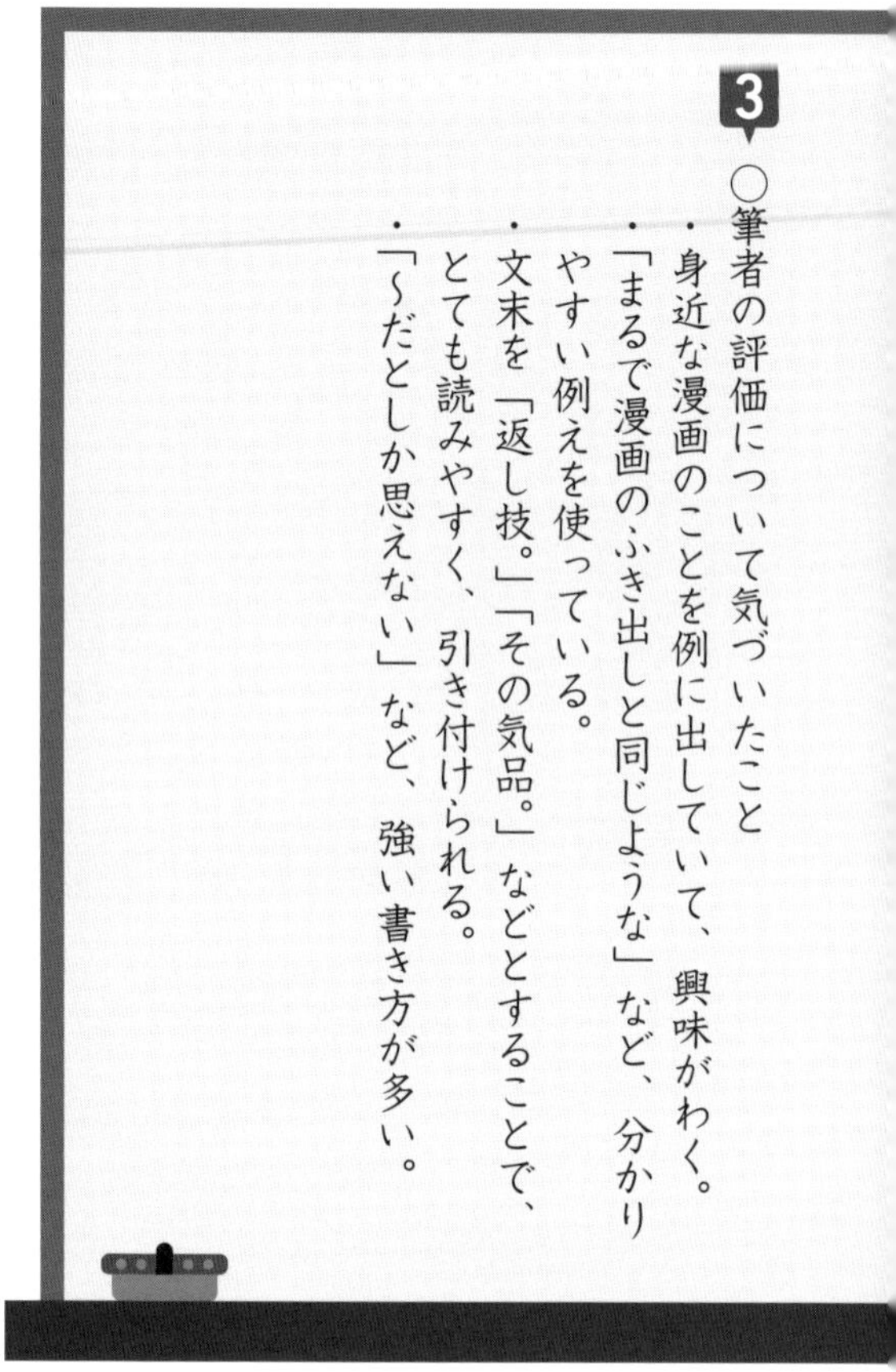
3
○筆者の評価について気づいたこと
・身近な漫画のことを例に出していて、興味がわく。
・「まるで漫画のふき出しと同じような」など、分かりやすい例えを使っている。
・文末を「返し技。」「その気品。」などとすることで、とても読みやすく、引き付けられる。
・「〜だとしか思えない」など、強い書き方が多い。

授業の流れ ▷▷▷

1 絵に対する筆者の評価の部分を本文中から見付ける 〈15分〉

T　筆者は2枚の絵について、どこを、どのように評価をしているか見付け、ワークシートに書きましょう。

○筆者は絵のどこが（着目点）、どのようによい（評価）と考えているか。前時で引いた傍線を生かしながら、それぞれの着目点と評価の表現を対応させて、個人でワークシートにまとめる。

2 筆者の表現の工夫について考えをもつ 〈20分〉

T　まとめたものを発表しましょう。
（蛙と兎の相撲）
・「のびのびと見事な筆運び」「生き生きと躍動して」「まるで人間みたいに」「本物の生き物のまま」
（動物の描き方について）
・「ほぼ正確にしっかりと描いている」
（投げ飛ばした蛙の口の線）
・「まるで漫画のふき出しと同じようなこと」
（兎の背中や右足の線）
・「絵が止まっていない。動きがある」「たいしたものだ」　等

T　筆者が評価をしている表現について、気付いたことを書きましょう。

『鳥獣戯画』を読む　高畑勲

1

絵に対して、筆者の評価が書かれている表現を見つけ、その工夫について気づいたことを話し合おう。

2

「『鳥獣戯画』を読む」ワークシート

名前（　　　　　　）

○筆者の着目点と、その評価を整理しよう。

着目点（どこが）	評価（どのようにとらえたか）
蛙が外掛け 蛙が兎の耳をがぶりとかんだ。 まだら模様があって、いく筋か背中が盛り上がっている。 蛙が兎を投げ飛ばしたように動いて見えた 蛙の口から線が出ている もんどりうって転がった兎の、背中や右足の線。 投げられたのに目も口も笑っている。	蛙と兎が相撲をとっている。 のびのびと見事な筆運び、その気品。 まるで人間みたいに遊んでいる。 何から何まで本物の生き物のまま。 ただの空想ではなく、ちゃんと動物を観察したうえで、骨格も、手足も、毛並みも、ほぼ正確にしっかりと描いている。 アニメの原理と同じ 気合いの声 漫画のふき出しと同じようなこと。 勢いがあって、絵が止まっていない。動きがある。 ほんのちょっとした筆さばきだけで、見事にそれを表現している。 和気あいあいとした遊び

3　筆者の表現の工夫について気付いたことを全体で共有する　〈10分〉

T　絵を評価している筆者の表現について、気付いたことを発表しましょう。

・身近な漫画などの例を出し、興味を湧かせようとしています。

・「まるで漫画のふき出しと同じような」など、分かりやすい例えを使っています。

・文末を「返し技。」「その気品。」などとすることで勢いがあり、引き付けられます。

・「〜だとしか思えない」など、強い書き方が多いです。

T　筆者の表現の工夫は、日本文化のよさを伝える文章を書くことにもつながりそうですね。次回は絵巻物を評価する筆者の表現の工夫について見付けていきます。

よりよい授業へのステップアップ

筆者の評価を解釈する

蛙と兎は本当に相撲を取っているのだろうか。絵巻物に「相撲」と書かれていない以上、これは、事実ではなく、筆者の解釈と捉えることができる。子供に考えさせたいのは、本当に相撲を取っているかどうかではなく、筆者が絵の様子を「相撲」と捉えた上で、どのように絵を評価して読み手へ伝えているのかということである。「筆者はこの表現で、この絵をよいと言っているのだと思う」などと、様々な視点で文章を解釈する学習にしたい。

本時案

『鳥獣戯画』を読む

4/10

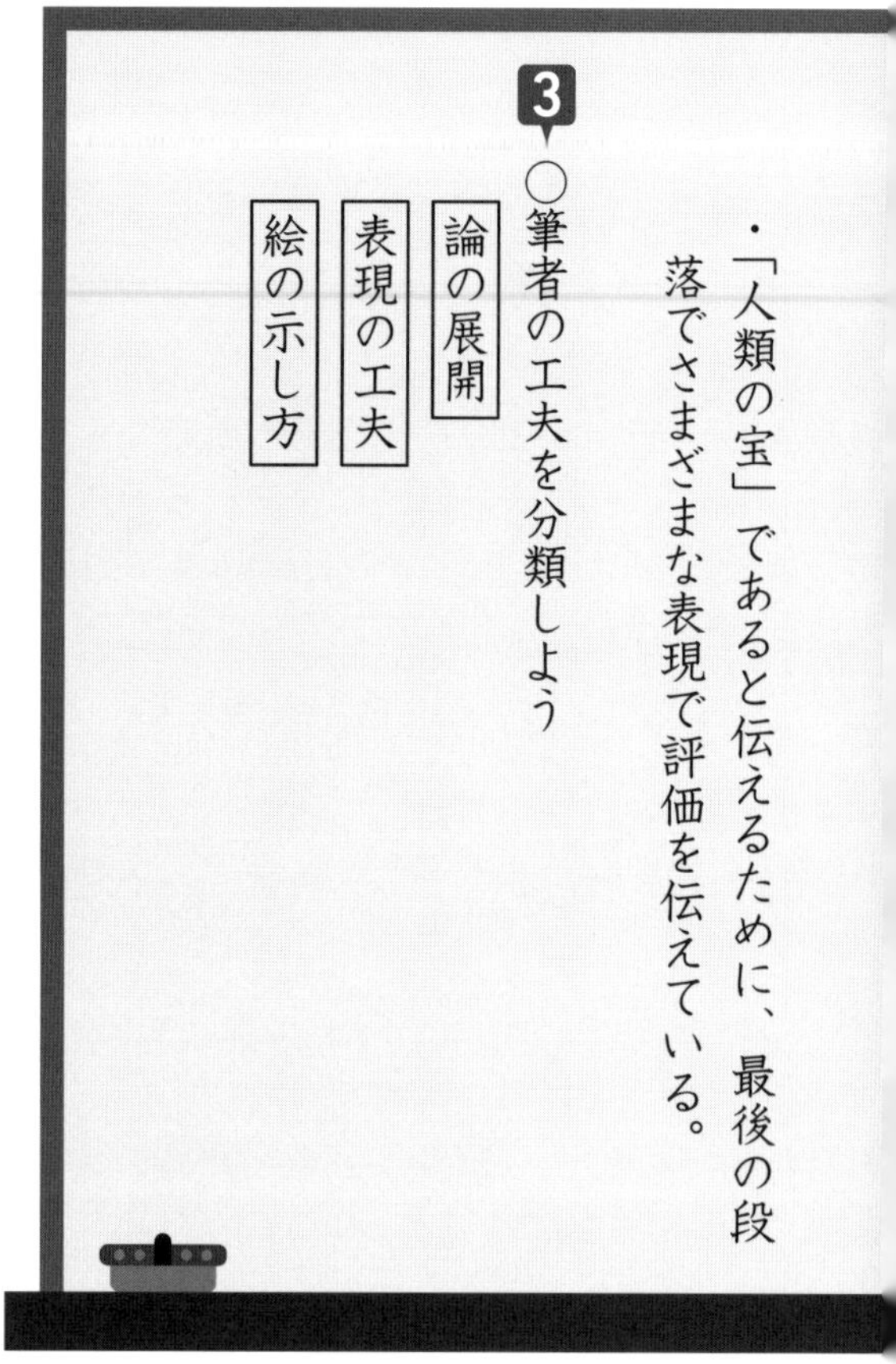
・「人類の宝」であると伝えるために、最後の段落でさまざまな表現で評価を伝えている。
3
○筆者の工夫を分類しよう
論の展開
表現の工夫
絵の示し方

本時の目標

・『鳥獣戯画』の絵や絵巻物について、筆者の工夫を捉えるために、文章と絵を結び付けて必要な情報を見付けることができる。

本時の主な評価

❹筆者の表現の工夫を捉えるために文章と絵を結び付けて必要な情報を見付けている。【思・判・表】

資料等の準備

・教科書本文（p.161～162）の拡大コピー（傍線を書き込めるもの。ICT 機器で代用可）
・ワークシート 08-02
・ワークシート 08-03

授業の流れ ▷▷▷

1 絵巻物に対する筆者の評価を本文中から読み取る 〈15分〉

T　絵巻物について、筆者はどのような表現で評価をしているかまとめましょう。

○前時の学習を踏まえて、筆者は絵巻物についてどのように評価しているのかをワークシートにまとめる。『鳥獣戯画』に限らず、紹介している絵巻物全体に対して評価されている表現でもよいことを伝える。

2 絵巻物の評価について全体で共有する 〈10分〉

T　見付けたものを発表しましょう。

・「とびきりすぐれた絵巻」
・「上手な絵と言葉で、長い物語を実に生き生きと語っている」
・「こんなに楽しく、とびきりモダン」
・「なんとすてきでおどろくべきこと」
・「世界を見渡しても、（中略）どこにも見つかっていない」
・「国宝であるだけでなく、人類の宝」

T　筆者の評価について、気付いたことを書きましょう。

・絵巻物の歴史が、日本文化の大きな特色だと伝えて評価している。
・人類の宝であると伝えるために、最後の段落で様々な表現で評価を伝えている。

『鳥獣戯画』を読む　高畑勲

1 絵巻物に対して、筆者の評価が書かれている表現を見つけ、その工夫について気づいたことを話し合おう。

2 絵巻物に対する評価（どのようによいか）

・とびきりすぐれた絵巻
・上手な絵と言葉で、長い物語を実に生き生きと語っている
・こんなに楽しく、とびきりモダン
・なんとすてきでおどろくべきこと
・世界を見渡しても、（中略）どこにも見つかっていない
・国宝であるだけでなく、人類の宝

○筆者の評価について気づいたこと
・「実に」という表現が多く使われている。
・絵巻物の歴史が、日本文化の特色だと伝えている。

3 筆者の評価の工夫について、観点別に分類する 〈20分〉

T　教科書 p.164の観点の例を参考にして、文章全体を通した筆者の表現の工夫について気付いたことを分類しましょう。

○「論の展開」「表現の工夫」「絵の示し方」のカテゴリーに分けて、今まで見付けた筆者の表現の工夫を分類したり、新たに考えさせたりする。

T　次回は、分類した三つの観点を基に、自分が特に効果的だと思う表現の工夫について考えていきます。

よりよい授業へのステップアップ

豊かな言葉で表現できるように

本単元では、『鳥獣戯画』を評価する表現の工夫を多数発見することができる。子供の表現に生かすために、本時で三つのカテゴリーに分類し、視覚化して捉えられるようにしたい。ここでの指導が後半の文章への表現に生かせるように3点の「筆者の工夫」を掲示物として残しておくとよいだろう。

本時の学習を終えると、他教科や日常生活の中で、評価する表現に気付く子供もいる。適宜、ワークシートや掲示物に追加して活用できるようにするとよいだろう。

本時案

『鳥獣戯画』を読む

5/10

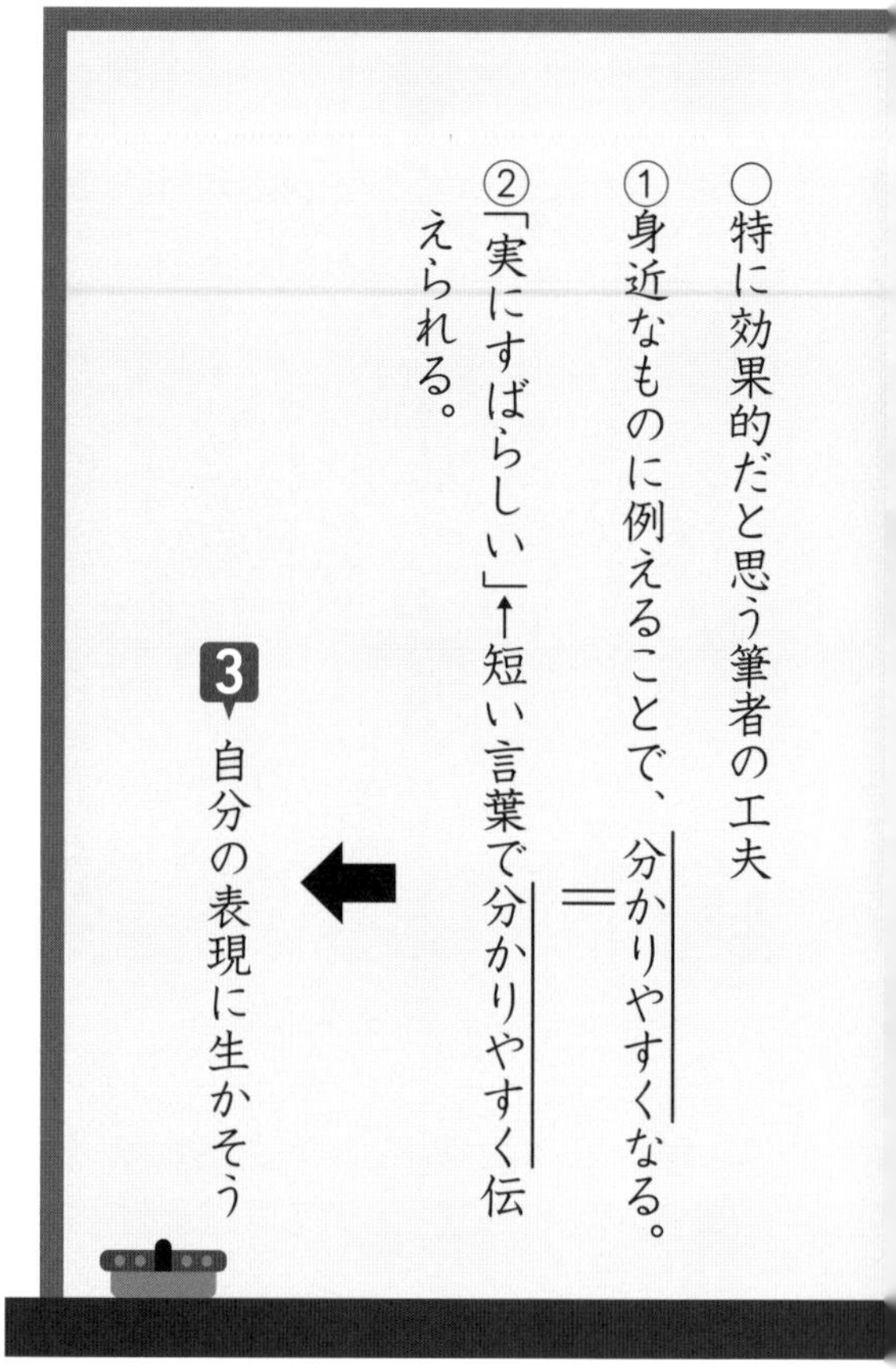
○特に効果的だと思う筆者の工夫
①身近なものに例えることで、分かりやすくなる。
＝
②「実にすばらしい」↑短い言葉で分かりやすく伝えられる。
3
自分の表現に生かそう

本時の目標

・筆者の表現の工夫を見付けるために、必要な情報を見付けたり、論の進め方について考えたりすることができる。

本時の主な評価

❹筆者の表現の工夫を捉えるために必要な情報を見付けたり、論の進め方について考えたりしている。【思・判・表】

❶筆者の用いている比喩や反復などの表現の工夫に気付いている。【知・技】

資料等の準備

・ワークシート 08-03

・ワークシートの拡大コピー（ICT 機器で代用可）

授業の流れ ▷▷▷

1 分類した表現の工夫をグループで共有する 〈10分〉

T　前時で分類したものをグループで確認しましょう。

○３人程度のグループで分類したものの共通点や相違点を確かめ合い、追加や変更等もできることを伝える。

○全体共有では一つのグループを紹介し、他のグループはそこからの追加や変更の意見を出し合うことで、効率よく行う。

2 筆者の工夫について考えたことをまとめる 〈20分〉

T　この文章における「効果」とは何かを考えましょう。

・筆者の意図が伝わることです。

T　この文章を書いた「筆者の意図」とは何だと思いますか。

・『鳥獣戯画』のすばらしさを伝えたいということだと思います。

T　整理した筆者の工夫を基に、自分が特に効果的だと思うものを選んで、自分の考えをまとめましょう。自分が書き手となったときのことを考えて書きましょう。

・「実にすばらしい」などと文を短く伝えることで相手に伝わりやすいと思いました。

・身近なもので例えることが、読み手にとって分かりやすく伝わることが分かりました。

『鳥獣戯画』を読む　高畑勲

1 筆者の表現の工夫についてまとめ、特に効果的だと思う表現の工夫について自分の考えをまとめよう。

2 効果：筆者の意図が読み手に伝わること

→『鳥獣戯画』のすばらしさを伝えたい

「『鳥獣戯画』を読む」ワークシート

名前（　　　　）

○筆者の工夫を整理しよう。

①論の展開
・絵を評価した後に、絵巻物の評価をして、視点を広げている。
・絵巻物の説明の例に、読み手に分かりやすいように、漫画やアニメの例を出した。
・初めに国宝であることを紹介して、最後に人類の宝だと伝えていて、「初め」と「終わり」で伝えたいことを伝えている。

②表現の工夫
・「返し技」「その気品」とすることで、文に勢いがあり、引き付けられる。
・「～だとしか思えない。」など、強い断定の書き方で伝えている。

③絵の示し方
・初めに、一枚ずつの絵を出して、絵の評価をして、その後、二枚同時に出すことで、動きがあることを評価している。着目した点に合わせた絵の示し方をしている。

3 考えを共有し、次時の見通しをもつ　〈15分〉

T　考えをグループで伝え合いましょう。その後、全体で話し合いましょう。

○同じ観点の意見を関連付けながら板書し、三つの観点同士でも共通点や相違点などが比較できるように工夫して板書をする。

T　見付けた筆者の表現の工夫は、自分の文章にも生かせるようにするといいですね。次回までに、日本文化についての本を何冊か読み、文章を書く準備をしましょう。

○配当時間外で、日本文化に関する本を選び、事前に読んでおくようにする。

○学校図書館や地域の図書館と連携して、日本文化の本を用意したり、並行読書を行ったりするとよい。

よりよい授業へのステップアップ

読み手から書き手への変換

筆者は絵巻物である『鳥獣戯画』の絵のストーリー性や、国宝としての価値を絵から「読み」取り、子供はその文章を「読む」ことを通して、その価値に気付けるように、題名をあえて「『鳥獣戯画』を読む」としたのであろう。筆者の意図を想像しながら、本時で「効果」について自分の考えをもつことが、同時に自分が書き手となったときの意図を考えるきっかけとなる。自分が文章を書くという目的意識を随所に押さえながら学習を進めていきたい。

本時案

発見、日本文化のみりょく 6/10

本時の目標

・日本文化のよさを伝える文章を書くという学習の見通しをもとうとする。

本時の主な評価

・日本文化のよさを伝える文章を書くという学習の見通しをもっている。

資料等の準備

・日本文化について書かれた本（子供の数＋10冊程度。同じタイトルが重複して数冊ずつあってもよい）
・筆者の工夫（三つの観点）の掲示物

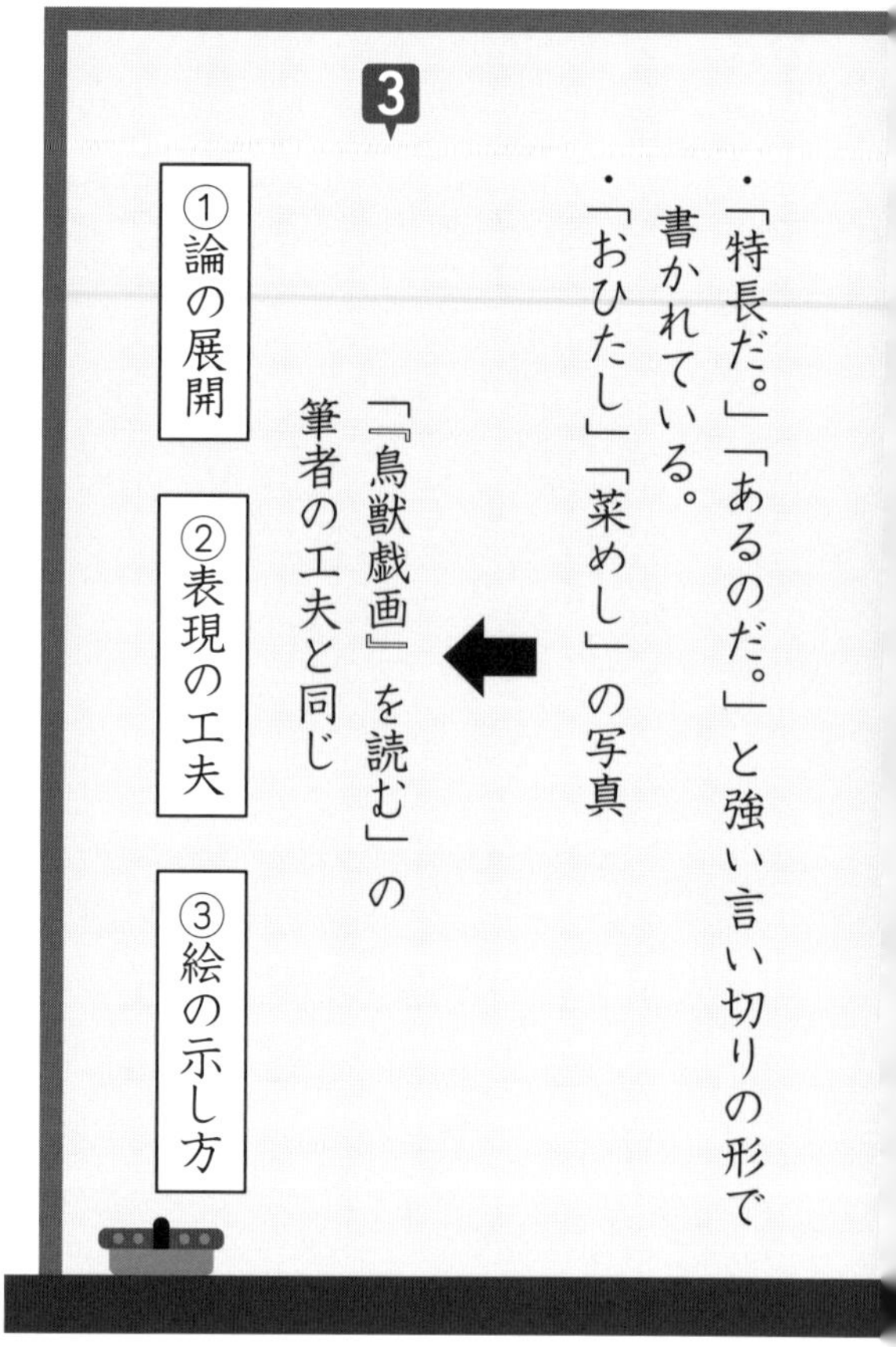
3
・「特長だ。」「あるのだ。」と強い言い切りの形で
書かれている。
・「おひたし」「菜めし」の写真
「『鳥獣戯画』を読む」の
筆者の工夫と同じ
①論の展開
②表現の工夫
③絵の示し方

授業の流れ▷▷▷

1 身に付けた力を確かめ、学習目標を捉える 〈10分〉

T　日本文化についての本は何冊か読みましたか。前時までに学習した効果的な表現の工夫は何か見付かりましたか。
○子供にいくつか出させた後、筆者の工夫を提示して確かめさせる。
T　教科書 p.166の「問いをもとう」を基に、興味をもった日本の文化をノートに書きましょう。
・和食
・和楽器
・歌舞伎　等
T　「目標」を読んで、学習することを確かめましょう。

2 学習の進め方を確認し、モデル文を読む 〈30分〉

T　学習の進め方を確認します。教科書を読んで、学習計画を立てましょう。
○単元の目標と学習計画をノートに書く。
T　教科書 p.168～169のモデル文を読んで、よさを効果的に伝える工夫を見付けましょう。
○教科書の二次元コードを読み取り、作例の全文を確かめる。
・「うまみ」の例を書く量が少なくて、「素材を生かす」と「郷土料理」の文章の量を多くしています。
・「特長だ。」「あるのだ。」など、文末表現を強い言い切りの形で書いています。
・「おひたし」や「菜めし」が分かるように写真を入れています。

発見、日本文化のみりょく

1 日本文化のよさを伝える文章を書く計画を立てよう。

伝えたい日本文化

○和食
○和楽器
○歌舞伎

2 学習計画

①題材を決めて情報を集める。
②文章の構成を考える。
③文章を書く。
④書いた文章を読み合う。

モデル文の工夫

・「うまみ」少　「素材をいかす」「郷土料理」多
……差がある。

3 本時を振り返り、次時の見通しをもつ　〈5分〉

T　今日の学習を振り返りましょう。

・モデル文を読んで、どのような文章を書くのか分かりました。
・よさを伝える文章を書くために、「『鳥獣戯画』を読む」で身に付けた力が生かせることが分かりました。
・伝えたい日本文化が決まったので、具体的によさを調べていきたいです。

よりよい授業へのステップアップ

モデル文を教師が作成する

教科書のモデル文は子供が書き方の見通しをもつ上で非常に効果的なものである。教師が子供のつまずきを把握するために、教師自身がモデル文を新たに作成することも有効である。テーマを決めて、構成を考え、記述する上で、子供がどのタイミングで難しいと感じるかを実際に体験することができる。子供の実態に応じて、より簡単な内容のモデル文を作成し、子供にどちらをモデルとして書くか選べるようにするのも、個別最適化した学びにつなげることができる。

本時案

発見、日本文化のみりょく 7/10

本時の目標

・日本文化のよさを伝える文章を書くために、読書に親しみ、読書が自分の考えを広げることに役立つことに気付くことができる。

本時の主な評価

❷日本文化のよさを伝える文章を書くために、読書に親しみ、読書が自分の考えを広げることに役立つことに気付いている。【知・技】

資料等の準備

・特になし

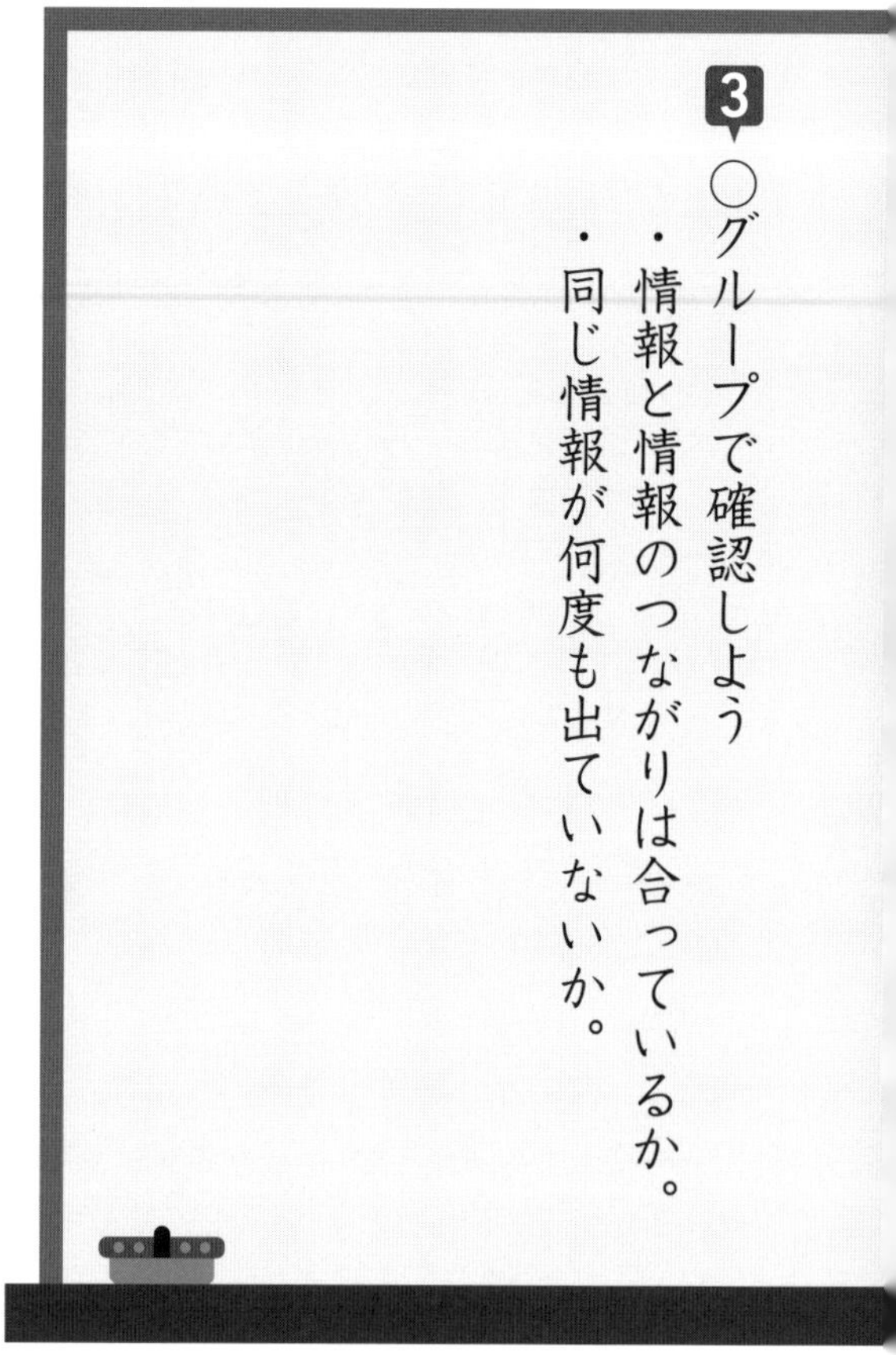

3
○グループで確認しよう
・情報と情報のつながりは合っているか。
・同じ情報が何度も出ていないか。

授業の流れ ▷▷▷

1 本時の学習の進め方を知る 〈5分〉

T　日本文化のよさを伝えたい題材は決まりましたか。この時間では、自分が選んだ題材について、集めた情報を図や表に表して、整理しましょう。

○教科書 p.311「図を使って考えよう」を読み、情報整理の仕方を確かめる。

○「『鳥獣戯画』を読む」の情報を「図を使って考えよう」の「つなげる」と「分ける」の整理の仕方で表したモデルを示す。

2 題材に関する情報を図表に表して整理する 〈25分〉

T　資料を読んで、情報を図表に表して整理しましょう。

○まず、伝えたい「よさ」に関わる情報をノートにできるだけ多く集め、そこから整理する活動に移るとよい。

○「つなげる」図：情報と情報との関係を構造的に捉えられるようにし、情報の軽重を把握したり、段落構成を考えたりするのに役立つ。

○「分ける」図：集めた情報を分類するなどして、見出しを付けることで伝えたいことを明確にするのに役立つ。

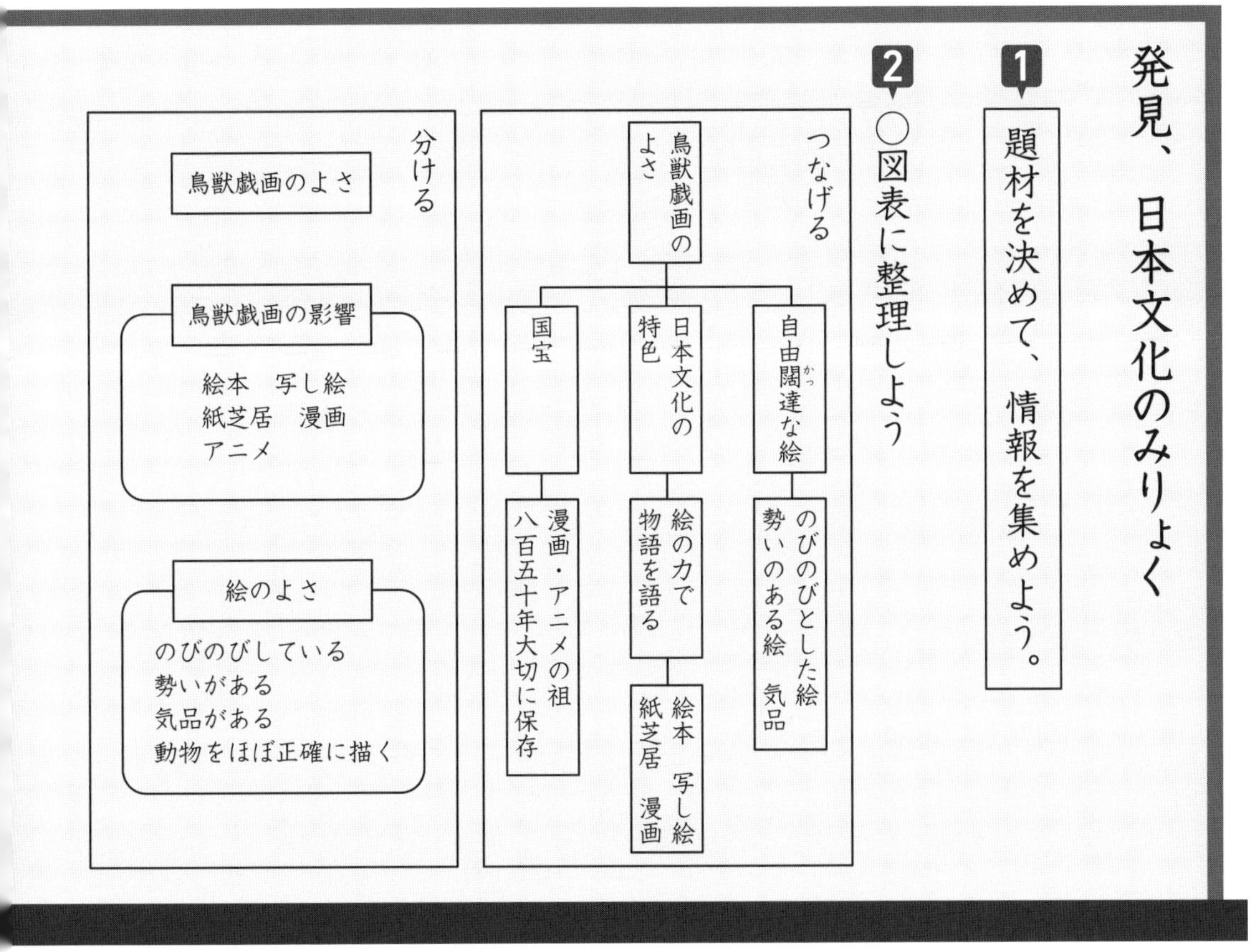
発見、日本文化のみりょく
1
題材を決めて、情報を集めよう。
2
○図表に整理しよう
つなげる
鳥獣戯画のよさ
自由闊《かっ》達な絵
日本文化の特色
国宝
のびのびとした絵
勢いのある絵　気品
絵の力で物語を語る
絵本　写し絵
紙芝居　漫画
漫画・アニメの祖
八百五十年大切に保存
分ける
鳥獣戯画のよさ
鳥獣戯画の影響
絵本　写し絵
紙芝居　漫画
アニメ
絵のよさ
のびのびしている
勢いがある
気品がある
動物をほぼ正確に描く

3 グループで共有し、本時の学習を振り返る〈15分〉

T　グループで整理した情報を確かめ合いましょう。

○整理した情報のつながり方が適切であるか、また、重複した情報がないかをグループで確かめ合う。

T　本時の学習を振り返りましょう。

よりよい授業へのステップアップ

図表を使って情報を整理する

子供は文章を書く材料を集める「取材」を行う際に、全ての情報を羅列してしまい、その軽重を判断することが難しい。そこで、「分類」「比較」「順序付け」などの考え方を、図表を使って身に付けていくことが効果的である。子供が主体的に学習を進めていくために、例示された図表を活用して、情報を整理する力を身に付けていくことで、次時の文章構成を考える際の手助けとなる。

本時案

発見、日本文化のみりょく　8/10

本時の目標

・筋道の通った文章になるように、文章全体の構成や展開を考えることができる。

本時の主な評価

・筋道の通った文章になるように、文章全体の構成や展開を考えている。

資料等の準備

・文章構成表 08-04
・各自が資料とした本

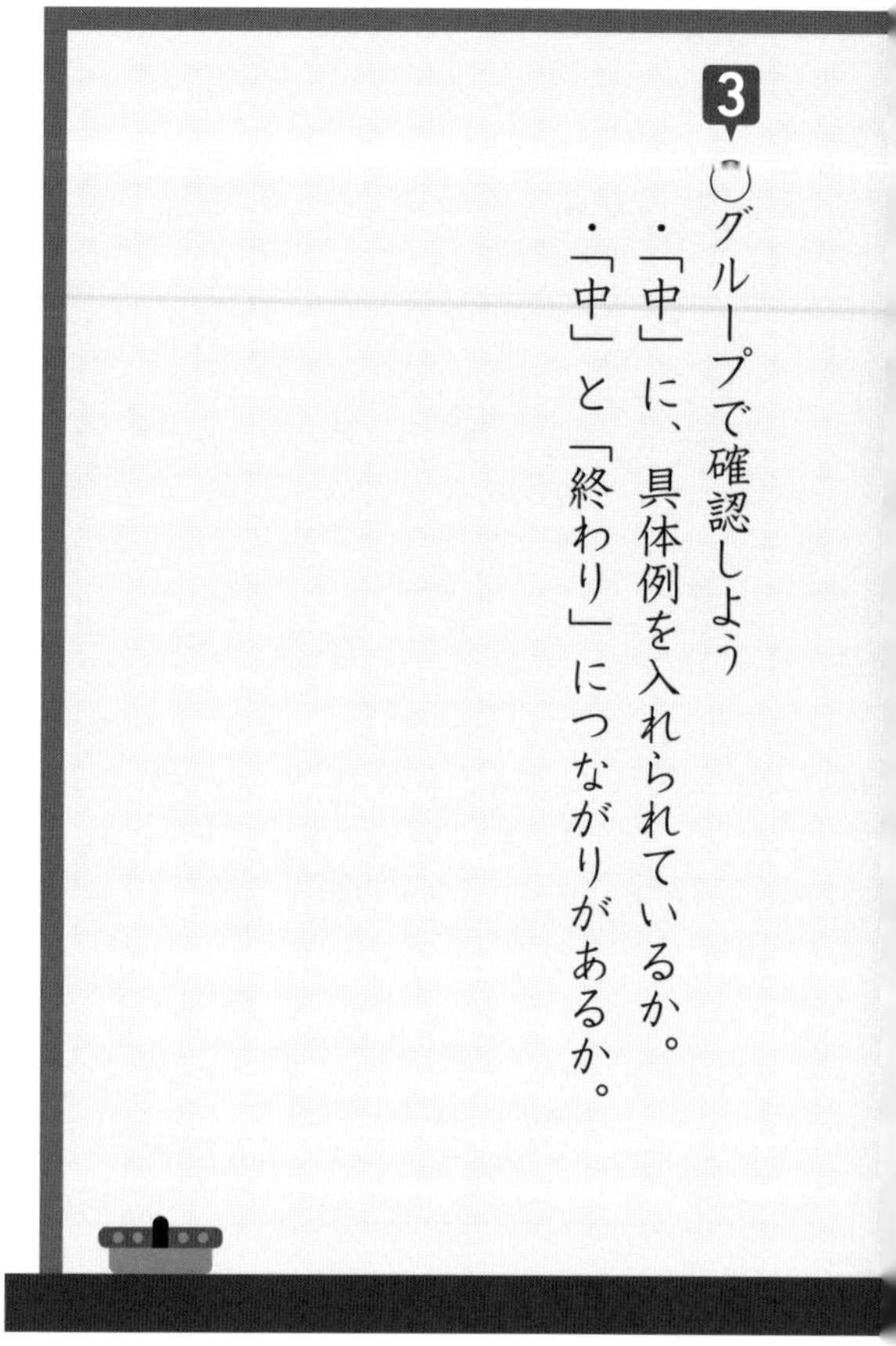

3
○グループで確認しよう
・「中」に、具体例を入れられているか。
・「中」と「終わり」につながりがあるか。

授業の流れ ▷▷▷

1 集めた情報を基に、文章の構成を考える見通しをもつ 〈5分〉

T　前の時間の図表を基に、文章の構成を考えましょう。教科書 p.167の文章の構成例と「文章の構成を考えるときは」を読んで、考えの参考にしましょう。

○一番伝えたいことを明確にすることで、調べたことを書き表すときに、文章の量に軽重を付けて書くことを確かめる。

2 文章構成表を用いて、文章構成を考える 〈25分〉

T　一番伝えたいことを明確にして、それが効果的に伝わる文章の構成を考えましょう。

○文章構成表を使って、情報を整理した図表を基に、「中」の部分で事例として挙げる内容を確かめる。

○「終わり」には、事例をまとめ、伝えたいことを明確に書くように伝える。

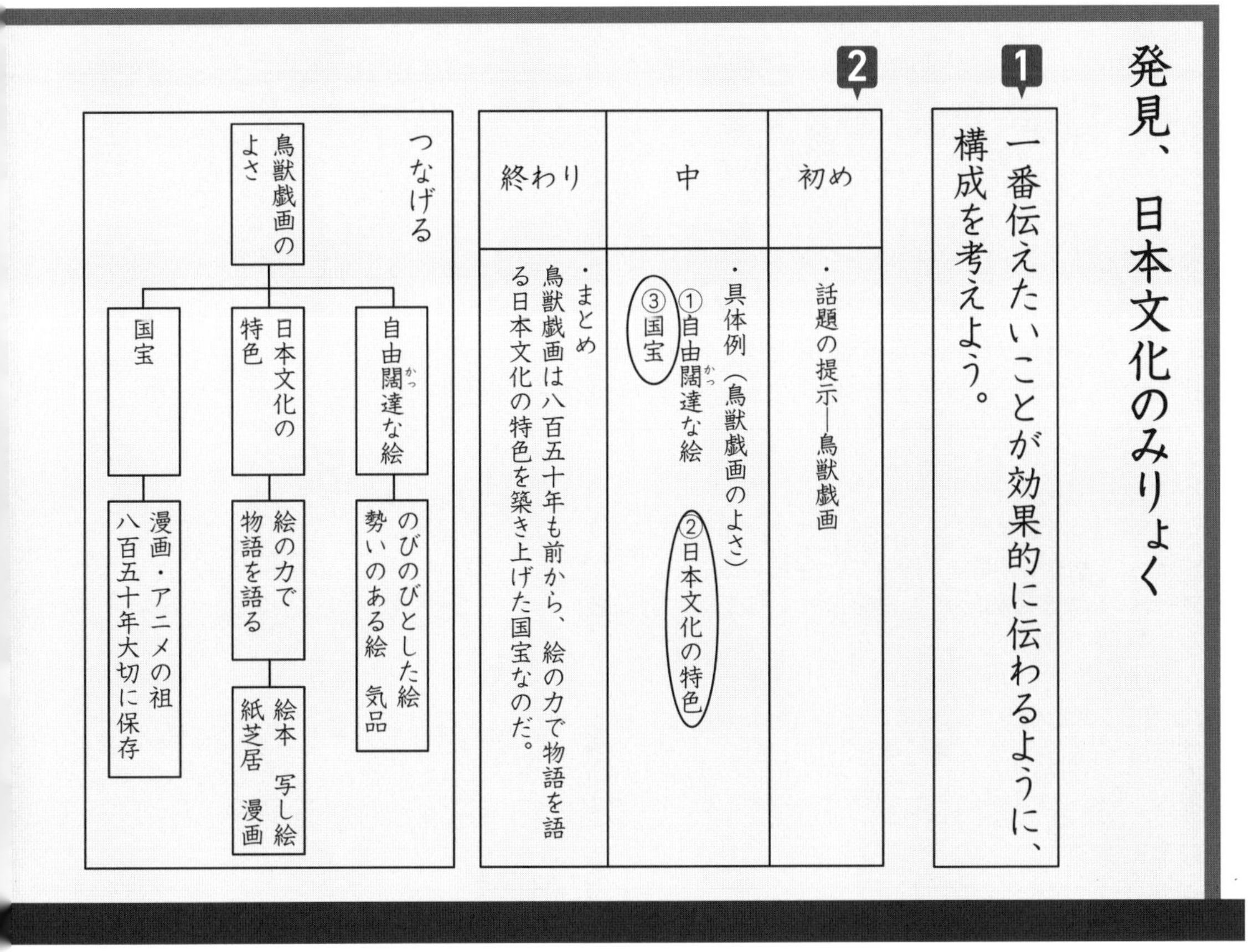
発見、日本文化のみりょく
1
一番伝えたいことが効果的に伝わるように、構成を考えよう。
2
初め
・話題の提示―鳥獣戯画
中
・具体例（鳥獣戯画のよさ）
①自由闊《かっ》達な絵
②日本文化の特色
③国宝
終わり
・まとめ
鳥獣戯画は八百五十年も前から、絵の力で物語を語る日本文化の特色を築き上げた国宝なのだ。
つなげる
鳥獣戯画のよさ
自由闊《かっ》達な絵
のびのびとした絵
勢いのある絵　気品
日本文化の特色
絵の力で物語を語る
絵本　写し絵
紙芝居　漫画
国宝
漫画・アニメの祖
八百五十年大切に保存

3 グループで構成を確かめ、本時の学習を振り返る 〈15分〉

T　文章構成表の「中」の具体例で、詳しく書きたいものを赤で囲みましょう。グループで構成表を確かめます。選んだ事例の意図や一番伝えたいことを確認し合いましょう。

○４人程度の小グループになる。

T　今日の学習を振り返り、活動の進み具合や、次に気を付けることを書きましょう。

・「初め」と「終わり」で伝えたいことを書く構成表が完成しました。簡単に書く部分を長くなり過ぎないようにしたいです。

・伝えたいことを伝えるには、３番目の事例のほうがいいとアドバイスをもらったので、事例を変えて書きたいです。

よりよい授業へのステップアップ

構成段階での対話

本時では、文章構成表をつくった上で、協働的に文章構成を確かめる時間を取っている。その際に、対話を通して、書き手の意図を確認する活動が効果的である。「どうしてそのことを一番伝えたいのか」「どうしてこの事例を選んだのか」など、インタビュー形式で友達からの問いに答える場面を意図的につくる。答えを考える中で、自分の構成表を客観的に捉え、自分の考えを明確にしていくのである。

本時案

発見、日本文化のみりょく　9/10

本時の目標

・日本文化のよさを効果的に伝えるために、簡単に書いたり詳しく書いたりして、自分の考えが伝わるように書き表し方を工夫することができる。

本時の主な評価

❸日本文化のよさを効果的に伝えるために、簡単に書いたり詳しく書いたりして、自分の考えが伝わるように書き表し方を工夫している。【思・判・表】
❺粘り強く論の進め方について考えたり、書き表し方を工夫したりし、学習の見通しをもって日本文化を伝える文章を書こうとしている。【態度】

資料等の準備

・文章構成表 ⤓ 08-04
・三つの観点の掲示物

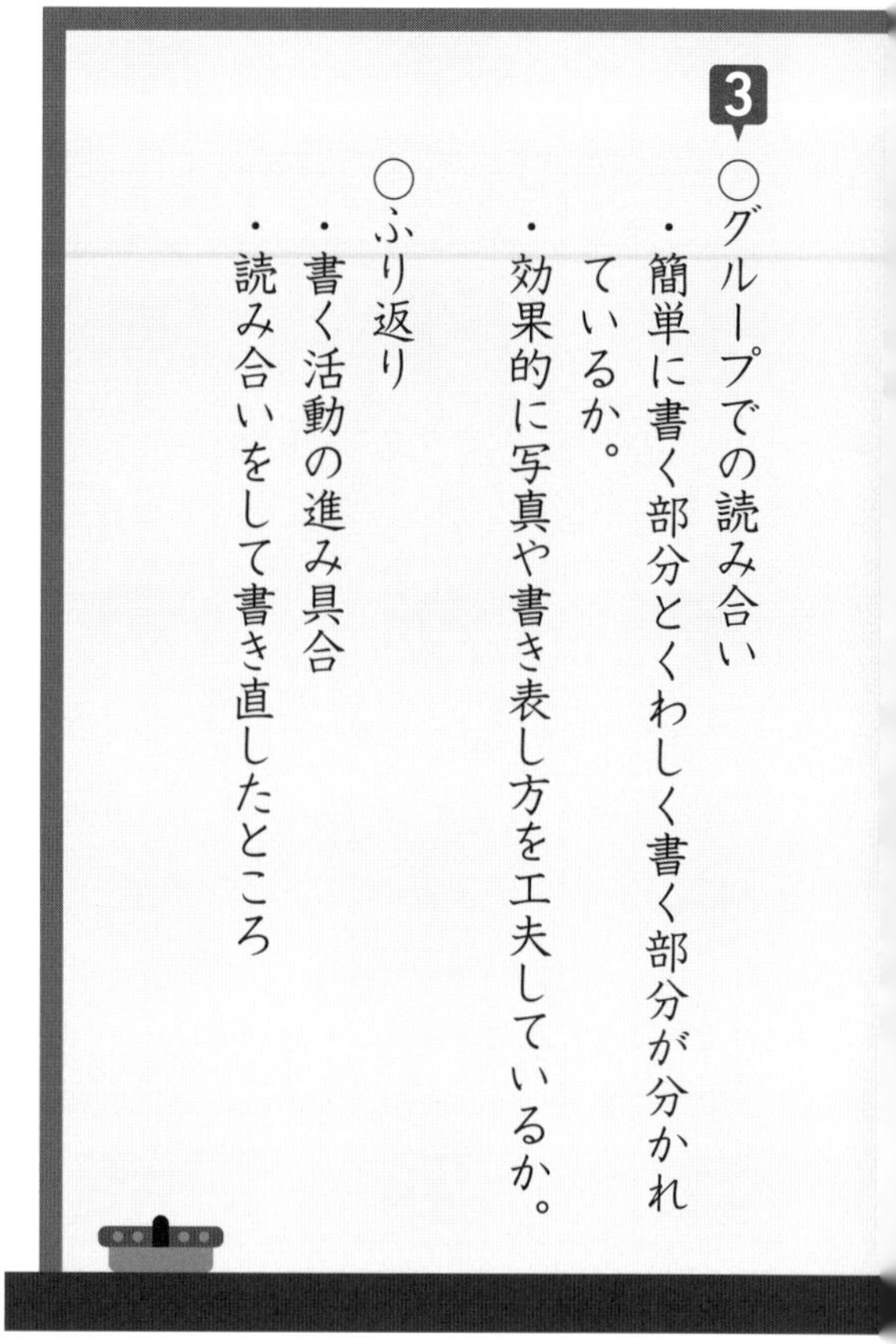

3
○グループでの読み合い
・簡単に書く部分とくわしく書く部分が分かれているか。
・効果的に写真や書き表し方を工夫しているか。
○ふり返り
・書く活動の進み具合
・読み合いをして書き直したところ

授業の流れ ▷▷▷

1 文章の書き方の見通しをもつ 〈5分〉

T　日本文化のよさを効果的に伝える文章を書きましょう。教科書 p.168の「よさを伝える文章を書くときは」「よさを伝えるときの言葉」と併せて、大事だと思う書き方を確認しましょう。
○モデル文と照らし合わせながらポイントを確認し、「『鳥獣戯画』を読む」で学んだ三つの観点も掲示して、書き表すことができるようにする。

ICT 端末の活用ポイント

文書作成ソフトを活用すると、文章や挿入する資料の修正が比較的簡単にできることを伝え、手書きと選べるようにする。

2 よさが読み手に伝わるように文章を書く 〈30分〉

T　書き表し方を工夫して書きましょう。
○文章構成表を基にして、文末表現等を工夫して書くように伝える。
○書くことが困難な場合、教師と文章構成表を確認しながら、口頭で書く内容を言えるように支援する。
○文書作成ソフトの場合は画像データを、手書きの場合は画像を印刷したものを準備させ、よさが効果的に伝わる場所を考えて貼り付けられるようにする。

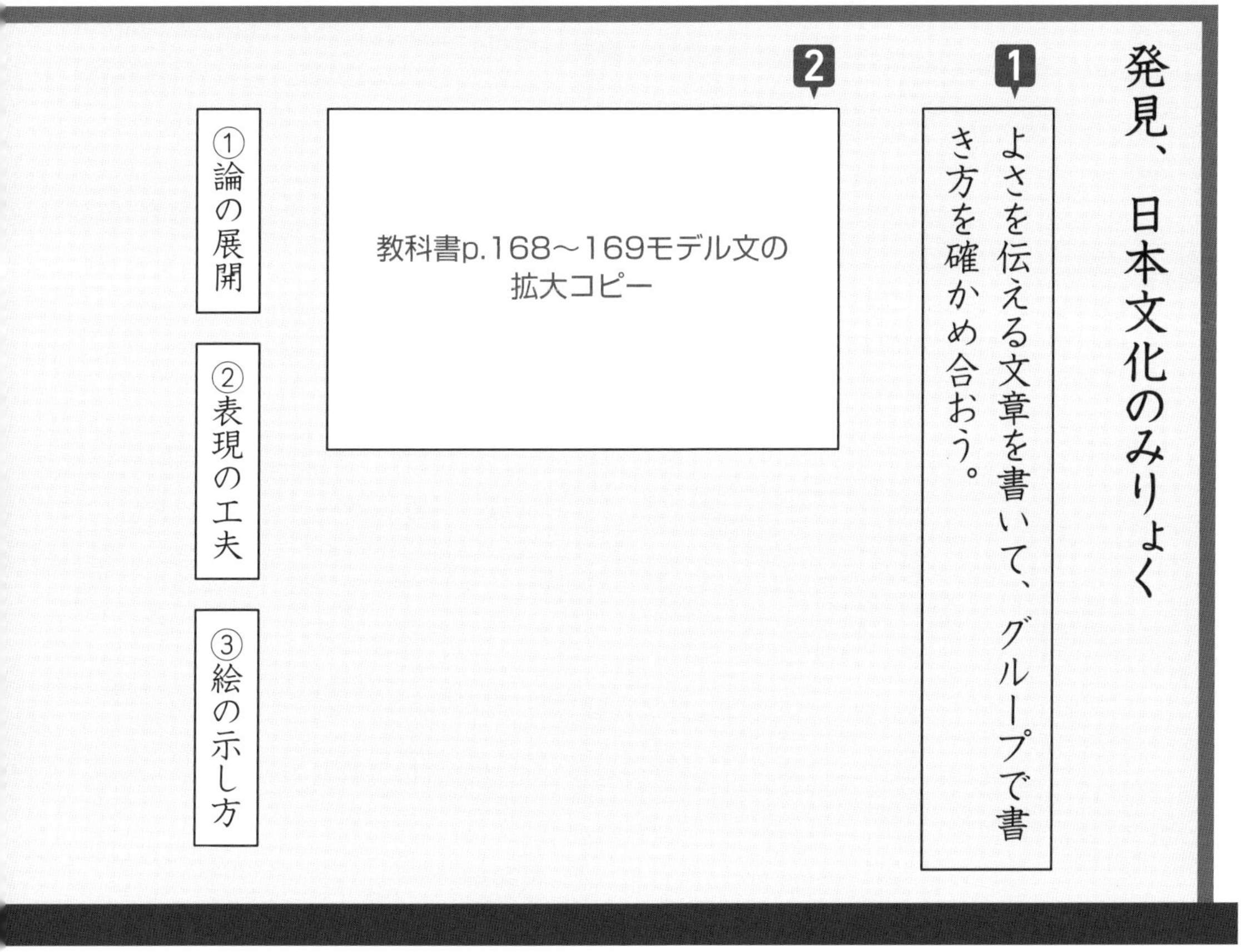
発見、日本文化のみりょく
1
よさを伝える文章を書いて、グループで書き方を確かめ合おう。
2
教科書p.168～169モデル文の拡大コピー
①論の展開
②表現の工夫
③絵の示し方

3 書いたものをグループで読み合い、書き表し方を確かめる　〈10分〉

T　書いたものをグループで読み合いましょう。初めに確認した書くときのポイントを基に、お互いにアドバイスし合いましょう。

○文書作成ソフトの場合はその場で加除修正してもよいことを伝える。手書きの場合は赤で修正内容を記述しておくように伝える。

T　学習を振り返りましょう。友達の意見を聞いて、直したところも書いておきましょう。

・「〜と思う」と書いたところを「〜なのだ」と書いたほうがよさが伝わりやすいと言われたので、書き直しました。

・具体例の画像があったほうが分かりやすいと言われたので、入れることにしました。

ICT 等活用アイデア

文書作成ソフトの有効性

文書作成ソフトを使うと、文章を推敲する活動の効率を飛躍的に高めることができるようになる。本時の目標にある「書き表し方の工夫」をすぐに修正したり、効果的な位置に画像資料を挿入したりする活動が容易にできるようになる。これにより、よりよい文章にするための検討に時間を費やせることになる。友達の力を生かして、修正した部分は振り返るときに記録を残しておくことで、粘り強く主体的に学習に取り組む態度の評価を確認しやすくなる。

本時案

発見、日本文化のみりょく

10/10

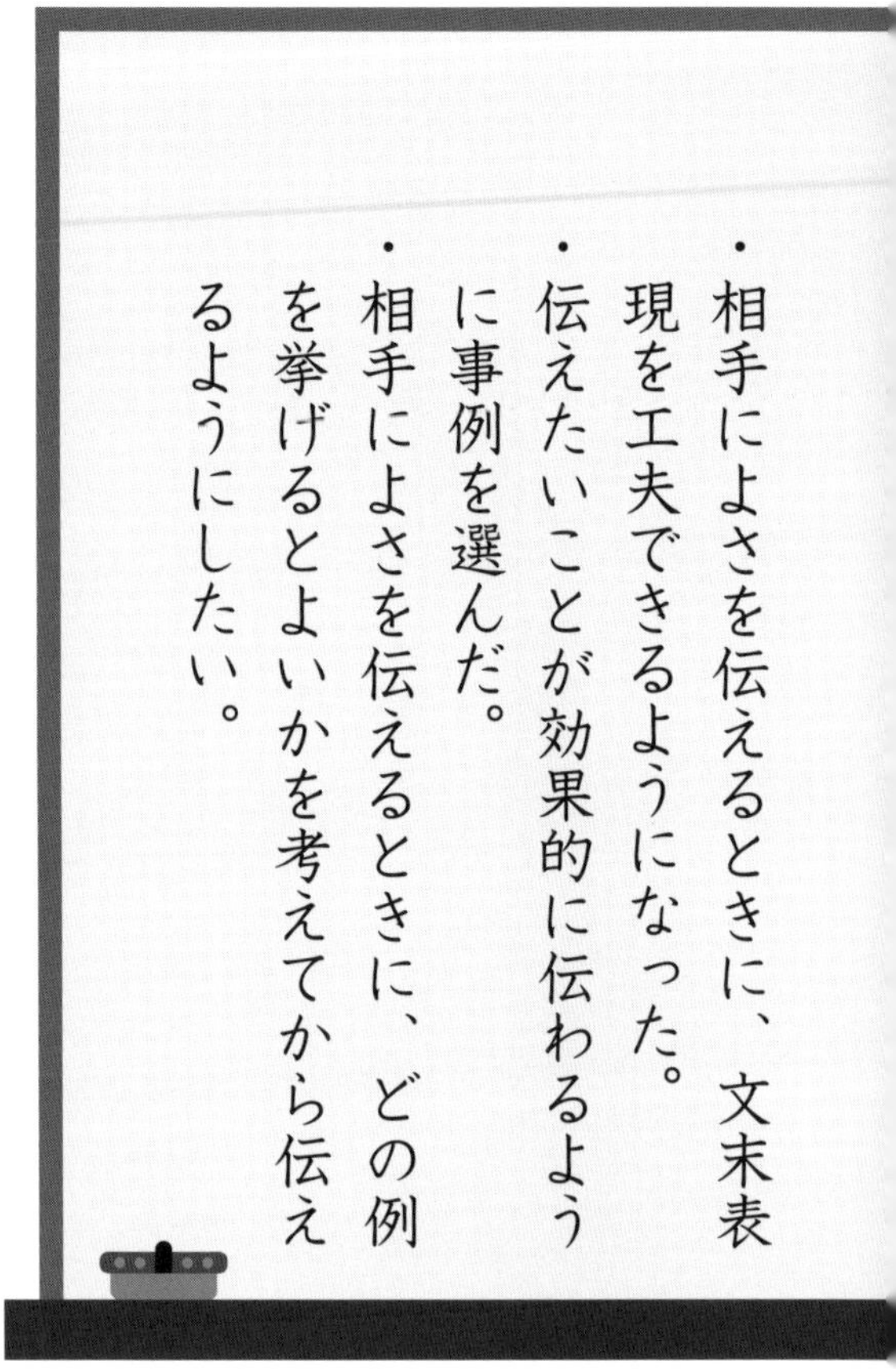
・相手によさを伝えるときに、文末表現を工夫できるようになった。
・伝えたいことが効果的に伝わるように事例を選んだ。
・相手によさを伝えるときに、どの例を挙げるとよいかを考えてから伝えるようにしたい。

本時の目標

・日本の文化のよさを伝える文章を読み合って感想を伝え、自分の文章のよいところを見付けることができる。

本時の主な評価

・日本の文化のよさを伝える文章を読み合って感想を伝え、自分の文章のよいところを見付けている。

資料等の準備

・子供が前時に書いた文章

授業の流れ ▷▷▷

1 文章を読み合う観点を確かめる 〈5分〉

T　書いた文章を友達と読み合って、感想を伝えるために、作品を読む観点を確かめましょう。

○教科書 p.169「たいせつ」を読み、前時の推敲の際に振り返った観点を再度提示する。

T　今回の学習の「目的や意図」とは何でしょうか。

・自分が選んだ日本文化のよさを知ってもらうことです。

・一番伝えたいことを伝えることです。

2 友達と書いたものを読み合い、感想を伝え合う 〈25分〉

T　書いた文章を友達と読み合って、感想を伝えましょう。

○作成段階とは別の3人程度のグループをつくり、付箋等を活用して、作品の感想を伝え合う。

○グループの相手の感想を伝える活動が終わったら、自分が感想を伝えたい相手を選んで、伝えられるようにする。

発見、日本文化のみりょく

1 書いた文章を読み合って、感想を伝え、学習全体をふり返ろう。

2 ○読み合いの観点
・目的や意図が伝わる文章になっているか。
・簡単に書く部分とくわしく書く部分が分かれているか。
・効果的に写真や書き表し方を工夫しているか。

3 ○学習全体のふり返り
①この学習で身に付けられた力
②自分の文章で工夫したところ
③これから、この学習を生かしていきたいこと

3 自分の文章のよいところを見付け、単元を振り返る〈15分〉

T　単元全体を振り返りましょう。
○教科書 p.169「ふりかえろう」を活用して、①自分の身に付けた力、②自分の文章の工夫したところ、③これからしていきたいこと、の観点で振り返ることができるようにする。
・相手によさを伝えるときに、文末表現を工夫することができるようになりました。
・伝えたいことが効果的に伝わるように、事例を選ぶことができました。
・友達に何かのよさを伝えたいときは、どの例を挙げて伝えようかと考えてから伝えてみたいです。

ICT 等活用アイデア

PDF 化で簡単に文集に

　子供の作品を読み合う活動は、ICT を活用することで様々な方法が可能になった。学習支援ソフトを活用して、子供それぞれがアップロードすることで、作品を読み合い、コメントを付けることも容易である。また、教師が手書きの文章も画像化し、全てを統合して PDF 化することで、簡単に文集にすることができるようになった。子供は画面をスクロールするだけで学級全員の作品を読むことができるようになるので、非常に効率がよくお薦めである。

資 料

1 第3時資料　ワークシート（記入例）08-01

「『鳥獣戯画』を読む」ワークシート

名前（　　　　）

○筆者の着目点と、その評価を整理しよう。

着目点（どこが）	評価（どのようにとらえたか）
蛙が外掛け 蛙が兎の耳をがぶりとかんだ。	蛙と兎が相撲をとっている。 のびのびと見事な筆運び、その気品。 まるで人間みたいに遊んでいる。 何から何まで本物の生き物のまま。
まだら模様があって、いく筋か背中が盛り上がっている。	ただの空想ではなく、ちゃんと動物を観察したうえで、骨格も、手足も、毛並みも、ほぼ正確にしっかりと描いている。
蛙が兎を投げ飛ばしたように動いて見えた	アニメの原理と同じ
蛙の口から線が出ている	気合いの声 漫画のふき出しと同じようなこと。
もんどりうって転がった兎の、背中や右足の線。 投げられたのに目も口も笑っている。	勢いがあって、絵が止まっていない。動きがある。 ほんのちょっとした筆さばきだけで、見事にそれを表現している。 和気あいあいとした遊び

2 第4時資料　ワークシート（記入例）08-02

「『鳥獣戯画』を読む」ワークシート

名前（　　　　）

○筆者の絵巻物に対する評価を整理しよう。

着目点（何が）	評価（どのようにとらえたか）
『鳥獣戯画』以外の絵巻 絵本 写し絵 紙芝居 漫画 アニメーション	とびきりすぐれた絵巻 上手な絵と言葉で、長い物語を実に生き生きと語っている。 言葉だけでなく絵の力を使って物語を語るものが、とぎれることなく続いているのは、日本文化の大きな特色なのだ。 とびきりモダンな絵巻物 なんとすてきでおどろくべきことだろう。
筆で描かれたひとつひとつの絵	実に自然でのびのびしている。 自由な心をもっていたにちがいない。 これほど自由闊達なものはどこにも見つかっていない。
『鳥獣戯画』	国宝であるだけでなく、人類の宝なのだ。

3 第4・5時資料　ワークシート（記入例）⤓ 08-03

「『鳥獣戯画』を読む」ワークシート

名前（　　　　　　　　　　）

○筆者の工夫を整理しよう。

①論の展開

・絵を評価した後に、絵巻物の評価をして、視点を広げている。

・絵巻物の説明の例に、読み手に分かりやすいように、漫画やアニメの例を出した。

・初めに国宝であることを紹介して、最後に人類の宝だと伝えていて、「初め」と「終わり」で伝えたいことを伝えている。

②表現の工夫

・「返し技」「その気品」とすることで、文に勢いがあり、引き付けられる。

・「～だとしか思えない。」など、強い断定の書き方で伝えている。

③絵の示し方

・初めに、一枚ずつの絵を出して、絵の評価をして、その後、二枚同時に出すことで、動きがあることを評価している。着目した点に合わせた絵の示し方をしている。

4 第8・9時資料　文章構成表 ⤓ 08-04

「発見、日本文化のみりょく」文章構成表

名前（　　　　　　　　　　）

○文章の構成を考えよう。

初め	中	終わり
・話題の提示	・具体例（　　　　のよさ）	・まとめ

カンジー博士の漢字学習の秘伝　（2時間扱い）

単元の目標

知識及び技能	・第6学年までに配当されている漢字を読むとともに、漸次書き、文や文章の中で使うことができる。((1)エ) ・文や文章の中で漢字と仮名を適切に使い分けるとともに、送り仮名や仮名遣いに注意して正しく書くことができる。((1)ウ)
学びに向かう力、人間性等	・言葉がもつよさを認識するとともに、進んで読書をし、国語の大切さを自覚して、思いや考えを伝え合おうとする。

評価規準

知識・技能	❶第6学年までに配当されている漢字を読むとともに、漸次書き、文や文章の中で使っている。(〔知識及び技能〕(1)エ) ❷文や文章の中で漢字と仮名を適切に使い分けるとともに、送り仮名や仮名遣いに注意して正しく書いている。(〔知識及び技能〕(1)ウ)
主体的に学習に取り組む態度	❸工夫して漢字学習を行うことに進んで取り組み、今までの学習を生かして漢字を正しく書こうとしている。

単元の流れ

次	時	主な学習活動	評価
一	1	教科書の例題を解き、漢字の学習で困ったことを伝え合う。 今までの漢字の学び方を振り返る。 **学習の見通しをもつ** 教科書を参考にしながら、漢字の学び方について知る。 教科書 p.171の問題を解く。	❶
	2	今まで習った漢字から間違えやすい漢字を集める。 教科書の三つの観点で漢字の問題や漢字の秘伝書を作成する。 **学習を振り返る**	❷❸

授業づくりのポイント

〈単元で育てたい資質・能力〉

本単元のねらいは、字形や音訓、送り仮名など、自分の漢字に対する得手不得手を自覚したり、友達の得手不得手を知り、問題づくりに生かしたりしながら、文や文章の中で漢字と仮名を適切に使い分けて書く力を育むことである。この単元を通して漢字学習の有効性を感じさせ、今後も進んで漢字学習をしていこうとする意欲をもたせたい。

〈教材・題材の特徴〉

本教材は、漢字の学び方をカンジー博士から学び、普段の漢字学習に取り入れていくことができるようにつくられている。今までの漢字学習では、漢字を覚えるために何度も反復練習し、ドリル的に学習を進めることが多かったであろう。カンジー博士からの課題に取り組むことを通じて、漢字学習のコツを「秘伝」として知ることは、楽しみながら自分の漢字学習をメタ認知できる点で、知的な作業となる。教科書には、文や文章の中で正しく漢字を使うことができるようになるために、三つの「秘伝」が載っている。子供がそれらの観点を知り、自分の学習に生かしていくようにしたい。

〈言語活動の工夫〉

本単元では、「漢字の学習の方法を知り、自分の漢字秘伝書をつくろう」という言語活動を設定する。これまでの漢字の学び方を振り返り、過去の漢字小テストから間違えやすい漢字の共通点を見付けたり、教科書に載っている問題を解いたりしながら自分が苦手としている漢字に気付かせていく。その苦手な漢字をどのように学び、文や文章の中で正しく使えるようにしていくか、教科書を参考にしながら子供自らが考えていくことが大切である。この単元を通して、これからの漢字学習が工夫あふれるものとなるようにしたい。

[具体例]

○教科書では、漢字の学習方法として三つの秘伝が書かれている。教科書に出てくる以下の三つの例文は、子供が一度は困ったり悩んだりした経験があるであろう。
・演奏がじょうたつする。→横線が 2 本なのか 3 本なのか。
・生産の拡大をこころみる。→送り仮名は「みる」と「る」のどちらなのか。
・花火工場につとめる人が、聖火ランナーをつとめる。→「火」のそれぞれの読み方は何か。「勤める」「務める」はどのような意味合いの文章で使用するのか。
こういった経験を想起させ、どのような学習をしていけばよいかを教科書を参考にして考えさせていきたい。普段の漢字学習から工夫の見られるノートを紹介してもよい。

○第 2 時は、教科書の例題のような問題を作成して解き合ったり、自分のこれからの漢字学習のコツを「秘伝書」にまとめたりしながら、漢字学習の留意点について振り返る場とする。漢字に対しての苦手意識をなくし、楽しみながら学習できるようにしたい。

〈ICT の効果的な活用〉

分類：今まで習った漢字から間違えやすい漢字を集め、学習支援ソフトで共有する。集めた漢字を子供に配布し、教科書の三つの観点に分類する。

共有：自分なりの漢字秘伝を考え、学習支援ソフトで共有することで、学級で一つの「秘伝書」としてまとめる。まとめた秘伝書は印刷し、漢字ドリルや漢字ノートの裏表紙に貼らせ、日頃の漢字学習で生かせるようにするとよい。

本時案

カンジー博士の漢字学習の秘伝 1/2

本時の目標

・漢字学習の三つの秘伝について理解するとともに、第６学年までに配当されている漢字を読み、漸次書くことができる。

本時の主な評価

❶第６学年までに配当されている漢字を読むとともに、漸次書き、文や文章の中で使っている。【知・技】

資料等の準備

・教科書 p.171の問題の拡大コピー（ICT 機器で代用可）
・国語辞典、漢字辞典

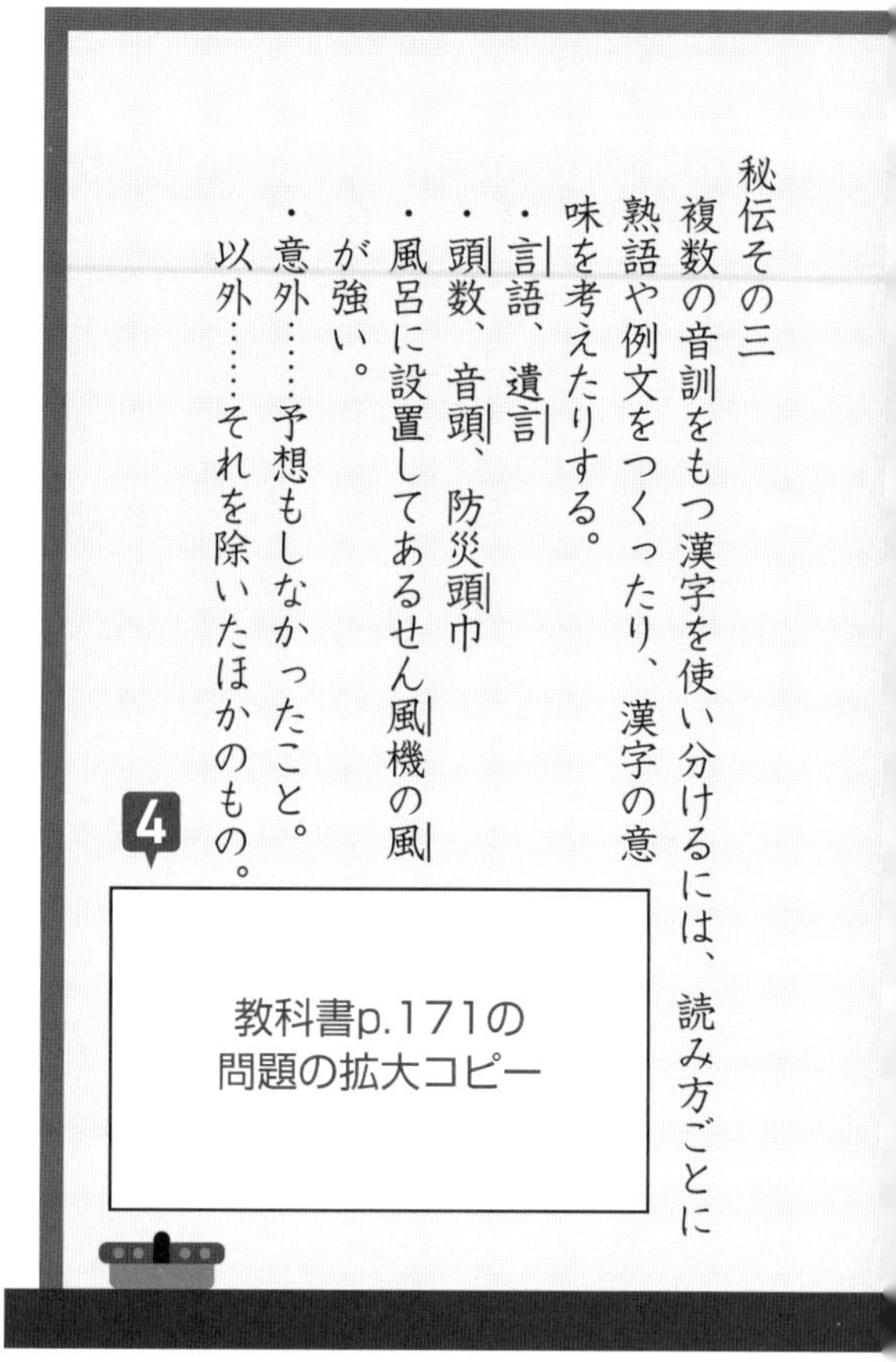

秘伝その三
複数の音訓をもつ漢字を使い分けるには、読み方ごとに熟語や例文をつくったり、漢字の意味を考えたりする。
・言語、遺言
・頭数、音頭、防災頭巾
・風呂に設置してあるせん風機の風が強い。
・意外……予想もしなかったこと。
以外……それを除いたほかのもの。
4
教科書p.171の問題の拡大コピー

授業の流れ ▷▷▷

1 教科書の例文を解く 〈５分〉

T　教科書 p.170～171の傍線の部分を漢字で書いたり読んだりしてみましょう。
○教科書に載っている例題を板書し、問題を解く。
・演奏がじょうたつする。
・生産の拡大をこころみる。
・花火工場につとめる人が、聖火ランナーをつとめる。

2 漢字の学習で困った経験や学び方を伝え合う 〈10分〉

T　今までの漢字の学習で困ったり悩んだりしたことはありますか。
○これまでの漢字の学習で困ったり悩んだりした経験や、これまでの漢字学習の学び方を伝え合う。
・線の数や点の有無、突き出すか突き出さないかで悩みました。
・送り仮名が分かりませんでした。
・読み方がたくさんあって覚えられませんでした。
・どの部首か分かりませんでした。
T　漢字学習をどのように学んできましたか。
・ノートにたくさん書きました。
・ドリルで反復練習をしました。

カンジー博士の漢字学習の秘伝

1

・演奏がじょうたつする。
・生産の拡大をこころみる。
・花火工場につとめる人が、聖火ランナーをつとめる。

2

○漢字学習で困ったりなやんだりした経験
・線の数　・点があるかないか
・つき出すかつき出さないか
・読み方が多い
・送り仮名　・部首

子供が発言した内容を板書していく

○今までの漢字学習
・読み方　・画数　・書き順　・部首　・熟語　・例文

3

漢字学習の秘伝を知ろう。

○漢字学習の秘伝
秘伝その一
複雑な形や見慣れない形の漢字と出会ったときは、次のことに注意する。
・線の数に注意する→達、拝、看
・点があるかないか→博、専、複
・つき出すかつき出さないか→勝、鉄、確

子供にいくつか例を挙げさせながら学習を進めるとよい

秘伝その二
漢字を学習するときは、送り仮名もいっしょに書く。
・潔い　・志す　・断る

3 教科書を参考にして、漢字の学び方を知る 〈20分〉

T　漢字の学習で困らないために、どのように学習していけばよいか考えていきましょう。

○教科書に載っている漢字学習の秘伝を参考にして、漢字の学び方を知る。
・複雑な形や見慣れない漢字に出合ったときに注意する点。
・送り仮名の学び方。
・複数の音訓をもつ漢字に出合ったときに注意する点。

○これまでは、読み方や書き順、部首、画数、熟語、例文をノートに書くことが多かったであろう。この学習を通して、漢字ノートづくりを工夫していこうとする姿を期待したい。

4 教科書 p.171の問題を解く 〈10分〉

T　教科書の問題を解いてみましょう。

○１の問題では線の数や点の有無、部首、２の問題では送り仮名、３の問題では読み方に悩むであろう。実態に応じて、友達と協力しながら問題を解き、教え合うことで、漢字を学習する楽しさを味わわせるようにしたい。

○友達と学習することで、友達の得手不得手や課題にも触れるであろう。それらを自分と比較することで、自らの得手不得手や課題を明確にすることができる。前向きな気持ちで苦手や課題の克服に向かえるよう、教師の働きかけも大事になってくる。

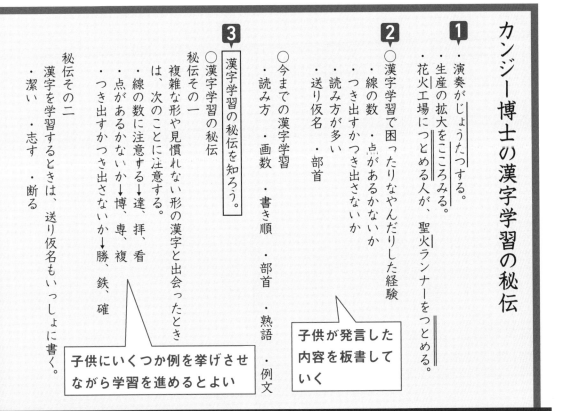

本時案

カンジー博士の漢字学習の秘伝 2/2

本時の目標

・工夫して漢字学習を行うことに進んで取り組み、漢字を正しく書くことができる。

本時の主な評価

❷文や文章の中で漢字と仮名を適切に使い分けるとともに、送り仮名や仮名遣いに注意して正しく書いている。【知・技】
❸工夫して漢字学習を行うことに進んで取り組み、今までの学習を生かして漢字を正しく書こうとしている。【態度】

資料等の準備

・過去に子供が取り組んだ日記や小テスト
・国語辞典、漢字辞典

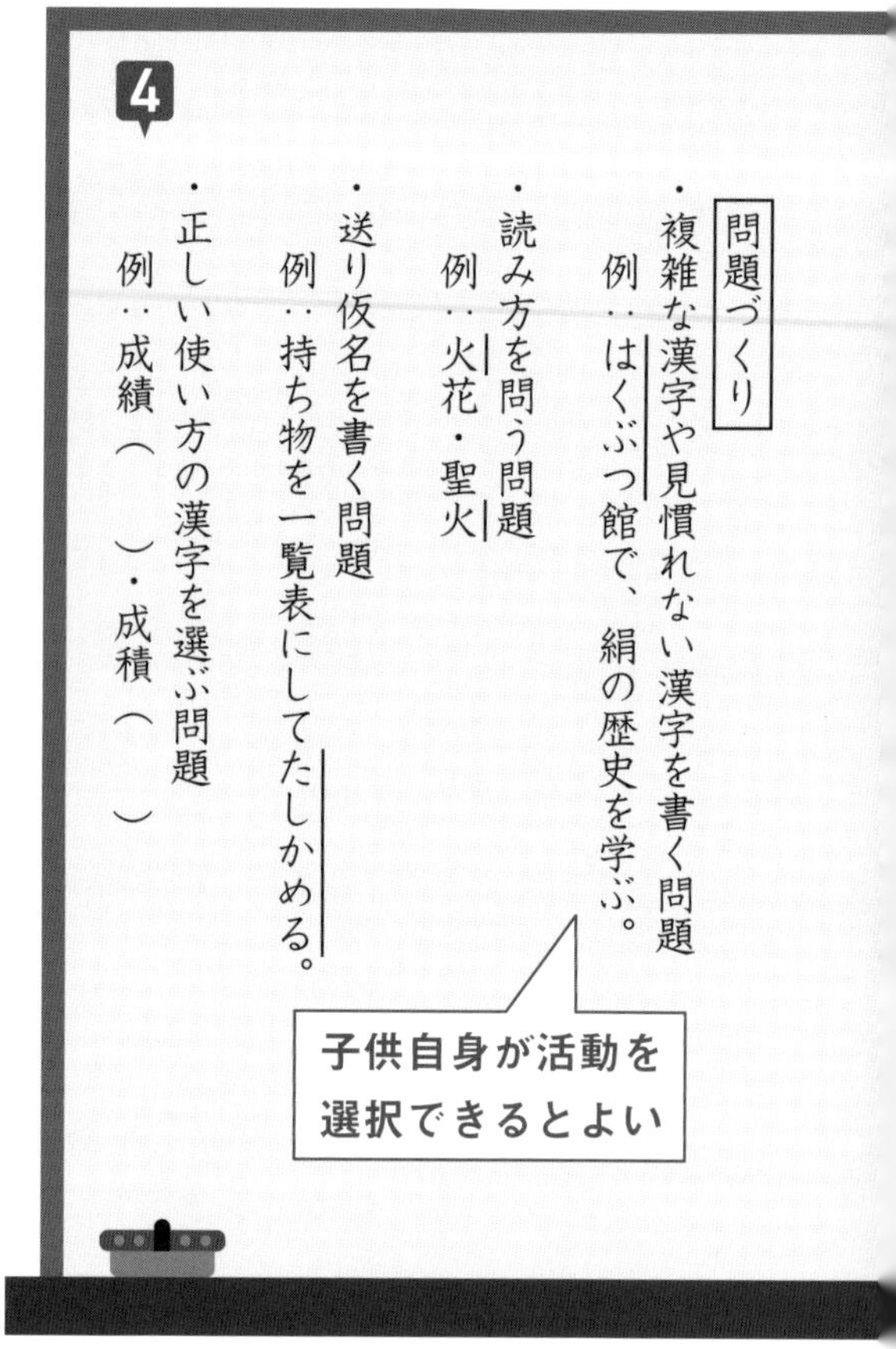

4
問題づくり
・複雑な漢字や見慣れない漢字を書く問題
例：はくぶつ館で、絹の歴史を学ぶ。
・読み方を問う問題
例：火花・聖火
・送り仮名を書く問題
例：持ち物を一覧表にしてたしかめる。
・正しい使い方の漢字を選ぶ問題
例：成績（　）・成積（　）
子供自身が活動を選択できるとよい

授業の流れ ▷▷▷

1 今まで習った漢字から間違えやすい漢字を集める 〈5分〉

T　ノートや日記、小テストを振り返り、間違えやすい漢字を集めてみましょう。
○過去に子供が取り組んだものから間違えやすい漢字を集める。子供が挙げた間違えやすい漢字は、学習支援ソフトを活用し、1字1枚のテキストに書いていく。
○集めた間違えやすい漢字は、学習支援ソフトを通じて、教師が配布する。

2 教科書の三つの観点で間違えやすい漢字を分類する 〈10分〉

T　集めた漢字を教科書の三つの観点で分類してみましょう。
○間違えやすい漢字を分類する。
①複雑な形や見慣れない形の漢字
・線の数
・点の有無
・突き出すか突き出さないか
②送り仮名が難しい漢字
③複数の音訓をもつ漢字

ICT 端末の活用ポイント

今まで習った漢字から間違えやすい漢字を集め、学習支援ソフトで共有する。集めた漢字を子供に配布し、教科書の三つの観点に分類する。

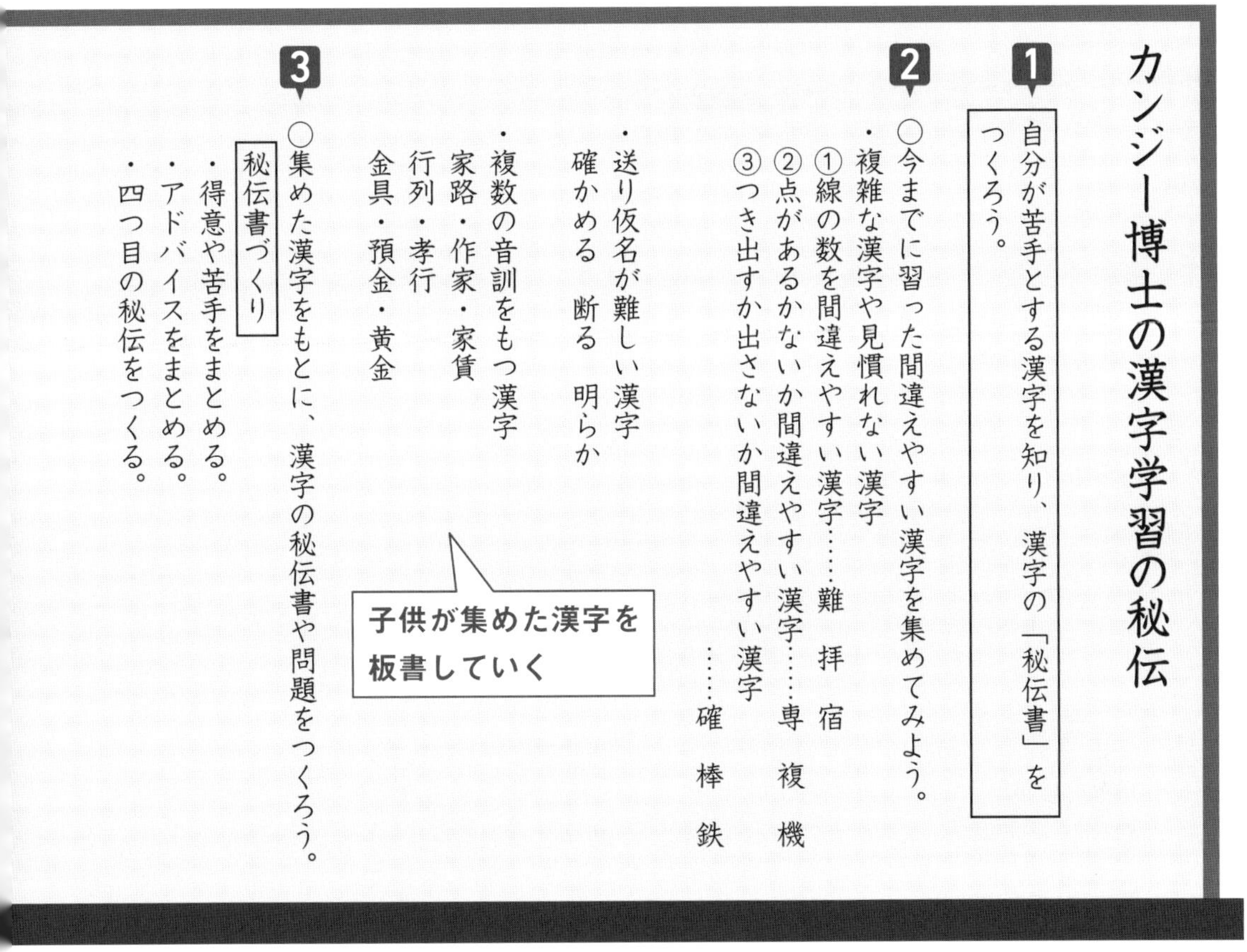

カンジー博士の漢字学習の秘伝
1
自分が苦手とする漢字を知り、漢字の「秘伝書」をつくろう。
2
○今までに習った間違えやすい漢字を集めてみよう。
・複雑な漢字や見慣れない漢字
①線の数を間違えやすい漢字……難 拝 宿
②点があるかないか間違えやすい漢字……専 複 機
③つき出すか出さないか間違えやすい漢字……確 棒 鉄
・送り仮名が難しい漢字
確かめる 断る 明らか
・複数の音訓をもつ漢字
家路・作家・家賃
行列・孝行
金具・預金・黄金
子供が集めた漢字を板書していく
3
○集めた漢字をもとに、漢字の秘伝書や問題をつくろう。
秘伝書づくり
・得意や苦手をまとめる。
・アドバイスをまとめる。
・四つ目の秘伝をつくる。

3 漢字の問題や漢字の「秘伝書」を作成する 〈25分〉

T これまでの学習を生かし、自分の「漢字秘伝書」をつくりましょう。

○教科書の例題のような問題を作成して解き合ったり、自分のこれからの漢字学習のコツを「秘伝書」としてまとめたりしながら、漢字学習の留意点について振り返る場とする。漢字に対しての苦手意識をなくし、楽しみながら学習できるようにしたい。

ICT 端末の活用ポイント

自分なりの漢字秘伝を考え、学習支援ソフトで共有することで、学級で一つの「秘伝書」としてまとめる。

4 学習を振り返る 〈5分〉

T 漢字学習の三つの秘伝について学習しました。これからの漢字学習についてどのように取り組んでいきたいかをまとめましょう。

○新出漢字について、改めて漢字学習の秘伝1～3に当てはめて学習する。

○残りの小学校生活において、漢字学習に取り組む意識が更に高まるような言葉かけが大切になる。また、自身の課題を見付け、解決方法を考えて取り組んでいくという学びのサイクルは、本単元にとどまらず、他の単元や他教科でも生かせるようにしたい。

漢字の広場④　1時間扱い

単元の目標

知識及び技能	・第5学年までに配当されている漢字を書き、文や文章の中で使うことができる。((1)エ)
思考力、判断力、表現力等	・書き表し方などに着目して、文や文章を整えることができる。(B オ)
学びに向かう力、人間性等	・言葉がもつよさを認識するとともに、進んで読書をし、国語の大切さを自覚して、思いや考えを伝え合おうとする。

評価規準

知識・技能	❶第5学年までに配当されている漢字を書き、文や文章の中で使っている。(〔知識及び技能〕(1)エ)
思考・判断・表現	❷「書くこと」において、書き表し方などに着目して、文や文章を整えている。(〔思考力、判断力、表現力等〕B オ)
主体的に学習に取り組む態度	❸積極的に第5学年までに配当されている漢字を使い、これまでの学習を生かして出来事を説明する文章を書こうとしている。

単元の流れ

次	時	主な学習活動	評価
一	1	ペアで漢字の読み方や正しい書き方を確認する。 教科書の挿絵と漢字を照らし合わせ、テレビ局の様子をつかむ。 漢字を正しく使って、テレビ局の様子を家の人に伝える文章を書く。 書いた文章を読み合う。	 ❶❷ ❸

授業づくりのポイント

〈単元で育てたい資質・能力〉

本単元のねらいは、5年生までに学習した漢字を正しく読んだり書いたりし、文や文章の中で使う力を育むことである。

漢字に対する親しみを感じないまま反復練習を行っているのでは、普段の日記や作文で漢字を積極的に使おうとする子供は育たないであろう。本単元は、漢字を活用する具体的な場面が挿絵で表されており、前学年で習った漢字を扱っている。漢字に対して苦手意識をもっている子供でも、進んで活動に取り組むことができるよさがある。漢字に対する親しみを味わわせることが、進んで漢字を適切に使う力を育んでいくことにつながる。

〈教材・題材の特徴〉

この教材は、テレビ局で見学したことについて、家の人に分かりやすく伝える文章を書くという設定となっている。スタジオごとに番組内容が異なり、挿絵や漢字によってその内容が具体的に想像できる。分かりやすく伝えるためにはどのように文章を書いていけばよいか、子供が自覚しながら文章を書いていけるとよい。目的に合わせた文章になるように、文章を書く前に、全体で言葉の意味を確かめたり、テレビ局の中の様子をつかませ基本的な文の書き方を確認したりするとよいだろう。

〈言語活動の工夫〉

本単元では、「テレビ局で見学したことについて、家の人に分かりやすく伝える文章を書く」という言語活動を設定する。挿絵の中で取り上げられている言葉は、日常生活ではなじみのない言葉も多いため、他教科で学んだ知識を活用しながら文章を書く力も必要となる。また、絵を見ていない人にも「分かりやすく伝える」ために、主語・述語を明確にしたり、修飾語を補ったりすることを意識させたい。友達と関わり合いながら、自分が書いた文章をこれらの観点から見直す習慣を付けさせたい。

[具体例]

○文章を書く前には、「家の人（挿絵を見ていない）」「状況や様子を分かりやすく伝える」という相手と目的を明確にすることで、主述の関係や修飾語に気を付けて書いていこうとする意識をもたせられるとよい。

○実態に応じて、ペアを組み、友達とコミュニケーションを図りながら文章を考えてもよい。スタジオの様子を具体的に文章に表すことができない場合には、レポーターになりきって、挿絵を見ながら音声言語で表現させ、それから文章にまとめるとスムーズに取り組むことができるであろう。

〈ICT の効果的な活用〉

共有：でき上がった文章を ICT 端末で写真に撮り、学習支援ソフトで共有することで、同じ漢字を使用していても、書かれた文や文章は異なることに気付くであろう。絵で表された場面と言葉との結び付きを考えることで、語彙を豊かに広げる学習となる。

本時案

漢字の広場④

1/1

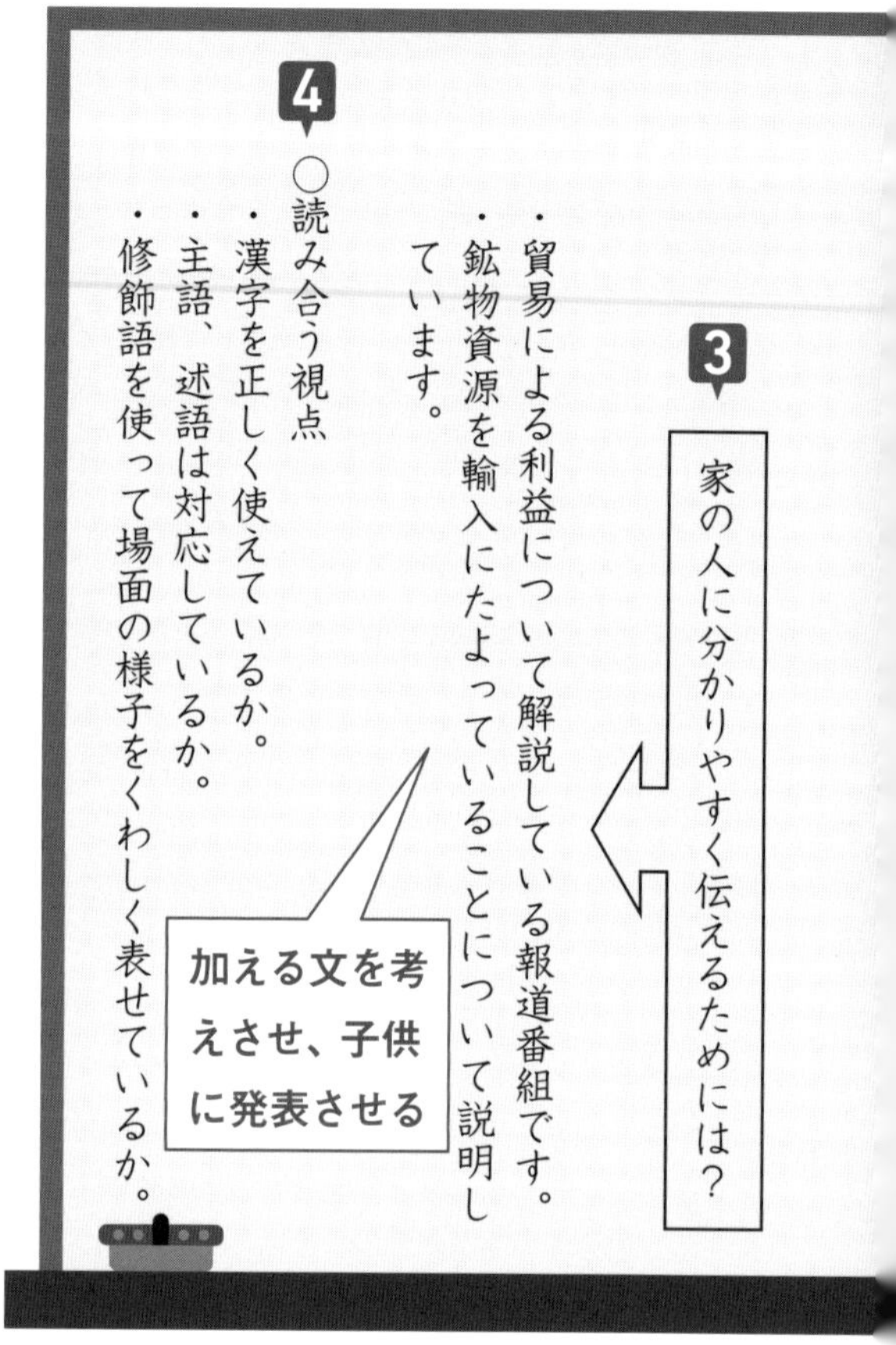

3
家の人に分かりやすく伝えるためには？
・貿易による利益について解説している報道番組です。
・鉱物資源を輸入にたよっていることについて説明しています。
4
○読み合う視点
・漢字を正しく使えているか。
・主語、述語は対応しているか。
・修飾語を使って場面の様子をくわしく表せているか。
加える文を考えさせ、子供に発表させる

本時の目標

・第5学年までに配当されている漢字を書き、出来事を説明する文や文章の中で使うことができる。

本時の主な評価

❶第5学年までに配当されている漢字を書き、文や文章の中で使っている。【知・技】
❷書いた文章を読み直し、表現の適切さを確かめている。【思・判・表】
❸第5学年までに配当されている漢字を使い、これまでの学習を生かして絵に沿った創作文を書こうとしている。【態度】

資料等の準備

・教科書 p.172の拡大コピー（ICT 機器で代用可）
・国語辞典、漢字辞典

授業の流れ ▷▷▷

1 5年生で習った漢字の読み方や書き方を確認する 〈10分〉

T 教科書を見て、漢字の読み方や書き方を確認しましょう。
○教科書 p.172を拡大表示し、漢字の読み方を確認していく。次に、ペアで問題を出し合い、書き方や漢字の意味について確認する。
○挿絵に出てくる言葉は、日常生活でなじみのない言葉も多いため、漢字の意味調べを家庭学習などで事前に学習させておくとよい。

2 挿絵と漢字を照らし合わせ、場面の様子を想像する 〈5分〉

T 挿絵と漢字を照らし合わせながら、テレビ局の様子を想像してみましょう。
○教科書の例文や教師のモデル文を参考にして、挿絵と漢字を照らし合わせていくことで、それぞれのスタジオでどのような番組が撮影されているか想像する。
○教科書の例文を基に、「家の人に分かりやすく伝える」とはどのようなことかを理解する。教科書の例文に文を加えることで詳しくしていく。
・貿易による利益について解説している報道番組です。
・鉱物資源を輸入に頼っていることについて説明しています。

漢字の広場④

1

教科書p.172の拡大コピー

テレビ局の様子を家の人に伝える文章を書こう。

○学習の流れ

1　漢字の読み方や書き方を確認する。

2　絵と漢字を照らし合わせて、スタジオの様子を想像する。

3　漢字を正しく使って文章を書く。

4　書いた文章を読み合う。

2

○さし絵を見て想像してみよう。

教科書の例文

第一スタジオでは、国際情勢をテーマにした番組のさつえいをしていました。

第1スタジオの挿絵の拡大コピー

3　漢字を適切に使って文章を書く　〈20分〉

T　5年生で習った漢字を正しく使って、テレビ局で見学したことについて家の人に分かりやすく伝える文章を書きましょう。

○分かりやすく伝えるために、漢字を多く使うという視点を意識させるとよい。

○教師は机間指導をしながら、使えていない漢字についてアドバイスしている子供やスタジオの様子を具体的に文章に表そうとしている子供を見取り、褒めていくことが大切である。

4　書いた文章を読み合う　〈10分〉

T　友達が書いた文章を読んで、漢字の使い方と文や表現が適切かどうかを確認しましょう。

○ペアで文章を読み合い、正しく漢字を使えているかを確認したり、よりよい文章を考えたりしていく。

・漢字を正しく使えているか。

・主語、述語は対応しているか。

・修飾語を使って場面の様子を詳しく説明できているか。

ICT 端末の活用ポイント

でき上がった文章を ICT 端末で写真に撮り、学習支援ソフトで共有する。絵で表された場面と言葉との結び付きを考えさせ、自分が書いた文章を見直し、よりよい文章にさせていきたい。

物語を読んで考えたことを、伝え合おう

ぼくのブック・ウーマン　（4時間扱い）

単元の目標

知識及び技能	・日常的に読書に親しみ、読書が、自分の考えを広げることに役立つことに気付くことができる。（⑶オ）
思考力、判断力、表現力等	・人物像や物語などの全体像を具体的に想像することができる。（C エ） ・文章を読んで理解したことに基づいて、自分の考えをまとめることができる。（C オ）
学びに向かう力、人間性等	・言葉がもつよさを認識するとともに、進んで読書をし、国語の大切さを自覚して、思いや考えを伝え合おうとする。

評価規準

知識・技能	❶日常的に読書に親しみ、読書が自分の考えを広げることに役立つことに気付いている。（〔知識及び技能〕⑶オ）
思考・判断・表現	❷「読むこと」において、人物像や物語などの全体像を具体的に想像している。（〔思考力、判断力、表現力等〕C エ） ❸「読むこと」において、文章を読んで理解したことに基づいて、自分の考えをまとめている。（〔思考力、判断力、表現力等〕C オ）
主体的に学習に取り組む態度	❹進んで登場人物の人物像や物語の全体像を想像し、学習課題に沿って、物語を読んで考えたことと生活経験や読書経験などとを結び付けながら伝え合おうとしている。

単元の流れ

次	時	主な学習活動	評価
一	1	読書をすることに対する自分の考え方を振り返る。 全文を通読する。 物語を読んで、最も心を引かれたことを書く。 **学習の見通しをもつ**	
二	2	前時の学習で出た子供の考えを生かしながら、以下の項目を確かめる。 ・時代背景：遠隔地まで教育が行き届いていない時代。遠隔地では、子供も労働力として見なされている。 ・登場人物：中心人物の「カル」。読書好きでカルが嫌悪感を抱いている妹の「ラーク」。本を届ける謎の女性「ブック・ウーマン」。 ・カルの、ブック・ウーマンに対する見方の変化。 ・カルの、ブック・ウーマンに対する見方が変わったきっかけ。	❷
	3	「カル」と「本」の関係の変化を読み取る。 カルは本を読めるようになってどう感じているかを考える。	❸

三	4	学習を振り返る 自分自身の生活や読書経験などと結び付けながら、自分が考えたことをまとめる。 第1時に表現した考え方との違いを比較する。	❶❹

授業づくりのポイント

〈単元で育てたい資質・能力〉

本単元のねらいは、登場人物の変化に着目して読み、自分自身と照らし合わせながら考えを形成する力を育むことである。そのために、中心人物であるカルの本を読むことに対する考え方の変化を読んでいく。カルのブック・ウーマンに対する思いの変化や、雪が降り続く中、読書に没頭するという行動の変化が書かれているので、心情の変化を具体的に想像していく。カルがどのように対象人物や対象物を見ているのかを、叙述を基にしながら考えさせていきたい。

〈教材・題材の特徴〉

本教材は、家族のために懸命に働く少年が、本を運んでくれる謎の女性と出会い、本を読むことのすばらしさに気付くという内容である。この単元を学ぶ時期の子供は、読書好きな子供とそうではない子供の二極化が進んでいることが予想される。読書に対して抵抗感を抱いている子供も多いかもしれない。同じ気持ちを抱いているカルに共感しつつも、彼の変化を目の当たりにすることで、自分を振り返ることにつなげやすい教材となっている。この物語を読むことで、自分自身と結び付けながら考えが広がる過程を実感できるようになるだろう。

〈言語活動の工夫〉

単元の導入では、自分自身の読書に対する考え方を学習支援ソフトに記録させておく。これを基にして、物語を読んだ後の考えの形成場面で自分自身の考え方の変化に気付かせたい。ただ闇雲に読み進めるのではなく、自分と関連付けて読んだことをまとめ、読書に対する見方や考え方を広げさせていく。

〈他教材や他教科との関連〉

高学年になると、学校図書館でじっくり本を読む時間を確保しづらい状況がある。しかし学習後には、読書に対する見方や考え方の変容が子供に期待できることから、読書活動と関連させた学習計画を立てたい。読書の時間を確保したり、地域や学校の図書館の価値について考えたりすることで、本単元で考えたことを実生活とつなげるようにしたい。

〈ICT の効果的な活用〉

共有：第1時で読書経験を振り返る場面では、読書に対する本音を引き出したい。読書に抵抗感があるのは自分だけではないことを、学習支援ソフトを活用して考えを共有することで、安心して表現させていく。

記録：学習の最後に第1時との違いを比較するための記録として学習支援ソフトを活用していく。記録することで物語を読む過程において「カルは自分と同じだ」と感じる子供が出てきたら、それも取り上げていきたい。

本時案

ぼくのブック・ウーマン

1/4

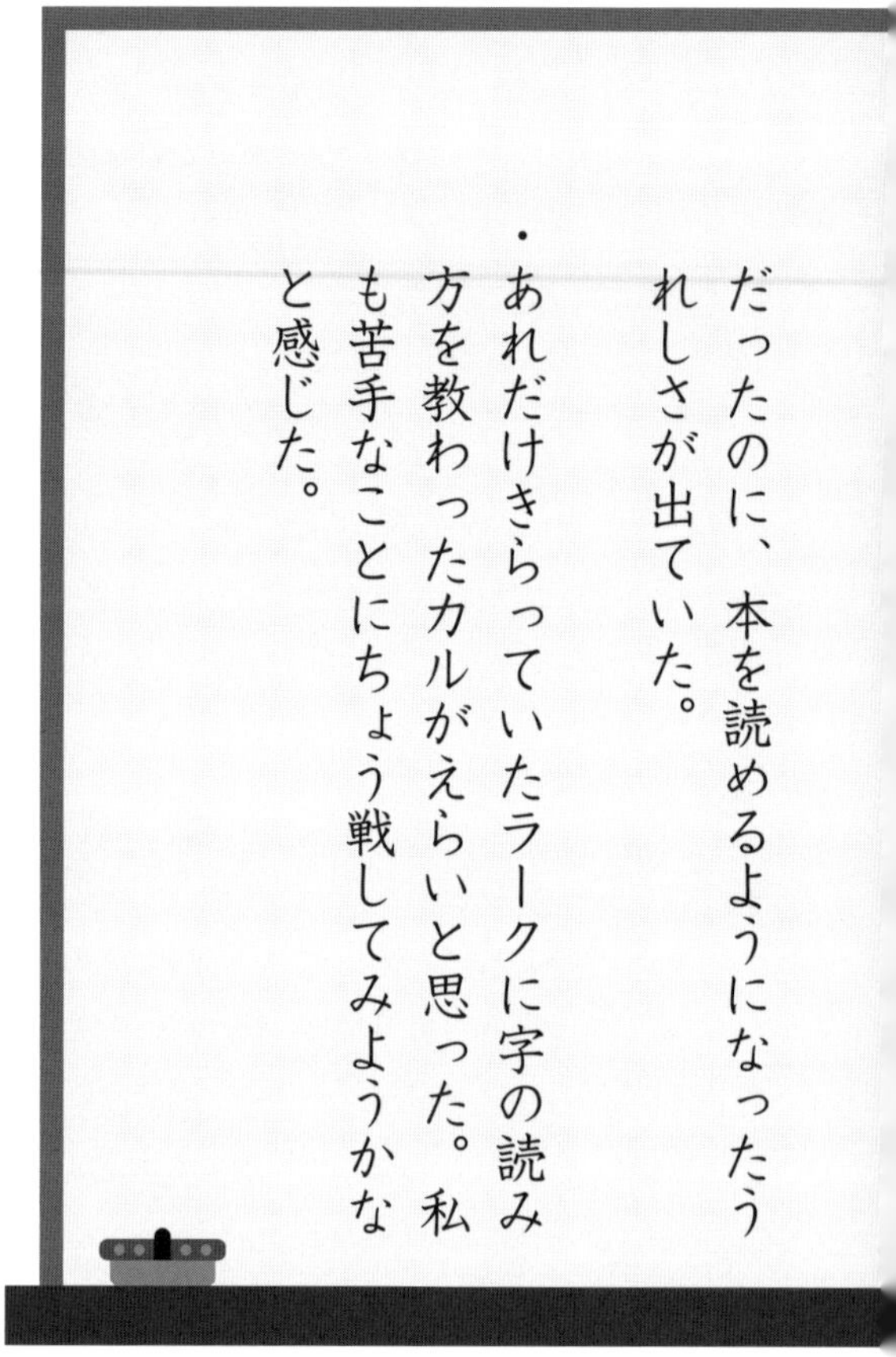

だったのに、本を読めるようになったう
れしさが出ていた。
・あれだけきらっていたラークに字の読み
方を教わったカルがえらいと思った。私
も苦手なことにちょう戦してみようかな
と感じた。

本時の目標

・読書に対する自分なりの考え方を振り返ったり、物語を聞いた感想をまとめたりすることができる。

本時の主な評価

・自分の読書経験と物語を読んで考えたことを結び付けて、感想をもっている。

資料等の準備

・特になし

授業の流れ ▷▷▷

1 読書に対する経験や考えを振り返る 〈10分〉

T　最近、どのくらいの時間本を読みましたか。また、どんな本を読みましたか。

・本を読むことが好きだから、毎日１時間は読んでいます。

・全く読んでいません。

T　読書に対してどんなイメージがありますか。学習支援ソフトに入力してみましょう。

・本を読むと心が落ち着くので、大好きです。

・好きな本は熱中できます。でも興味のない本はちょっと……。

・本を読むのは面倒です。

ICT 端末の活用ポイント

ネガティブな感情を抱く自分に葛藤する子供もいる。学習支援ソフトで考えが共有できれば、１人ではないという安心感が生まれる。

2 本文の範読を聞き、内容を確認する 〈20分〉

○本文の範読を聞いて物語の大体の内容を知り、最も心を引かれる部分を考えながら通読する。

T　どんな物語なのか想像しながら聞いていてください。

T　続いて、最も心を引かれる部分を考えながら読んでみましょう。必要があれば線を引いたり、印を付けたりして振り返られるようにしてもかまいません。

ICT 端末の活用ポイント

学習支援ソフトに本文のデータがあれば活用したい。線を引いたり、印を付けたりする際に、色分けをするなど自分なりにまとめられる。

ぼくのブック・ウーマン

ヘザー＝ヘンソン作　藤原宏之訳

物語を読んで感じたことを伝え合おう。

1 ○読書に対するイメージ

・本を読むのは面倒。

・好きな本は熱中できる。でも興味のない本は……

2

・本を読んでいると心が落ち着く。読書が好き。

3 ○物語を読んで感じたこと

・最後にカルがブック・ウーマンにほほえみ返した部分がよかった。本がきらい

3 最も心を引かれた部分を伝え合う〈15分〉

T　最も心を引かれた部分を学習支援ソフトに入力しましょう。

・最後にカルがブック・ウーマンにほほえみ返した部分がよかったです。本が嫌いだったのに、本を読めるようになった嬉しさが出ていたからです。

・あれだけ嫌っていたラークに字の読み方を教わったカルが偉いと思いました。私も苦手なことに挑戦してみようかなと感じました。

○次時からは本文を詳しく読んでいくことを伝えて学習を終える。

ICT 端末の活用ポイント

本時では２回学習支援ソフトに入力するタイミングがある。このときはネガティブな思いも受け止めたい。第４時に向けての布石とする。

ICT 等活用アイデア

考えの変容を感じさせる

物語文を読む際に、感想を書かせることがある。その際に、初めの感想をICT 機器に記録させておくことで、自分の考えの変容に気付きやすくなる。

ノートでもできることだが、整理することが苦手な子供にとっては、気付きを得にくい。

ICT を活用すれば、初めの考えをまとめて子供に送付することも可能になり、単元終末に考えた内容と比較することが容易になる。こうすることで、考え方を広げたり深めたりすることにつなげやすくなる。

本時案

ぼくのブック・ウーマン 2/4

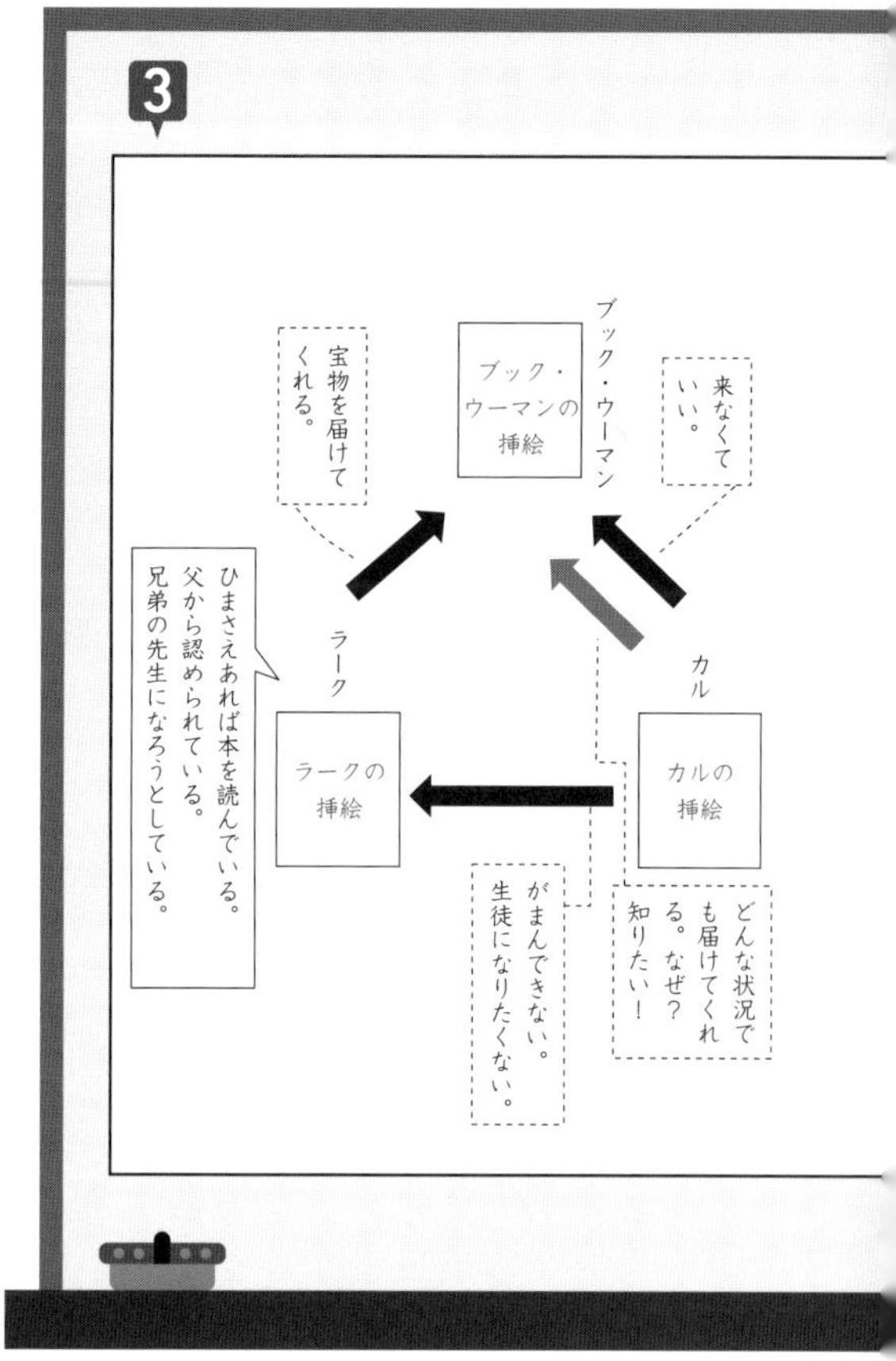
3
来なくていい。
ブック・ウーマン
ブック・ウーマンの挿絵
宝物を届けてくれる。
カル
どんな状況でも届けてくれる。なぜ？知りたい！
カルの挿絵
がまんできない。生徒になりたくない。
ラーク
ラークの挿絵
ひまさえあれば本を読んでいる。父から認められている。兄弟の先生になろうとしている。

本時の目標

・物語の時代背景や登場人物の変容を読むことができる。

本時の主な評価

❷「カル」の考え方が物語の進行に沿って変化していることを、言葉を手がかりにして捉えている。【思・判・表】

資料等の準備

・ワークシート ⤓ 11-01
・ワークシートの拡大コピー（ICT 機器で代用可）
※本時では、人物同士の関係性を図にまとめていく。ワークシートを使用するか、ノートで自分なりにまとめるか子供に選ばせるとよい。

授業の流れ ▷▷▷

1 物語の時代背景を知る 〈5 分〉

○教科書 p.173と p.183を読み、当時のアメリカの状況を理解する。
T　二つのページを読んでどんなことが分かりますか。
・90年ほど前のアメリカの話です。
・遠隔地の人に本を届けた図書館員たちの話です。
・実際にあった仕事を基にした話です。
T　90年前のアメリカでは、都市部では教育が行き届いていたものの、一部の地域では学校に通うことができない状況でした。そのため、文字を読めない子供もいたのです。

2 登場人物の人物像と互いの関係性を考える 〈20分〉

T　文章を基にして、カルとラークはどのような人物か、図でまとめましょう。
・カルは長男でよく働いています。
・字が読めないのはかわいそうです。
・ラークは本ばかり読んでいます。
T　登場人物同士がどう思っているかに気付いていますね。では、ここで「ブック・ウーマン」も付け加えて、どう思っているのかをまとめていきましょう。
・カルからしたら邪魔だよね。
・ラークは喜んでいるよ。

ICT 端末の活用ポイント

学習支援ソフトに本文のデータがあれば活用したい。カルのことは赤線、ラークのことは青線などで線を引けば区別しやすくなる。

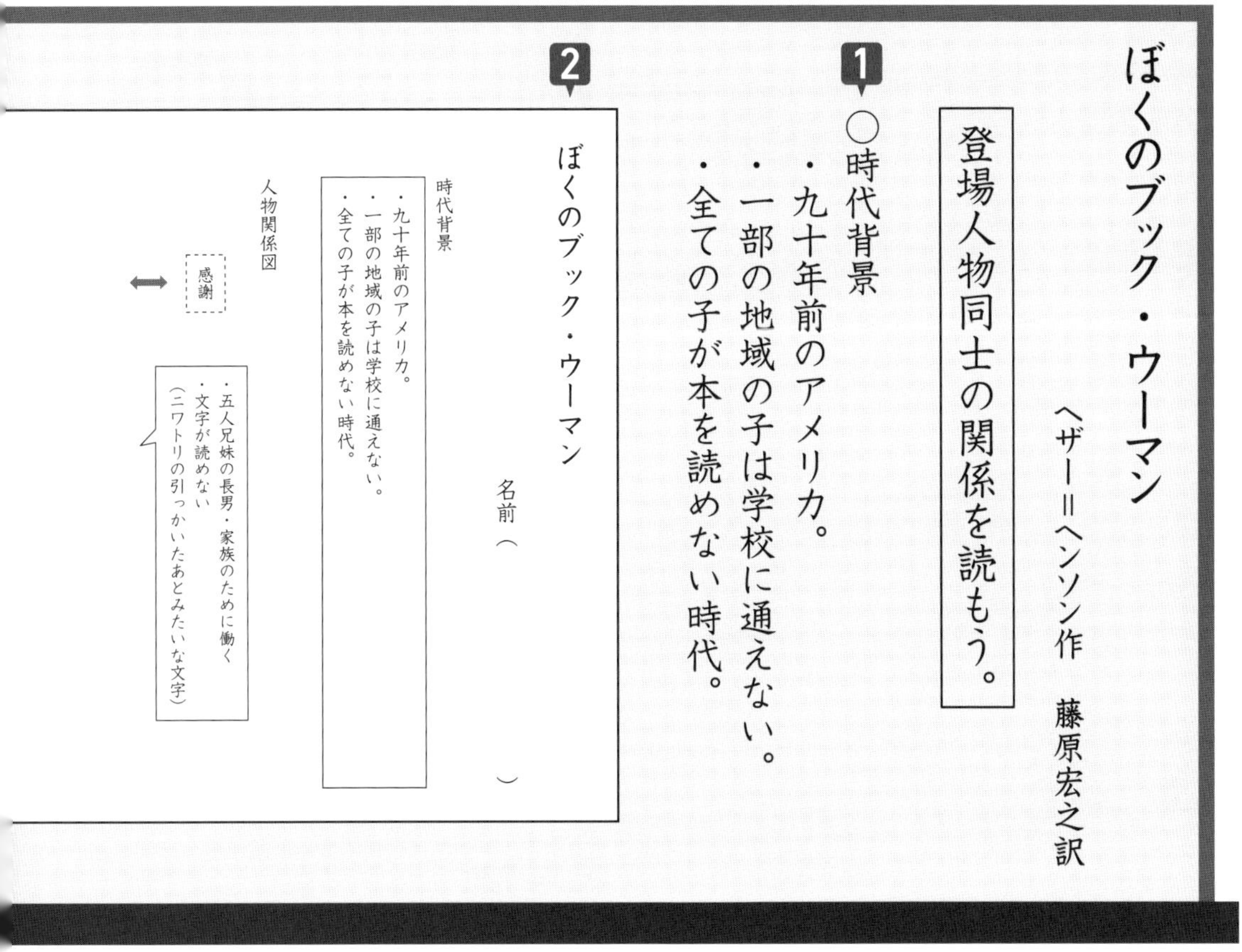
ぼくのブック・ウーマン
ヘザー＝ヘンソン作　藤原宏之訳
登場人物同士の関係を読もう。
1
○時代背景
・九十年前のアメリカ。
・一部の地域の子は学校に通えない。
・全ての子が本を読めない時代。
2
ぼくのブック・ウーマン
名前（　　　　）
時代背景
・九十年前のアメリカ。
・一部の地域の子は学校に通えない。
・全ての子が本を読めない時代。
人物関係図
感謝
・五人兄妹の長男・家族のために働く
・文字が読めない
（ニワトリの引っかいたあとみたいな文字）

3 ブック・ウーマンに対する見方の変化を読む 〈20分〉

T　前時のみなさんの感想では、最後の場面を取り上げた人が多くいましたね。カルのブック・ウーマンに対する考え方はどのように変化しましたか。

・本が読めるようになって喜んでいます。

・出会った頃とは反対になっています。

T　変わったきっかけは何でしょうか。

・どんな天気でも来てくれることが不思議だったからです。

○次時はカルと本の関係について考えていくことを伝え、授業を終える。

ICT 端末の活用ポイント

文書作成ソフトや学習支援ソフトを活用する方法も考えられる。ノートに比べ加除修正が簡単なので、学習方法を選択させるとよい。

よりよい授業へのステップアップ

学習経験を生かす

5年生での学習で「人物関係図」をつくっているとしたら、当時の学習経験を想起させたい。関係図には、登場人物の行動、考え方、人柄、登場人物同士が相手に抱く印象などを書いてまとめていく。

学習したことを生かして自分なりにまとめていくことを認め、学習が役に立っていることを実感させたい。

学習経験を忘れてしまっている子供には、もう一度まとめ方を伝えればよい。何度も経験し、学習方法の獲得につなげていきたい。

本時案

ぼくのブック・ウーマン　3/4

本時の目標

・文章を基にして、カルの読書に対する考え方の変化を捉えることができる。

本時の主な評価

❸文章を読んで理解した人物同士の関係性の変化に基づいて、「カル」の変化について考えをまとめている。【思・判・表】

資料等の準備

・前時の板書を撮影した写真など、学習内容を振り返ることができるもの

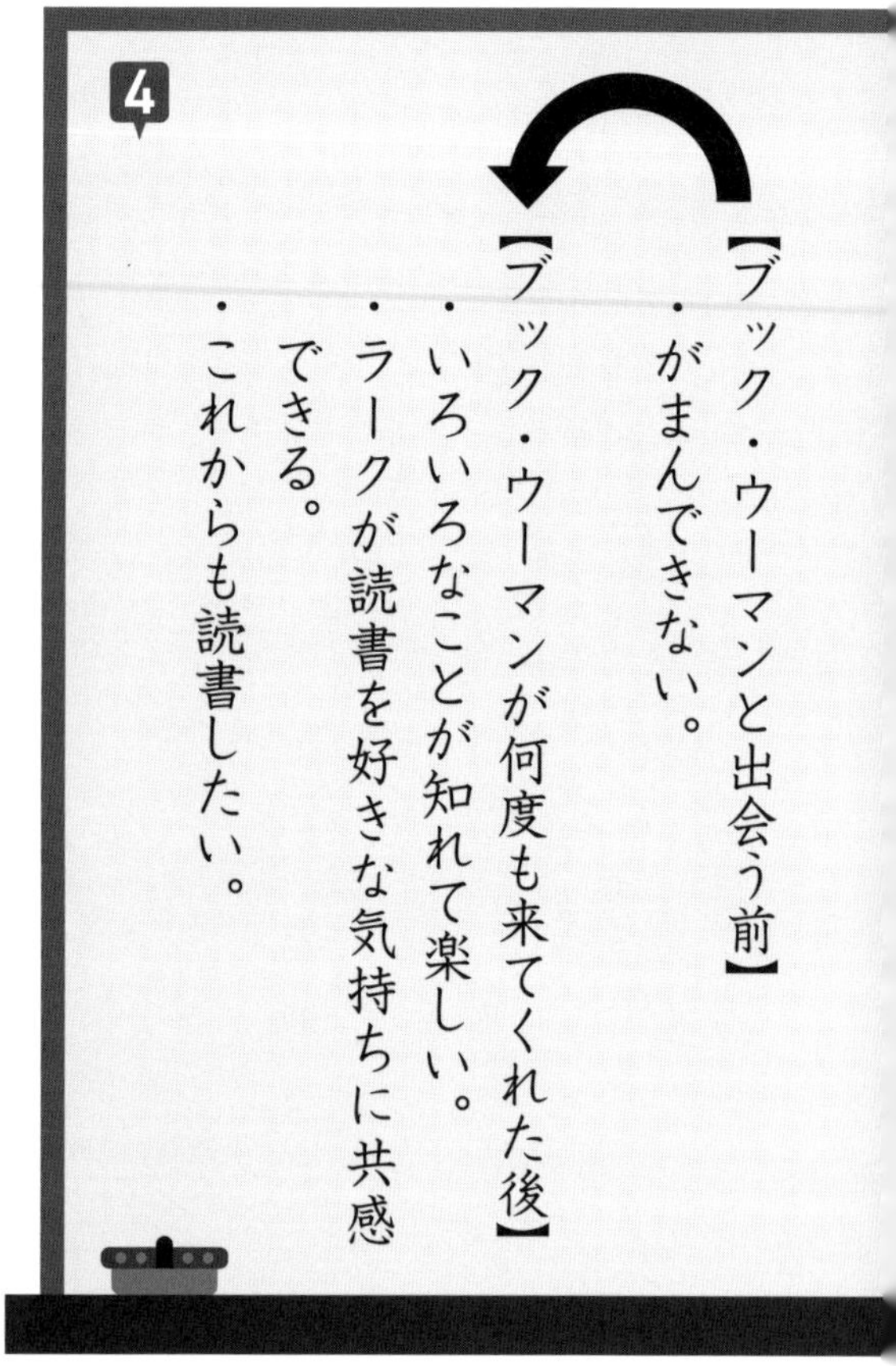

授業の流れ ▷▷▷

1 前時を振り返り、本時のめあてを確認する 〈5分〉

T　前時は登場人物同士の関係を図にまとめました。学習の最後には、ブック・ウーマンに対する考え方の変化にも気付きましたね。どんな変化がありましたか。

・来なくていいと思っていたのが、感謝するように変わりました。

○本時のめあてを確認する。

T　では、今日はカルのその他の変化を読んでみましょう。具体的には「本」と「読書」に対する変化を読んでいきます。

ICT 端末の活用ポイント

前時の板書の写真を学習支援ソフトなどで共有しておくと、前時の振り返りと本時の学習がスムーズに進む。

2 「本」に対する考え方の変化を読む 〈20分〉

○本文を読み、カルの「本」に対する考え方の変化をまとめる。

T　本文をもう一度読んでみましょう。読むときには、ブック・ウーマンと出会った当初とブック・ウーマンが何度も来てくれた後を比べながら読みます。

・出会った当初は、本を「宝物なんかじゃない」と感じていました。

・何度も来てくれた後は、読んでみたいという気持ちが生まれました。

・家にこもっていても気にならないくらい、没頭して本を読んでいます。本を好きになったのだと思います。

ぼくのブック・ウーマン

ヘザー＝ヘンソン作　藤原宏之訳

1

カルの「本」や「読書」に対する変化を考えよう。

2

○カルの「本」に対する考え方の変化

【ブック・ウーマンと出会った当初】

・宝物なんかじゃない。
・ほしくはない。

【ブック・ウーマンが何度も来てくれた後】

・読んでみたい。
・家にこもっていても気にならない。
・本を好きになった。
・ブック・ウーマンに恩返しがしたい。

3

○カルの「読書」に対する考え方の変化

3 「読書」に対する考え方の変化を読む　〈15分〉

○カルの「読書」に対する考え方の変化をまとめる。

T　カルの「本」に対する考え方は大きく変わりましたね。では、「読書」に対する考え方はどうでしょう。ブック・ウーマンと出会う前後で変化はあるのでしょうか。

・最初は「がまんできない」と感じていました。
・最後はブック・ウーマンに「何かプレゼントできればいいんだけど」と言っていました。そして、本を読んだ後はお互いにほほえみ合っていました。本を読めて楽しい気持ちや嬉しい気持ちがあると思います。
・今ならラークの気持ちも分かると思います。

4 次時の見通しをもつ　〈5分〉

○次時の見通しをもつために、読書に対する考え方を簡単に聞く。

T　今回学習した「ぼくのブック・ウーマン」を通して、読書に対するみなさんの考え方を知りたいです。

・読書は面倒だし、苦手だけれど、ちょっと読んでみようかなと思いました。
・こうやって教科書の文字を読めることは意外と幸せなことなのかもしれないと感じています。

本時案

ぼくのブック・ウーマン　4/4

本時の目標

・学習したことを実生活とつなげて考えることができる。

本時の主な評価

❶読書が自分の考えを広げることに役立つことに気付いている。【知・技】
❹物語を読んで考えたことを、実生活と結び付けて考えようとしている。【態度】

資料等の準備

・前時までの板書を撮影した写真など、学習内容を振り返ることができるもの

4
○「読書」をして感じたこと
・改めて読書をすると、やる気が出る。
・意外と楽しかった。
・短時間でもいいから続けていきたい。

授業の流れ ▷▷▷

1 これまでの学習を振り返る 〈5分〉

T　初めに書いた読書に対する考え方を振り返ってみましょう。
・「読書が好き」だって。これは今も変わらないし、この物語を読んでもっと好きになったかもしれないな。
・「読書は面倒」って書いてありました。こんなこと書いたっけ？
T　カルはブック・ウーマンと出会うことで読書に対する見方や考え方が変わりましたね。みなさんはどうでしょうか。今日は自分自身を振り返ってみましょう。

ICT 端末の活用ポイント

学習支援ソフトを活用することで、振り返りが容易になる。学習のつながりを意識して ICT 端末を活用していきたい。

2 読書に対する見方や考え方を見つめ直す 〈10分〉

○普段の読書生活に対する見方や考え方を見つめ直す。学習支援ソフトを活用して考えを共有する。
T　今後は読書をすることをどのように考え、実践していきたいですか。学習して学んだことを基にして書いてみましょう。
・本を読めば多くのことを知ることができるから、もっと本を読みたいです。
・読書は苦手だけれど、カルみたいに変わるかもしれない。少しずつ読んでみようかな。

ICT 端末の活用ポイント

考えを学習支援ソフトに入力させることで、考えの可視化、考えの共有、考えの記録が同時にできる。

ぼくのブック・ウーマン

ヘザー＝ヘンソン作　藤原宏之訳

1

学習したことと自分の生活を結び付けて考えよう。

2

○「読書」に対して思うこと

・本を読めることは幸せ。

・本を読めば多くのことを知ることができる。

・読書にもっと挑戦したい。

・楽しく本を読んでいきたい。

3

○「読書」するチャンスはある？

・学校図書館で本を借りる。

・近くの図書館も活用できる。

買わなくても本を読める。

たくさんの本があるから、意外な出会いがあるかもしれない。

こんなに近くにブック・ウーマンがいる。

3 読書をする機会のつくり方を考える〈5分〉

○読書をするためにどのような方法が取れるか考える。

T　読書に対して前向きな気持ちになった人もいるようです。読書をするチャンスはどうやってつくればいいのでしょうか。

・学校図書館に行くことができます。学校の中にあるので、一番本に近い場所がここです。忙しくてなかなか行けませんが……。

・家の人に好きな本を買ってもらっています。買った本だと愛着が湧くので、読むのも楽しくなります。

・地域の図書館も使えると思います。学校図書館よりも本の種類が多いから、好きな本に出会えるかもしれません。

4 考えを共有し、翻訳作品を読むことへの意欲を高める〈25分〉

○グループで考えの共通点や相違点を話し合う。

T　今考えたことをグループで伝え合ってみましょう。

○教科書 p.186「この本、読もう」を読み、翻訳作品を読むことへの意欲を高める。

T　教科書に載っている翻訳作品の中から、気になるものを選んでみましょう。

T　どの作品に興味をもったのかグループで話し合いましょう。

・『111本の木』です。女の子が生まれると木を植えるなんて不思議です。その理由を知りたくなりました。

・『ビーバー族のしるし』です。「ぼくのブック・ウーマン」と同じで、心の距離を縮めていくお話だからです。

資料

1 第2時資料　ワークシート 11-01

ぼくのブック・ウーマン

名前（　　　　　　　　　　　　）

時代背景

人物関係図

ブック・ウーマン

ブック・ウーマンの挿絵

カル

カルの挿絵

ラーク

ラークの挿絵

2 第2時資料　ワークシート（記入例）

ぼくのブック・ウーマン

名前（　　　　　　　　　　）

時代背景

・九十年前のアメリカ。
・一部の地域の子は学校に通えない。
・全ての子が本を読めない時代。

人物関係図

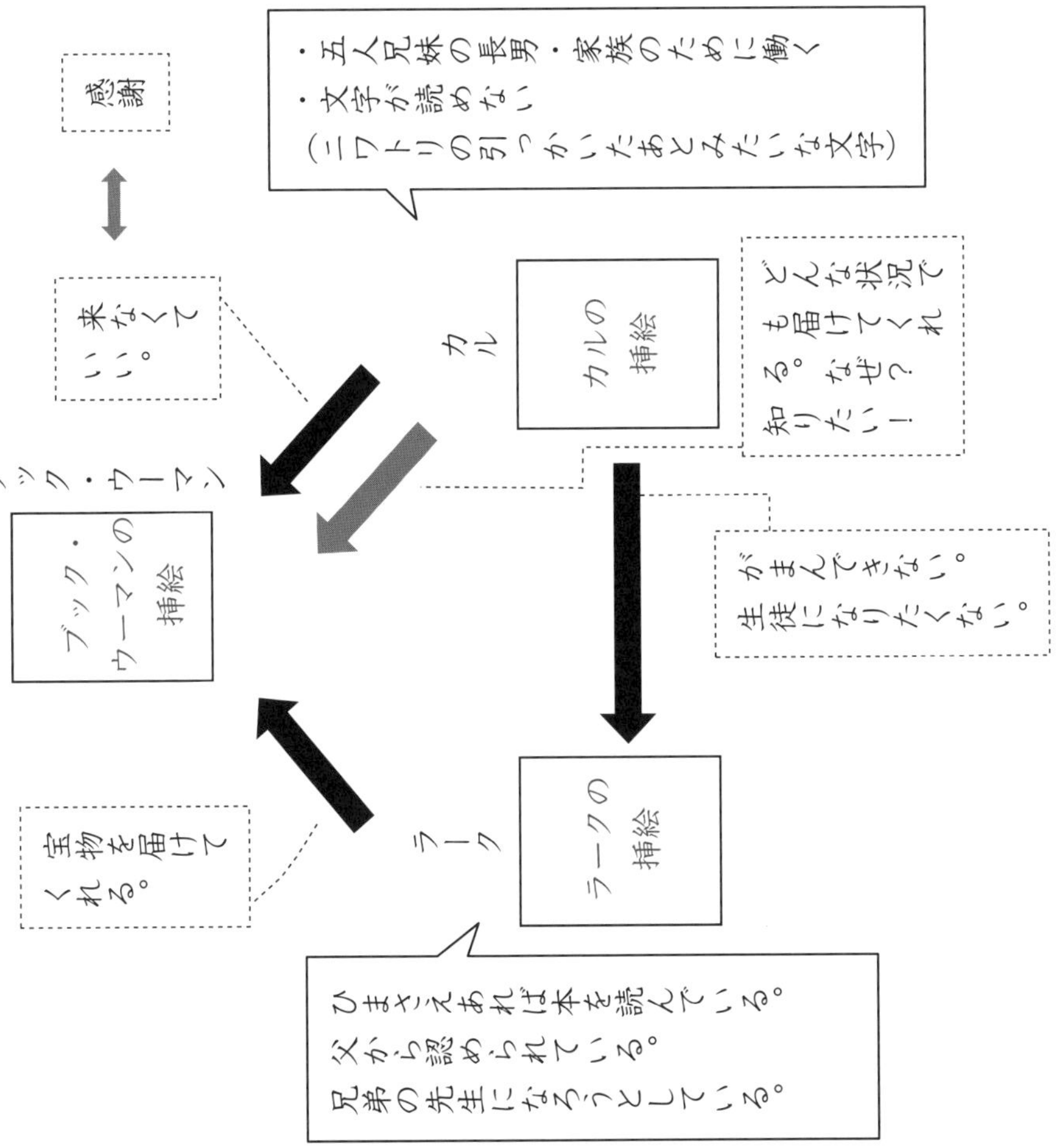
・五人兄妹の長男・家族のために働く
・文字が読めない
（ニワトリの引っかいたあとみたいな文字）
感謝
来なくていい。
カル
カルの挿絵
どんな状況でも届けてくれる。なぜ？知りたい！
ブック・ウーマン
ブック・ウーマンの挿絵
がまんできない。生徒になりたくない。
宝物を届けてくれる。
ラーク
ラークの挿絵
ひまさえあれば本を読んでいる。
父から認められている。
兄弟の先生になろうとしている。

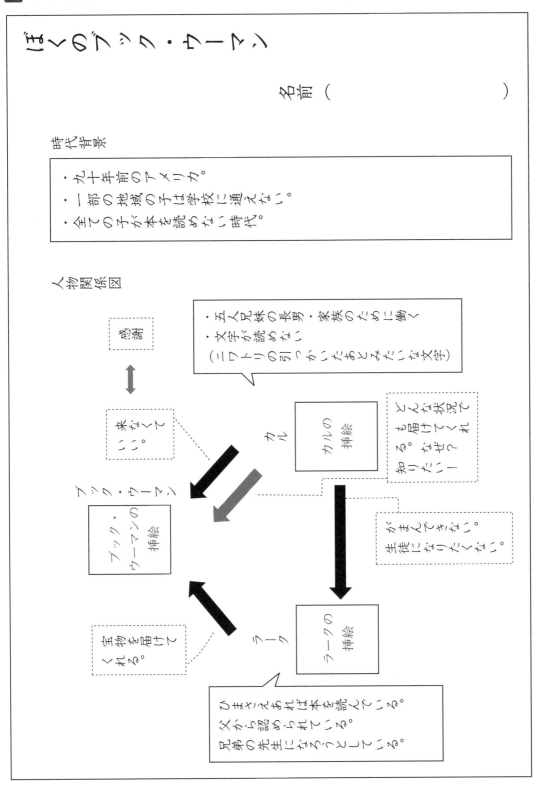

相手や目的を明確にして、すいせんする文章を書こう

おすすめパンフレットを作ろう　6時間扱い

単元の目標

知識及び技能	・言葉には、相手とのつながりをつくる働きがあることに気付くことができる。((1)ア) ・文章の構成や展開、文章の種類とその特徴について理解することができる。((1)カ)
思考力、判断力、表現力等	・引用したり、図表やグラフなどを用いたりして、自分の考えが伝わるように書き表し方を工夫することができる。(B エ)
学びに向かう力、人間性等	・言葉がもつよさを認識するとともに、進んで読書をし、国語の大切さを自覚して、思いや考えを伝え合おうとする。

評価規準

知識・技能	❶言葉には、相手とのつながりをつくる働きがあることに気付いている。(〔知識及び技能〕(1)ア) ❷文章の構成や展開、文章の種類とその特徴について理解している。(〔知識及び技能〕(1)カ)
思考・判断・表現	❸「書くこと」において、引用したり、図表やグラフなどを用いたりして、自分の考えが伝わるように書き表し方を工夫している。(〔思考力、判断力、表現力等〕B エ)
主体的に学習に取り組む態度	❹進んで引用したり、図表やグラフなどを用いたりして、自分の考えが伝わるように書き表し方を工夫し、学習の見通しをもって推薦したいものをパンフレットにまとめようとしている。

単元の流れ

次	時	主な学習活動	評価
一	1	パンフレットを見た経験について振り返る。 **学習の見通しをもつ** おすすめパンフレットを作るという単元のゴールを知り、学習計画を立てる。	❶
二	2	テーマごとにグループを決め、役割分担をして情報を集める。	❷
	3	集めた情報をグループで見直し、パンフレットに取り入れる内容や写真、割り付けなどを考える。	❷❸
	4	推薦する文章を書くためにはどのような工夫をしたらよいかを考える。 相手や目的を意識しながら、推薦する文章を書く。	❸❹
	5	グループで推敲し合い、1冊のパンフレットにまとめる。	❶❷
三	6	それぞれのグループが作成したパンフレットを読み、感想を伝え合う。 **学習を振り返る** 学習の振り返りをする。	❶

授業づくりのポイント

〈単元で育てたい資質・能力〉

「おすすめパンフレット」の作成を通して、自分の考えが相手に伝わるような文章構成や書き表し方を考え、工夫して表現する力を育むことが本単元のねらいである。自分が書いた文章が相手にどのように伝わっているかは、1人ではなかなか捉えにくいものである。グループ内で、読み手はどのような印象を抱いたかをアドバイスし合い、どのように書けば推薦するもののよさが伝わるか、よりよい書き表し方を考えさせたい。また、図表やグラフの効果的な活用方法を考えさせることも重要である。

〈教材・題材の特徴〉

パンフレットは、推薦する文章だけでなく、図表やグラフ、写真といった資料や、キャッチコピーやレイアウトといった要素も重要となる。単元の導入で実物のパンフレットを用意し、それを見ながらどのような情報が載っているか、構成はどうなっているかを捉えさせることで、パンフレット作りに対する意欲を高めさせることができるだろう。

[具体例]

○自治体のパンフレットなどは無料で入手できるものも多い。可能であれば複数冊用意して、子供が手元に置いて実物を見ながらその特徴を考えられるようにするとよい。事前に呼びかけて、子供自身に集めさせることで意欲を高めさせることもできるだろう。

〈言語活動の工夫〉

第2時ではテーマごとにグループ編成を行った後、「どんな人」に「何」を推薦するかを役割分担する。相手意識・目的意識につながる重要なポイントとなるため、教科書 p.311の「図を使って考えよう」を確認し、同 p.312「広げる」を参考にして考えを広げさせたい。

情報を精査しながら割り付けを考える際（第3時）には、端的に推薦文をまとめることを意識させたり、パンフレット全体を見通して構成を考えたりすることが大切である。下書きを始める前に推薦する文章の工夫について考えることで、書き表し方のポイントについて考えを深めさせることができるだろう。また、グループ内で推敲し合う場面（第5時）では、どのような相手に何を伝えることを目的としているかを改めてグループ内で共有した上で、推薦する文章の内容を検討させたい。

[具体例]

○ウェビングを行う際に重要なことは、「考えを広げてからまとめる」である。テーマに関して推薦したい相手と推薦物を自由に挙げ、意見交換をしながら対象を絞っていくとよい。

○推薦する文章を書く前に、効果的な文章構成について考えることが重要である。これまでの学習経験や、教科書 p.190～191のポイントを押さえ、書き表し方のイメージをつかませたい。

○推敲する際には、グループ内で伝え手と受け手に分かれてイメージの違いを意見交換し、どのように書き表せば伝え手の思いがより伝わるかを考えさせたい。

〈ICT の効果的な活用〉

共有：学習支援ソフトを用いて実物のパンフレットを共有し、子供の気付きを書き込んでいくことで、特徴に気付きやすくさせることができる。

本時案

おすすめパンフレットを作ろう　1/6

本時の目標

・学習の見通しをもつとともに、言葉に着目しながらパンフレットに書かれている内容を考えることができる。

本時の主な評価

❶パンフレットに書かれている内容や目的を考えることを通して、言葉が相手とのつながりをつくることに気付いている。【知・技】

資料等の準備

・パンフレットの実物か、拡大コピーやデジタルパンフレットの投影
・教科書 p.188「見通しをもとう」の拡大コピー（ICT 機器で代用可）

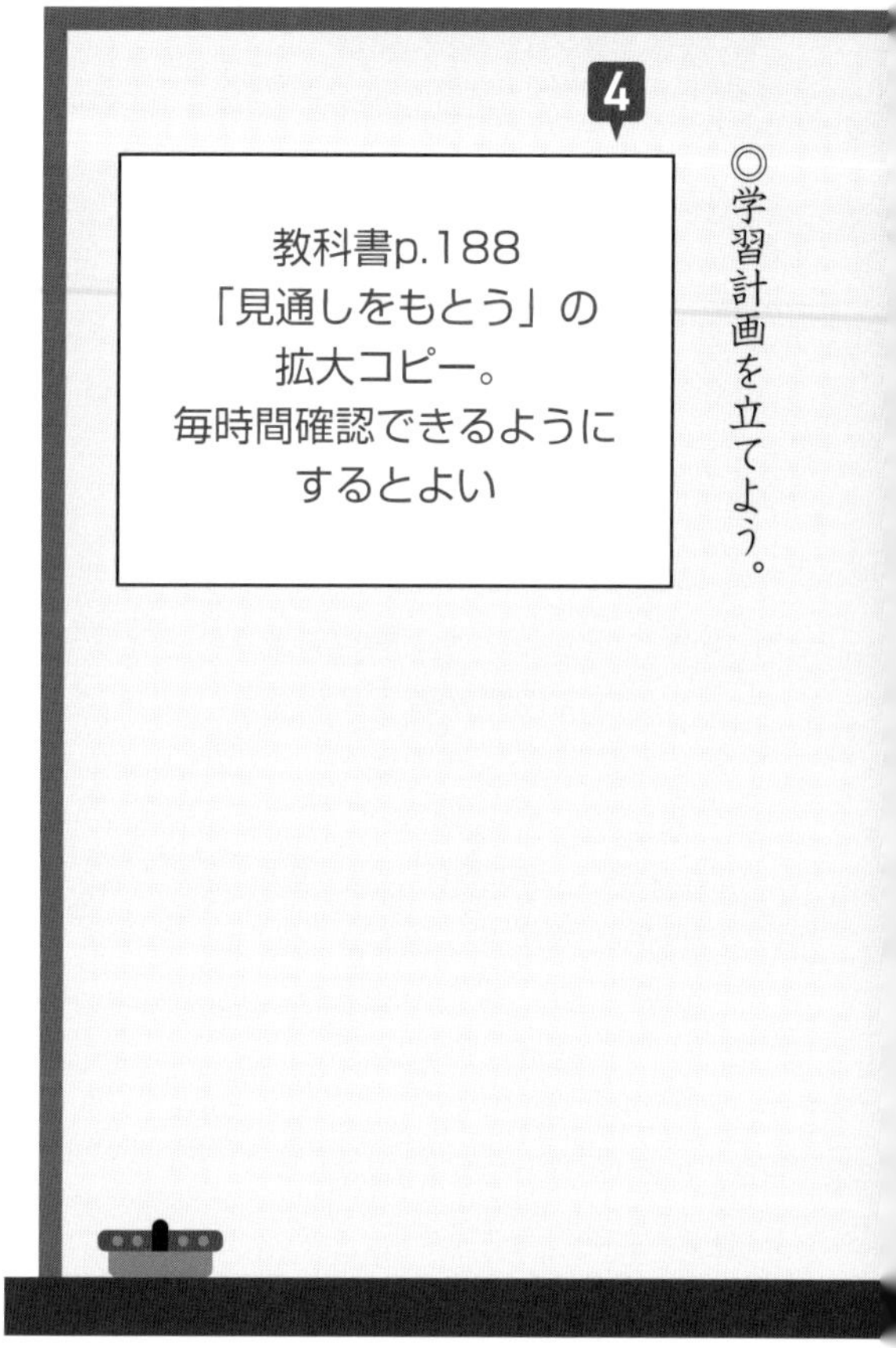

◎学習計画を立てよう。
4
教科書p.188
「見通しをもとう」の
拡大コピー。
毎時間確認できるように
するとよい

授業の流れ▷▷▷

1 学習の見通しをもつ　〈10分〉

○リード文を読み、元気になったり感動したりした映画や音楽、本などを振り返る。子供の生活経験に寄り添って、自由に意見を出させたい。

T　元気をもらったり、感動したりした映画や音楽、本などはありますか。

・明るい曲を聞いていると、気持ちも元気になります。

・好きな作家さんの本を読んでいると、ワクワクする気持ちになります。

○「問いをもとう」「目標」を基に、学習課題を設定し、本時のめあてを板書する。

T　この単元では、読む人が実際に見たり聞いたりしたくなるように、書き方を工夫して推薦パンフレットを作りましょう。

2 パンフレットを見た経験を振り返る　〈10分〉

T　これまでにどんなパンフレットを見たことがありますか。また、パンフレットは何が目的で作られているのでしょう。

・家族で旅行に行くときにパンフレットを見ました。写真などが多く入っていたので、おすすめの情報を分かりやすくまとめることが目的だと思います。

・家族が家電製品を買うときに、複数のパンフレットを読み比べていました。商品を紹介することが目的だと思います。

・たくさんの人に知ってもらうことも目的だと思います。

○これまでの学習で実際にパンフレットを作成した経験があれば、そのときのことを振り返らせるのもよい。

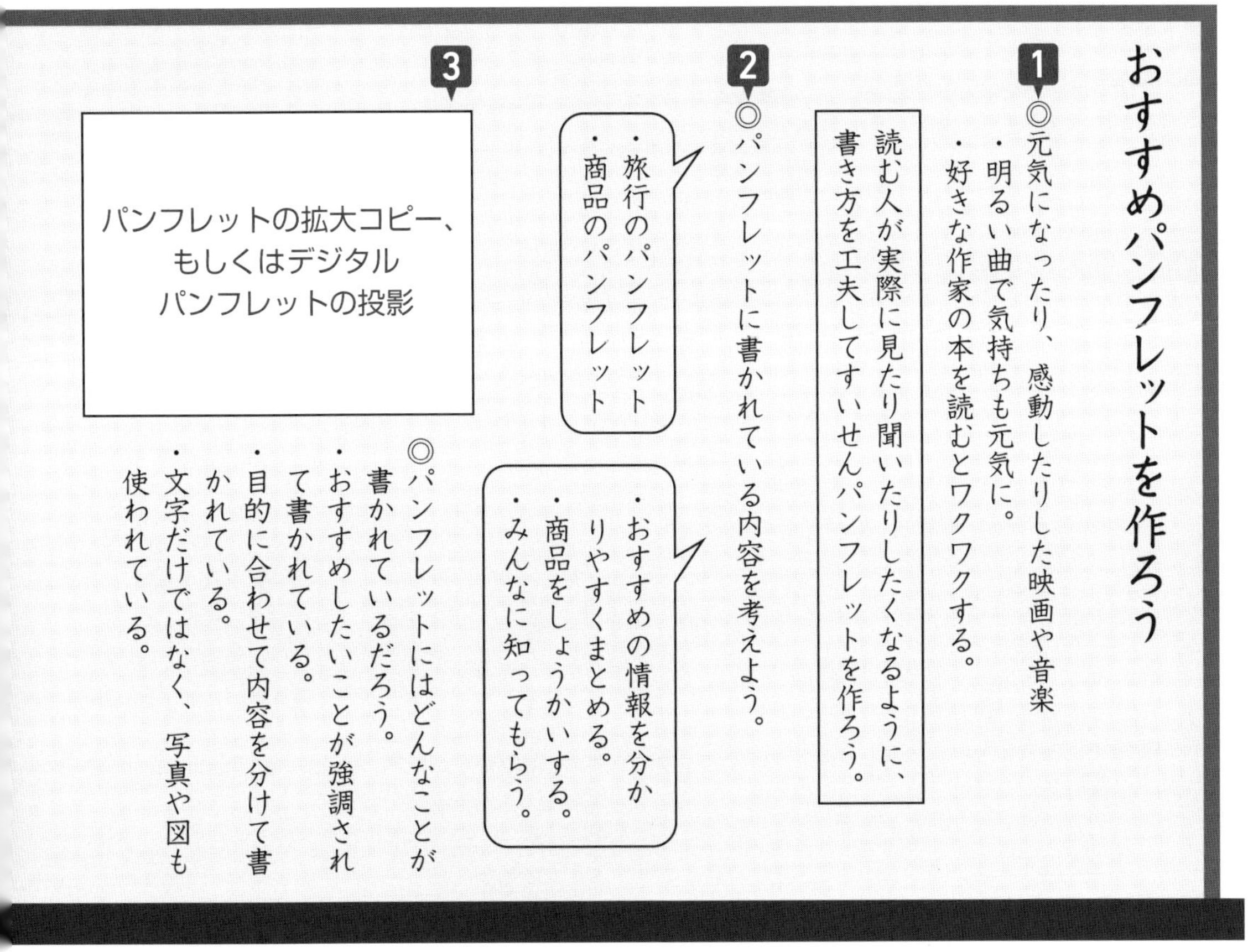
おすすめパンフレットを作ろう
1
◎元気になったり、感動したりした映画や音楽
・明るい曲で気持ちも元気に。
・好きな作家の本を読むとワクワクする。
読む人が実際に見たり聞いたりしたくなるように、書き方を工夫してすいせんパンフレットを作ろう。

2
◎パンフレットに書かれている内容を考えよう。
・旅行のパンフレット
・商品のパンフレット
・おすすめの情報を分かりやすくまとめる。
・商品をしょうかいする。
・みんなに知ってもらう。
◎パンフレットにはどんなことが書かれているだろう。
・おすすめしたいことが強調されて書かれている。
・目的に合わせて内容を分けて書かれている。
・文字だけではなく、写真や図も使われている。
3
パンフレットの拡大コピー、もしくはデジタルパンフレットの投影

3 パンフレットにはどんなことが書かれているか考える〈15分〉

○子供一人一人が手元でパンフレットを見ることができるよう、実物のパンフレットを用意したりデジタルパンフレットを活用したりするとよい。

T パンフレットにはどのような情報が、どのように書かれているでしょう。

・おすすめしたいことが強調されて書かれています。

・旅行のパンフレットは、目的に合わせて内容を分けて書いています。

・文字だけではなく、写真や図を使って書かれています。

ICT 端末の活用ポイント

子供が各自で複数のデジタルパンフレットを読み比べることで、その特徴に気付きやすくなる。

4 学習計画を立てる〈10分〉

○パンフレットに書く内容について考えた後、教科書 p.188「見通しをもとう」を参考に、これからの学習をどのように進めていくか子供と話し合いながら決めていく。

T 「おすすめパンフレット」を作成するために、どんなことを学習すればよいでしょう。

・まずは何を推薦するかを決めるとよいと思います。

・旅行のパンフレットのように、どんな目的の人にすすめるかも考えたほうがいいです。

・推薦するもののよさについてしっかり考える必要もあると思います。

○子供から出された考えを基に計画を立てるが、不足している内容については適宜教師からアドバイスをしていく。

本時案

おすすめパンフレットを作ろう 2/6

本時の目標

・推薦するテーマを決め、パンフレットの文章構成を踏まえながら必要な情報を集めることができる。

本時の主な評価

❷作例を通してパンフレットの文章構成を理解し、推薦するための情報を集めている。【知・技】

資料等の準備

・教科書 p.189「取り上げるものの例」、p.192「すいせんする文章の例」の拡大コピー(ICT 機器で代用可)
・話合いの例 12-01

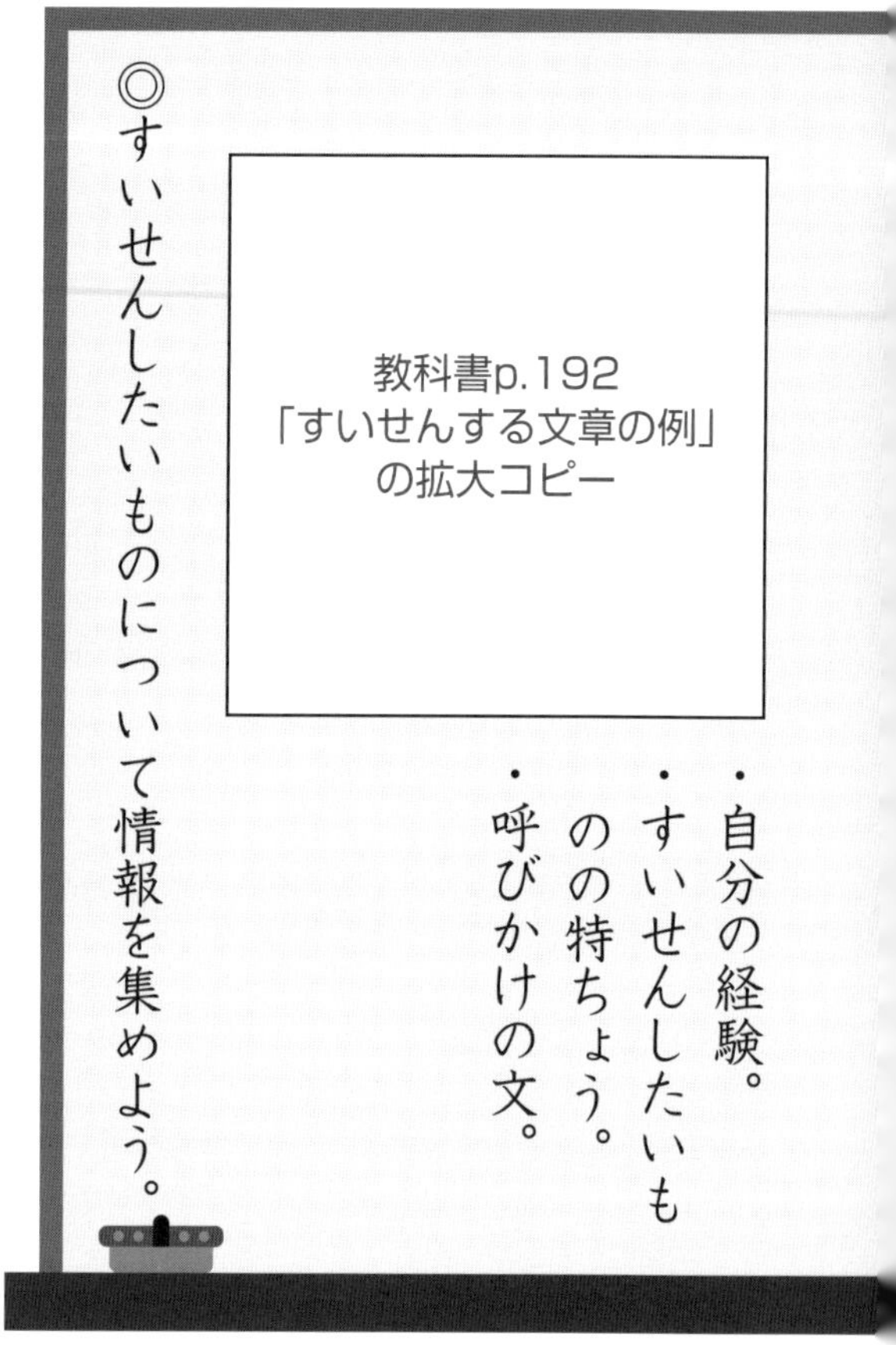

授業の流れ ▷▷▷

1 推薦したいテーマを決め、グループ編成をする 〈10分〉

T 映画や音楽、本など、推薦したいテーマを決めて同じテーマの人とグループをつくりましょう。
・音楽が好きだから音楽を紹介したいです。
・好きな作家さんがいるので本を紹介しよう。
○学習班でテーマを決めさせる方法もあるが、子供の興味・関心が強いものでないと、そのもののよさを紹介することは難しい。教科書 p.189「取り上げるものの例」を参考に、自分のテーマを何にするかを決めさせた後で、全体のバランスを見ながらテーマごとにグループ編成を行うとよい。
○本時ではグループ活動が多くなるため、グループ編成が終わった後は、席を移動させるとよい。

2 どんな人に推薦をしたいかを決め、役割分担をする 〈20分〉

○テーマに基づいて、「元気が必要な人」「感動したい人」などの目的を考え、どんな人に推薦したいかを考える。
○対象を決めた後は具体的な紹介物を考えることを意識させ、見通しをもって推薦相手を考えさせる。
T 自分たちのテーマを、どんな人に推薦するかを考えましょう。
・本を読んで元気になったことがあるので、同じように元気がない人に推薦したいです。
・好きな音楽を聴いていると、気持ちがリラックスします。落ち着いた気持ちになりたい人に向けて紹介したいです。
○自分の経験を踏まえて紹介相手を考えると、この後の活動がスムーズになる。

おすすめパンフレットを作ろう

すいせんしたいものについて情報を集めよう。

1
◎すいせんしたいテーマ

教科書p.189
「取り上げるものの例」

他にどんなテーマがあるだろう？

2
◎どんな人にすいせんしよう。

・元気になりたい人。
・リラックスしたい人。
・前向きになりたい人。

3
◎すいせんするときにはどんなことを伝えるとよいだろう。

3 推薦したいものについての情報を集める 〈15分〉

○教科書 p.192「すいせんする文章の例」を示して推薦文のイメージをもたせ、必要な情報を集めさせる。

T　推薦するときには、どんなことを伝えるとよいでしょう。

・自分の経験を交えるとよいです。
・特徴を紹介したほうがよいです。
・呼びかけの文があると引き付けられます。

○相手意識をもたせ、自分の経験を振り返りながら幅広い情報を集めたい。他グループからアドバイスをもらうのもよい。

ICT 端末の活用ポイント

ICT 端末を用いて調べることも考えられるが、自分の言葉で紹介できるように、調べた内容を自分の経験と照らし合わせて考えさせたい。

よりよい授業へのステップアップ

話合いの視覚化

　どんな人に推薦したいかによって、推薦する内容も大きく変わってくるので、グループ内でしっかりと話合いをさせてから決定させたい。

　話合いを行う際には、付箋紙に自分の考えを自由に書かせ、それをホワイトボードなどに貼りながら理由を述べ合って互いの考えを交流させることも有効である。ホワイトボードに矢印等を書き込んで意見同士の関係性を明らかにすることもできる。視覚的に整理することで、推薦したい相手について考えを深めることができるだろう。

本時案

おすすめパンフレットを作ろう 3/6

本時の目標

・作例を基に推薦パンフレットの文章構成を考え、工夫して割り付けなどを考えることができる。

本時の主な評価

❷文章構成を理解し、推薦するための情報を整理している。【知・技】
❸自分の考えが伝わるように図表やグラフの使い方や割り付けを考えている。【思・判・表】

資料等の準備

・教科書 p.190「パンフレットの構成の例」、p.191「割り付けの例」、p.192「すいせんする文章の例」の拡大コピー（ICT 機器で代用可）
・ワークシート 12-02

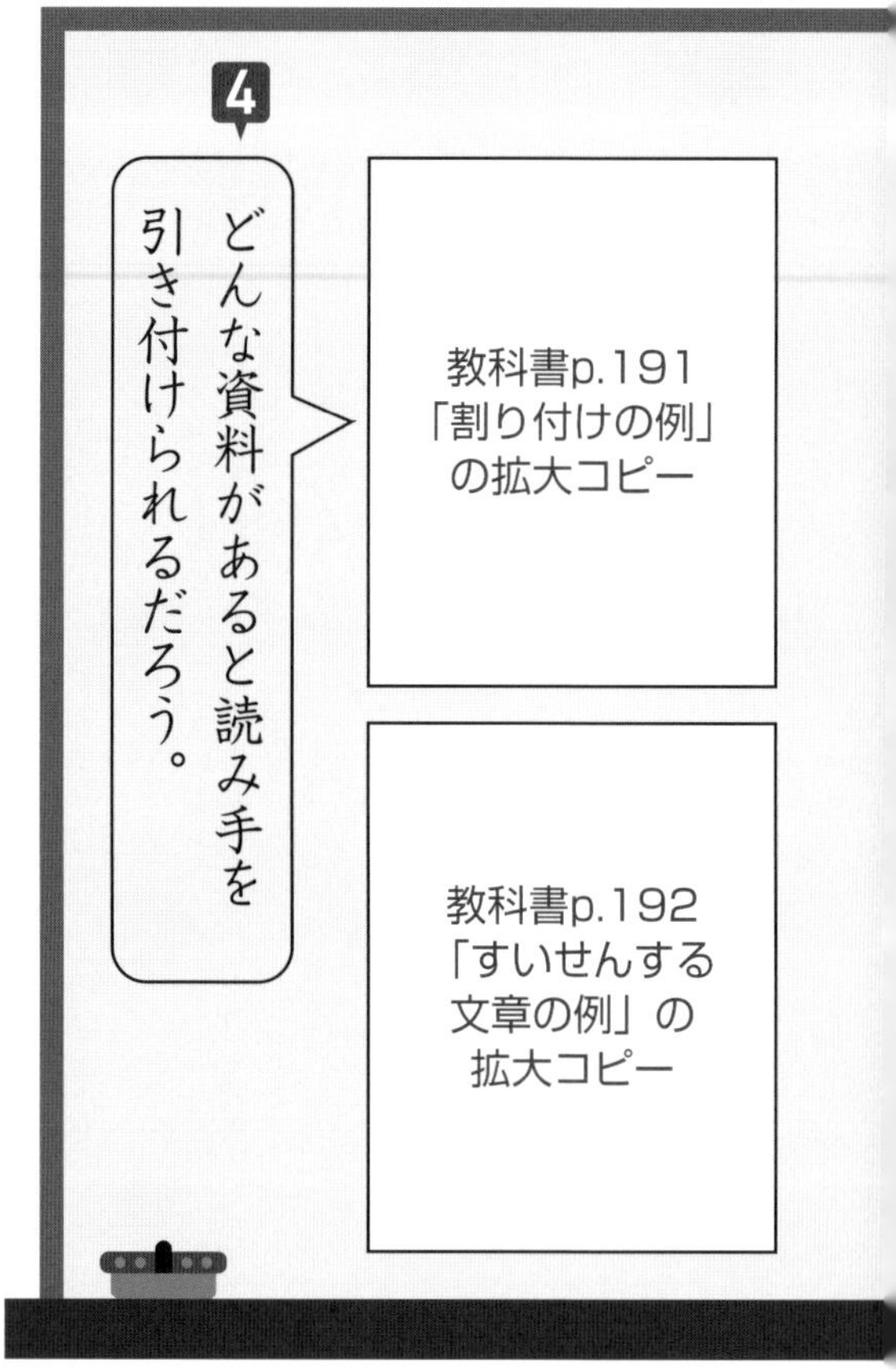

授業の流れ ▷▷▷

1 めあてを確認し、集めた情報を整理する 〈15分〉

T　集めた情報をグループで持ち寄り、何を紹介するか決めましょう。
・私もこの曲を聞くと元気になるので、元気になりたい人に紹介するには、この曲がぴったりだと思います。
・このお話はドキドキする展開が多いので、リラックスしたい人には合っていないかもしれません。
○集めた情報を共有し、グループのテーマや推薦したい相手と正対しているかを吟味する。

ICT 端末の活用ポイント

各自が集めた情報をグループメンバーが全員知っているとは限らない。ICT 端末を用いて、音楽を流したりあらすじを紹介し合ったりすると共有がスムーズになるだろう。

2 パンフレットの構成を考える 〈10分〉

○パンフレットの構成を考える際には各ページの順番にも意味をもたせたい。教科書 p.190「パンフレットの構成の例」を基に、どの順番でどんな内容を載せると効果的かを考えさせたい。
T　パンフレットにはどんなページをどんな順番で載せるとよいかを考えましょう。
・推薦したいものだけではなく、音楽の効果についても説明したほうがいいと思います。
・一番共感する人が多いページを最初に書いたほうが興味をもってくれると思います。
○第 1 時で提示したパンフレットの実物やデジタルパンフレットを再提示し、実際のパンフレットのつくりを参考にさせることも有効である。

おすすめパンフレットを作ろう

読み手を意識して、おすすめパンフレットの構成を考えよう。

1 ◎情報を整理しよう。

☆テーマに合っているかな？

☆何をおすすめすれば、効果的かな？

2 ◎パンフレット全体の構成を考えよう。

教科書p.190「パンフレットの構成の例」の拡大コピー

3 ◎割り付けを考えよう。

・自分の経験。
・すいせんしたいものの特ちょう。
・呼びかけの文。

3 割り付けを考える 〈10分〉

T 自分の担当ページの割り付けと文章の構成を考えましょう。

○よいパンフレットを作成するには、見やすさも重要な要素となる。どのような配置にすると読み手に効果的に伝わるかを意識して割り付けを考えさせたい。

○前時で示した「すいせんする文章の例」を再提示し、文章の構成を改めて確認する。パンフレット全体の構成を見通し、どうすれば読む人を引き付けることができるか、書き表し方を考えさせることが重要である。

ICT 端末の活用ポイント

文書作成ソフトを使うと配置を自由に変更できるので、手書きよりも割り付けを考える作業がスムーズになる。

4 使用する資料を考える 〈10分〉

T どんな資料だと効果的かを考えながら、パンフレットに載せる写真や図表を考えましょう。

・明るい気持ちになる曲なので、明るさが前面に出ている写真がよいと思います。

・リラックスする映画なので、見た人の感想をまとめたアンケートがあると説得力が出ます。

○教科書 p.191「参考にした資料を示すときは」を読み、参考ページの書き方を確認させる。

本時案

おすすめパンフレットを作ろう 4/6

本時の目標

・自分の考えが伝わるように工夫しながら、推薦したいものについて進んで書くことができる。

本時の主な評価

❸文章構成や資料の使い方を工夫しながら推薦するための文章を書いている。【思・判・表】
❹おすすめパンフレットを通して自分の考えを工夫して伝えようとしている。【態度】

資料等の準備

・教科書 p.192「すいせんする文章の例」、同「書き表し方を工夫するときは」の拡大コピー（ICT 機器で代用可）
・ワークシート 12-03
・国語辞典、漢字辞典

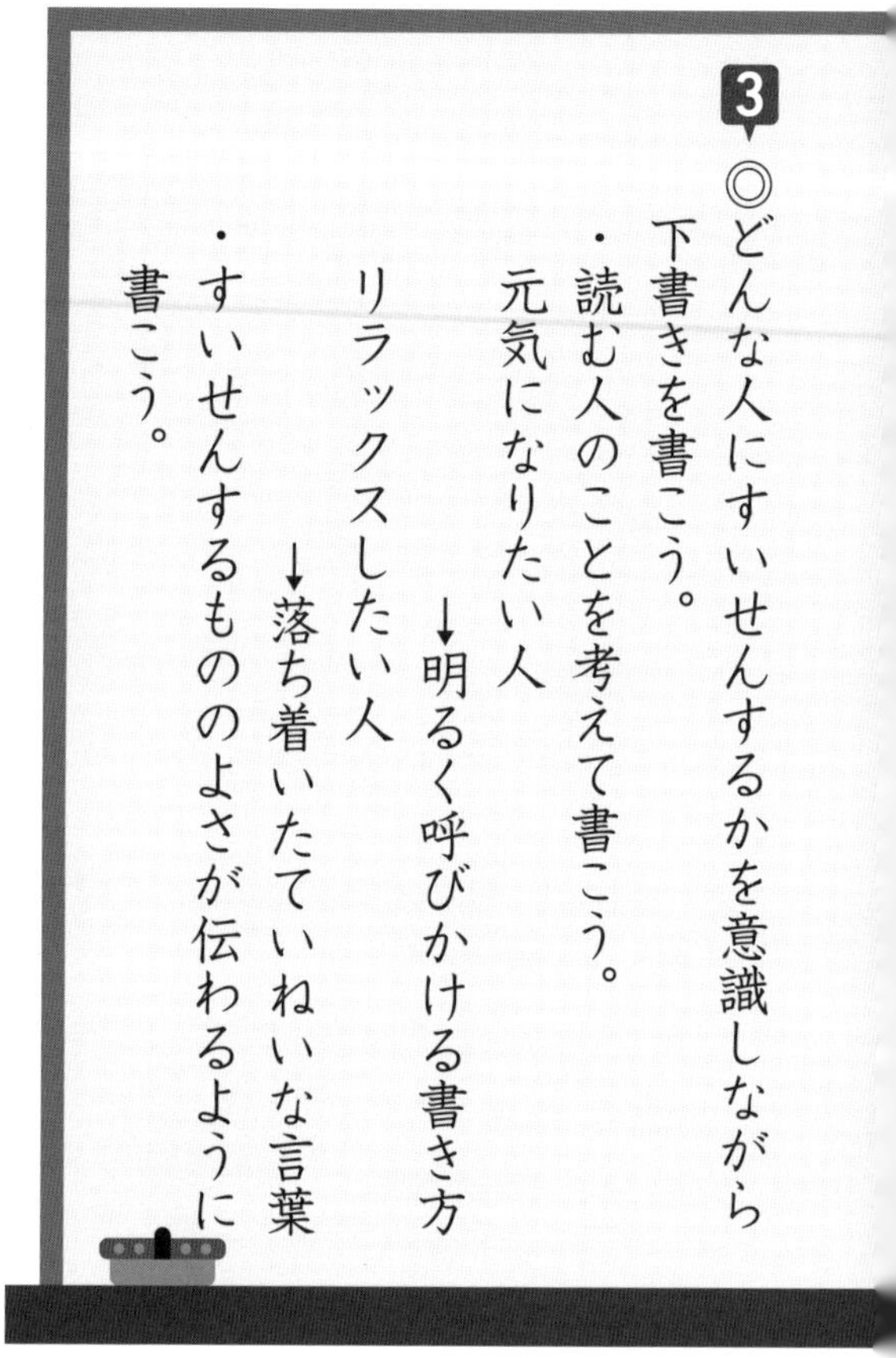

3
◎どんな人にすいせんするかを意識しながら
下書きを書こう。
・読む人のことを考えて書こう。
元気になりたい人
↓明るく呼びかける書き方
リラックスしたい人
↓落ち着いたていねいな言葉
・すいせんするもののよさが伝わるように
書こう。

授業の流れ ▷▷▷

1 下書きをするときのめあてを確認する 〈10分〉

T　今日から下書きを書いていきます。どんなことに気を付けて書いたらよいでしょう。
・相手を意識して、呼びかけるような書き方がよいと思います。
・推薦したいもののよさが伝わるように詳しく書いたほうがよいです。
・お話の中のおすすめの 1 文を引用すると興味をもってくれると思います。
○教科書 p.192「すいせんする文章の例」を再掲示し、推薦文の書き方の特徴を確認する。前時までで気付いたことを書き込んでいれば、そこを取り上げるとよい意識付けになる。
○各テーマに合わせてポイントを押さえ、書く際のイメージが湧くようにする。

2 書き表し方の工夫のポイントを考える 〈10分〉

T　「おすすめパンフレット」をもっとよくするためのポイントを確認しましょう。
○教科書 p.192「書き表し方を工夫するときは」を掲示し、工夫するポイントを押さえる。教科書の例だけではなく、子供の挙げた工夫点を追記し、書く際の参考にさせたい。全ての工夫を取り入れることは難しくても、自分が書く際に何を工夫したいかを選ばせることで意欲を高めることができる。
○前時までに使用したパンフレットを再提示し、実際のパンフレットから工夫点を探させることも効果的である。

おすすめパンフレットを作ろう

相手に伝わるように下書きを書こう。

1 ◎どんなことに気を付けて書いたらよいだろう。

教科書p.192「すいせんする文章の例」の拡大コピー

・自分の経験。
・すいせんしたいものの特ちょう。

2 ◎もっとよくするためのポイントを確認しよう。

教科書p.192「書き表し方を工夫するときは」の拡大コピー

他にもあるかな？

☆何を工夫するか決めよう！

3 下書きを書く 〈25分〉

T　読み手に伝わるように工夫しながら下書きをしましょう。

○どんな人に推薦したいかを再確認し、相手を意識した書き表し方を考えながら下書きをさせることが重要である。

○用意できるようであれば、推薦したいものの実物を手元に置いて書かせるとよい。

○国語辞典や漢字辞典を用意しておく。

ICT 端末の活用ポイント

手書きではなく文書作成ソフトを使うことで、次時以降の推敲・清書の活動がスムーズになる。子供の実態に合わせて手書きか端末利用かを選ぶ。

よりよい授業へのステップアップ

学び合いと方向性の確認

下書きを書く際は個人での作業となるが、書く能力は個人差がとても大きいものである。個人任せに終始してしまうと書き終わりの時間やその内容に大きな差が出てしまうこともあるだろう。

そこで、途中経過をグループ内で共有することが有効である。途中の文章を読み合い、アドバイスをし合うことで、どう書けばよいか悩んでいる子供への支援につながる。また、グループとしてまとめるおすすめパンフレットの方向性にズレが生じていないかを確認するためにも効果的である。

本時案

おすすめパンフレットを作ろう 5/6

本時の目標

・言葉の使い方や文章構成、展開に着目して下書きを読み合い、推敲することができる。

本時の主な評価

❶相手を意識した推薦文を考えることを通して、言葉が相手とのつながりをつくることに気付いている。【知・技】
❷推薦文の構成や展開を捉え、その特徴を理解している。【知・技】

資料等の準備

・清書用紙
・国語辞典、漢字辞典
・製本に必要なテープや台紙など

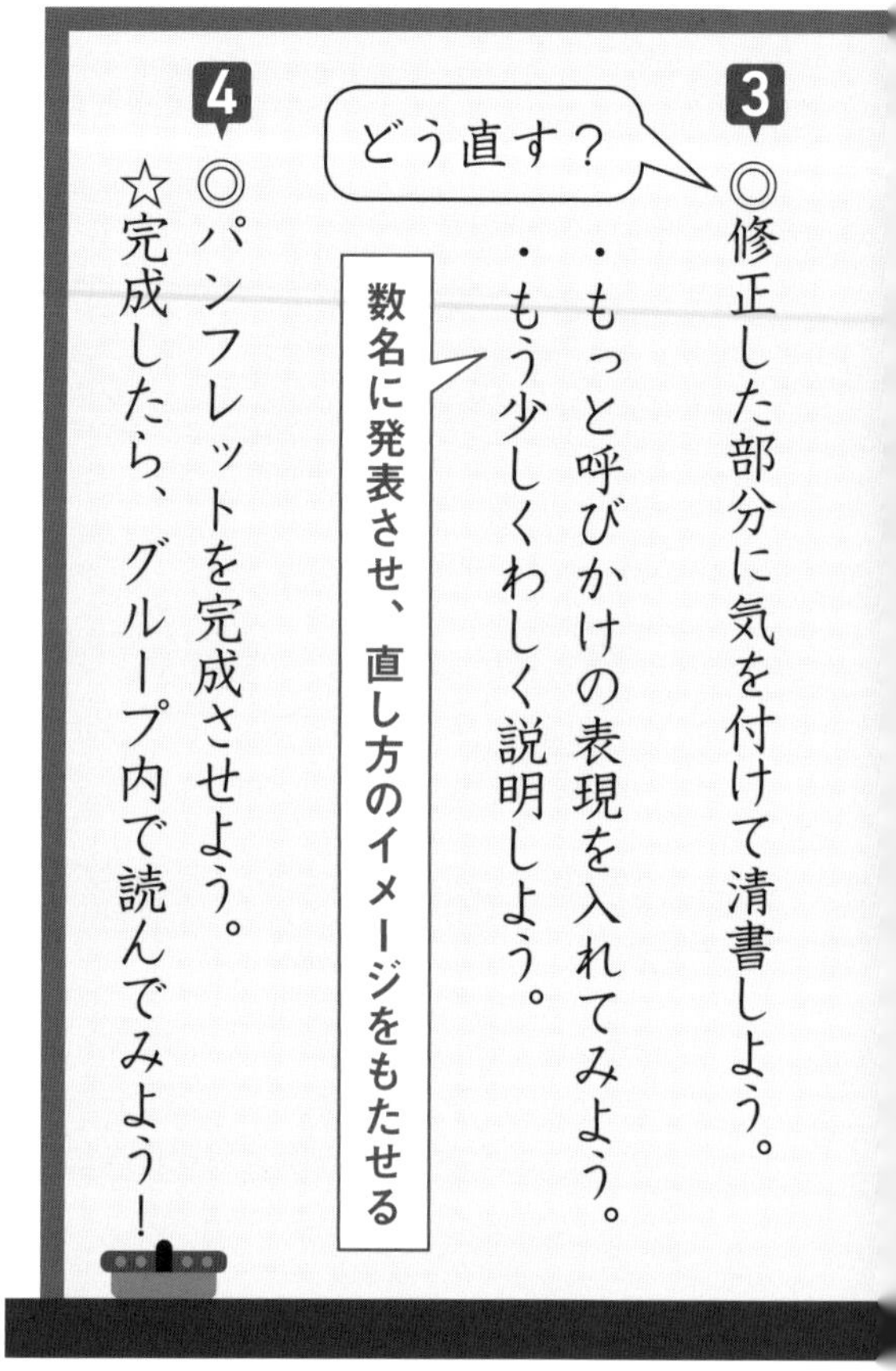

3
◎修正した部分に気を付けて清書しよう。
どう直す？
・もっと呼びかけの表現を入れてみよう。
・もう少しくわしく説明しよう。
数名に発表させ、直し方のイメージをもたせる
4
◎パンフレットを完成させよう。
☆完成したら、グループ内で読んでみよう！

授業の流れ ▷▷▷

1 推敲するポイントを確認する 〈5分〉

T　下書きが、推薦したいテーマや内容に合っているか、読む人の心を動かす内容になっているかを推敲して確かめます。どんなことに気を付けて確認すればよいでしょう。
・相手に語りかけるような書き方になっているかを確認したほうがいいです。
・おすすめのポイントが分かりやすい書き方になっているかを確かめます。
・資料が推薦の内容に合っているか検討します。
〇教科書 p.108「文章を推敲しよう」を参考に、推敲するポイントを確認する。他にも気になることをグループ内で共有し、よりよい文章表現を考えさせたい。誤字も確認できるよう国語辞典を用意しておく。

2 グループで下書きを読み合い、内容を確認する 〈15分〉

T　グループでそれぞれが書いた下書きを読み合い、内容を確認しましょう。
〇事前に挙げた推薦するポイントに沿って下書きの文章を検討し合う。修正するか判断に迷う場合はグループで意見交換できるよう、座席を向かい合わせにしておくとよい。
〇修正箇所は赤字で書かせるなど、元の文を残したままにしておくと思考の流れを捉えやすくなる。

ICT 端末の活用ポイント

下書きを文書作成ソフトで書いた場合も、修正箇所は赤字や吹き出し等で書き込ませ、元の文章を残すようにする。清書を行う際にも別ファイルを作成するなど、思考の流れを目に見える形で残しておくとよい。

おすすめパンフレットを作ろう

推敲してパンフレットを完成させよう。

1
◎どんなことに気を付けて推敲すればいいだろう。
・相手に語りかけるような書き方になっているか。
・分かりやすい書き方になっているか。
・資料がすいせんの内容に合っているか。

2
◎おたがいの下書きを読み合おう。
・修正するところは赤鉛筆で書き込む。
・迷ったら友達と相談。
・読む人の気持ちになって考えよう。

3 修正した部分に気を付けながら清書をする 〈15分〉

○修正箇所を確認し、どこをどのように直すか個人のめあてをもたせる。

T　グループで修正し合った下書きを読んで、もっと分かりやすくするための工夫をしながら清書をしましょう。

・文章が固い感じがするので、もっと呼びかけの表現を入れてみます。

・推薦するもののよさが伝わっていないので、もう少し詳しく説明をします。

・資料が分かりづらいので、説明を加えます。

○個人作業の時間になるが、どう直せばよいか困ったときに相談できるよう、グループで席を近付けておくとよい。

○国語辞典や漢字辞典を用意しておく。

4 完成した原稿を１冊のパンフレットにまとめる 〈10分〉

T　完成した清書をつなげて１冊のパンフレットにまとめましょう。

○グループで協力して原稿をつなぎ合わせ、パンフレットにまとめる作業を行う。台紙に貼りながら合わせたり、本のように貼り合わせていったりとグループごとに工夫してまとめさせる。時間があれば、表紙の装飾など細部にもこだわらせるとよい。

T　パンフレットが完成したら、グループ内で読んでみましょう。

○完成したパンフレットを読み合い、感想を交流させることで子供に達成感を味わわせたい。

本時案

おすすめパンフレットを作ろう 6/6

本時の目標

・パンフレットを読み合い、構成や展開について感想を伝え合うことができる。

本時の主な評価

❶パンフレットに書かれている内容から、言葉が相手とのつながりをつくることに気付いている。【知・技】

資料等の準備

・付箋紙

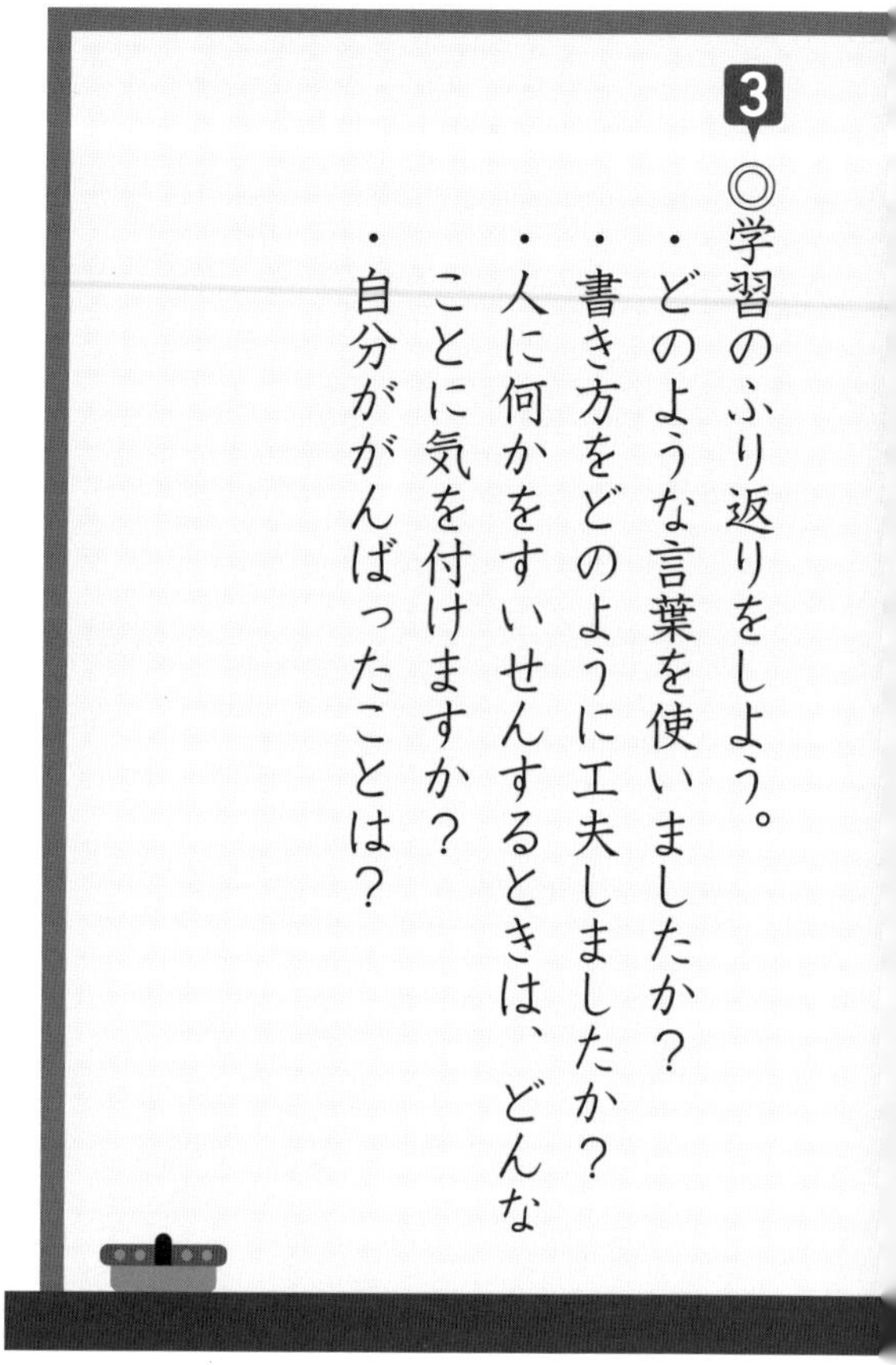

3
◎学習のふり返りをしよう。
・どのような言葉を使いましたか？
・書き方をどのように工夫しましたか？
・人に何かをすいせんするときは、どんなことに気を付けますか？
・自分ががんばったことは？

授業の流れ ▷▷▷

1 他のグループのパンフレットを読んで感想を書く 〈10分〉

T　心を動かされた内容や表現を考えながら読み、感想を伝え合いましょう。

○よいと思った表現や心を動かされた言葉などに着目させ、他のグループがどんなところに工夫をしたのかを考えて読ませる。

T　感想を付箋紙に書き、パンフレットの裏に貼って、次のグループに回しましょう。

○どんな言葉がよかったか、どんなところに引き付けられたかなど、具体的に書かせる。

○付箋紙は３～４文程度がめやす。実態に合わせて罫線を付けるなどの工夫をするとよい。

ICT 端末の活用ポイント

事前にデータ化したパンフレットを学習支援ソフトで配布することで、一度に全員がパンフレットを読むことが可能になる。

2 全グループのパンフレットを読んで感想を書く 〈25分〉

T　同じように、他のグループのパンフレットも読んで感想を書きましょう。

○同様の手順でパンフレットを読んで感想を交流する活動を繰り返す。

○活動の進み具合によっては、全グループのパンフレットを読み終えることが難しい場合もある。その際は、教室内に自由に読めるよう配置しておき、課外の時間を使って感想を書かせるようにする。

ICT 端末の活用ポイント

パンフレット鑑賞同様、感想の交流でも学習支援ソフトや文書作成ソフトのコメント機能を使うことで感想を交流することが容易になる。時間内に読むことができなかったパンフレットを、家庭で読むことも可能になるだろう。

おすすめパンフレットを作ろう

感想を交流して、学習をふり返ろう。

1

◎他のグループのパンフレットを読み合おう。

☆注目するポイント

よいと思った表現

心を動かされた言葉

工夫されているなと思ったところ　など

2

☆感想を付せん紙に書いて裏に貼る。

☆読み終えたパンフレットは次のグループへ回す。

◎感想を読み合おう。

3 学習の振り返りをする　〈10分〉

T　他のグループがどんな感想を書いてくれたか読み合いましょう。

○付箋紙に書かれた感想を読むことで子供に達成感を感じさせたい。

○書き手が想定していない表現に心を動かされる子供もいるだろう。書き手の思いと読み手の思いが一致しない場合もあることを知ることも大切な学びである。

T　単元の振り返りをしましょう。

・読む人の心に響くように、呼びかけの文章を多く入れました。

・これからも、人に推薦するときは、そのもののよさを分かりやすくまとめたいです。

○教科書 p.193「ふりかえろう」を参考に、子供自身の学びを振り返らせる。

よりよい授業へのステップアップ

子供に達成感を

作成したパンフレットを学級内で完結させてしまうのはもったいない。図書館や全校児童が通る廊下に置いて、自由に見ることができるようにするのも一つの手である。放送等で全校児童に呼びかけることで、興味をもってくれる子供も増えるだろう。

授業で行った活動と同様に、読んでもらった人に感想を付箋紙に書いてもらうと、子供の達成感につながる。

全校への働きかけを行う際には、相手意識をもって取り組めるよう、単元導入時に伝えておくとよい。

1 第2時資料　話合いの例 12-01

推薦する相手を考える際には、自由に意見を出させ、それらを関係付けながら対象を絞っていくとよい。理由を言いながら付箋紙に書いた意見をホワイトボードなどに貼り、それぞれの意見をグループ化したり関係付けたりしていくと、視覚的に整理されていく。話合いを経てから推薦相手を決定することで、相手意識を明確にして活動に取り組むことができるだろう。

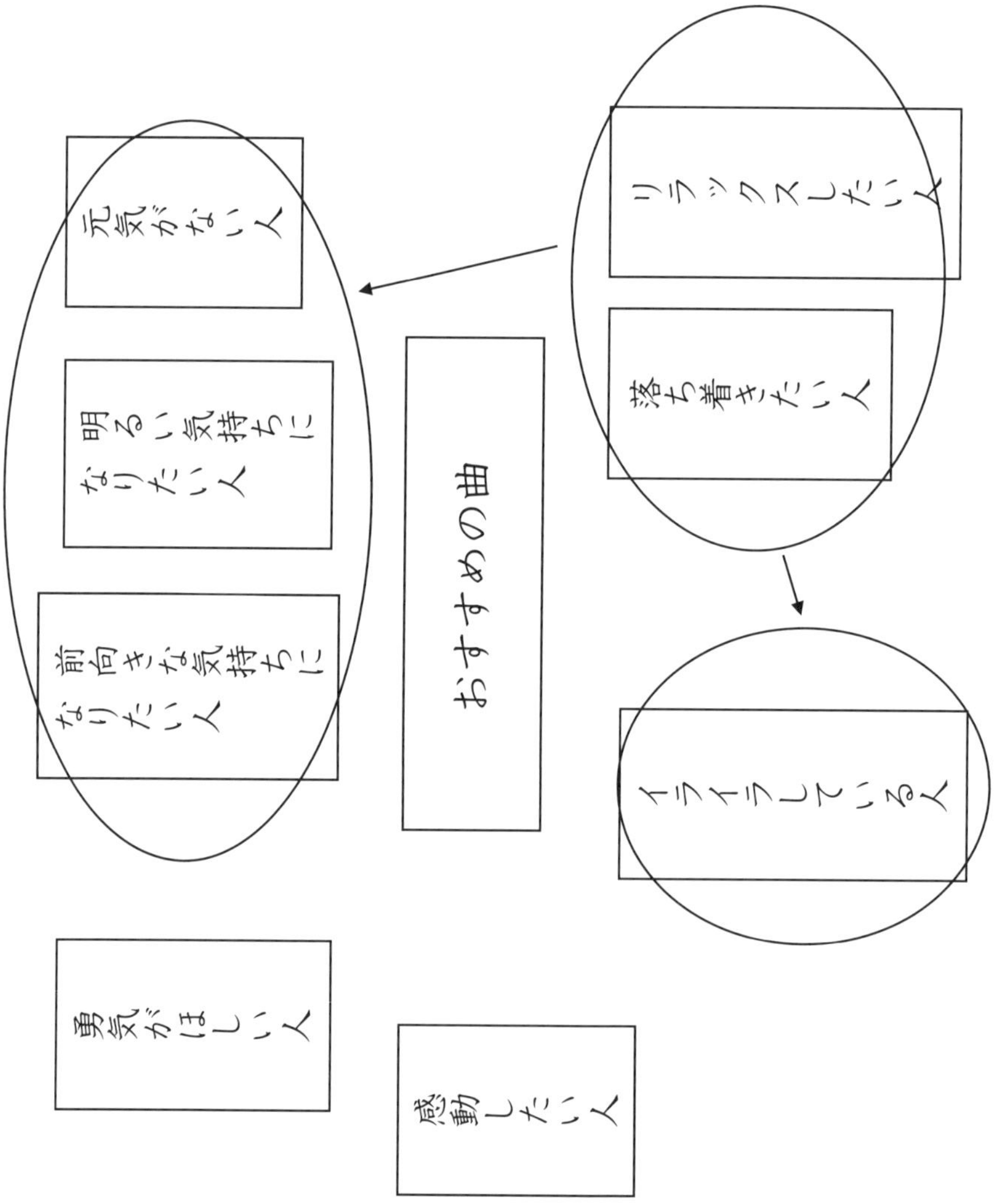

2 第3時資料　ワークシート 12-02

おすすめパンフレットを作ろう

名前（　　　　）

◎パンフレットの構成を考えよう。

教科書 p.190「パンフレットの構成の例」を画像印刷したもの

ページ	内容	担当
表紙・目次		
1		
2		
3		
4		
5		
6		
裏表紙		

◎割り付けを考えよう。

教科書 p.191「割り付けの例」を画像印刷したもの

3 第4時資料　ワークシート 12-03

おすすめパンフレットを作ろう

名前（　　　　）

◎どんなことに気を付けて書いたらいいだろうか。

◎自分が工夫するポイントを決めよう！

◎工夫をして下書きをしよう。

※下書き用の枠は、実際のパンフレットのサイズに合わせたものにする。

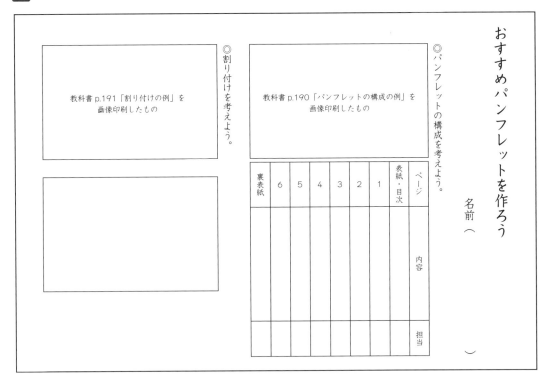

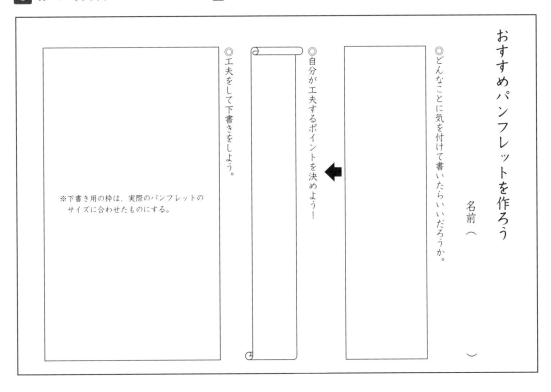

季節の言葉 4

冬のおとずれ （1時間扱い）

単元の目標

知識及び技能	・語句と語句との関係について理解し、語彙を豊かにするとともに、語感や言葉の使い方に対する感覚を意識して、語や語句を使うことができる。((1)オ)
思考力、判断力、表現力等	・目的や意図に応じて、感じたことや考えたことなどから書くことを選び、伝えたいことを明確にすることができる。(B ア)
学びに向かう力、人間性等	・言葉がもつよさを認識するとともに、進んで読書をし、国語の大切さを自覚して、思いや考えを伝え合おうとする。

評価規準

知識・技能	❶語句と語句との関係について理解し、語彙を豊かにするとともに、語感や言葉の使い方に対する感覚を意識して、語や語句を使っている。(〔知識及び技能〕(1)オ)
思考・判断・表現	❷「書くこと」において、目的や意図に応じて、感じたことや考えたことなどから書くことを選び、伝えたいことを明確にしている。(〔思考力、判断力、表現力等〕B ア)
主体的に学習に取り組む態度	❸積極的に季節を表す語彙を豊かにし、これまでの学習を生かして手紙を書こうとしている。

単元の流れ

次	時	主な学習活動	評価
一	1	「冬」からイメージするものを交流したり、二十四節気、短歌、俳句を読んで、大まかな意味を捉えたりする。 自分の身の回りで感じた「冬」の風景や体験について、手紙に書く。	❶ ❷❸

授業づくりのポイント

〈単元で育てたい資質・能力〉

本単元のねらいは、二十四節気を中心とした季節を表す言葉に親しみ、語彙を豊かにしたり、言葉に対する感覚を意識して使う力を育んだりすることである。現代は、気候変動の進行や行事に触れる機会の減少などにより、季節を感じられる機会が減っている。そのため、子供にとって、季節にまつわる言葉の語感を醸成したり、語彙を増やしたりすることが難しくなっていると言える。

本単元では、「春のいぶき」「夏のさかり」「秋の深まり」に続き、二十四節気にある冬の言葉や、短歌、俳句から、身の回りにある冬についてのイメージを広げていく。日本における文化や伝統への関心を深めつつ、季節を感じる言葉を豊かにすることが期待される。

[具体例]

○これまでの学習を振り返りつつ、二十四節気の言葉の区切りを確かめる。また、ICT 機器や写真等も活用し、冬についてのイメージを膨らませるような活動の工夫をする。

○短歌や俳句の音読に繰り返し取り組むことで、言葉のリズムや言い回しに慣れ、普段使い慣れない言葉にも関心をもたせたい。冬を表す言葉を意識しながら読み、短歌や俳句に描かれた冬の情景を思い浮かべることで、冬のイメージを更に広げていくことができるだろう。

〈言語活動の工夫〉

「冬」にまつわるイメージを膨らませ、語彙を豊かにした後、自分が感じた冬の風景や体験を振り返り、伝えたいことを手紙に表す活動に取り組む。

その際、自分が伝えたい事柄について、どのような言葉を選べばより読み手に伝わるのか、言葉を吟味するように促したい。また、手紙という形式上、相手意識をもち、誰に何を伝えるかを明確にしながら取り組むことが大切である。子供の「伝えたい」という思いを尊重しながら、意欲的に学ぶことができる活動となるようにする。

[具体例]

○自分の身の回りで感じる「冬」について、自由な雰囲気で共有できるよう、導入を工夫するとよい。その場面を思い返しながら、風景や心情にまつわる言葉を集めていくことで、手紙を書く準備をしていく。

○友達やお世話になった人など、身の回りの人たちを思い出し、伝える相手を意識して手紙を書けるようにする。

〈ICT の効果的な活用〉

共有：ICT 端末の撮影機能を用いて、身の回りの「冬」について写真を撮り、共有してもよい。

整理：ICT 端末のメモ機能や文書作成ソフトを用いて、手紙にしたいことをメモしたり、実際に手紙を書いたりする。手書きにする場合でも、それを下書きとして使うことができる。

表現：手紙だけでなく、描画ソフトを用いて描いた絵や ICT 端末に保存した写真などを添えてもよい。子供が伝えたい風景や体験について、読み手の想像を助けることができる。

本時案

冬のおとずれ　1/1

本時の目標

・「冬」にまつわる語句に触れて語彙を豊かにし、伝えたいことを進んで手紙に表すことができる。

本時の主な評価

❶冬に関する語句について、その語感や意味、使い方を理解して使っている。【知・技】
❷自分の身近な冬について、集めた語句を使って手紙を書いている。【思・判・表】

資料等の準備

・二十四節気を表すイメージの写真（教科書p.194～195のもの）
・歳時記等、季語を調べるための資料

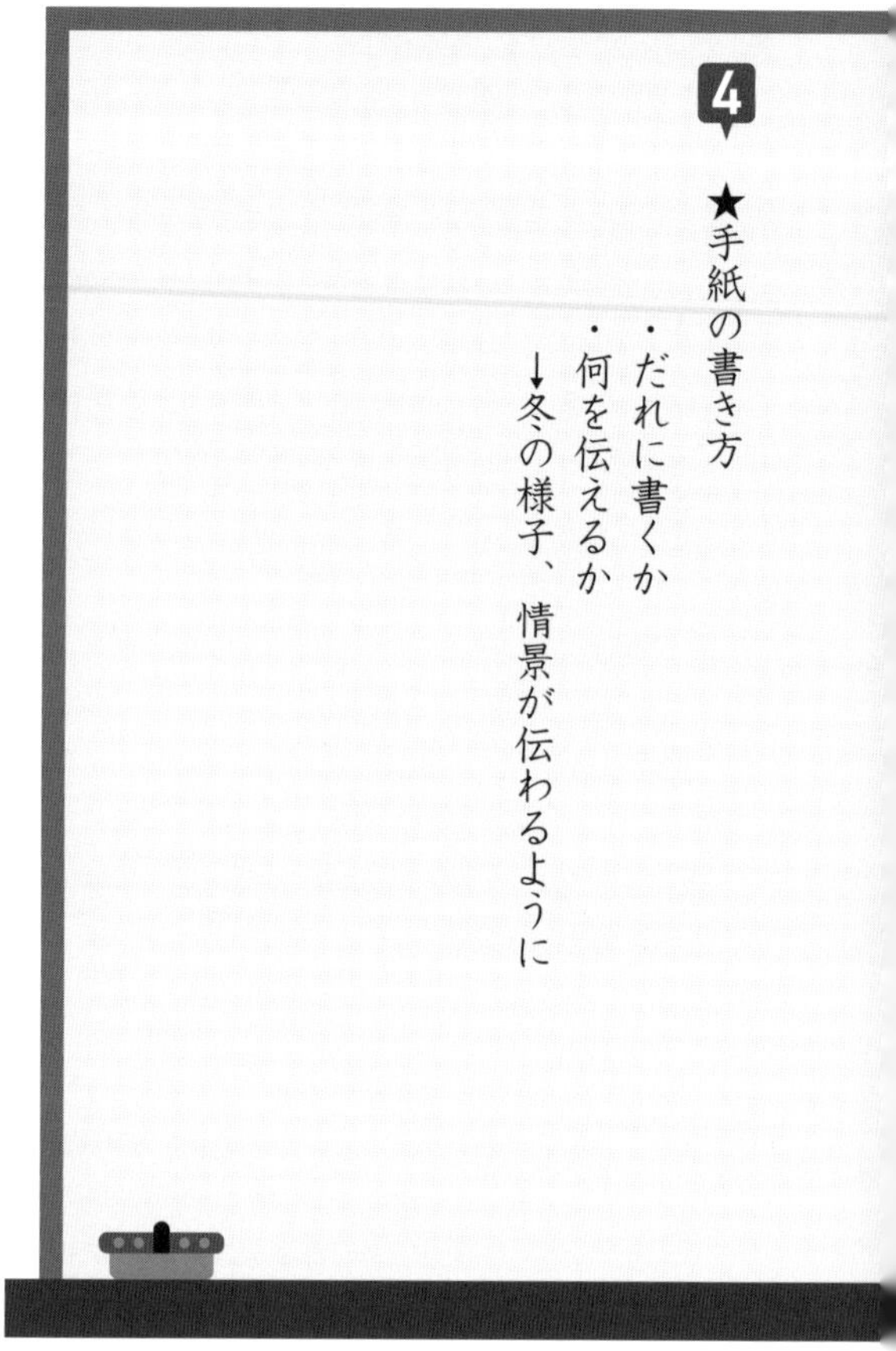

4
★手紙の書き方
・だれに書くか
・何を伝えるか
↓冬の様子、情景が伝わるように

授業の流れ ▷▷▷

1 二十四節気を確かめ、冬にまつわる言葉に出会う　〈10分〉

T　教科書にある、冬を表す二十四節気にある言葉を確かめましょう。
○写真を示しながら、二十四節気にある冬の言葉について押さえていく。
○暦の上では11月頃から冬とされることを押さえ、日常的に感じる感覚と違うことに気付かせたい。

ICT端末の活用ポイント

二十四節気にまつわるものでなくても、写真からイメージを共有することもできる。冬にまつわる写真を事前に配布しておいてもよい。

2 俳句や短歌から、冬の様子を想像する　〈10分〉

○教科書p.194～195にある冬の短歌や俳句を紹介し、音読しながら、言葉の調子や響き、リズムに親しむ。
T　これらの短歌や俳句からは、どのような冬の様子が想像できますか。
・「新しい」冬が来た、という表現が印象に残りました。
・グラタンを食べてみたら熱かった経験は、自分にもあります。
・冬の星空がいつもよりきれいだった様子がよく伝わります。

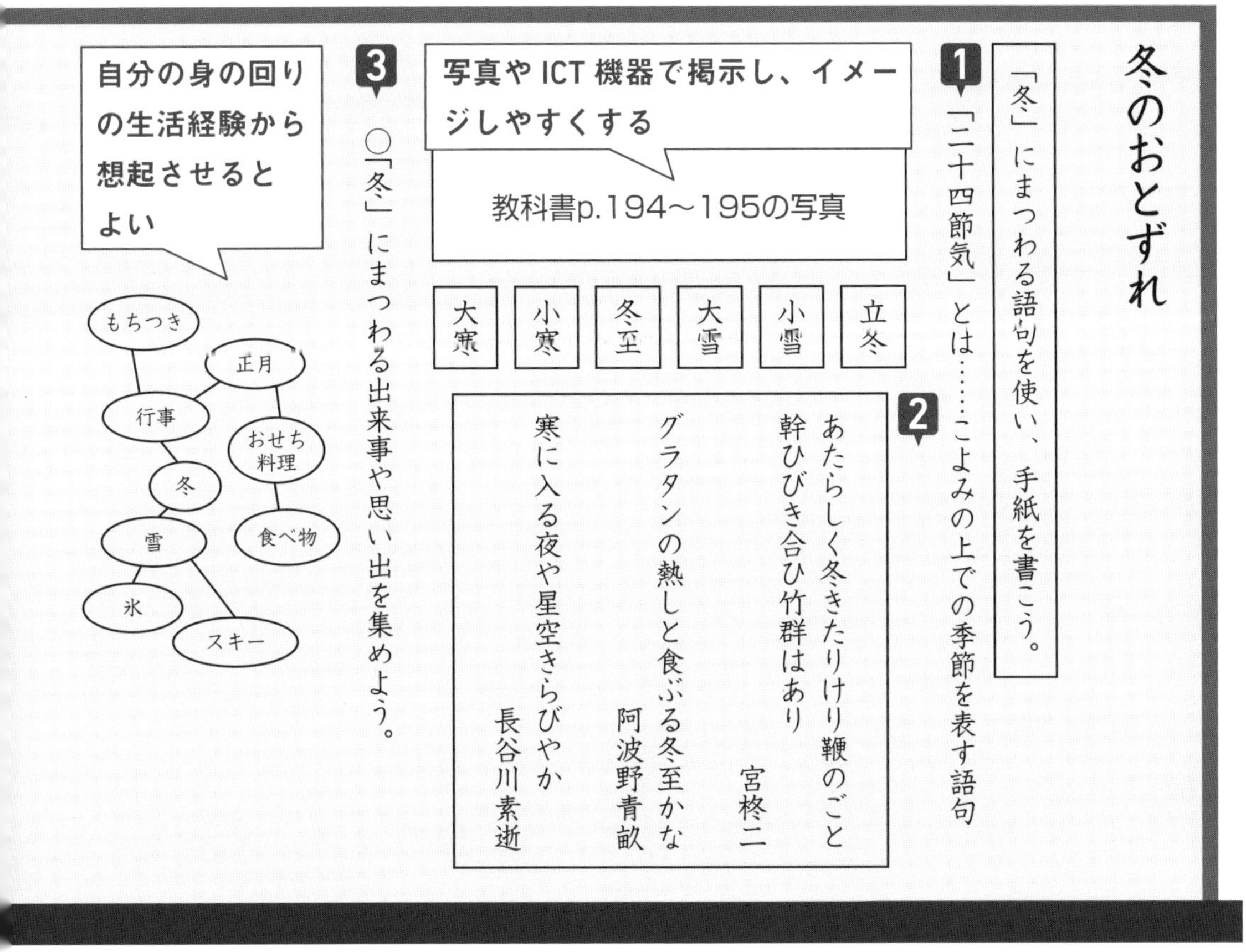

冬のおとずれ
1
「冬」にまつわる語句を使い、手紙を書こう。
「二十四節気」とは……こよみの上での季節を表す語句
写真やICT機器で掲示し、イメージしやすくする
教科書p.194～195の写真
立冬
小雪
大雪
冬至
小寒
大寒
2
あたらしく冬きたりけり鞭のごと
幹ひびき合ひ竹群はあり
宮柊二
グラタンの熱しと食ぶる冬至かな
阿波野青畝
寒に入る夜や星空きらびやか
長谷川素逝
3
○「冬」にまつわる出来事や思い出を集めよう。
自分の身の回りの生活経験から想起させるとよい
もちつき
正月
行事
おせち料理
冬
食べ物
雪
氷
スキー

3 友達やお世話になった人に手紙を書く 〈25分〉

T　生活を振り返り、冬の風景や出来事、体験を思い出しましょう。イメージマップを活用して語句を集めるのもいいですね。

・お正月に初詣に行ったことを友達に伝えたいです。

・スキーに行ってたくさん滑ったことや、一面真っ白な景色がきれいだったことを家族に伝えたいです。

○何を書いていいか分からない子供には、友達と対話させて書きたいことを想起させることも有効である。

○イメージマップは、書きたいことを確かめる方法の一つとして紹介する程度としたい。

○手紙の書き方について簡単に押さえておくと、その後の活動がスムーズになる。

ICT等活用アイデア

文書作成ソフトで下書きをする

本単元は、冬にまつわる風景や出来事から「手紙」を書くという言語活動を設定している。相手意識や目的意識の明確な活動であるため、できれば手書きで仕上げさせたい。

一方で、下書きもなく唐突に清書を書くことに抵抗のある子供も少なくない。そこで、文書作成ソフトによる下書きを活用していく。誤字や脱字が減るだけでなく、書きそびれたエピソードや思いを付け足したり、内容を入れ替えたりすることもできる。子供の実態に応じて取り入れたい方法である。

詩の楽しみ方を見つけよう

詩を朗読してしょうかいしよう　（2時間扱い）

単元の目標

知識及び技能	・詩を朗読することができる。(⑴ケ) ・日常的に読書に親しみ、読書が、自分の考えを広げることに役立つことに気付くことができる。(⑶オ)
思考力、判断力、表現力等	・詩を読んでまとめた意見や感想を共有し、自分の考えを広げることができる。(C カ)
学びに向かう力、人間性等	・言葉がもつよさを認識するとともに、進んで読書をし、国語の大切さを自覚して、思いや考えを伝え合おうとする。

評価規準

知識・技能	❶詩を朗読している。(〔知識及び技能〕⑴ケ) ❷日常的に読書に親しみ、読書が自分の考えを広げることに役立つことに気付いている。(〔知識及び技能〕⑶オ)
思考・判断・表現	❸「読むこと」において、詩を読んでまとめた意見や感想を共有し、自分の考えを広げている。(〔思考力、判断力、表現力等〕C カ)
主体的に学習に取り組む態度	❹進んで詩を朗読し、これまでの学習を生かしてお気に入りの詩を紹介しようとしている。

単元の流れ

次	時	主な学習活動	評価
一	1	3編の詩の読み聞かせを聞く。 3編の詩を音読する。 3編の詩から感じた様子や思いを話し合う。 言葉から受けた印象を表現することを意識して、3編の詩を読む。 音読と朗読の違いについて、感じたことを話し合う。	 ❷ ❸
二	2	自分で一つ詩を選んで朗読の練習をする。 自分が朗読している様子をICT端末で記録し、学習支援ソフトで共有する。 友達の朗読を聞いて、よい点を伝え合う。	❶❹

授業づくりのポイント

〈単元で育てたい資質・能力〉

本単元のねらいは、詩から感じた様子や思いを声に乗せて表現する力を育むことである。そのためには、詩からどのような様子や思いを感じ取れるかを読み取るとともに、多彩な表現方法を獲得することが必要となる。詩から感じた様子や思いを的確に表現する読み方を子供と探り、実際に朗読することで適切な表現となっているか確かめていきたい。高学年になり、気恥ずかしさが出てくる時期ではあるが、詩の新たな楽しみ方に気付かせるようにする。

〈教材・題材の特徴〉

3 編の詩について構成とポイントを紹介していく。

・「〈ぽくぽく〉」:「ぽくぽく」という音を反復させることで、時間の流れと思考の流れを表現している。「ぽくぽく」という言葉を境にして、「にがい」が「花がさいたように」という言葉に変化している。「ぽくぽく」「にがい」「花がさいたように」の表現の仕方がポイントになってくる。

・「動物たちの恐ろしい夢のなかに」:人間と動物の関係を改めて考えさせられる内容になっている。最後の「人間がいませんように」という言葉が詩に緊張感を与える構成となっている。第 1 連の柔らかい穏やかな様子と、第 2 連の背筋が伸びる様子の違いを捉えさせたい。

・「うぐいす」:リズムよくウグイスの声を表現している。リズムよく読みつつ、最後の「しん、とする」の部分でメリハリを付けることで、表現に豊かさが出てくる。

〈言語活動の工夫〉

表現に対する意欲を引き出すためには、じっくり詩を味わい、その中から自分が気に入ったものを選び出すことが不可欠である。そのために、課外で詩集を読み味わう時間を十分確保したい。第 1 時と第 2 時の間の時間を空けたり、学級文庫に詩集コーナーをつくって並行読書をさせたりするなど、学習計画に工夫が必要である。朗読する際には、自分がどんな点に注意して朗読するのか紹介させていきたい。そうすることで、子供が全体での学習を生かしていることと、子供が主体的に考えを深めていることを教師が評価し、子供にフィードバックすることができる。

〈ICT の効果的な活用〉

共有:子供が互いの朗読を聞き合い、よさを伝え合わせていく。ICT 端末を活用することで自分のペースで発表を聞くことができ、繰り返し再生することも可能となる。じっくり聞き、友達のよさを見いだすことで、教師と子供の間だけでなく、子供同士でも肯定的な言葉かけをすることができる。

記録:朗読を披露する際には、子供に動画や音声で ICT 端末に記録させる方法を採る。こうすることで、高学年によくある恥ずかしさを取り除き、自分のペースで集中して朗読することができる。この方法に慣れておけば、外国語科や音楽科などの時間でも応用することが可能になる。

本時案

詩を朗読してしょうかいしよう 1/2

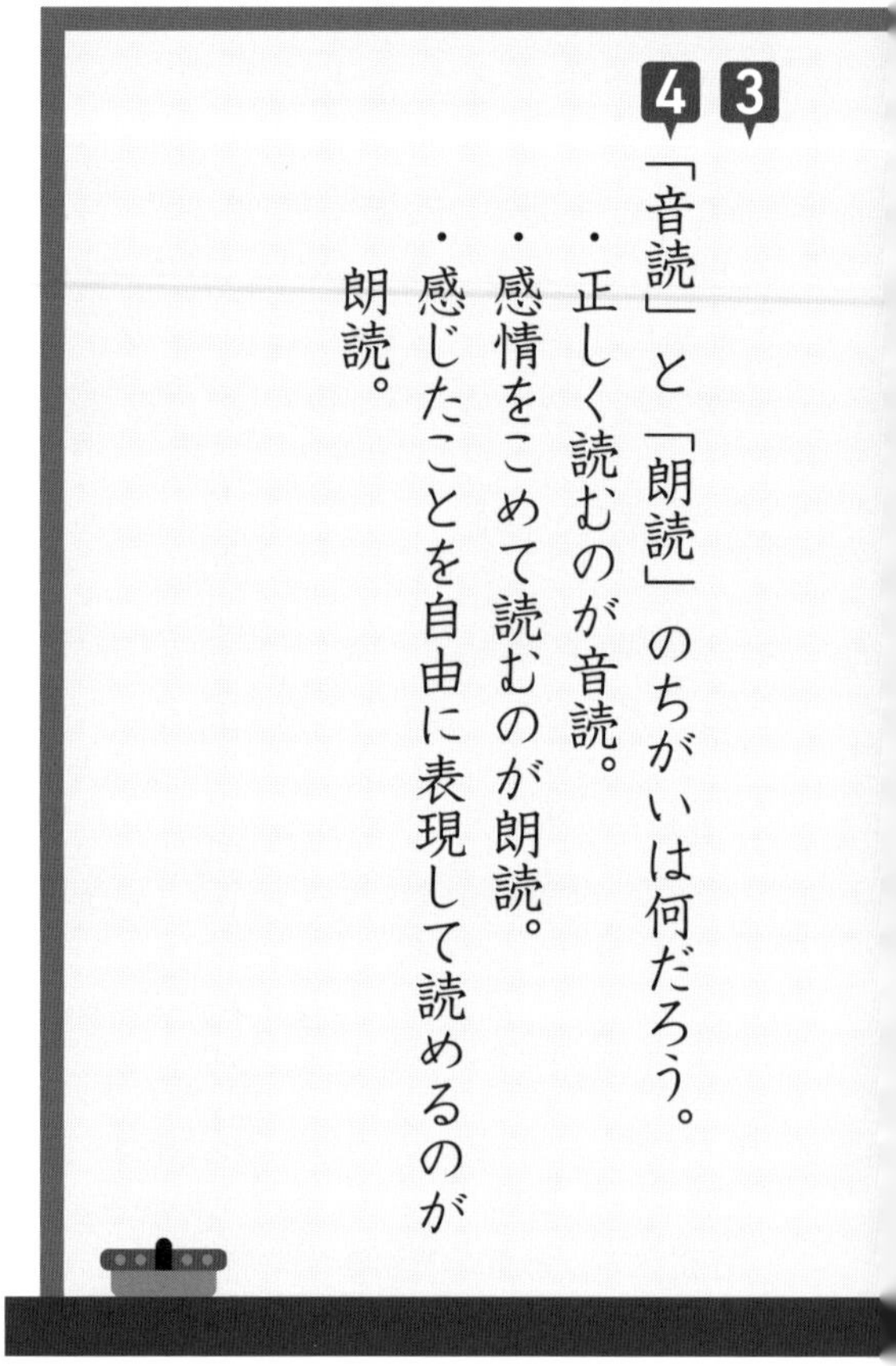
3
4
「音読」と「朗読」のちがいは何だろう。
・正しく読むのが音読。
・感情をこめて読むのが朗読。
・感じたことを自由に表現して読めるのが朗読。

本時の目標

・詩から感じたことを伝え合い、感じ取った様子を表現して朗読することができる。

本時の主な評価

❷詩を読んで感じた内容を話し合い、朗読を通して詩を楽しめることに気付いている。【知・技】

❸詩を読んで感じたことを話し合い、音読との違いについて自分なりの考えをまとめている。【思・判・表】

資料等の準備

・3編の詩の拡大コピー（ICT 機器で代用可）

授業の流れ ▷▷▷

1 3編の詩を読み、めあてを確認する 〈10分〉

○3編の詩の範読を聞き、音読する。

T　新しく3編の詩を紹介します。聞いた後はみなさんも読んでみましょう。

○本時のめあてを確認する。

T　めあてにある「朗読」とは何でしょう。

・朗らかに読むこと？

・分かりません。

T　今日は「朗読」とはどんなものか、体験しながら理解してもらいます。

2 3編の詩から感じた様子や感情を話し合う 〈15分〉

○それぞれの詩を読み、感じたことを話し合う。

T　「〈ぽくぽく〉」を読んでどんなことを感じましたか。

・悩んでいたことがだんだんなくなっていく様子が伝わってきました。

・ぽくぽくしているうちに、心が軽くなる感じがしました。

T　「動物たちの恐ろしい夢のなかに」はどうですか。

・動物たちを大切にしていると感じました。

・人間はもしかしたら恐れられているのかもしれないと思いました。

○「うぐいす」についても同様に聞いていく。

詩を朗読してしょうかいしよう

1 音読と朗読のちがいを感じよう。

2

「〈ぽくぽく〉」の拡大コピー

「動物たちの恐ろしい夢のなかに」の拡大コピー

「うぐいす」の拡大コピー

・なやんでいたことがだんだんなくなっていく様子。
・心が軽くなる。
・作者は動物たちを大切にしている。
・人間はもしかしたらおそれられているのかもしれない。
・こわがられたくない。
・自然豊かな場所で、静かなイメージ。
・うぐいすの声が遠くまでひびき渡る。
・寒くてきん張感がある。

3 感じたことを表現するように3編の詩を読む　〈10分〉

○話し合ったことを生かして3編の詩を読む。

T　今話し合ったことを、詩を読むことで表現できるでしょうか。実際に3編の詩を読んでみましょう。お互いに聞き合ってアドバイスをするのもいいですね。

・難しいな。
・私の読み方を聞いてくれる？
・その読み方上手。悩みがなくなっているのが伝わってくる。

○子供同士のよかったやり取りを教師が全体に伝えていく。

ICT端末の活用ポイント

友達とコミュニケーションを取ることが苦手な子供もいる。学習支援ソフトなどに音声を録音し、自分で聞き直すこともできる。

4 音読と朗読の違いを考える　〈10分〉

○音読と朗読の違いを考える。

T　この時間の初めに行ったのが「音読」です。今みなさんが行ったのが「朗読」です。どんな違いがありますか。

・音読は正しく読むことが大切です。
・朗読は感情を込めて読むことができます。
・音読より自由に読めるので楽しいです。

○次時の見通しをもつ。

T　次の時間は、どれか一つの詩を朗読して読み方のよい点を見付けてみましょう。

ICT端末の活用ポイント

次時では各自で朗読の練習をするので、ここでの話合いを写真やテキストで記録し、全員に共有しておきたい。

本時案

詩を朗読してしょうかいしよう 2/2

本時の目標

・詩を読んで感じたことを朗読で表現することができる。

本時の主な評価

❶詩を朗読している。【知・技】
❹詩を朗読することに挑戦し、自分が感じたことを表現しようとしている。【態度】

資料等の準備

・前時の学習の記録

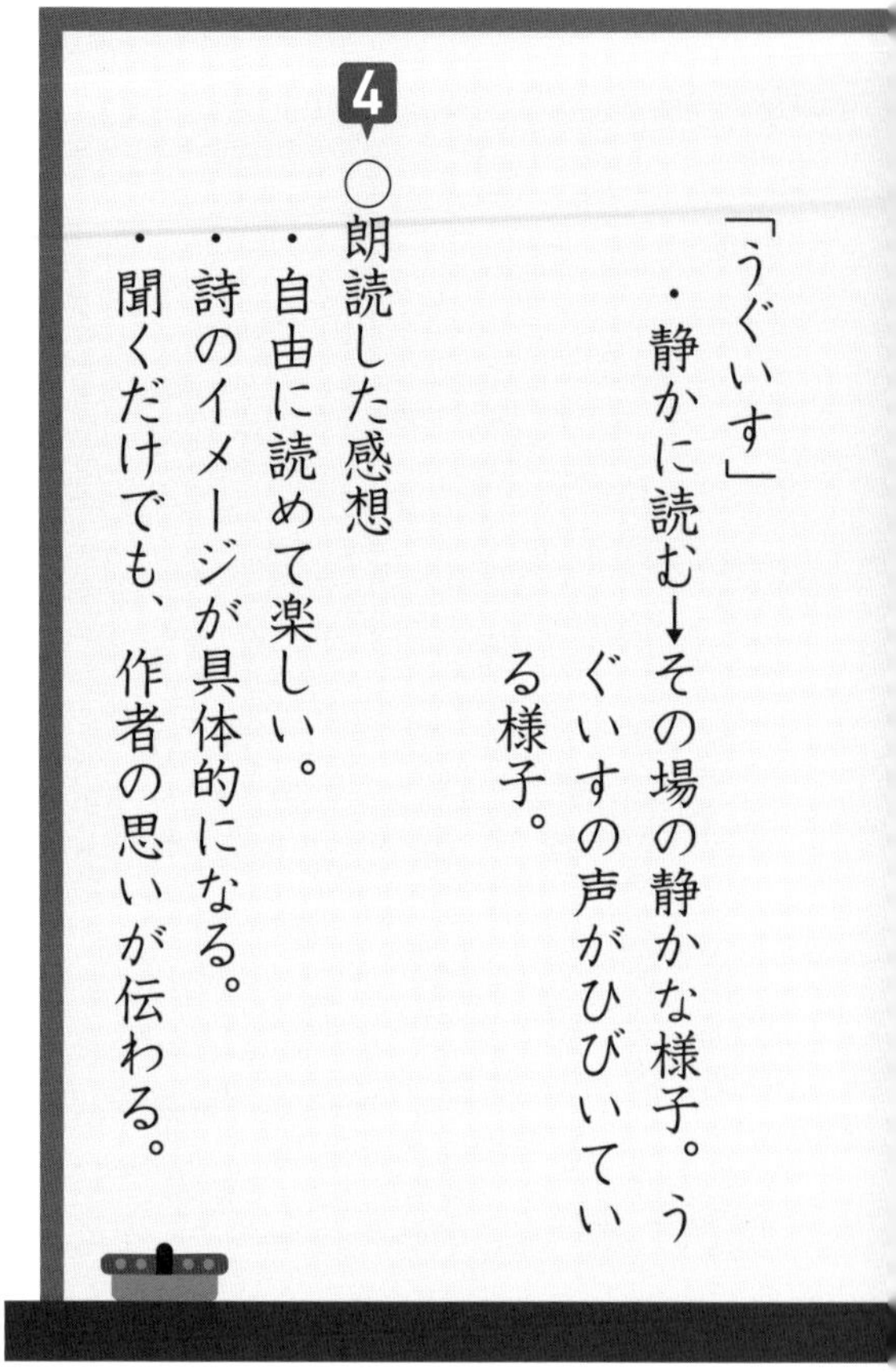

「うぐいす」
・静かに読む→その場の静かな様子。うぐいすの声がひびいている様子。
4
○朗読した感想
・自由に読めて楽しい。
・詩のイメージが具体的になる。
・聞くだけでも、作者の思いが伝わる。

授業の流れ ▷▷▷

1 本時のめあてを確認する 〈5分〉

○前時を振り返る。
T　前回から朗読とは何かを学習していますね。音読と朗読の違いにはどのようなものがありましたか。
・音読は正しく読むことが大切です。
・朗読は感情を込めて読めます。
・感じたことや考えたことを自由に表現できるのが朗読です。
○本時のめあてを確認する。
T　今日は一つ詩を選んで、朗読してみましょう。朗読を聞き合い、よいところを見付けていきます。

ICT 端末の活用ポイント

前時の学習内容を子供に共有する。こうすることで朗読する際のヒントになる。

2 朗読の練習をして、ICT 端末に記録する 〈20分〉

○朗読の練習をして、ICT 端末に録音する。
T　前回、詩を読んで感じたことを意識して朗読しましょう。各自で ICT 端末に録音して、学習支援ソフトに送ってください。送るときは、自分がどんなことに気を付けて朗読したのかを書きましょう。活動中に友達と聞き合いながら進めてもかまいません。
・読んでみるから、聞いて。
・そこはゆっくり読んでみたらどう？
・声を小さくしたり大きくしたりすると、印象が変わるね。上手。

ICT 端末の活用ポイント

子供から送られてきた朗読データは共有設定にしておく。苦手意識のある子供は友達の読み方を参考にして、読むことが可能になる。

詩を朗読してしょうかいしよう

1

朗読を聞き合い、よいところを見つけよう。

○音読と朗読のちがい
・音読→正しく読む
・朗読→感情をこめて読む。
感じたことや考えたことを自由に
表現。

2

3

○友達の朗読のよいところ
「〈ぽくぽく〉」
・ゆっくり読む→まりをついている様子
・声の高さ→悩みが解決していく様子
「動物たちの恐ろしい夢のなかに」
・強調→伝えたい言葉を強く読み、こわ
い印象を与える。作者の思いを
伝えられる。

3 友達の朗読を聞き、よいところを伝え合う 〈10分〉

○友達の朗読を聞き、上手だと思うことを伝え合う。

T　共有されたデータを聞いてみて、上手だと思う人を教えてください。

・○○さんが上手です。まりをついている様子を声の高さを変えて表現していました。

・△△さんは「恐ろしい」と「人間」という言葉を強調して読んでいるので、聞いていてちょっと怖くなりました。

・□□さんは、ウグイスの声が遠くまで聞こえるように、静かに読んでいました。

ICT 端末の活用ポイント

音声データだけでなく、自分が気を付けたところを記録させておくことで、子供が聞く際の視点になる。

4 朗読をしてみた感想を伝え合う 〈10分〉

○学習を振り返る。

T　初めて朗読してみましたが、どうでしたか。感想を教えてください。

・最初は恥ずかしかったけれど、自由に読めるので楽しくなってきました。

・これまでは詩を読むときに、その場を想像するだけで終わっていたけれど、読み方を工夫するとイメージがもっと具体的になっていいなと思いました。

・友達の朗読を聞くだけでも作者の思いが伝わってきたから驚きました。

書くときに使おう

知ってほしい、この名言　（2時間扱い）

単元の目標

知識及び技能	・情報と情報との関係付けの仕方、図などによる語句と語句との関係の表し方を理解し使うことができる。((2)イ)
思考力、判断力、表現力等	・目的や意図に応じて、感じたことや考えたことなどから書くことを選び、集めた材料を分類したり関係付けたりして、伝えたいことを明確にすることができる。(B ア)
学びに向かう力、人間性等	・言葉がもつよさを認識するとともに、進んで読書をし、国語の大切さを自覚して、思いや考えを伝え合おうとする。

評価規準

知識・技能	❶情報と情報との関係付けの仕方、図などによる語句と語句との関係の表し方を理解し使っている。(〔知識及び技能〕(2)イ)
思考・判断・表現	❷「書くこと」において、目的や意図に応じて、感じたことや考えたことなどから書くことを選び、集めた材料を分類したり関係付けたりして、伝えたいことを明確にしている。(〔思考力、判断力、表現力等〕B ア)
主体的に学習に取り組む態度	❸進んで集めた材料を分類したり関係付けたりし、学習課題に沿って名言を紹介しようとしている。

単元の流れ

次	時	主な学習活動	評価
一	1	学習の見通しをもつ 名言だと思う言葉を集める。 集めた言葉を整理する。	❶❷
	2	選んだ名言をカードに書いて、紹介し合う。 学習を振り返る 学習を振り返る。	❸

授業づくりのポイント

〈単元で育てたい資質・能力〉

ここでは、集めた言葉（情報）が自分とどのような関係にあるのか、分類・整理することで明確にし、書いて伝えたいことをはっきりさせることが求められている。

集めた言葉を付箋に書き出し、その言葉を「みんなに教えたい言葉」「自分にとって大事な言葉」という観点で見直していく。図上のどこに位置付くのか、付箋を動かしながら吟味していくことで、自分にとって大事であると同時にみんなに教えたい言葉が次第に絞り込まれていく。それゆえ、絞り込んだ言葉については、どうしてその言葉を選んだのか理由を明らかにしながら活動させることが重要である。自分にとって必要な言葉はどんなものなのか、自分自身にしっかり向き合うようにしたい。

［具体例］

○教科書では、２軸を用いて、付箋の操作で整理する方法が例示されている。他にも集めた言葉を絞り込むような構成のワークシートを用いて、集めた言葉が自分とどのような関係にあるか吟味する方法もある（資料参照）。学級の実態に応じて、様々な方法を使い分けるとよいだろう。

〈教材・題材の特徴〉

第６学年は、思春期を迎え、様々な人物の生き方や言葉に影響を受ける子供も多い。それゆえ、自分にとって大事な言葉という題材は、高学年のこの時期に非常に適したものである。

自分にとって価値ある大事な言葉とは、必ずしも歴史上の偉人の名言とは限らない。格言やことわざはもちろんのこと、身近な人物の言葉やスポーツ選手の言葉、アニメや漫画の登場人物の言葉なども挙げられるだろう。広い視野で言葉を集めるようにしたい。教科書の例として示された言葉について、誰の言葉か、全体で確認することで、言葉を集める視野を広げることができるだろう。

［具体例］

○単元に入る前に、教師が意図的に選んだ言葉を、一定期間、朝の会で紹介するとよいだろう。名言という視点から言葉に対する意識を高めておくことで、第１時に自然に入ることができる。

○この学習に入る前に、学校図書館と連携して、名言や格言、ことわざ等に関連する書籍を集めておくとよい。伝記に触れさせてもよいだろう。

〈学習計画の工夫〉

言葉を集める時間をできるだけ確保したい。この学習をより意義あるものにするためには、子供が言葉を集めたり、吟味したりする活動を丁寧に行うことが不可欠である。それゆえ、学習計画を柔軟に設定し、課外の時間を活用して言葉を集める時間を取ったり、第１時と第２時の間を数日空けたりして、子供がしっかりと言葉に向き合えるように配慮したい。一度言葉を選んだものの、数日経ってから「やはりこちらの言葉にしたい」という子供も現れるだろうし、それを受け止められる学習計画が必要である。

〈ICT の効果的な活用〉

調査：教科書でも示されているが、言葉を集める際にインターネットを活用するとよい。名言については、現在、様々なホームページで紹介されている。

交流：学習支援ソフトを用いて、個々に選んだ言葉を共有することもできる。その言葉の意味や、自分がどうしてその言葉を選んだのかなど、詳細については直接的な交流が望ましいだろう。

本時案

知ってほしい、この名言 1/2

本時の目標

・名言だと思う言葉を集め、目的に沿ってその言葉を整理し、伝えたいことを明確にすることができる。

本時の主な評価

❶集めた言葉を目的に沿って整理し、紹介するために絞り込む方法を理解している。【知・技】
❷目的に沿って言葉を集め、その言葉を観点に沿って整理し、伝えたいことをはっきりさせている。【思・判・表】

資料等の準備

・名言を紹介している図書資料
・教科書 p.198の図の拡大コピー（ICT 機器で代用可）
・ワークシート 15-01
・付箋

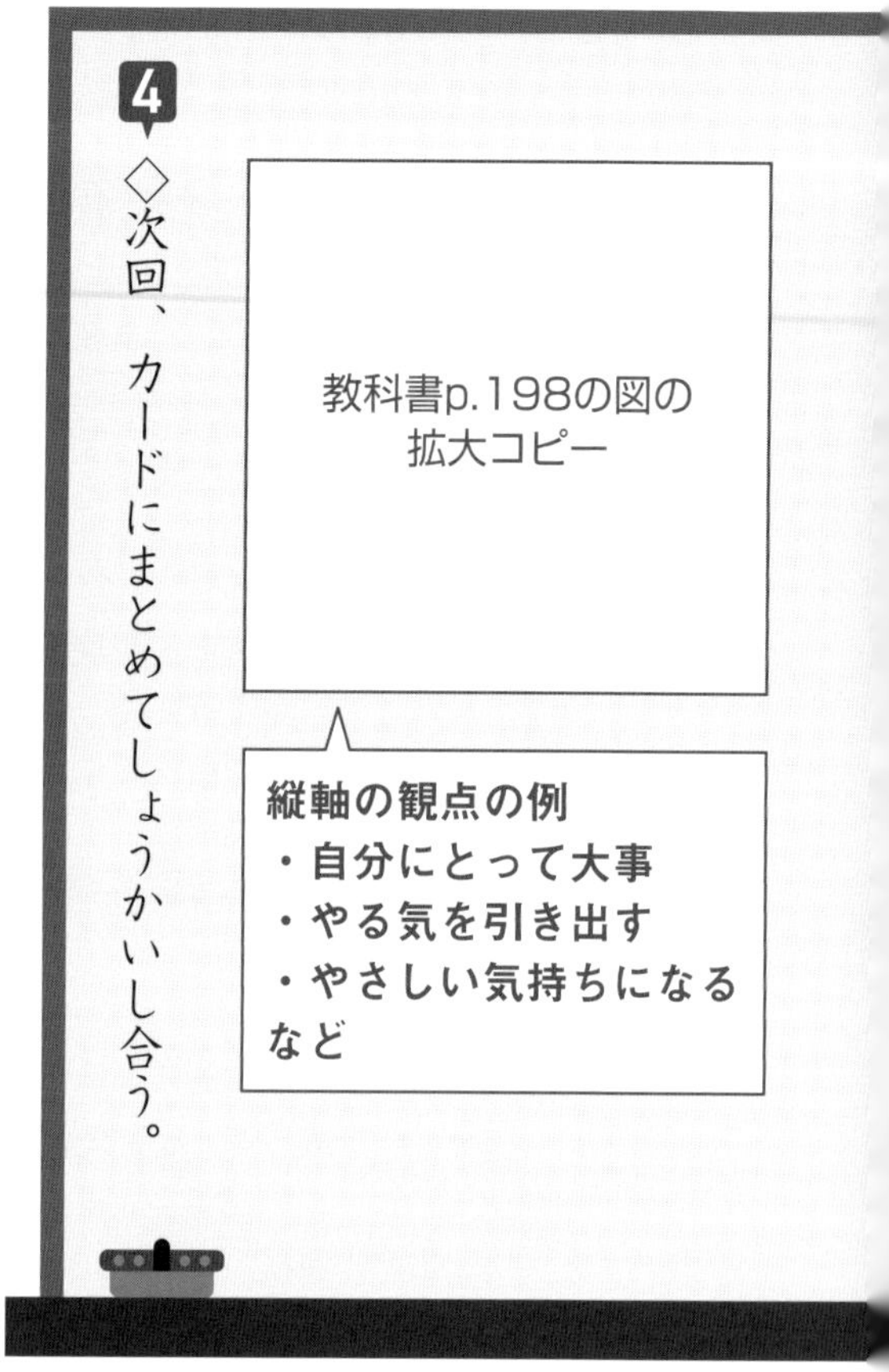
4
◇次回、カードにまとめてしょうかいし合う。
教科書p.198の図の拡大コピー
縦軸の観点の例
・自分にとって大事
・やる気を引き出す
・やさしい気持ちになる
など

授業の流れ ▷▷▷

1 名言に触れ、学習の見通しをもつ〈5分〉

○教師が選んだ名言をいくつか紹介する。
T　みなさんは、こんな言葉を知っていますか。
「どうしてもだれかを助けたいと思うとき、本当の勇気がわいてくる」（やなせたかし）
「雨だれ石をうがつ」（ことわざ）
「己の欲せざる所は、人に施すこと勿かれ」（孔子）　等
○歴史上の人物や文化人、知人の言葉、ことわざや故事成語など、広い領域から言葉を紹介するようにする。
・この言葉は聞いたことあるな。
・いい言葉だな。
T　この単元では、名言だなと思う言葉を集めて、紹介し合います。

2 自分が名言だと思う言葉を集める〈25分〉

T　みなさんもこの言葉は名言だなと思う言葉を集めてみましょう。
○学校図書館や地域の図書館と連携し、資料となる書籍を準備しておく。複数の書籍を手に取って見付けられるように、言葉に触れる時間を十分確保する。
○集めた言葉は、一つずつ付箋に書き出すようにする。
・スポーツ選手の言葉も心打たれるな。
・いい言葉だな。大事にしたいな。

ICT 端末の活用ポイント

名言を紹介しているホームページは多数存在する。図書資料と併用して、ICT 端末で閲覧する時間を取ってもよい。

知ってほしい、この名言

1

名言だと思う言葉を集めて、整理しよう。

「どうしてもだれかを助けたいと思うとき、本当の勇気がわいてくる」（やなせたかし）
「雨だれ石をうがつ」（ことわざ）
「己の欲せざる所は、人に施すこと勿かれ」（孔子）

2

→自分が名言だと思う言葉を集めて、しょうかいし合う。

◇言葉の集め方
・図書資料
・ICT端末
→集めた言葉は一つずつふせんに書く。

3

◇集めた言葉を整理する。
自分で観点を決めて、整理する。

3 集めた言葉を整理する 〈12分〉

T　集めた言葉を「自分にとって大事か」「みんなに教えたいか」など観点を決めて整理し、本当に紹介したい言葉に絞り込んでいきましょう。

○教科書 p.198の図の例を示し、その言葉が２軸のどこに位置するか、貼り付けることで整理することを確かめる。

○縦軸・横軸に観点を設ける。横軸の項目を共通にして、縦軸を自分で考えさせると活動のねらいに沿って整理されるだろう。

・ぼくは、背中を押してくれる言葉をテーマにして、紹介したい言葉を見付けたいな。
・「雨だれ石をうがつ」という言葉は、目標に向かって頑張るときに必要な言葉だな。

4 次の時間の見通しをもつ 〈３分〉

T　次の時間は、紹介したい言葉をカードにまとめて、紹介し合います。

○休み時間や家庭学習で更に言葉を集めたり、整理したりできるように、次の時間までに数日空けるとよい。

・休み時間にもう少し調べてみたいな。
・家の人が思う名言を聞いてみたいな。
・自分にとってはやっぱりこの言葉を大事にしたいけれど、もう少し考えてみようかな。

本時案

知ってほしい、この名言　2/2

本時の目標

・伝えたいことを明確にして、自分が選んだ言葉を紹介することができる。

本時の主な評価

❸自分が選んだ言葉について、その意味や選んだ理由をはっきりさせて、進んで紹介しようとしている。【態度】

資料等の準備

・ワークシート ⤓ 15-02
・教科書 p.199のカード例の拡大コピー（ICT機器で代用可）

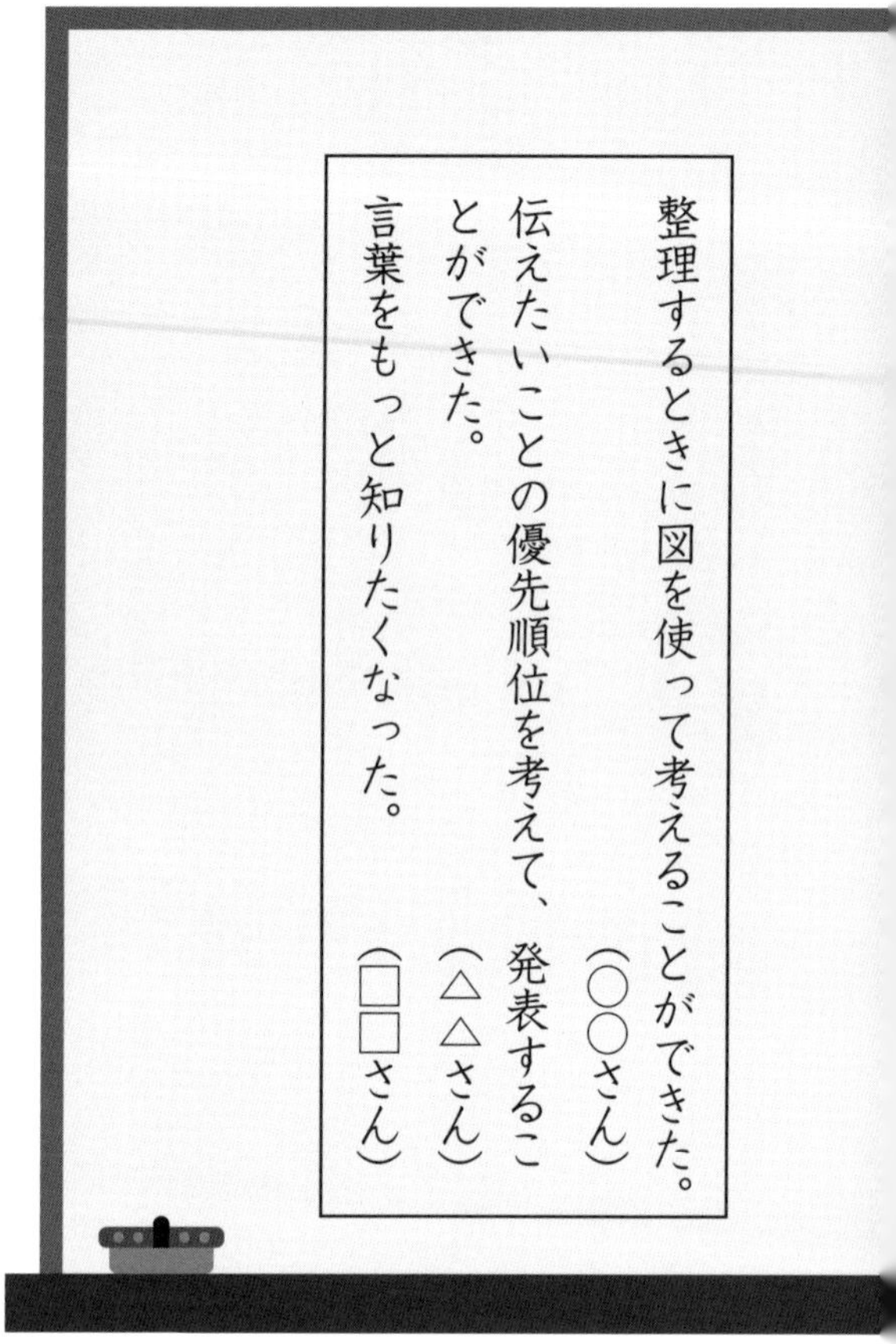

整理するときに図を使って考えることができた。
（〇〇さん）
伝えたいことの優先順位を考えて、発表することができた。
（△△さん）
言葉をもっと知りたくなった。
（□□さん）

授業の流れ ▷▷▷

1 カードにまとめる方法を確かめる 〈5分〉

〇今日の学習の確認をする。

T　今日は、前回集めて整理した言葉の中からいくつかを選んで、カードに書いて紹介し合います。必ず、誰の言葉なのか、出典を明らかにすることと、その言葉の意味や紹介したい理由を明らかにして、まとめるようにしましょう。

〇教科書 p.199のカード例を示し、留意点がどこに書かれているか照応させるとよい。

〇子供の実態によっては、まとめる話型を示すとよい。

例「この言葉は〇〇の言葉です。……という意味です。私は、～（感想を書く）」

2 選んだ言葉をカードに書いて、紹介し合う 〈30分〉

T　それでは、カードにまとめてみましょう。

〇前時に整理した言葉を振り返るように助言する。

〇カードに書いて紹介する言葉は、三つ程度にするとよい。出典や言葉の意味、選んだ理由を丁寧に書き記すように促す。

T　それでは、小グループになって、カードを見せ合って、選んだ言葉を紹介し合いましょう。友達が紹介した言葉の中から印象に残ったものは、ノートに書いておきましょう。

〇紹介する方法は、他に帯活動として、朝の会で紹介する時間を取る方法もあれば、掲示して読み合う方法も考えられる。学級の実態に応じて工夫するとよい。

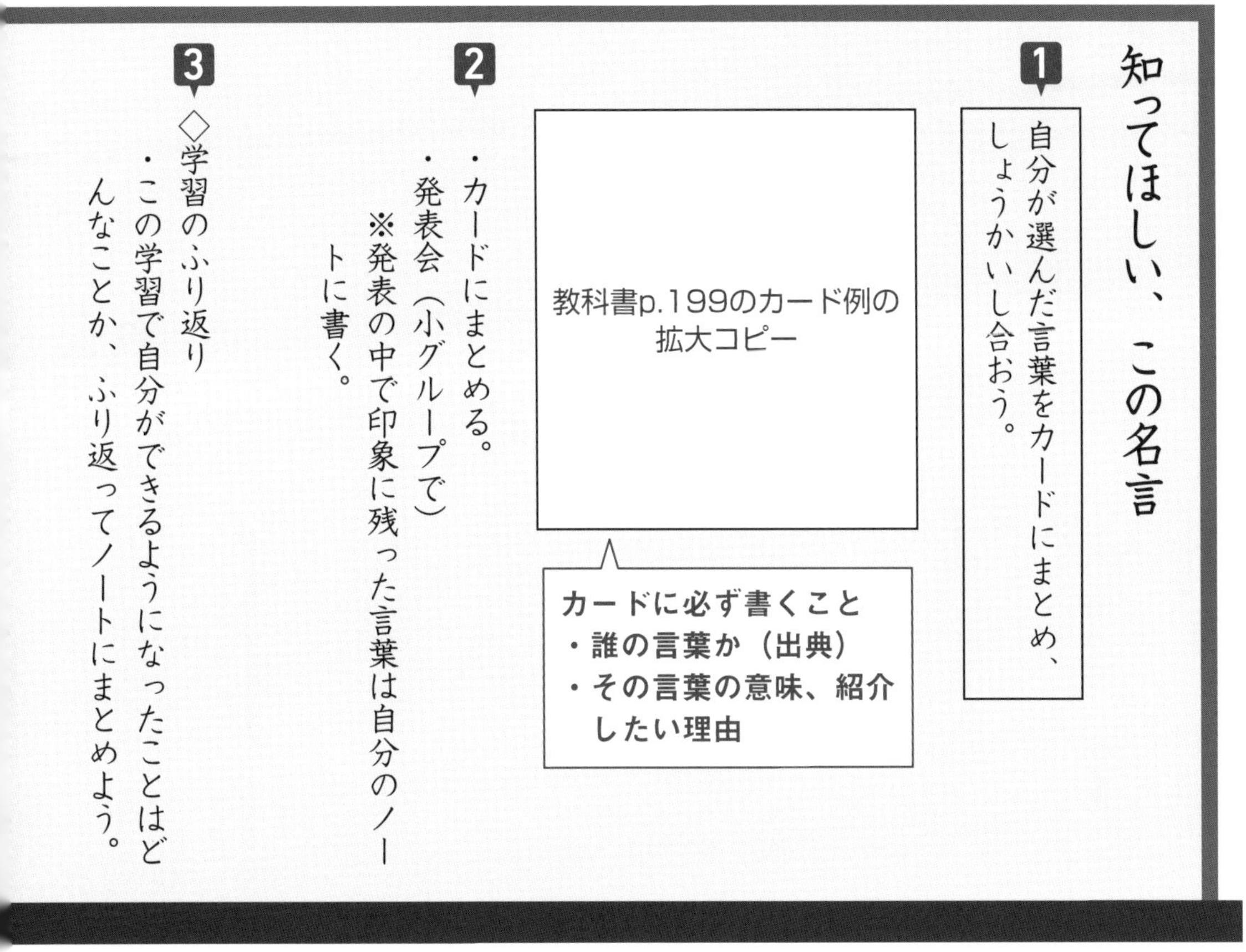
知ってほしい、この名言
1
自分が選んだ言葉をカードにまとめ、しょうかいし合おう。
教科書p.199のカード例の拡大コピー
カードに必ず書くこと
・誰の言葉か（出典）
・その言葉の意味、紹介したい理由
2
・カードにまとめる。
・発表会（小グループで）
※発表の中で印象に残った言葉は自分のノートに書く。
3
◇学習のふり返り
・この学習で自分ができるようになったことはどんなことか、ふり返ってノートにまとめよう。

3 学習の振り返りをする 〈10分〉

T　学習の振り返りをします。ここでは、伝えたい言葉をいくつか絞り込んで選び、紹介し合いました。活動を振り返り、自分ができるようになったことを振り返ってみましょう。

○教科書 p.199「たいせつ」を確認し、できるようになったことをノートに書かせる。

・整理するときに図を使って考えることができました。調べたことを整理するときに、使いたいです。

・伝えたいことの優先順位を考えられました。これからも、どれが自分にとって大事か考えて発表したいです。

○数名発表させる。

よりよい授業へのステップアップ

オープンエンドの学習にする

多感な時期を迎える子供にとって、名言に触れることは、言葉への興味・関心を広げることにつながっていく。単元後も、次のような活動を継続的に行っていくとよいだろう。

① 朝の会で、最近話題になった言葉を取り上げ、出典や意味について紹介する。

② 社会科の授業で歴史上の人物の言葉を意図的に取り上げる。

③ 校内の先生が大事にしている言葉は何かインタビューを行い、報告し合う。

資料

1 第1時資料　ワークシート 15-01

知ってほしい、この名言

名前（　　　　　　　　　　　　）

◆集めた言葉を整理して、自分がしょうかいしたい言葉を選ぼう。

みんなに教えたい言葉

紹介したい言葉を見付けるという活動のめあてに沿うように整理したい。「みんなに教えたい言葉」で横軸は共通にして、縦軸の項目を自分で決めると整理しやすいだろう。

[観点例]

・自分にとって大事な言葉
・やる気を引き出す言葉
・やさしい気持ちになる言葉
・落ち込んだときに励まされる言葉
・努力の大切さを感じる言葉　など

知ってほしい、この名言

名前（　　　　　　　　　　）

◆選んだ理由を明らかにして、自分がしょうかいしたい言葉を選ぼう。

候補1

だれの言葉？

どんな意味？

選んだ理由は？

候補2

だれの言葉？

どんな意味？

選んだ理由は？

候補3

だれの言葉？

どんな意味？

選んだ理由は？

決定！

◆この言葉を選んだ理由につながる自分の経験やエピソード

日本の文字文化／[コラム]仮名づかい

（2時間扱い）

単元の目標

知識及び技能	・文や文章の中で漢字と仮名を適切に使い分けるとともに、送り仮名や仮名遣いに注意して正しく書くことができる。(⑴ウ) ・語句の由来などに関心をもち、仮名及び漢字の由来、特質などについて理解することができる。(⑶ウ)
学びに向かう力、人間性等	・言葉がもつよさを認識するとともに、進んで読書をし、国語の大切さを自覚して、思いや考えを伝え合おうとする。

評価規準

知識・技能	❶文や文章の中で漢字と仮名を適切に使い分けるとともに、送り仮名や仮名遣いに注意して正しく書いている。(〔知識及び技能〕⑴ウ) ❷語句の由来などに関心をもち、仮名及び漢字の由来、特質などについて理解している。(〔知識及び技能〕⑶ウ)
主体的に学習に取り組む態度	❸進んで仮名及び漢字の由来、特質などについて理解し、これまでの学習を生かして適切な表記を考えようとしている。

単元の流れ

次	時	主な学習活動	評価
一	1	「駅名標」や「図書館のフロア案内板」などの画像を見て、身の回りで使われている文字やその特徴について伝え合う。 学習の見通しをもつ 教科書 p.200〜201「日本語の表記」を読み、「漢字仮名交じり文」「表意文字」「表音文字」などの言葉を知るとともに、日本語の表記の特徴を理解する。 教科書 p.201の設問１に取り組み、考えたことを話し合う。	❶
	2	身の回りの言葉を万葉仮名で表したものを見て、読み方を想像する。 教科書 p.201〜202「仮名の由来」を読み、平仮名や片仮名の成り立ちを理解する。 教科書 p.203「[コラム] 仮名づかい」を読み、注意が必要な言葉について理解する。 教科書 p.203の例題を仮名で書く。 学習を振り返る	❷❸

授業づくりのポイント

〈単元で育てたい資質・能力〉

本単元のねらいは、日本語の表記のされ方や仮名の由来などに触れることで、言葉への興味を高め、文や文章の中で漢字や仮名、ローマ字を意識して使い分けて書く力を育むことである。子供たちは、小学校入学以来、日常的に使われる日本語を表記する道具として４種類の文字を学習してきた。

平仮名や片仮名は1年生、ローマ字は3年生、漢字は1～6年生で学習してきており、それぞれの文字の読み書きを行い、ある程度自由に使えるようになってきている。これらの文字を読むことや文字を使って考えるという活動によって、学習や日常生活の場で様々な情報を得たり、様々な文化や知識を享受したりして、自分の生活を豊かにしてきている。本単元では、日本語の表記について「なぜ漢字や仮名、ローマ字を混ぜて文や文章が書かれているか」という問いをもち、書き手が読みやすさを考えて使い分けていることについて、実感を伴って気付いていくことが大切である。この学習を通して、日本語の文字の豊かさを認識し、自らの言語生活をより豊かにしようとする意欲や態度を育成するようにしたい。

〈教材・題材の特徴〉

本教材は、もともと文字のなかった日本に、先人が大和言葉（和語）を書き表すために、中国から伝わった漢字を利用し、万葉仮名や平仮名、片仮名がつくられたことや、正しい仮名遣いについて知ることができる教材である。また、普段当たり前に使っている言葉が意識的に使い分けられていることに気付くことによって、自分の書く文や文章の中でも、「読みやすさ」を考えて書いていこうとする態度を醸成できる教材である。

〈言語活動の工夫〉

本単元では、「身の回りの文字の表され方のなぞをノートにまとめよう」という言語活動を設定する。本単元は、日本語の表記の特徴や仮名の由来、仮名遣いなど押さえるべき項目が多い単元である。したがって、単元の導入に子供が「問い」をもつことが大切になってくる。「なぜ平仮名だけで表記されるのではなく、漢字や平仮名、片仮名、ローマ字を混ぜて身の回りの文字が表されているのか」という「問い」が本単元の動力になっていくであろう。

［具体例］

○教科書 p.200には博多の駅名標と案内図の写真が載っている。ここで、身の回りの文字にはどのような文字があるのか、その表記によってどのような効果があるのかを子供に問うとよい。

（子供の反応例）

・漢字だけだと読み方が分かりません。

・ひらがなだけだと「HA」と読むのか「WA」と読むのかが分かりません。

・ローマ字があることによって読み方が分かります。

○教科書 p.201の設問1では、平仮名だけの文章を黒板に板書し、子供に文をどのように解釈しているのかを問うとよい。その後で、漢字仮名交じり文で書かれた文を提示することで、文意を正確に伝えるための手段として漢字が大切であることに実感を伴って気付くであろう。

〈ICT の効果的な活用〉

調査：身の回りにある面白い文字（教科書に記載されているような複数表記や万葉仮名の使用など）を写真に撮り、収集する。

共有：教科書 p.201の設問1での平仮名だけの文をどう捉えたのかを学習支援ソフトで共有する。人によって解釈に違いがあることに気付くことによって、漢字仮名交じり文で書く必要性を一人一人が感じるであろう。

本時案

日本の文字文化 1/2

本時の目標

・日本語の表記の特質を理解し、それぞれの表記を適切に使い分けることができる。

本時の主な評価

❶文や文章の中で漢字と仮名を適切に使い分けるとともに、送り仮名や仮名遣いに注意して正しく書いている。【知・技】

資料等の準備

・国語辞典、漢字辞典
・教科書 p.200の駅名標と図書館のフロア案内板の拡大コピー（ICT 機器で代用可）

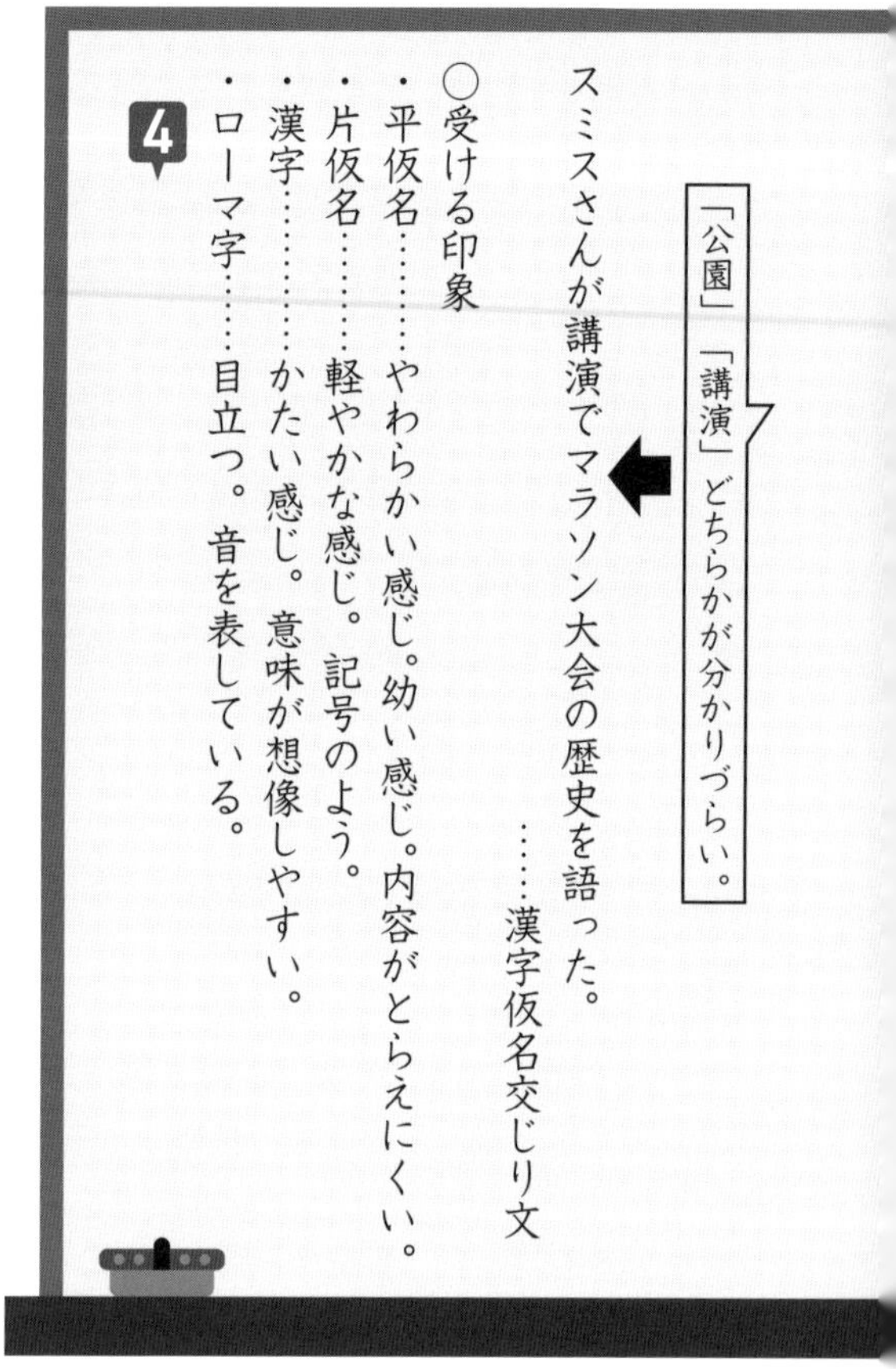

スミスさんが講演でマラソン大会の歴史を語った。
……漢字仮名交じり文
「公園」「講演」どちらかが分かりづらい。
○受ける印象
・平仮名……やわらかい感じ。幼い感じ。内容がとらえにくい。
・片仮名……軽やかな感じ。記号のよう。
・漢字……かたい感じ。意味が想像しやすい。
・ローマ字……目立つ。音を表している。
4

授業の流れ ▷▷▷

1 身の回りで使われている文字やその特徴を伝え合う 〈10分〉

T　画像を見て、何か気付くことはありますか。
・平仮名や片仮名、漢字が使われています。
・平仮名が大きく書かれています。
○単元の導入に当たり、自分たちで日本語の表記を集める活動を行う。集めた画像から日本語の表記の特徴を伝え合う。現在の日本語でよく使われる表記が「漢字仮名交じり文」であることや、文字の種類として「表意文字」「表音文字」があること等について確認する。

ICT 端末の活用ポイント

身の回りの複数表記使用の写真を撮ったり、収集したりする。

2 学習の「問い」をもつ 〈5分〉

T　なぜ身の回りの文字は、漢字や平仮名、片仮名、ローマ字を混ぜて使われているのでしょうか。
・漢字だけだと読み方が分かりません。
・平仮名だけだと読み方が分かりづらいです。
・ローマ字があることによって読み方が分かります。
○４種類の文字を選んだり使い分けたりしていることは日本語の特徴の一つであるが、普段意識することは少ない。この学習を通して、表記を意識して選んだり使ったりできるようにしていきたい。
○「問い」を確認し、板書する。

日本の文字文化

1

教科書p.200の駅名標の拡大コピー

教科書p.200の案内板の拡大コピー

○写真を見て、気づいたこと
・漢字や平仮名、片仮名を使っている。
・一つの言葉をいろいろな表記の仕方をして工夫している。

2

子供が見付けてきた様々な表記

子供が見付けてきた様々な表記

子供が見付けてきた様々な表記

自分たちの身の回りで使われている文字には、どのような特徴があるだろうか。

語のまとまりをとらえづらい。

3

すみすさんがこうえんでまらそんたいかいのれきしをかたった。
……表音文字

3 日本語の表記の特徴を理解する〈25分〉

T　教科書 p.201の 1 の文章を読み、それぞれどのような印象を受けるか、話し合ってみましょう。

・平仮名は柔らかい感じがしますが、意味が分かりづらいです。
・漢字仮名交じり文は意味が捉えやすいです。

T　教科書を読み、日本語の表記の特徴をノートにまとめましょう。

4 学習を振り返る〈5分〉

T　今日の学習で気付いたことや、これから生かしたいことをノートにまとめましょう。

○日本語の表記の特徴について交流し、表記の適切な使い分けについて考えた子供たちが、学んだことを日常生活に活用する意欲を高めたい。振り返りにおいて、学びを日常生活に広げようとする子供の姿勢を積極的に価値付けていくとよい。

ICT 端末の活用ポイント

平仮名だけの文章をどう捉えたのか、考えを学習支援ソフトで共有する。漢字仮名交じり文で書く必要性を一人一人が感じるであろう。

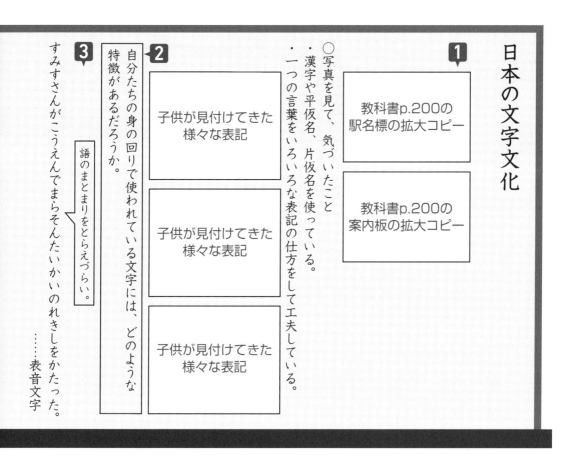

本時案

日本の文字文化／［コラム］仮名づかい　2/2

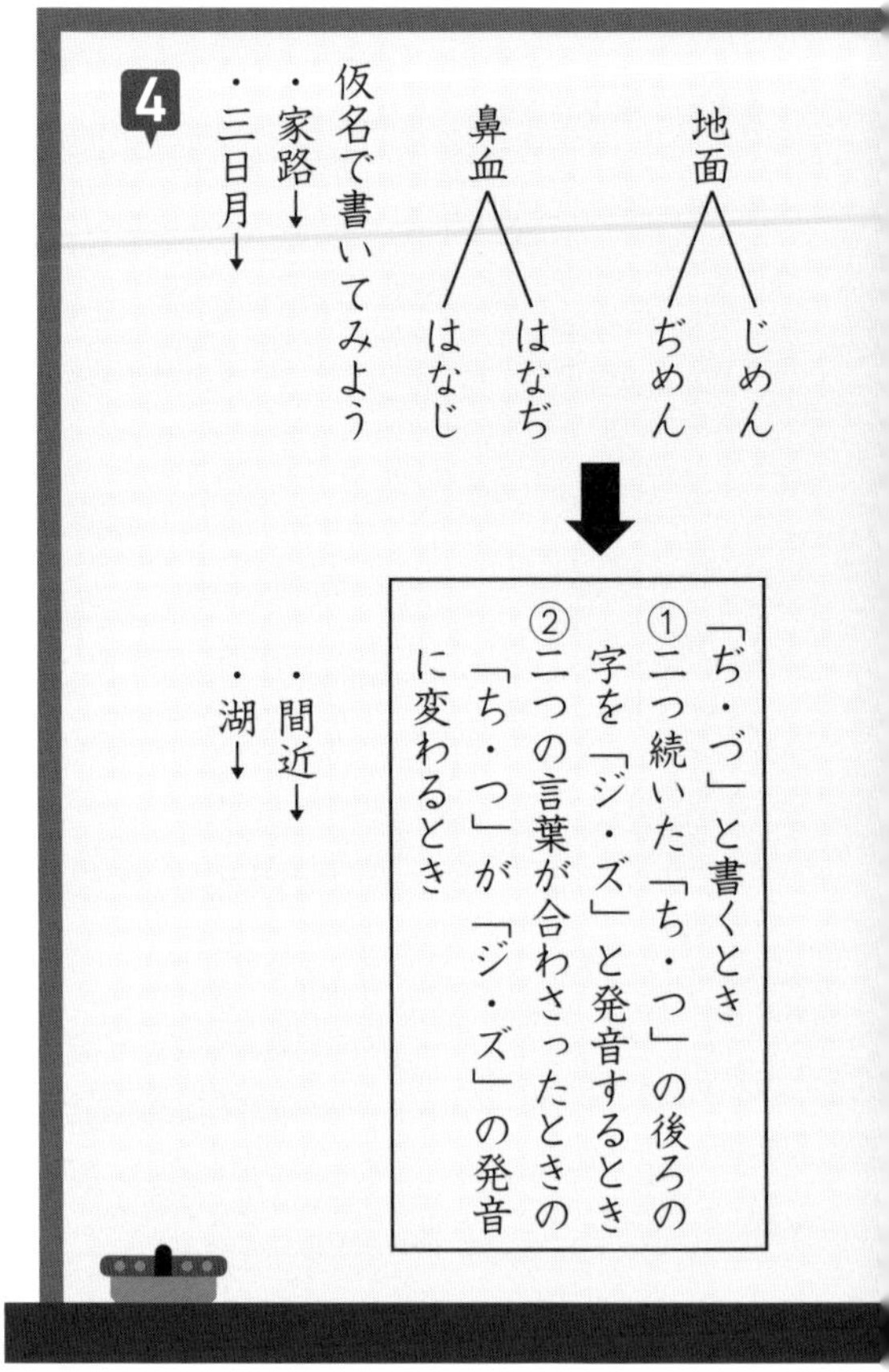

本時の目標

・仮名の由来、特質などについて理解することができる。

本時の主な評価

❷語句の由来などに関心をもち、仮名及び漢字の由来、特質などについて理解している。【知・技】

・進んで仮名及び漢字の由来、特質などについて理解し、これまでの学習を生かして適切な表記を考えようとしている。

資料等の準備

・国語辞典、漢字辞典

・教科書 p.202の写真（子供が事前に集めた写真の中に、万葉仮名で表されたものがあれば使用するのもよい）の拡大コピー（ICT 機器で代用可）

授業の流れ ▷▷▷

1　身の回りで使われている文字の読み方を想像する　〈10分〉

T　この看板は何と読むでしょう。

○看板の写真を提示し、文字についての関心を高めるようにする。平仮名や片仮名がどのように形成され、継承されてきたかについても興味が高まるように工夫したい。

○写真のような平仮名（変体仮名）は、今でも看板やのれん、書道など、限定的な場面では使われていることを押さえる。

○めあてを板書する。

2　平仮名や片仮名の由来を理解する　〈20分〉

T　教材文を読み、仮名の由来についてノートにまとめましょう。

○教科書 p.201～202の仮名の由来に関する情報を理解したり、教科書に記載の資料を基に「もとにした漢字」や「現在の平仮名や片仮名にたどり着く途中の文字」を書いてみたりする。

ICT 端末の活用ポイント

教科書 p.202の「資料」（二次元コード）をICT 端末で読み取り、万葉仮名一覧を確認する。

日本の文字文化
［コラム］仮名づかい

1

うなぎ屋さんの看板

おそば屋さんの看板

だんご屋さんの看板

自分たちの身の回りで使われている文字にはどのような由来があるだろうか。

2

○万葉仮名

波留‐はる（春）　奈都‐なつ（夏）　安吉‐あき（秋）

布由‐ふゆ（冬）　漢字の音を借りて表す工夫

万葉仮名

平仮名 ……万葉仮名をくずして生まれた。

安 安 あ

片仮名 ……万葉仮名の一部を取って書くところから生まれた。

阿 阿▼ア▼ア

3

○仮名づかい

3 仮名遣いにおいて注意することを理解する 〈10分〉

T　教材文を読み、注意が必要な仮名遣いを確認しましょう。

○教材文を読ませる前に、「地面」や「鼻血」を平仮名で書かせ、自分の仮名遣いに着目させるとよい。

T　教科書 p.203の例題を仮名で書いてみましょう。

○ ICT 端末での入力でも、「地面（じめん）」「鼻血（はなぢ）」「縮む（ちぢむ）」「手作り（てづくり）」は正しい仮名遣いで入力しないと、正しく漢字変換することができない。日常的に繰り返し使いながら確認し、正しい仮名遣いを身に付けていくようにしたい。

4 学習を振り返る 〈5分〉

T　今日の学習で気付いたことや、これから生かしたいことをノートにまとめましょう。

○日本語の表記や仮名の由来について、面白いと感じたことや今後気を付けていきたいことなどをノートにまとめる。文字文化への興味や関心が高まった子供の感想を共有し、自分の書く文や文章の中でも「読みやすさ」を考えて書いていこうとする態度を醸成していきたい。

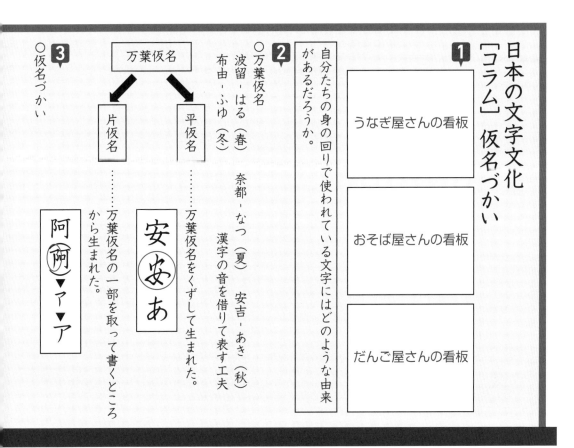

漢字の広場⑤　（1時間扱い）

単元の目標

知識及び技能	・第5学年までに配当されている漢字を書き、文や文章の中で使うことができる。((1)エ)
思考力、判断力、表現力等	・書き表し方などに着目して、文や文章を整えることができる。(B オ)
学びに向かう力、人間性等	・言葉がもつよさを認識するとともに、進んで読書をし、国語の大切さを自覚して、思いや考えを伝え合おうとする。

評価規準

知識・技能	❶第5学年までに配当されている漢字を書き、文や文章の中で使っている。(〔知識及び技能〕(1)エ)
思考・判断・表現	❷「書くこと」において、書き表し方などに着目して、文や文章を整えている。(〔思考力、判断力、表現力等〕B オ)
主体的に学習に取り組む態度	❸積極的に第5学年までに配当されている漢字を使い、これまでの学習を生かして出来事を説明する文章を書こうとしている。

単元の流れ

次	時	主な学習活動	評価
一	1	ペアで漢字の読み方や正しい書き方を確認する。 教科書の挿絵と漢字を照らし合わせ、商店街の通りやお店の中の様子を想像する。 漢字を適切に使って、商店街の通りやお店の中の様子について会話文を入れながら文章を書く。 書いた文章を読み合う。	❶❷ ❸

授業づくりのポイント

〈単元で育てたい資質・能力〉

本単元のねらいは、５年生までに学習した漢字を正しく読んだり書いたりし、文や文章の中で適切に使う力を育むことである。

この時期になると、卒業文集に向けた準備が行われる学校もあるだろう。文や文章の中で漢字を適切に使う力も必要であるが、このような短い単元を通して、スパイラル的に作文指導をしていくことも「書く力」を伸ばしていく上で有効である。作文指導になかなか時間を確保できないからこそ、年間６か所に配当されている「漢字の広場」で、５Ｗ１Ｈを整理しながら文章を書いたり、擬人法や直喩、隠喩、擬音語、擬態語など表現方法を豊かにしたりすることも大切である。

〈教材・題材の特徴〉

本教材の挿絵を見ると、店員と客という関係が多く見られる。挿絵を見て、会話文を想像して文章に入れていくことから、店員の視点から敬語を用いた会話文づくりができる。敬語は５年生の「敬語」などでも扱われるが、それぞれの単元の中だけで定着させることは難しい。文章を書きながら敬語の復習をするよい機会にもなるであろう。また、本単元では「採る（取る、撮る）」や「効く（聞く、利く）」などの同音異義語が出てくる。教師が漢字の使用場面をあえて間違えて提示したり、どの漢字が正しいのかを問うたりすることで国語辞典や漢字辞典で正しい意味を粘り強く調べたり、漢字を本質的に理解したりする姿につなげていきたい。

〈言語活動の工夫〉

本単元では、「商店街の通りやお店の様子について、会話文を取り入れて文章を書く」という言語活動を設定する。教科書の例文にならって、「どこで、誰が、何を、どうした」の形を意識させながら文章を書かせることで、子供たちが漢字や言葉をどのように組み合わせ、どう使っていくかを考えやすくさせるとよい。

［具体例］

○漢字を文や文章の中で適切に使うためには、漢字の読み方や意味調べを行うことは大切である。漢字の読み方の確認や意味調べについては、子供の実態に応じて、家庭学習と連携して事前に行わせてもよい。

○会話文を書かせる際には、誰が誰に向けて発話しているのかをはっきりさせ、子供の実態に応じて敬語の指導を取り入れていくとよい。例えば、教科書の挿絵のお弁当屋さんでは、店員が客にお弁当を渡している。お弁当を今日中に食べてほしいとき、店員は客に対してどのような言葉かけをするのであろうかなど、挿絵を基に想像したことを全体で伝え合う時間を確保するとよい。

〈ICT の効果的な活用〉

比較：でき上がった文章を ICT 端末で写真に撮り、学習支援ソフトで共有することで、語句や文の意味、受ける印象などを比較できるとよい。漢字を綴ることは大切な学習であるが、子供の実態に応じて文書作成ソフトなどで文をつくることも考えられる。

本時案

漢字の広場⑤

1/1

本時の目標

・第５学年までに配当されている漢字を書き、出来事を説明する文や文章の中で使うことができる。

本時の主な評価

❶第５学年までに配当されている漢字を書き、文や文章の中で使っている。【知・技】
❷書いた文章を読み直し、表現の適切さを確かめている。【思・判・表】
❸第５学年までに配当されている漢字を使い、これまでの学習を生かして絵に沿った文や会話文を書こうとしている。【態度】

資料等の準備

・教科書 p.204の拡大コピー（ICT 機器で代用可）
・国語辞典、漢字辞典

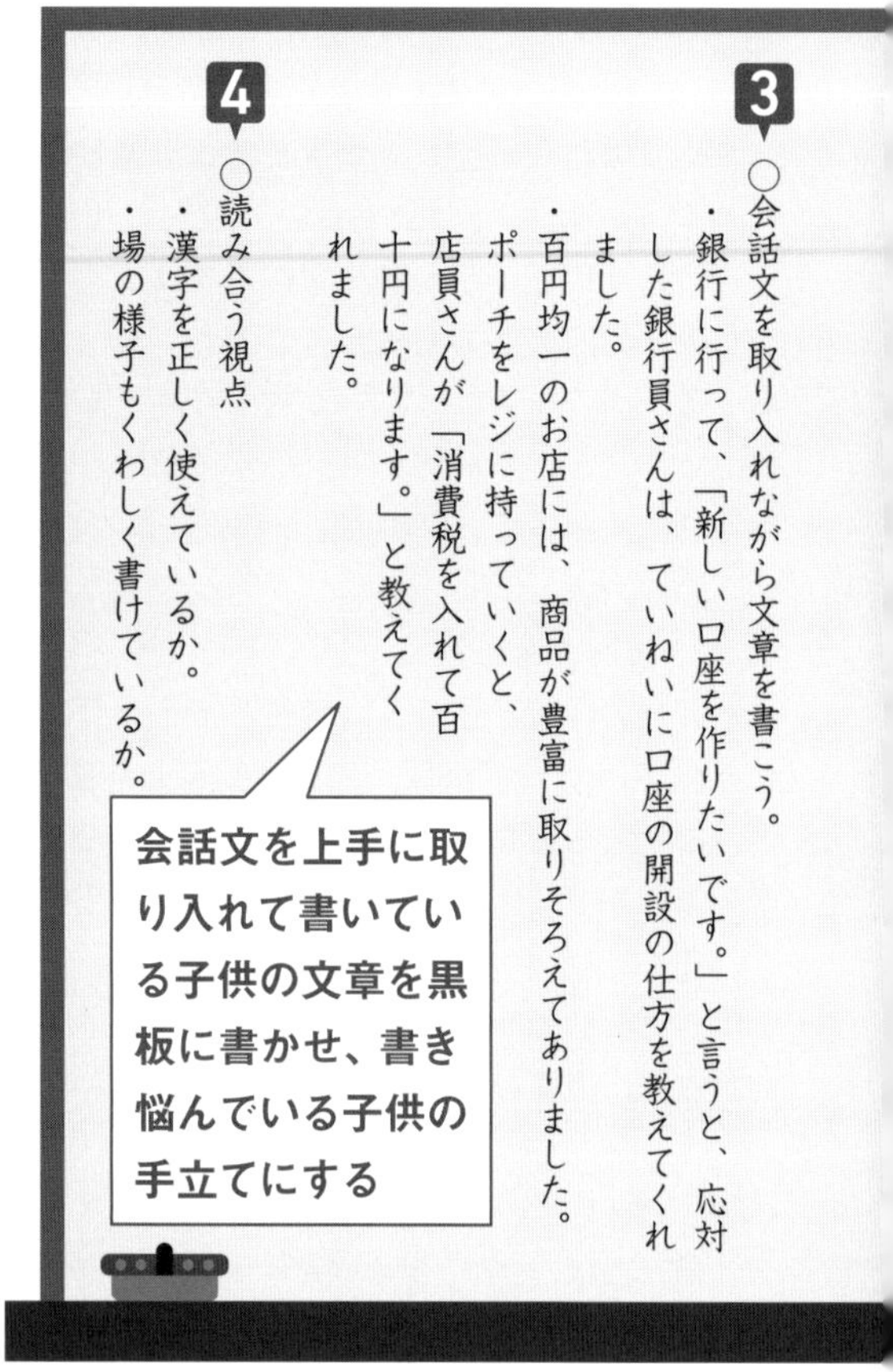
3
○会話文を取り入れながら文章を書こう。
・銀行に行って、「新しい口座を作りたいです。」と言うと、応対した銀行員さんは、ていねいに口座の開設の仕方を教えてくれました。
・百円均一のお店には、商品が豊富に取りそろえてありました。ポーチをレジに持っていくと、店員さんが「消費税を入れて百十円になります。」と教えてくれました。
4
○読み合う視点
・漢字を正しく使えているか。
・場の様子もくわしく書けているか。
会話文を上手に取り入れて書いている子供の文章を黒板に書かせ、書き悩んでいる子供の手立てにする

授業の流れ ▷▷▷

1 ５年生で習った漢字の読み方や書き方を確認する 〈10分〉

T　教科書を見て、漢字の読み方や書き方を確認しましょう。
○教科書 p.204を拡大表示し、漢字の読み方を確認していく。次に、ペアで問題を出し合い、書き方や漢字の意味について確認する。
○挿絵に出てくる言葉は、実態に応じて家庭学習などで事前に漢字の意味調べを学習させておくとよい。

2 挿絵と漢字を照らし合わせ、場面の様子を想像する 〈５分〉

T　挿絵と漢字を照らし合わせながら、商店街の通りやお店の中の様子を想像してみましょう。
○挿絵に出てくる商店街の通りやお店の中の様子について想像したことを自由に伝え合う。
○教科書の例文を基に、お弁当屋さんでは誰が何をしているかを想像させ、子供の考えた文を板書する。
・お弁当屋さんでは、店員さんが手を消毒し、衛生管理に努めています。
・お弁当屋さんでは、店員さんが笑顔で接客しています。

漢字の広場⑤

1

教科書p.204の拡大コピー

商店街の通りやお店の様子について、会話文を取り入れて文章を書こう。

○学習の流れ

1 漢字の読み方や書き方を確認する。

2 絵と漢字を照らし合わせて、商店街の通りやお店の中の様子を想像する。

3 漢字を正しく使って、会話文を取り入れながら文章を書く。

4 書いた文章を読み合う。

2

○さし絵を見て想像してみよう。

・お弁当屋さんでは、半額セールが始まりました。すぐに、「二つください。」と注文が入りました。

・お弁当屋さんでは、店員さんが「からあげ弁当がおすすめです。」と笑顔で接客しています。

お弁当屋さんの挿絵の拡大コピー

子供が考えた文章を板書していく

3 漢字を適切に使って文章を書く〈20分〉

T　5年生で習った漢字を正しく使って、商店街の通りやお店の様子について、会話文を取り入れて文章を書きましょう。

○「どこで、誰が、何を、どうした」という形で文章を書かせ、そこに会話文を付け加える形で一つの場面を完成させていく。

○文章に会話文を上手に取り入れている子供に板書させると、文章づくりで悩んでいる子供への手立てになる。

○学級の実態に応じて、敬語を扱うことを発展的に行ってもよい。

4 書いた文章を読み合う〈10分〉

T　友達が書いた文章を読んで、漢字の使い方と、文や表現が適切かどうかを確認しましょう。

○ペアで文章を読み合い、漢字が正しく使われているか、場の様子を詳しく書けているかなどを確認する。間違いを指摘し合うだけではなく、上手に書けているところを見付け、互いに褒め合うことができる雰囲気をつくっていくことが、次への意欲や態度につながっていく。

ICT端末の活用ポイント

でき上がった文章をICT端末で写真に撮り、学習支援ソフトで共有する。絵で表された場面と言葉との結び付きを考えさせ、自分が書いた文章を見直し、よりよい文章にさせていきたい。

筆者の考えを読み取り、テーマについて考えを述べ合おう

「考える」とは　6時間扱い

単元の目標

知識及び技能	・思考に関わる語句の量を増し、文章の中で使うことができる。(⑴オ) ・文章の構成や展開、文章の種類とその特徴について理解することができる。(⑴カ)
思考力、判断力、表現力等	・文章を読んで理解したことに基づいて、自分の考えをまとめることができる。(C オ) ・文章を読んでまとめた意見や感想を共有し、自分の考えを広げることができる。(C カ)
学びに向かう力、人間性等	・言葉がもつよさを認識するとともに、進んで読書をし、国語の大切さを自覚して、思いや考えを伝え合おうとする。

評価規準

知識・技能	❶思考に関わる語句の量を増し、文章の中で使っている。(〔知識及び技能〕⑴オ) ❷文章の構成や展開、文章の種類とその特徴について理解している。(〔知識及び技能〕⑴カ)
思考・判断・表現	❸「読むこと」において、文章を読んで理解したことに基づいて、自分の考えをまとめている。(〔思考力、判断力、表現力等〕C オ) ❹「読むこと」において、文章を読んでまとめた意見や感想を共有し、自分の考えを広げている。(〔思考力、判断力、表現力等〕C カ)
主体的に学習に取り組む態度	❺粘り強く文章を読んで理解したことに基づいて自分の考えをまとめ、学習課題に沿って考えたことを伝え合おうとしている。

単元の流れ

次	時	主な学習活動	評価
一	1	**学習の見通しをもつ** 「考える」と聞いてどんなことが思い浮かぶか話し合う。 文章を読み単元の目標を押さえ、学習計画を立てる。	
二	2 3 4	三つの文章を読み、それぞれの筆者が最も伝えたいことを考える。 筆者がどのように自分の考えを伝えようとしているか、文章の特徴を捉える。	❷
	5	三つの文章から、心に残ったことや気付いたことなどをまとめる。	❶❸ ❺
三	6	友達と考えを伝え合い、自分の考えを広げたり深めたりする。 **学習を振り返る** 教科書 p.213に示された観点で学習を振り返る。	❹

授業づくりのポイント

〈単元で育てたい資質・能力〉

本単元のねらいは、文章を読んで理解したことに基づいて自分の考えをまとめ、それを共有することで自分の考えを広げることである。そのためには、三つの文章でそれぞれの筆者が何を伝えようとしているかを捉え、そこから自分の考えをもち、まとめる力が必要となる。文章を読むときには、論の進め方や挙げている事例、表現の方法などに着目して、どのような共通点や相違点があるか比べながら読み、自分の考えをまとめられるようにしていきたい。

〈教材・題材の特徴〉

この教材では、3人の筆者が、「考える」とは何か、どうすることが「考える」なのかということについて述べており、それぞれの主張が分かりやすく書かれている。短い文章の中で、筆者自身の経験が具体的に書かれており、子供は興味をもって読むことができるだろう。鴻上尚史氏は、学生時代の経験から学んだ、考えることと悩むことの違いについて述べている。石黒浩氏は、小学5年生のときに「人の気持ちを考えなさい」と言われて以来、「考える」とは何かということについて考え続けてきたことが書かれている。また、中満泉氏は、国際連合での仕事を通して出会った人の行動から、何が正しいのかを考え行動することの大切さについて述べている。

これらの複数の文章を重ねて読み、それぞれの文章の論の進め方や表現の特徴について考えることで、筆者の主張を捉えることができる。また、三つの文章から印象に残ったものを選び、自分の経験や知識と重ねながら読む。それぞれの筆者が述べた考えや言葉、行動は子供たちにとって新たな考えをもたらし、自分を振り返るきっかけになると考えられる。自分の考えをまとめ、それを友達と伝え合うことで、自分の考えがどのように広がったり深まったりしたのか考えることのできる教材である。

〈言語活動の工夫〉

導入では教科書 p.205を読んで、「考える」とは何か、どうすることが「考える」なのかということについて問いかけ、関心をもたせるとともに、目的をもって読めるようにする。三つの文章を読んで「考える」ことについて、自分の考えとの共通点や異なる点、自分の知識や経験と比べて考えたことを書き出し、友達に伝えることで考えを明確にできるようにする。学習のゴールを子供たちと十分に共有することで、意欲を高められるようにする。

［具体例］
例えば、「考える」ことについて自分の考えを広げたり深めたりできるようにするという目的を設定する。考えを文章にまとめ、学級の友達とペアで伝え合ったり、グループの中で発表し合ったりするなど、子供たちと話し合って決めていく。

〈ICT の効果的な活用〉

共有：学習支援ソフトなどを用いて、書いた文章を友達と共有することで、多くの友達の考えに触れることができるようにする。

表現：文書作成ソフトを用いて、心に残ったことや気付いたことを文章にして入力する。容易に修正することができるので、考えをまとめることに時間を費やすことができる。

本時案

「考える」とは 1/6

本時の目標

・「考える」とはどんなことなのかについて話し合い、学習の見通しをもつことができる。

本時の主な評価

・「考える」とは何なのか、どうすることなのかについて考えている。

資料等の準備

・特になし

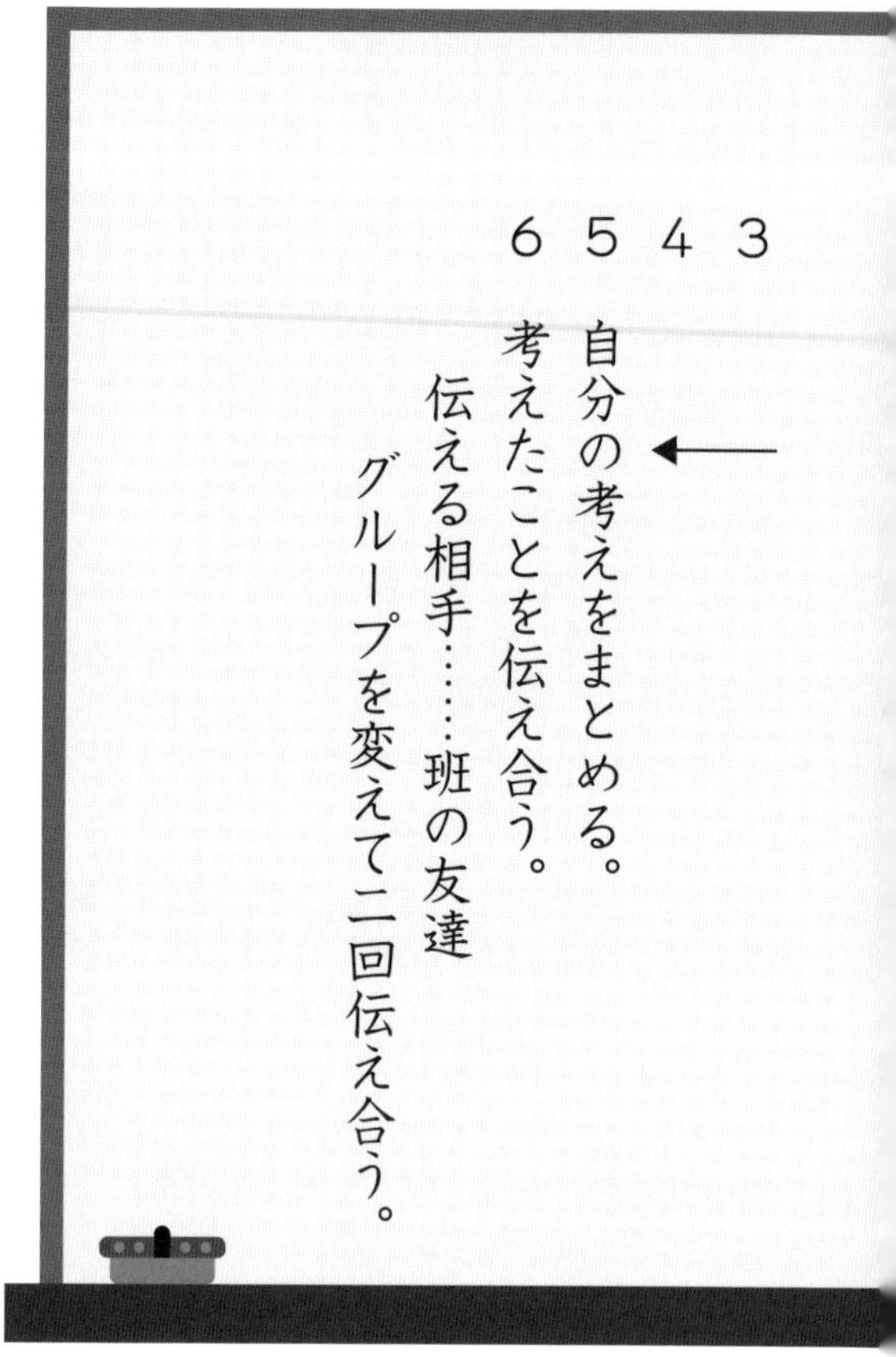
3 自分の考えをまとめる。
4 考えたことを伝え合う。
5 伝える相手……班の友達
6 グループを変えて二回伝え合う。

授業の流れ ▷▷▷

1 「考える」とは何か話し合う 〈25分〉

○教科書 p.205を読んで、「考える」とは何か、どうすることなのかについて話し合う。

T　みなさんは、どんなときに考えていますか。「考える」とはどんなことだと思いますか。ノートに書きましょう。

・何をして遊ぶか、よく友達と考えます。
・今日の休み時間、どうしたら当番活動がうまくいくか考えました。
・理由や根拠を見付けるときに考えます。
・どうしようかと悩むことです。
・今していることが考えることです。
・いつも何かを考えています。

○考えることと悩むことを混同している子供もいると考えられるが、ここでは様々な意見を自由に出させたい。

2 単元の目標を確認する 〈5分〉

T　この単元では、三つの文章を読んで「考える」ことについて考えていきます。最も印象に残ったのはどの文章のどんなところか、それはどうしてなのかを考えながら読んでいきましょう。

○単元の目標を確認する。

・三つの文章を読み、友達と伝え合うことを通して、自分にとって「考える」とはどういうことかを深めよう。

「考える」とは

1

「考える」とは?

・何をして遊ぶか。

・当番活動について。

・理由や根拠を見つけるとき。

・なやむこと。

・今していること。

・いつも何かを考えている。

2

単元のめあて

> 三つの文章を読み、友達と伝え合うことを通して、自分にとって「考える」とはどういうことかを深めよう。

3

学習計画

1　学習計画を立てる。

2　三つの文章を読み、筆者の考えや文章の特徴をとらえる。

3 学習計画を立てる　〈15分〉

○学習計画を立てる。単元の目標を手がかりに、子供たちと相談しながら決めていく。単元の最後に伝え合うときは、どのように伝え合うかということもここで共有できると、全員が同じゴールをイメージしながら学習を進めることができる。

T　単元のめあてを達成するために、どんな学習をしていくといいですか。

・三つの文章がどのような内容かを知る必要があります。

・説明文なので、筆者の考えを理解することが必要です。

・どの文章が印象に残ったか、自分の考えをまとめる時間が必要です。

ICT 等活用アイデア

初めの考えを共有する

普段の生活の中で、「考える」とは何かについてじっくりと考えたことのある子供は少ないのではないかと推測される。学習の導入の段階で、今思う「考える」とは何かについて話し合い、共有する場を設けたい。

学習支援ソフトなどを用いて、「考える」とは何かについて考えたことを入力する。全員の考えを共有できるようにすることで、「考える」ことへの関心を高められるようにする。また、単元の終わりに、自分や友達の考えがどのように変わったのかを見ることもできる。

本時案

「考える」とは／考えることとなやむこと　2/6

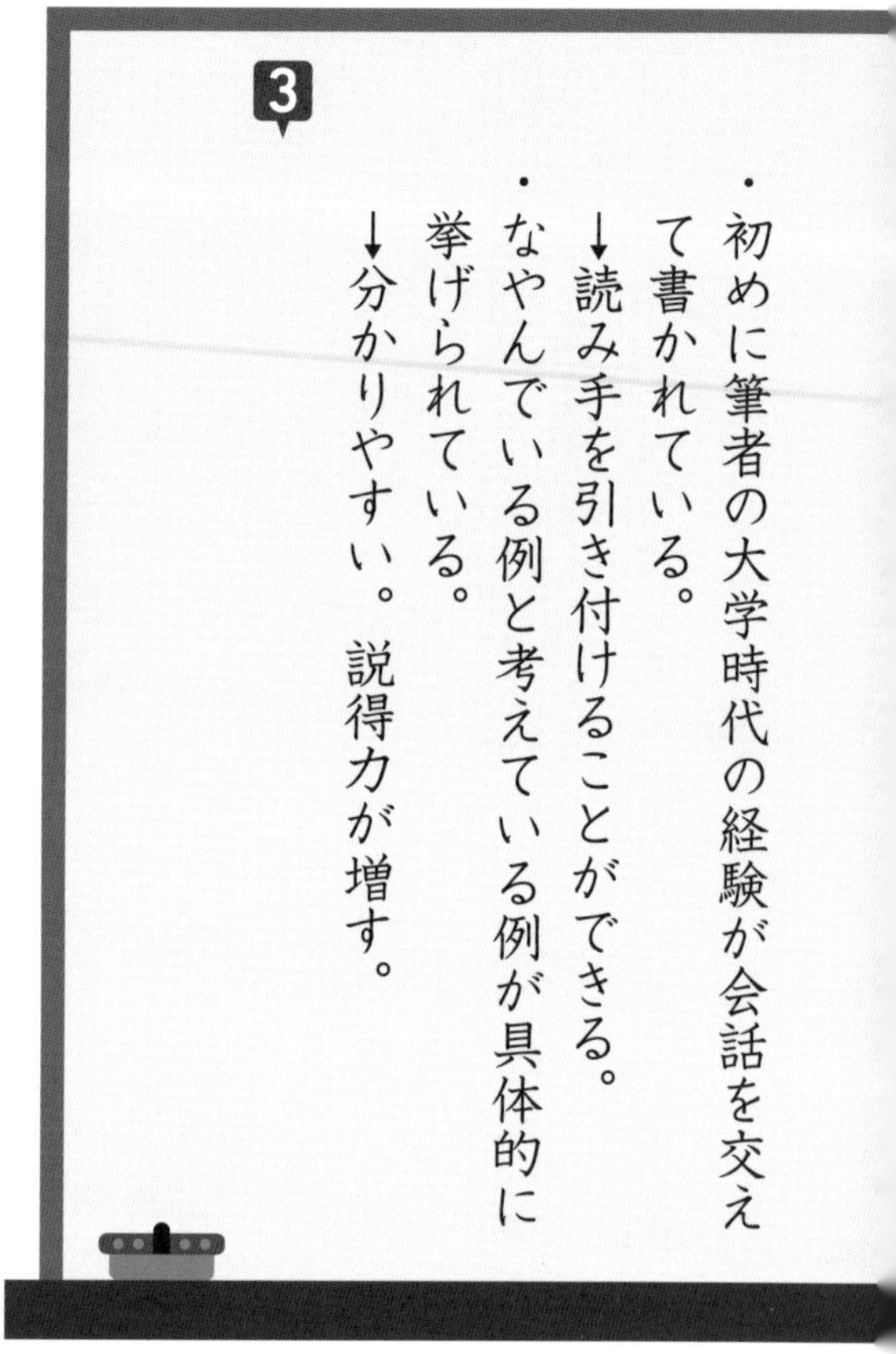
3
・初めに筆者の大学時代の経験が会話を交えて書かれている。
↓読み手を引き付けることができる。
・なやんでいる例と考えている例が具体的に挙げられている。
↓分かりやすい。説得力が増す。

本時の目標

・文章の構成や展開、文章の種類とその特徴について理解することができる。

本時の主な評価

❷文章の構成や展開、文章の種類とその特徴について理解している。【知・技】

資料等の準備

・ワークシート２枚　18-01、02

授業の流れ ▷▷▷

1　本時のめあてを確認する　〈５分〉

○前時を振り返って、単元のめあてや学習計画などを確認する。

T　今日学習することは何ですか。

・筆者の主張を捉えます。

・文章の特徴を捉えます。

○教科書 p.206～207「考えることとなやむこと」を読んで学習することを確認し、本時のめあてを板書する。

○読むための視点を提示する。

2　筆者の主張と文章の特徴について考える　〈35分〉

○文章を読んで、筆者が一番伝えたいことは何かを押さえる。

T　一人読みをして、筆者の主張が書かれているところに線を引きましょう。

○目的をもって文章を読ませることが大切である。全員が線を引くという活動をすることによって、更に読む必要感が生まれる。

○第７段落に主張があるため、尾括型の文章であることに気付かせたい。

T　この文章の特徴や工夫は何でしょうか。

・初めに筆者の大学時代の経験が会話を交えて書かれているので、読み手を引き付けることができます。

・悩んでいる例と考えている例が具体的に挙げられているので、分かりやすいです。

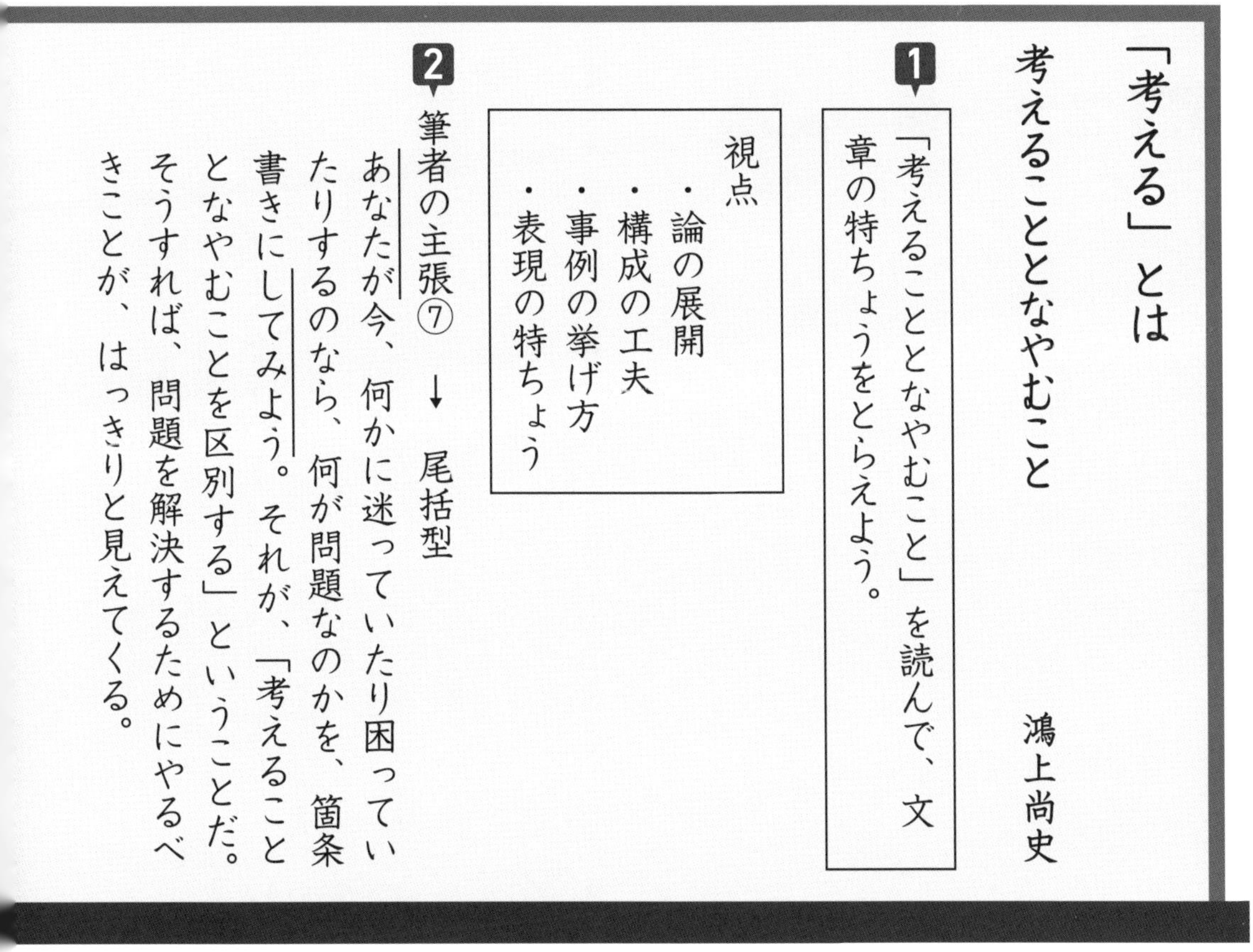
「考える」とは
考えることとなやむこと
鴻上尚史
1
「考えることとなやむこと」を読んで、文章の特ちょうをとらえよう。
視点
・論の展開
・構成の工夫
・事例の挙げ方
・表現の特ちょう
2
筆者の主張⑦ → 尾括型
あなたが今、何かに迷っていたり困っていたりするのなら、何が問題なのかを、箇条書きにしてみよう。それが、「考えることとなやむことを区別する」ということだ。
そうすれば、問題を解決するためにやるべきことが、はっきりと見えてくる。

3 本時のまとめをして次時の見通しをもつ 〈5分〉

T　鴻上さんの文章を読んで印象に残ったことはありますか。ノートに書きましょう。

○印象に残ったことやその理由を短い文章で書き留めておくことで、第5時の学習につなげることができる。

T　鴻上さんの文章の特徴を捉えることができましたね。次回は石黒浩さんの文章を読んでいきましょう。

ICT 端末の活用ポイント

文書作成ソフトを用いて、印象に残ったことを文章にして入力する。毎時間書きためたことをすぐに見ることができる。

よりよい授業へのステップアップ

視点の提示

文章の特徴については、子供の実態によって教師が視点を与えてもかまわない。視点としては、論の展開、構成の工夫、事例の挙げ方、表現の特徴などが考えられる。

今回身に付けた文章の特徴を捉えるための視点は、説明文を読むときにはいつももっていたいものである。教室に掲示するなどして、他の文章を読んだときにもこの視点を生かして文章を読めるように、学習の積み重ねを図ることが大切である。

本時案

「考える」とは／考えることを考え続ける　3/6

本時の目標

・文章の構成や展開、文章の種類とその特徴について理解することができる。

本時の主な評価

❷文章の構成や展開、文章の種類とその特徴について理解している。【知・技】

資料等の準備

・ワークシート２枚 18-01、02

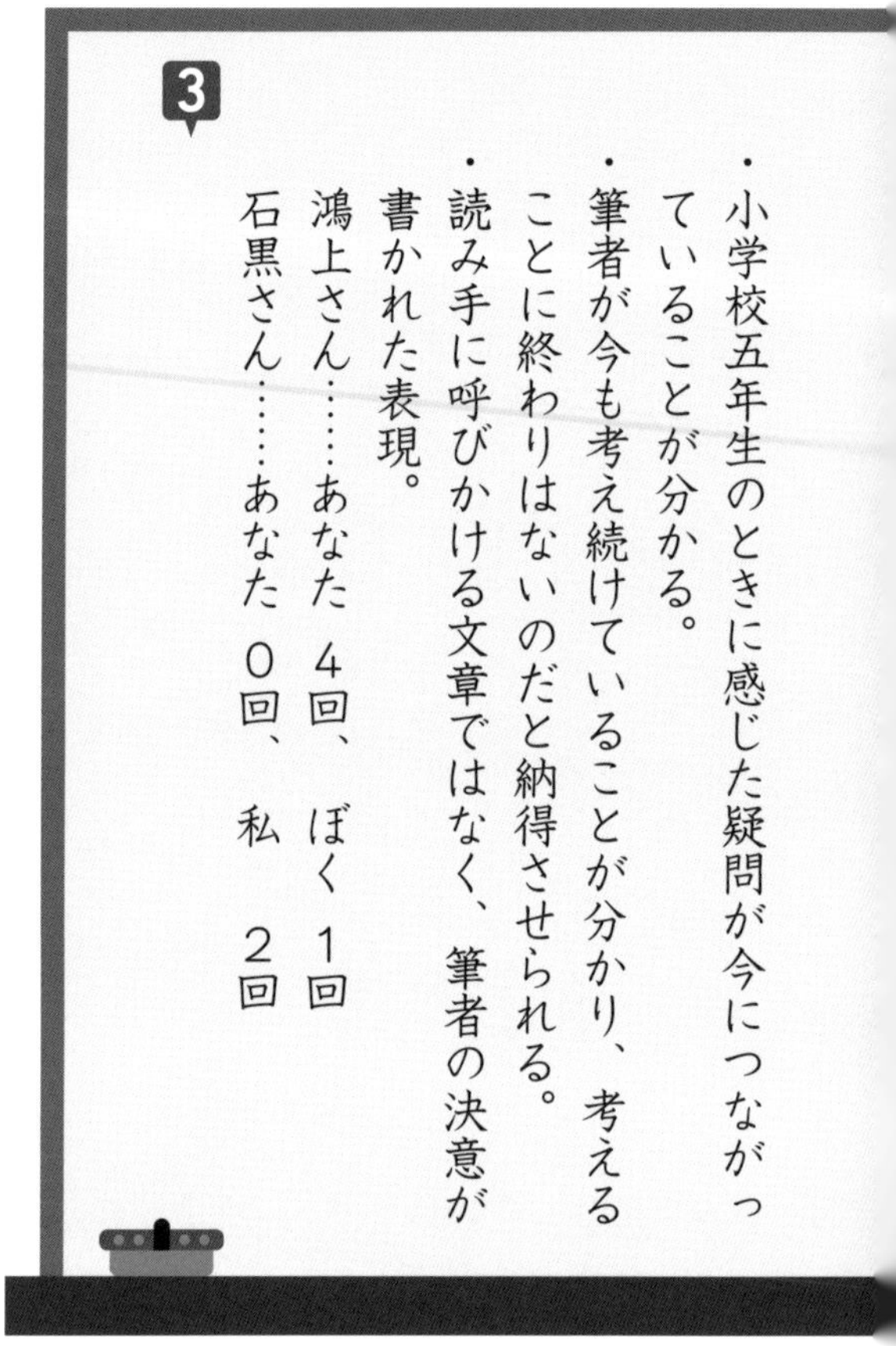
3
・小学校五年生のときに感じた疑問が今につながっていることが分かる。
・筆者が今も考え続けていることが分かり、考えることに終わりはないのだと納得させられる。
・読み手に呼びかける文章ではなく、筆者の決意が書かれた表現。
鴻上さん……あなた　４回、ぼく　１回
石黒さん……あなた　０回、私　２回

授業の流れ ▷▷▷

1 本時のめあてを確認する 〈５分〉

○前時を振り返って、本時の学習を確認する。

T　今日学習することは何ですか。

・筆者の主張を捉えます。

・文章の特徴を捉えます。

○教科書 p.208〜209「考えることを考え続ける」を読むことを確認し、本時のめあてを板書する。

2 筆者の主張と文章の特徴について考える 〈35分〉

○文章を読んで、筆者が一番伝えたいことは何かを押さえる。

T　一人読みをして、筆者の主張が書かれているところに線を引きましょう。

○第５段落に主張があるため、尾括型の文章であることに気付かせたい。

T　この文章の特徴や工夫は何でしょうか。

・小学５年生のときに感じた疑問が今につながっていることが分かる文章になっています。

・筆者が今も考え続けていることが分かり、考えることに終わりはないのだと納得する文章になっています。

・読み手に呼びかける文章ではなく、筆者の決意が書かれた表現になっています。

「考える」とは

考えることを考え続ける　石黒浩

1 「考えることを考え続ける」を読んで、文章の特ちょうをとらえよう。

視点
・論の展開
・構成の工夫
・事例の挙げ方
・表現の特ちょう

2 筆者の主張⑤ → 尾括型

「考える」ことを → いつかは説明できると信じている。だから、私は、まだまだ研究を続ける必要がある。「考える」とは何かという難しい問題について、考え続けないといけないのである。「考える」ということがどういうことか、解明されていないにもかかわらず。

3 本時のまとめをして次時の見通しをもつ　〈5分〉

T　石黒さんの文章を読んで印象に残ったことはありますか。ノートに書きましょう。

○印象に残ったことやその理由を書き留めておくことで、第5時の学習につなげることができる。

T　石黒さんの文章の特徴を捉えることができましたね。次回は中満泉さんの文章を読んでいきましょう。

ICT端末の活用ポイント

文書作成ソフトを用いて、印象に残ったことを文章にして入力する。毎時間書きためたことをすぐに見ることができる。

よりよい授業へのステップアップ

表現の違いから考える

文章の特徴を見付ける際、前時で学習した鴻上尚史さんの文章との相違点について問いかける。同じ「考える」ことについて書いた文章でも、鴻上さんの文章では「あなた」という言葉が4回出てきており、筆者が読み手に繰り返し呼びかける文章になっていることが分かる。一方、石黒さんの文章では「あなた」は1回も出てこないが、「私」が2回出てきて、筆者自身がこれからどうしたいかが分かる文章になっている。「あなた」と「私」に注目することでも、表現の違いが見えてくる。

本時案

「考える」とは／考える人の行動が世界を変える　4/6

本時の目標

・文章の構成や展開、文章の種類とその特徴について理解することができる。

本時の主な評価

❷文章の構成や展開、文章の種類とその特徴について理解している。【知・技】

資料等の準備

・ワークシート２枚 ⤓ 18-01、02

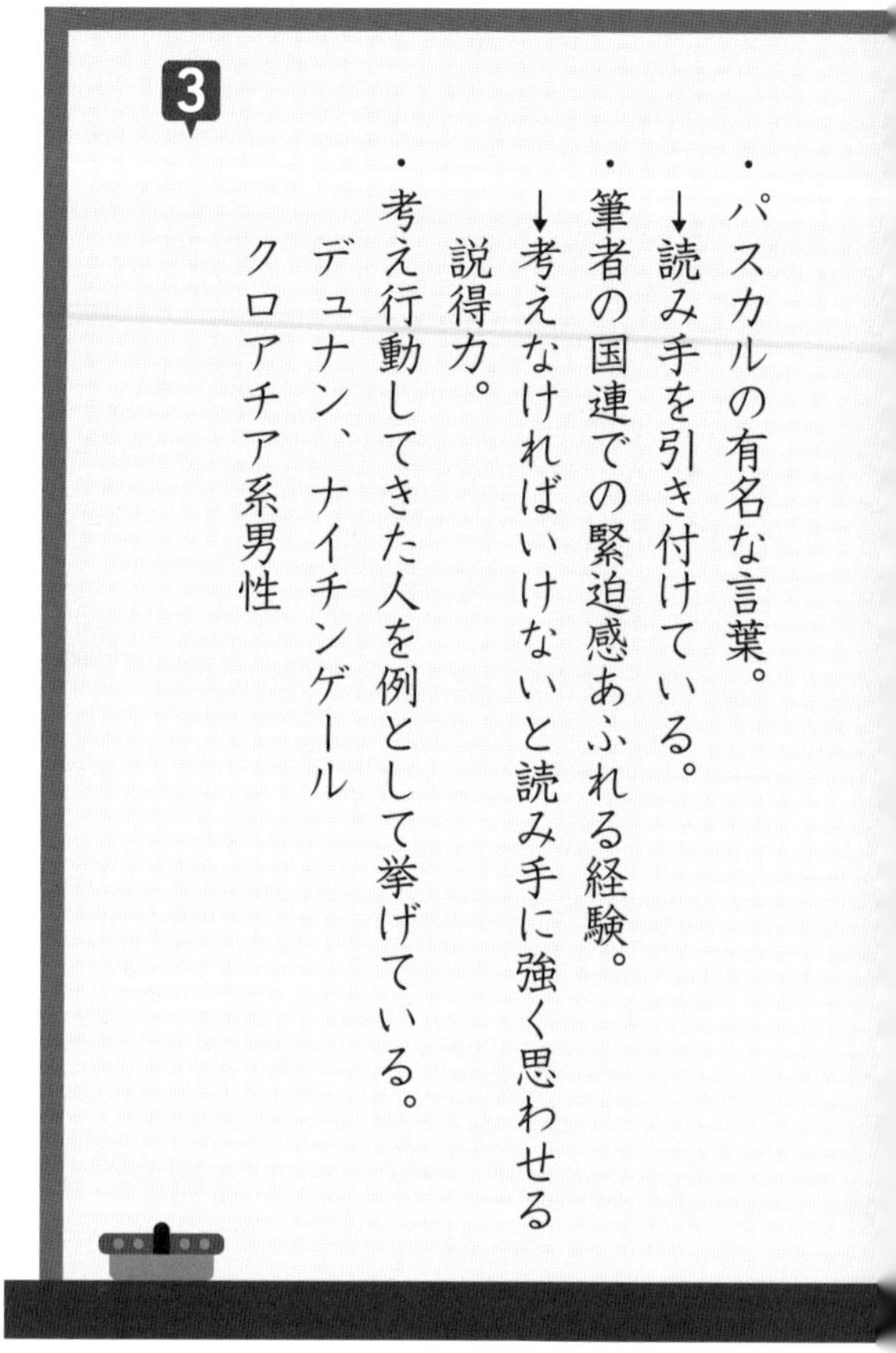
3
・パスカルの有名な言葉。
↓読み手を引き付けている。
・筆者の国連での緊迫感あふれる経験。
↓考えなければいけないと読み手に強く思わせる
説得力。
・考え行動してきた人を例として挙げている。
デュナン、ナイチンゲール
クロアチア系男性

授業の流れ ▷▷▷

1 本時のめあてを確認する 〈５分〉

○前時を振り返って、本時の学習を確認する。

T　今日学習することは何ですか。

・筆者の主張を捉えます。

・文章の特徴を捉えます。

○教科書 p.210〜211「考える人の行動が世界を変える」を読むことを確認し、本時のめあてを板書する。

ICT 端末の活用ポイント

教科書の二次元コードを読み取り、葦の画像やボスニア・ヘルツェゴビナの位置を確認することで、イメージを広げながら読むことができる。

2 筆者の主張と文章の特徴について考える 〈35分〉

○文章を読んで、筆者が一番伝えたいことは何かを押さえる。

T　一人読みをして、筆者の主張が書かれているところに線を引きましょう。

○第５段落に主張があるため、尾括型の文章であることに気付かせたい。

T　この文章の特徴や工夫は何でしょうか。

・パスカルの有名な言葉を文章の初めに出すことで、読み手を引き付けています。

・国連での緊迫感あふれる筆者の経験が書かれていることで、考えなければいけないと読み手に強く思わせる説得力があります。

・過去に考え行動してきた人を例として挙げているので、クロアチア系男性の行動の大切さを、より感じることができます。

「考える」とは

考える人の行動が世界を変える　中満泉

1

「考える人の行動が世界を変える」を読んで、文章の特ちょうをとらえよう。

視点
・論の展開
・構成の工夫
・事例の挙げ方
・表現の特ちょう

2

筆者の主張⑤ → 尾括型

（AIに判断を任せることは）私はちがうと思う。（中略）よりよい世界を築くには、人間が、弱い立場の人に心を寄せること、そして、何が大切なのか、何が正しいのか、どういう未来にしたいのかを考え、行動することが重要なのだ。私たち一人一人が、そんな「考える葦」になれば、どんな課題も解決することができるだろう。

3 本時のまとめをして次時の見通しをもつ　〈5分〉

T　中満さんの文章を読んで印象に残ったことはありますか。ノートに書きましょう。

○印象に残ったことやその理由を書き留めておくことで、第5時の学習につなげることができる。

T　中満さんの文章の特徴を捉えることができましたね。次回は三つの文章を読んで心に残ったことや気付いたことなどをまとめていきましょう。

ICT 端末の活用ポイント

文書作成ソフトを用いて、印象に残ったことを文章にして入力する。毎時間書きためたことをすぐに見ることができる。

よりよい授業へのステップアップ

表現の特徴から考える

ここでは筆者の表現の仕方についても注目させたい。第5段落では「行動してみよう」でも「行動する必要がある」でもなく、「行動することが重要なのだ」と述べる中満泉さんの強い思いを捉えることができる。この表現からどのようなことを感じるか子供に問いかけ、話し合わせたい。危険と隣り合わせで仕事をしてきた中満さんだからこそ、他の二つの文章とはまた違った表現になっていることが感じられるとよい。

本時案

「考える」とは　5/6

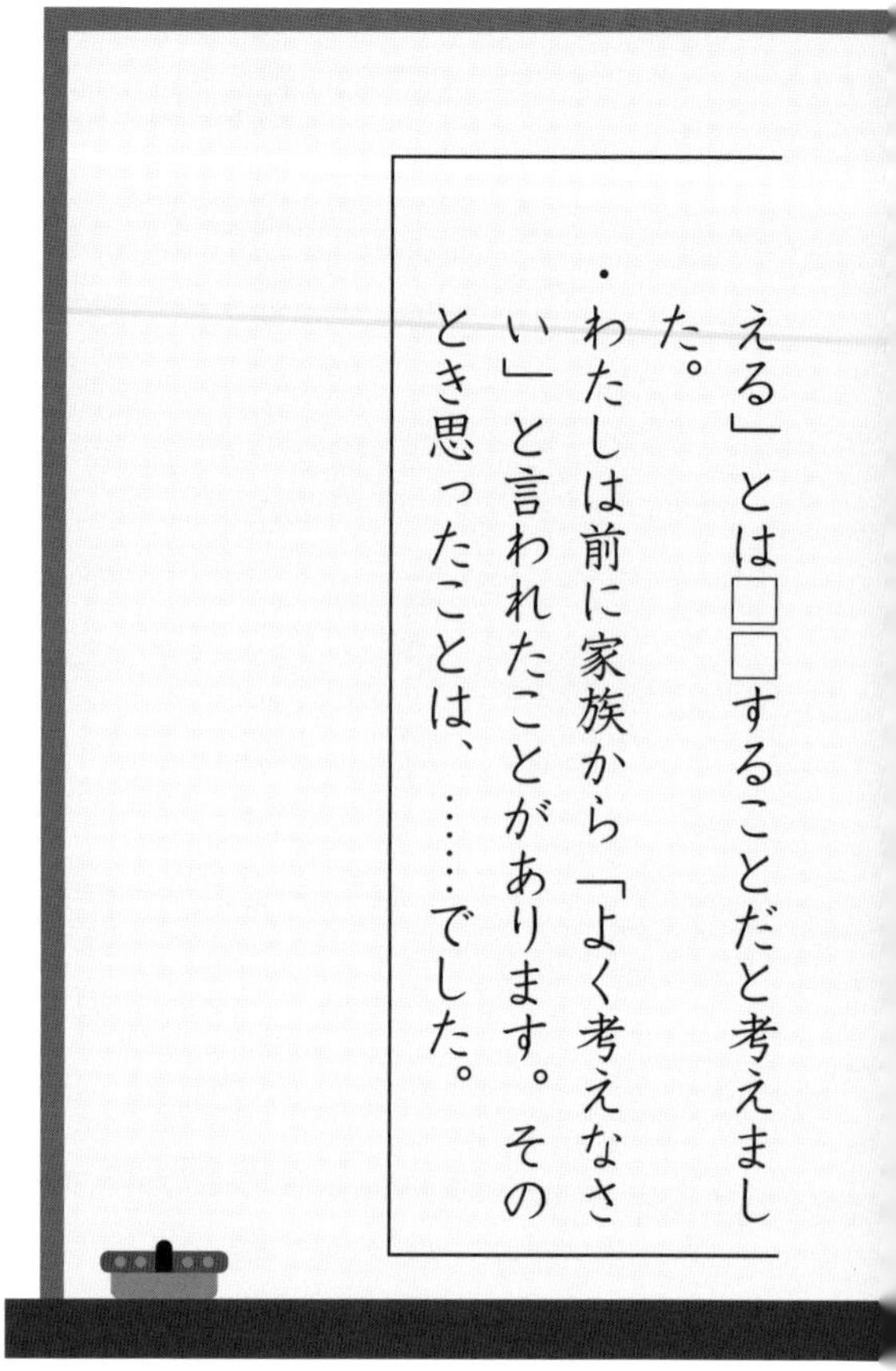

本時の目標

・文章を読んで理解したことに基づいて、自分の考えをまとめることができる。

本時の主な評価

❶思考に関わる語句の量を増し、文章の中で使っている。【知・技】
❸文章を読んで理解したことに基づいて、自分の考えをまとめている。【思・判・表】
❺粘り強く文章を読んで理解したことに基づいて自分の考えをまとめ、学習課題に沿って考えたことを伝え合おうとしている。【態度】

資料等の準備

・ワークシート２枚 18-01、02

授業の流れ ▷▷▷

1 本時のめあてを確認する 〈５分〉

○前時を振り返って、本時の学習を確認する。
T　前回までの３時間で、三つの文章を読み、それぞれの筆者の主張と文章の特徴を捉えましたね。どんな特徴がありましたか。
・筆者は自分の考えを伝えるために、読み手を引き付けられるような事例を挙げたり、表現方法を工夫したりしていました。
T　今日学習することは何ですか。
・三つの文章から、心に残ったことや気付いたことをまとめます。
○本時のめあてを板書する。

2 文章を読んで気付いたことを書き出す 〈15分〉

T　文章を読んで印象に残ったところや、自分の知識や経験と比べて気付いたこと、自分の考えとの共通点や異なる点はどこですか。なぜそう思ったのか、理由も書き出しましょう。
○第２～４時での学習において、すでに書きためた文章を生かしたい。三つの文章を読んだことで、更に気付いたことが増えたと考えられる。教科書の本文に立ち返りながら、更に考える時間にしたい。

ICT 端末の活用ポイント

文書作成ソフトを用いて毎時間書きためたものを活用する。書き加えたり書き足したりすることが容易にできる。

「考える」とは

1 三つの文章から、心に残ったことや気付いたことなどをまとめよう。

2 文章を読んで気づいたこと
・印象に残ったところ
・自分の知識や経験と比べて気づいたこと
・自分の考えとの共通点や異なる点

3 自分の考えをまとめる
・どの文章のどんな言葉が印象に残ったか。
・これまでの自分の行動をふり返る。
・今までの自分の考えと比べて、どのように変わったか。

まとめ方の例
・わたしは「考える」とは、……することだと思いました。
・〇〇さんの……という言葉から、「考

3 「考える」ことについて自分の考えをまとめる 〈25分〉

T　みなさんが「考える」ということについて考えたことをノートに書きましょう。

○印象に残った言葉を引用したり、事例を挙げたりして、具体的にまとめられるようにする。

・鴻上さんの文章を読んで、自分はいつも悩んでいるだけだったことに気が付きました。

・中満さんの「AIに判断を任せることはよくない」という考えに共感しました。石黒さんも言っているように、ロボットは人間のように考えられるわけではないからです。

ICT 端末の活用ポイント

文書作成ソフトを用いることで、思い浮かんだことから書くことができる。考えることに時間を費やし、後から文章を整えることができる。

よりよい授業へのステップアップ

自分の経験と結び付けて考える

筆者の考えにただ「共感した」ではなく、文章から根拠を述べ、既有の知識や自分の経験と結び付けることで、何を「考えた」のかが明確になる。

2と3の活動は、教師が時間を区切るのではなく、行きつ戻りつすることも可とし、子供のペースで進めたい。考えをまとめることを苦手とする子供については、例文を示したり、書き出しを提示したりするなどの手立てを講じるとよい。ただし、書く単元ではないので、次時に伝え合うことができるように準備することを目指す。

本時案

「考える」とは 6/6

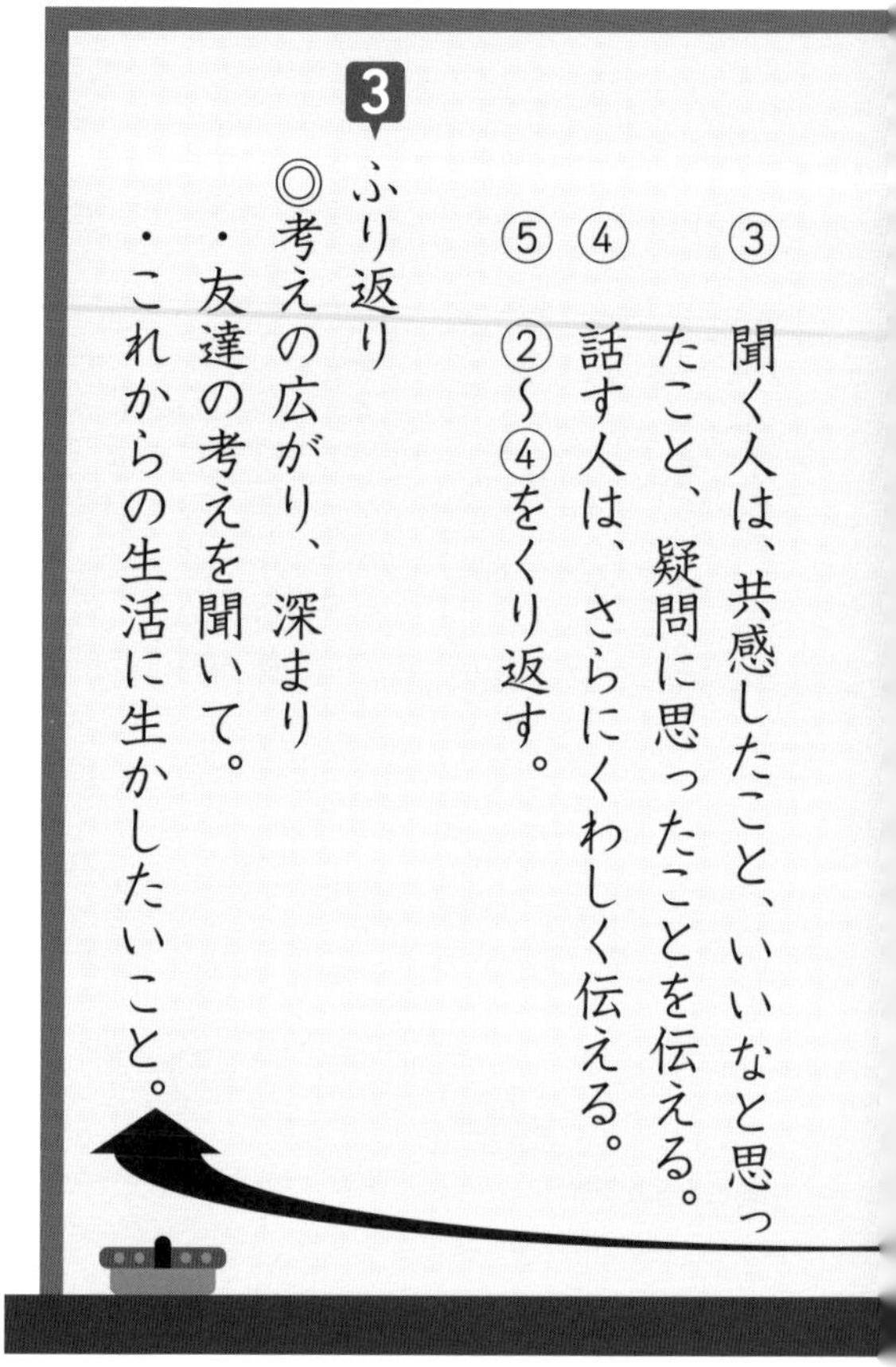
③ 聞く人は、共感したこと、いいなと思ったこと、疑問に思ったことを伝える。
④ 話す人は、さらにくわしく伝える。
⑤ ②〜④をくり返す。
3
ふり返り
◎考えの広がり、深まり
・友達の考えを聞いて。
・これからの生活に生かしたいこと。

本時の目標

・文章を読んでまとめた意見や感想を共有し、自分の考えを広げることができる。

本時の主な評価

❹文章を読んでまとめた意見や感想を共有し、自分の考えを広げている。【思・判・表】

資料等の準備

・ワークシート２枚 18-01、02

授業の流れ ▷▷▷

1 本時のめあてを確認する 〈５分〉

○単元の目標を確認し、本時の学習を確認する。

T 前回は、「考える」ということについて、自分の考えをまとめることができましたね。

T 今日学習することは何ですか。

・自分の考えを友達と伝え合います。

T この単元のまとめの時間です。この単元の目標を確認しましょう。今日は三つの観点から振り返りができるようにしましょう。

○本時のめあてを板書する。単元の目標を確認し、単元を振り返る観点を導入の段階で示しておくことで、この学習でどんなことが身に付いたのかを考えながら学習することができる。

2 考えたことを伝え合う 〈30分〉

T ３人のグループで考えを伝え合いましょう。友達の考えに対して、共感したこと、いいなと思ったこと、疑問に思ったことを伝えましょう。

○前時にまとめたことを１人ずつ読むだけの一方的な発表にならないように留意したい。なぜそう思ったのかを聞き手が質問することで、話し手は更に深く考えるきっかけとなり、１人では考えられなかった考えが生まれるようにしたい。

ICT 端末の活用ポイント

学習支援ソフトなどを用いて考えを共有することで、伝え合うことのできなかった友達の考えにも触れることが可能になる。

「考える」とは

1

「考える」ことについて伝え合い、自分の考えを広げよう。

単元の目標

三つの文章を読み、友達と伝え合うことを通して、自分にとって「考える」とはどういうことかを深めよう。

ふり返りの観点

・論の展開や表現の特ちょう。

・「考える」に対する考えはどのように変わったか。

・複数の文章を読んで伝え合うことには、どんなよさがあるか。

2

伝え合いのしかた

① 話す順番を決める。

② 話す人は、自分の考えを伝える。

3 学習を振り返る 〈10分〉

T　友達の話を聞いて、自分の考えはどのように変わりましたか。考えが広がったり深まったりしたことを発表しましょう。

○単元の初めに「考える」ことについて書いたノートやデータを見返すと、自身の変容に気付くことができる。

・自分とは違って、「考える」ことを友達との関係の中で生かそうとしている人がいました。私も真似してみたいと思います。

・これからは、意識して「考える」ようにしていかないといけないことに気付きました。

T　初めに示した観点に沿って、学習を振り返りましょう。

よりよい授業へのステップアップ

よりよい伝え合いにするために

グループで伝え合う際には、時間を十分に確保して、じっくりと話せるようにしたい。「話す・聞く」単元で学習した質問の言葉や話合いを深める言葉を掲示するなどして、伝え合いが深まるようにする。

また、グループを変えて何度か伝え合いをすることも有効である。2回目以降は最初のやり取りを生かして考えを伝えることができるようになることに加え、違うメンバーと伝え合うことで新たな考えが生まれ、考えを広げることができる。

資料

1 第2～6時資料　ワークシート 18-01

「考える」とは

名前（　　　　　　　　　　）

題名　段落	筆者の主張
考えることとなやむこと	
考えることを考え続ける	
考える人の行動が世界を変える	

2 第2〜6時資料　ワークシート 18-02

「考える」とは

名前（　　　　　　　　　　　　）

観点	考えることとなやむこと	考えることを考え続ける	考える人の行動が世界を変える
論の展開			
構成の工夫			
事例の挙げ方			
表現の特ちょう			

使える言葉にするために　1時間扱い

単元の目標

知識及び技能	・第6学年までに配当されている漢字を読み、漸次書き、文や文章の中で使うことができる。((1)エ)
学びに向かう力、人間性等	・言葉がもつよさを認識するとともに、進んで読書をし、国語の大切さを自覚して、思いや考えを伝え合おうとする。

評価規準

知識・技能	❶第6学年までに配当されている漢字を読み、漸次書き、文や文章の中で使っている。(〔知識及び技能〕(1)エ)
主体的に学習に取り組む態度	❷進んで第6学年までに配当されている漢字を読み、これまでの学習を生かして、読み方や意味が分からない言葉を辞書で調べようとしている。

単元の流れ

次	時	主な学習活動	評価
一	1	新しい言葉に出会う場面について話し合う。 言葉を使う場面や使い方を理解するためにはどのようなことをすればいいか、友達と話し合う。 設問に示されている言葉について、読み方や意味が分からない言葉を辞書で調べる。 設問の言葉を使って文章を書く。	 ❷ ❶

授業づくりのポイント

〈単元で育てたい資質・能力〉

本単元のねらいは、第6学年までに配当されている漢字を読み、漸次書き、文や文章の中で使うことができるようになることである。子供たちは小学校6年間で、たくさんの漢字や言葉を習得してきた。習った言葉には「段落」や「面積」のように学習の中で繰り返し出てきているので、意味を理解した上で頻繁に使う言葉もある。しかし、「貿易」や「養分」など、普段の生活の中ではあまり使わない言葉については「知っているだけの言葉」となってしまっているものもあるだろう。

「知っている言葉」ではなく「使える言葉」にするために、様々な言葉について意味や書き表し方を知る必要がある。またそれだけでなく、どういった場面でどのように使うかについても理解することが大切である。子供たちにとって使い慣れていない言葉についても、幅広く文や文章の中で使おうとする習慣が身に付くようにしたい。

〈教材・題材の特徴〉

本教材は、様々な教科で使われる言葉を集めて、その意味を理解し、日常の中で使えるようにすることを目指してつくられた教材である。教科書 p.216で示されている言葉は、どれもこれまでの学習で扱われたものなので、言葉としては知っているはずである。しかし、ここでは普段の生活の中ではあまり使わない言葉も多く取り上げられている。この中には、「意味を説明しよう」と言われたときに正しく説明できなかったり、「この言葉を使って文章をつくろう」と言われても意味の通る適切な文章にできなかったりする言葉もあるだろう。

学習を通して、言葉の読み方や意味を確認したり、使う場面を想定して文章をつくったりすることで、「知っている」「聞いたことがある」だけの言葉から、生活の中で実際に「使える」言葉にすることができる教材である。

〈言語活動の工夫〉

学習の導入では、様々な言葉を使う場面や使い方を理解できるようにするという見通しがもてるようにする。言葉の意味を理解するだけではなく、その言葉を日常で使えるようにすることが重要である。これまでの学習で習っている言葉だが、正しく使うことができていない言葉を使って文章をつくるという活動を取り入れることで、辞書で調べようという主体性につなげたい。本単元のみの学習とせず、他教科でもここでの学習と関連させ、文や文章の中で言葉を適切に使えているか確認を促し、定着できるように継続して指導するとよいだろう。

[具体例]

教科書 p.216にある言葉の中から、読み方や意味が分からない言葉、正確に説明できない言葉を辞書で調べて、その言葉を使って文章をつくる。また、他教科の教科書、本や新聞、ウェブサイトのニュース記事などから、意味が分からない言葉や子供が使いこなせていないと思った言葉を辞書で調べ、文章をつくってもよいだろう。日常における言葉の使い方を振り返り、様々な言葉を使いこなせるようにしようと考えるきっかけにしたい。

〈ICT の効果的な活用〉

調査：ウェブサイトでニュース記事などを読む中で、分からない言葉を辞書で調べ、意味や使い方を理解できるようにする。

共有：学習支援ソフトなどを用いて、つくった文章を友達と共有することで、自分が調べたもの以外の言葉についても、意味や使い方を理解できるようにする。

本時案

使える言葉にするために

1/1

本時の目標

・第6学年までに配当されている漢字を読み、漸次書き、文や文章の中で使うことができる。

本時の主な評価

❶第6学年までに配当されている漢字を読み、漸次書き、文や文章の中で使っている。【知・技】

❷進んで第6学年までに配当されている漢字を読み、これまでの学習を生かして、読み方や意味が分からない言葉を辞書で調べようとしている。【態度】

資料等の準備

・教科書 p.216の拡大コピー（ICT 機器で代用可）
・漢字辞典、国語辞典

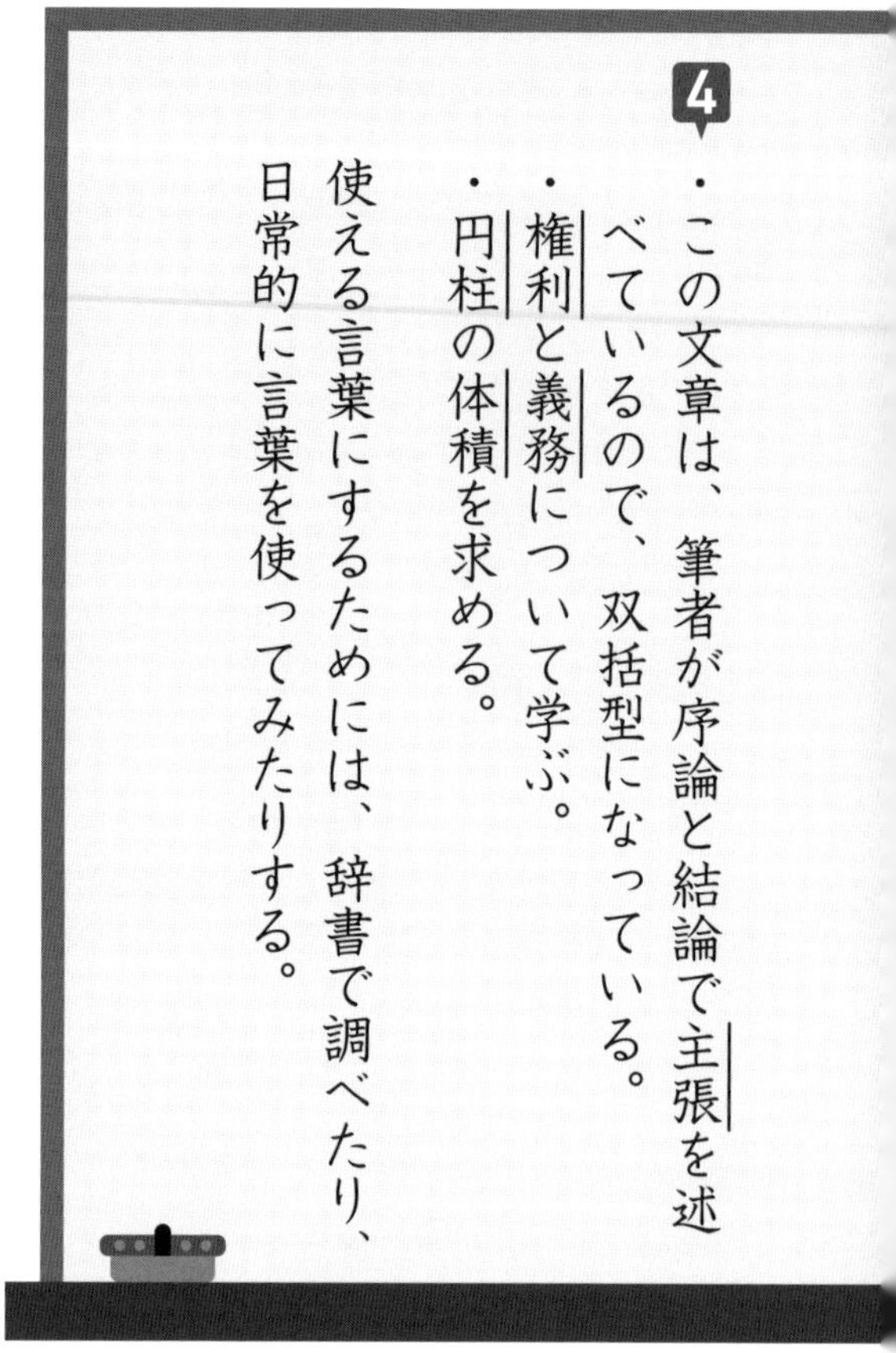
4
・この文章は、筆者が序論と結論で主張を述べているので、双括型になっている。
・権利と義務について学ぶ。
・円柱の体積を求める。
使える言葉にするためには、辞書で調べたり、日常的に言葉を使ってみたりする。

授業の流れ ▷▷▷

1 新しい言葉に出会う場面について話し合う〈5分〉

○教科書 p.215の挿絵を見て、新しい言葉に出会う場面について話し合う。

T　小学校6年間でたくさんの言葉を覚えましたね。どんな場面で新しい言葉に出会いましたか。

・教科書や本から新しい言葉を知りました。

T　新しい言葉を知ったことで、どのようないいことがありましたか。

・ニュースを聞いて内容を理解できるようになりました。

・話すときや書くときに、最も適した言葉を選択することができるようになりました。

T　新しい言葉を十分に使うことができていますか。

○本時のめあてを板書する。

2 初めて出会った言葉について話し合う〈5分〉

T　初めて出会った言葉を使うことはできていますか。

・意味は分かるけれど、文章にすることは難しいです。

・合っていると思っていたけれど、使い方が間違っていることもありました。

T　言葉を使う場面や使い方を理解するためにはどんなことをすればいいと思うか、友達と話し合いましょう。

・どんな使い方があるか調べて、実際に使ってみます。

○漢字の読み方や書き方を覚えたり、意味を調べたりするだけでは言葉を使いこなすことができないことを押さえる。

使える言葉にするために

1

使える言葉にするためにはどうすればいいか、考えよう。

新しい言葉に出会う場面
・教科書
・本 →言葉を知ると、意味が理解できる。

2

知っている言葉……聞いたことはあるが、意味は分からない。

←

使える言葉にする

3

教科書p.216の
拡大コピー

3 分からない言葉を辞書で調べる 〈15分〉

T　設問に示されている言葉の中で、読み方や意味が分からない言葉を辞書で調べましょう。

○教科書 p.216に示されている言葉について、読み方が分からない言葉は漢字辞典、意味が分からない言葉は国語辞典を使って調べる。

○実態に応じて、ペアやグループで協力して調べてもよい。

ICT 端末の活用ポイント

ウェブサイトでニュース記事などを読み、分からない言葉を辞書で調べ、実際の場面での意味や使い方を理解できるようにする。

4 設問の言葉を使って文章を書く 〈20分〉

T　教科書 p.216の言葉を使って文章を書きましょう。

○使い方を正しく理解できたか確認するために、主語、述語、修飾語などを使った文になるようにする。

・（国語）この文章は、筆者が序論と結論で主張を述べているので、双括型になっている。

○書いた文章を友達と読み合って、学習を振り返る。

ICT 端末の活用ポイント

学習支援ソフトなどを用いて、つくった文章を友達と共有することで、自分が調べたもの以外の言葉についても意味や使い方を理解できるようにする。

言葉について考えよう

日本語の特徴 （3時間扱い）

単元の目標

知識及び技能	・語句と語句との関係、語句の構成や変化について理解し、語彙を豊かにするとともに、語感や言葉の使い方に対する感覚を意識して、語や語句を使うことができる。((1)オ) ・文の中での語句の係り方や語順について理解することができる。((1)カ)
思考力、判断力、表現力等	・目的や意図に応じて簡単に書いたりくわしく書いたりするとともに、事実と感想、意見とを区別して書いたりするなど、自分の考えが伝わるように書き表し方を工夫することができる。(B ウ)
学びに向かう力、人間性等	・言葉がもつよさを認識するとともに、進んで読書をし、国語の大切さを自覚して、思いや考えを伝え合おうとする。

評価規準

知識・技能	❶語句と語句との関係、語句の構成や変化について理解し、語彙を豊かにするとともに、語感や言葉の使い方に対する感覚を意識して、語や語句を使っている。(〔知識及び技能〕(1)オ) ❷文の中での語句の係り方や語順について理解している。(〔知識及び技能〕(1)カ)
思考・判断・表現	❸「書くこと」において、目的や意図に応じて簡単に書いたりくわしく書いたりするとともに、事実と感想、意見とを区別して書いたりするなど、自分の考えが伝わるように書き表し方を工夫している。(〔思考力、判断力、表現力等〕B ウ)
主体的に学習に取り組む態度	❹進んで日本語の特徴について理解を深め、学習課題に沿って日本語の特徴を紹介する文章を書こうとしている。

単元の流れ

次	時	主な学習活動	評価
一	1	日本語の特徴についてイメージを膨らませる。 **学習の見通しをもつ** 日本語と英語で書かれた同じ内容の文を見比べ、気付いたことを交流する。	❶❷
二	2	文の組み立てや表記、表現などに着目しながら外国の言語と日本語を比較する。 日本語の特徴についてまとめる。	❶❷
	3	「日本語のここが面白い」と思うところを紹介する文章を書き、交流する。 **学習を振り返る** 学習の振り返りをする。	❸❹

授業づくりのポイント

〈単元で育てたい資質・能力〉

本単元では、日本語の特徴を他国の言語と比較する中で捉えることをねらいとしている。文の組み立てや表記、言葉などの観点に着目させて他言語と比較させることで、様々な側面から日本語の特徴を捉え直させたい。それぞれの観点を具体例と関係付けるなどの発展的要素も考えられるだろう。

日本語の面白さを紹介する文章を書く際には、自分の考えを分かりやすく表現する力を育成することも大切である。6年間の学習を振り返りながら書く題材を決め、本単元で押さえた日本語の特徴を踏まえて自分の考えをまとめさせたい。

〈教材・題材の特徴〉

一般的に、英語や中国語で用いられるSVO（主語＋動詞＋目的語）という語順に対し、日本語ではSOV（主語＋目的語＋動詞）という語順で文が構成されることが多く、文末まで聞かないと結論が分かりづらいという特質がある。また、主語を省略できる点や一人称の多さ、季節を表す表現の豊富さなど、子供たちが普段あまり意識していないであろう特徴は数多くある。様々な観点から日本語の特徴に触れさせることで子供の興味・関心を引き出し、主体的に学習に取り組む姿を育みたい。

［具体例］

○様々な例文を示し、子供の気付きから日本語の特徴をまとめたい。語順の特徴について考える際には、主語や動詞という言葉を使わずとも、「今日は雨が……」といった例文の先を予想させることで、文末まで聞かないと結論が分からないという日本語の特徴を捉えることができるだろう。また、主語の省略に関しては、子供の休み時間中の会話などを例として示すことで、より身近な話題として捉えることができる（例：「休み時間、何して遊ぶ？」など）。

〈言語活動の工夫〉

本単元では、日本語の特徴を踏まえ、「日本語のここが面白い」と思うところを文章に書く言語活動を設定する。教科書に示された観点以外にも、上述のような様々な観点から日本語の面白さについて考えを深めさせたい。そのためには、第3時までにどれだけ多くの日本語の特徴に触れられるかが重要となる。教科書に示されているp.66「文の組み立て」やp.200「日本の文字文化」、p.276「言葉の交流」だけでなく、日本語の特徴について書かれた図書資料なども用意しておくとよいだろう。また、雨を表す表現が多い理由について考える際、生活と言葉のつながりにまで考えを及ばせることで、新たな観点から日本語の面白さに気付かせることもできる。

［具体例］

○日本語の一人称や二人称を挙げさせ、他言語と比較させることで、その多さに気付かせる。その上で、なぜそれほど多いのかを考えさせることで、言語が生活と密着していることに気付かせることができるだろう。特徴だけでなく、理由まで想像させることで思考を広げさせたい。

〈ICTの効果的な活用〉

調査：翻訳アプリ等を用いることで、日本語の語順と外国語ではどうなるのかを比較することが容易になる。日本語の一人称や二人称の多様性に気付かせる際にも有効である。

本時案

日本語の特徴 1/3

本時の目標

・日本語と英語の文を見比べ、文の組み立てや表記などの特徴に気付くことができる。

本時の主な評価

❶例文から日本語の語句と語句の関係や、語句の構成について理解している。【知・技】
❷日本語と英語を比較し、文の構成や表記の仕方の違いについて理解している。【知・技】

資料等の準備

・教科書 p.218の例文の拡大コピー（ICT 機器で代用可）
・ワークシート 20-01

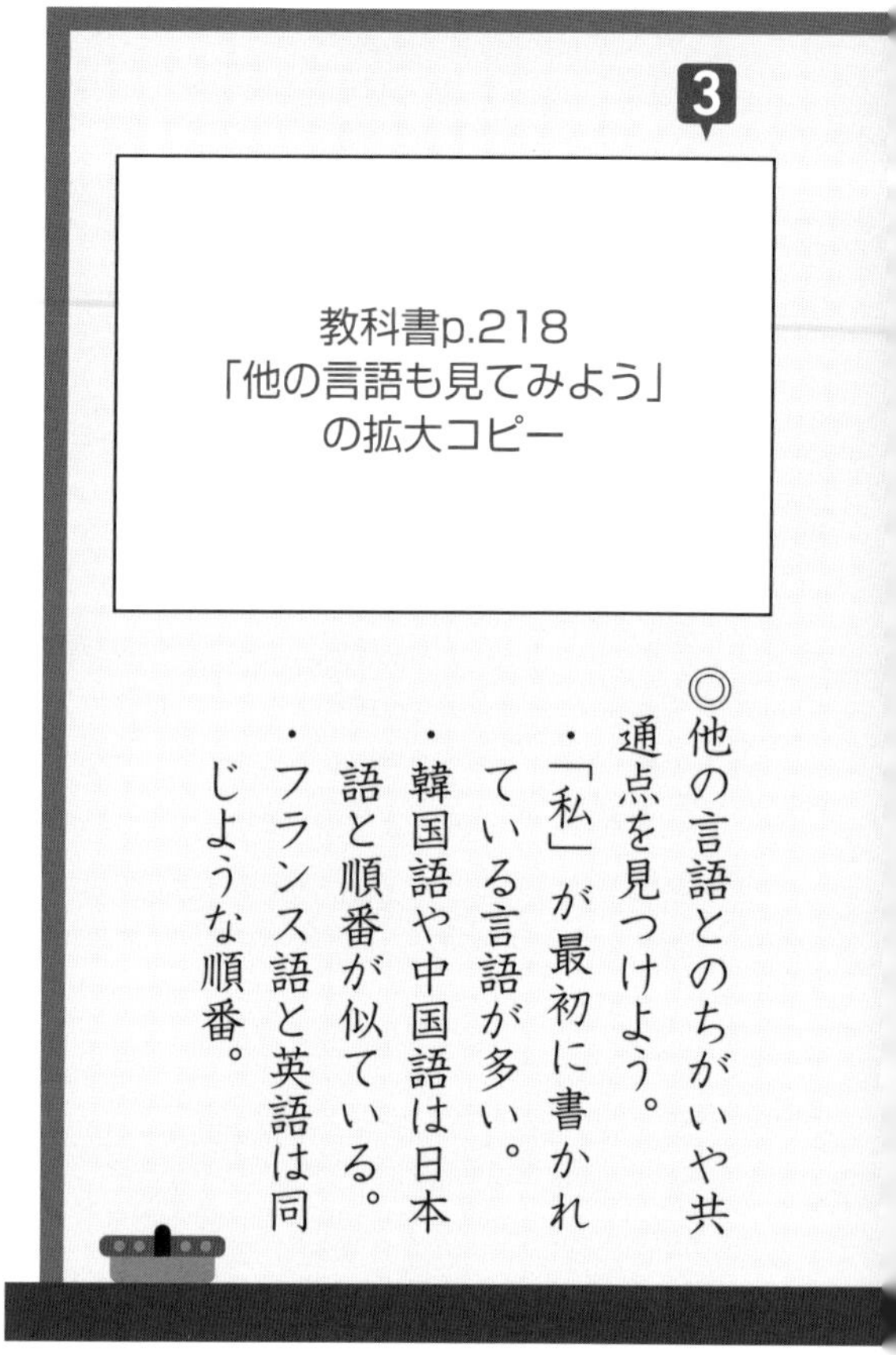

3
教科書p.218
「他の言語も見てみよう」
の拡大コピー
◎他の言語とのちがいや共通点を見つけよう。
・「私」が最初に書かれている言語が多い。
・韓国語や中国語は日本語と順番が似ている。
・フランス語と英語は同じような順番。

授業の流れ ▷▷▷

1 「問いをもとう」を基に、日本語の特徴を考える 〈15分〉

○教科書 p.217を読み、日本語の特徴について意見を引き出す。これまでの学習経験を振り返りながら、自由に考えを発表させる。

T　日本語にはどのような特徴があるでしょう。

・漢字と平仮名、片仮名が混ざっています。
・漢字にはいろいろな読み方があります。
・雨を表す言葉が多いと聞いたことがあります。
・前に学習をした敬語も日本語の特徴だと思います。

○本単元では外国語と比べながら日本語の特徴について考えることを伝え、本時のめあてを板書する。

2 日本語と英語の文を比較し、気付いたことを発表する 〈20分〉

○教科書の例文の拡大コピーを掲示し、気付いたことを考えさせる。

T　同じ内容について書かれた日本語と英語の文では、どのような違いや共通点があるでしょう。

・日本語のほうが短いです。
・両方とも「私」が最初に書かれています。
・動きを表す言葉の位置が違います。

○挙げられた特徴を整理しながら拡大コピーに書き込み、まとめていく。

○日本語と英語の文でそれぞれ対応している語句を同色で囲んだり、矢印で結んだりすることで文の組み立てが視覚的に分かりやすくなる。

日本語の特徴

1

◎日本語にはどのような特徴があるだろう。

・漢字と平仮名、片仮名がある。

・漢字にはいろいろな読み方や意味がある。

・敬語がある。

日本語と外国語の特徴を比べよう。

2

◎日本語と英語では、どのようなちがいや共通点があるだろう。

教科書p.218の日本語と英語の文の拡大コピー

・日本語のほうが短い。

・両方とも「私」が最初に書かれている。

・動きを表す言葉の位置がちがう。

3 日本語を英語以外の言語とも比較する 〈10分〉

○教科書 p.218「他の言語も見てみよう」を用いて、英語と比較した際と同様に他言語とも比較をする。

T 英語以外の言語とはどのような違いや共通点があるでしょう。

・「私」が最初に書かれている言語が多いです。

・韓国語や中国語は日本語と順番が似ています。

・フランス語と英語は同じような順番です。

ICT 端末の活用ポイント

例文をプレゼンテーションソフト等にまとめたものを配布する。気付いた特徴を自由に書き込んだり、学習支援ソフトを用いて友達と共有したりすることが容易になる。

ICT 等活用アイデア

様々な言語を調べる

第１時で他の言語と比較しながら日本語の特徴を探る際には、教科書に例示された４言語以外にも触れさせたい。翻訳アプリを用いると、好きな言語と自由に比較することができ、その結果を学習支援ソフトで共有することで、日本語の特徴により気付きやすくなる。

また、第２時で日本語の特徴をまとめる際には、一人称の多さや雨を表す表現の多さを子供自身が実際に調べることで、子供の興味・関心を高めることにもつながるだろう。

本時案

日本語の特徴 2/3

本時の目標

・文の組み立てや表記、表現方法などに着目して日本語の特徴をまとめることができる。

本時の主な評価

❶日本語の語句と語句の関係や語句の構成の特徴を整理し、理解している。【知・技】
❷他言語との比較を通して、日本語の文の構成や表記の仕方の特徴を理解している。【知・技】

資料等の準備

・教科書 p.218の例文の拡大コピー（ICT 機器で代用可）
・ワークシート 20-02

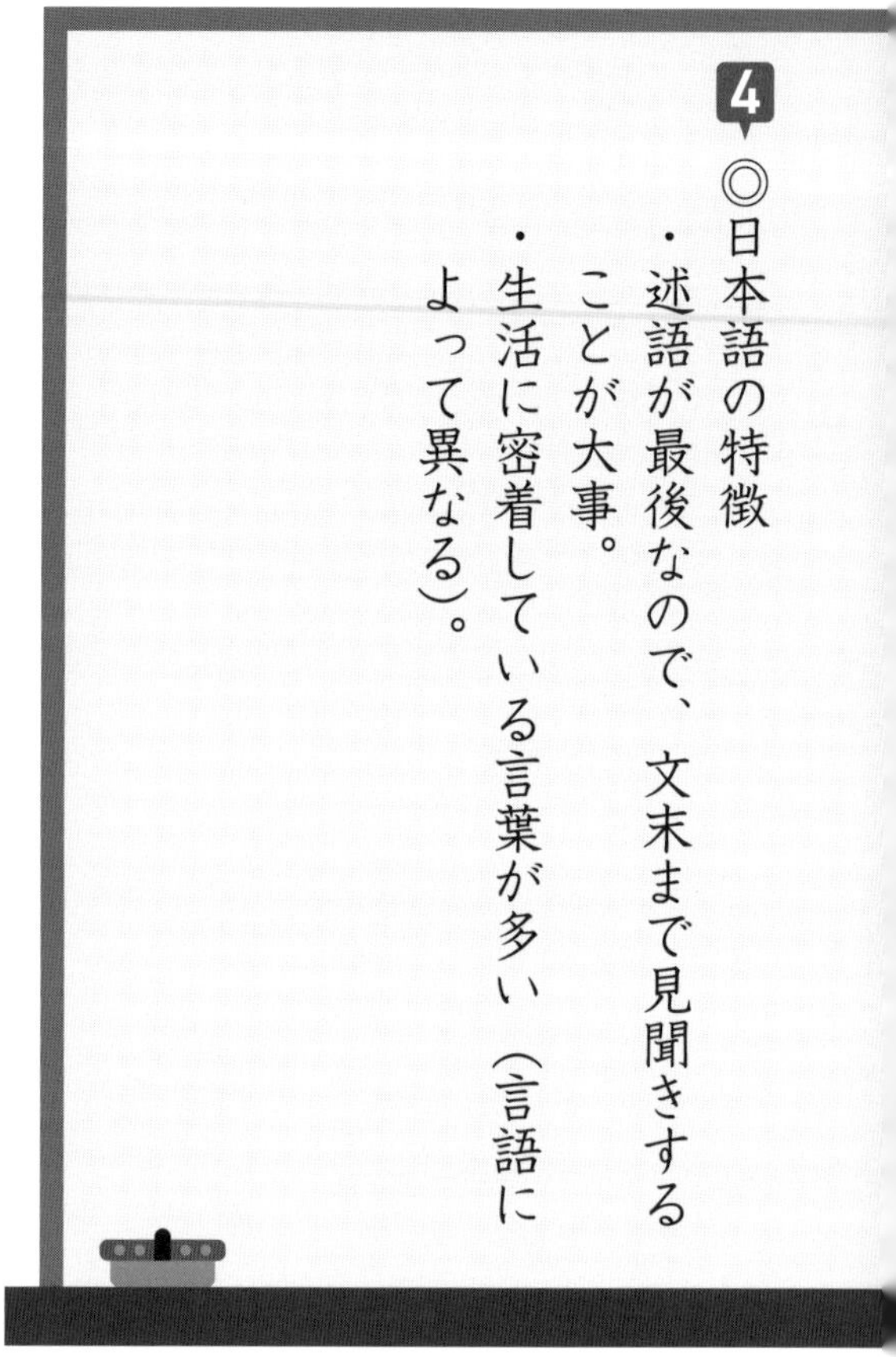
4
◎日本語の特徴
・述語が最後なので、文末まで見聞きする
ことが大事。
・生活に密着している言葉が多い（言語に
よって異なる）。

授業の流れ ▷▷▷

1 前時を振り返り、本時のめあてを確かめる 〈10分〉

T　前回は、日本語と外国語を比べました。どんな違いや共通点があったでしょう。
・同じ意味でも日本語のほうが短い文で書かれていました。
・動きを表す言葉は、日本語は最後に書かれていました。
○前時の拡大コピーを掲示物として残しておくと、スムーズに振り返ることができる。
T　今日は日本語の特徴を外国の言語と比べながらまとめていきましょう。
○本時のめあてを板書する。

ICT 端末の活用ポイント

前時に ICT 端末を使用した場合は、そのデータを再び投影することで振り返りをスムーズに行うことができる。

2 観点ごとに日本語の特徴を考える 〈20分〉

○文の組み立てや表記、表現などの観点を示し、外国の言語と比較しながら日本語の特徴を考える。
○観点は子供の気付きから設定する方法も考えられる。
T　それぞれの観点ごとに日本語の特徴をまとめていきましょう。
・主語が最初に、述語が最後にあります。
・漢字があるので、一つの文字に意味が込められています。
・「私」を表す表現がたくさんあります。

ICT 端末の活用ポイント

他国の言語と比較する際は、子供自身が考えた文を例にしたり、翻訳アプリを使ったりすることも効果的である。

日本語の特徴

1 日本語の特徴についてまとめよう。

2 ◎日本語の特徴を考えよう。

文の組み立て
・主語が最初、述語が最後。
・主語が省略される。

表記
・一つの文字に意味がある。
・読点で文が区切られる。

表現
・雨を表すことが多い。
・自分を表す言葉も多い。

教科書p.218の日本語と英語の文と
「他の言語も見てみよう」を
まとめた拡大コピー

3 ◎なぜその表現が多いのだろう。
・梅雨があるから。
・相手との関係性を大事にしているから。

3 日本語の表現の特徴を生活と結び付けて考える〈10分〉

○教科書 p.219を読み、日本語にはどんな分野の表現が多いか、その理由を考えさせたい。

T　日本語には雨を表す表現や、魚を表す表現、一人称がたくさんあります。理由を考えてみましょう。

・梅雨があって雨がよく降るからだと思います。

・海に囲まれていて、昔から魚が身近な存在だったからだと思います。

・相手との関係によって自分を表す言葉を変えているのだと思います。

○理由を結論付けることではなく、日本語の語彙の特徴について理解を深めることが目的であることに留意したい。

4 日本語の特徴についてまとめる〈5分〉

○本時の学習を振り返り、日本語の特徴のポイントをまとめさせる。子供の実態に合わせ、板書を写させる、自分の言葉でまとめさせるなど工夫をしたい。

T　日本語の特徴についてまとめましょう。

・日本語は述語が最後にくるので、文末まで見聞きしないと意味が正しく伝わりません。

・主語が省略されることがあります。

・言語によって、生活とつながっている表現が異なります。

○次時は日本語の面白さを紹介することを告げ、何をテーマにするか考えておくよう伝える。

本時案

日本語の特徴

3/3

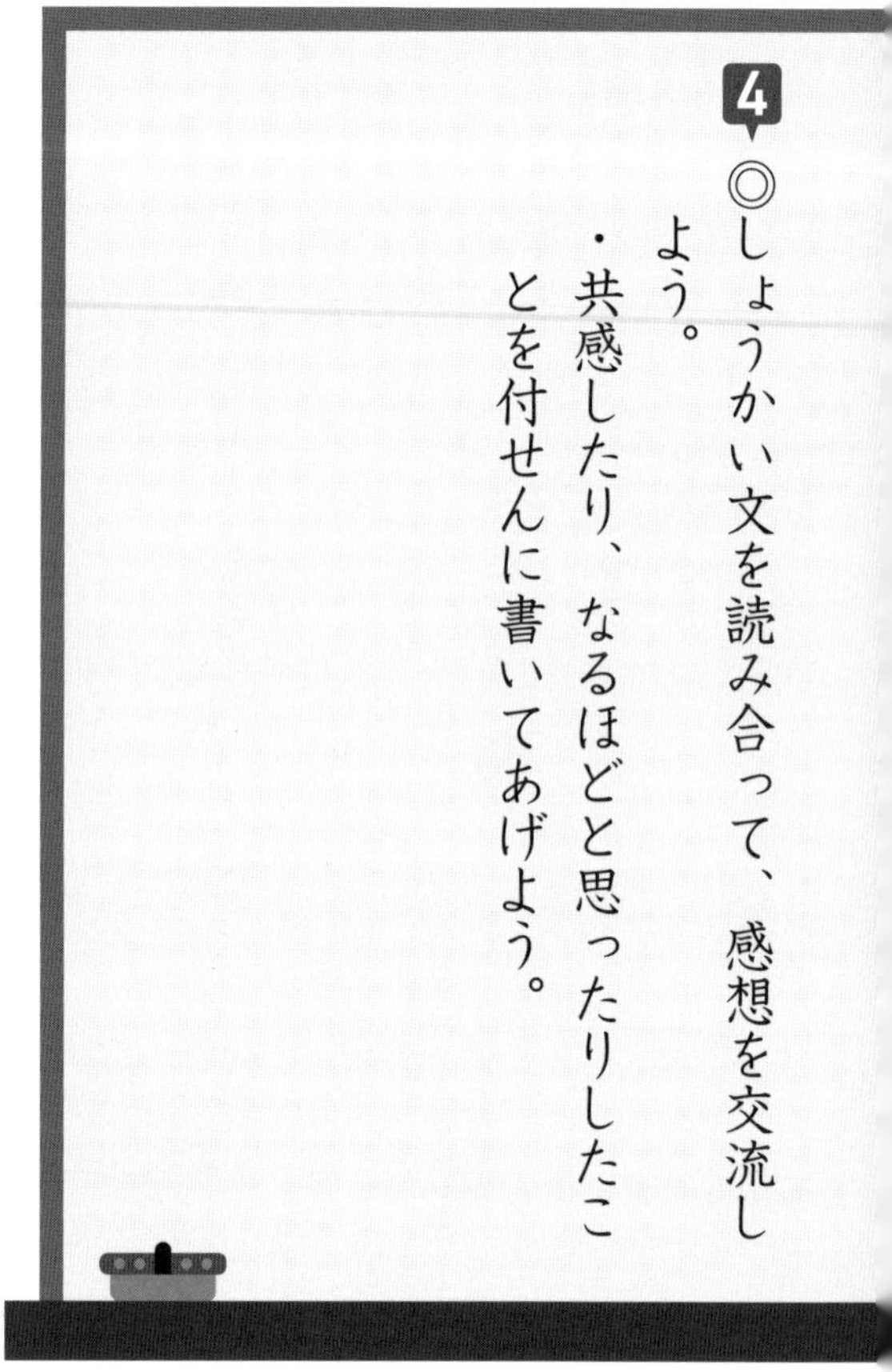
4
◎しょうかい文を読み合って、感想を交流しよう。
・共感したり、なるほどと思ったりしたことを付せんに書いてあげよう。

本時の目標

・書き表し方を工夫して日本語の面白さを紹介する文章を書くことができる。

本時の主な評価

❸事実と考えを区別し、書き表し方を工夫して日本語の面白さを紹介する文章を書いている。【思・判・表】

❹日本語の特徴について理解を深め、日本語の特徴や面白さを紹介する文章を書こうとしている。【態度】

資料等の準備

・紹介文を書く原稿用紙
・付箋紙

授業の流れ ▷▷▷

1 前時を振り返り、本時のめあてを確かめる 〈5分〉

T 日本語にはどういう特徴がありましたか。

・主語が最初で述語が最後です。

・雨を表す表現が多くあります。

○拡大コピーや電子黒板へ書き込んでおいた前時までの学習内容を再提示し、スムーズに振り返りを行いたい。

T 今日は、日本語の特徴や面白さについて紹介文を書きましょう。

○本時のめあてを板書する。

T 日本語の特徴や面白さを誰に紹介したいですか。

・ALT の先生に紹介したいです。

・クラスの友達と紹介し合いたいです。

○紹介文を誰に向けて書くか、子供と話し合いながら決めていく。

2 テーマを決め、書く内容を整理する 〈10分〉

○教科書 p.220「日本語をしょうかいしよう」を参考に、書くテーマを決めさせる。日本語の特徴について書かれた図書資料を予め教室に用意しておくことも有効である。

○クラス全体でどんなところが日本語の面白さかを考え、テーマが決められない子供への支援としたい。

T 日本語の特徴のどんなところが面白いと思いますか。

・一人称の多さが面白いと思いました。

・漢字、平仮名、片仮名といろいろな表記があるところが面白いです。

○テーマが決まったら、特徴や面白さの具体例や留意点、活用方法を考えさせ、書く内容を整理させる。

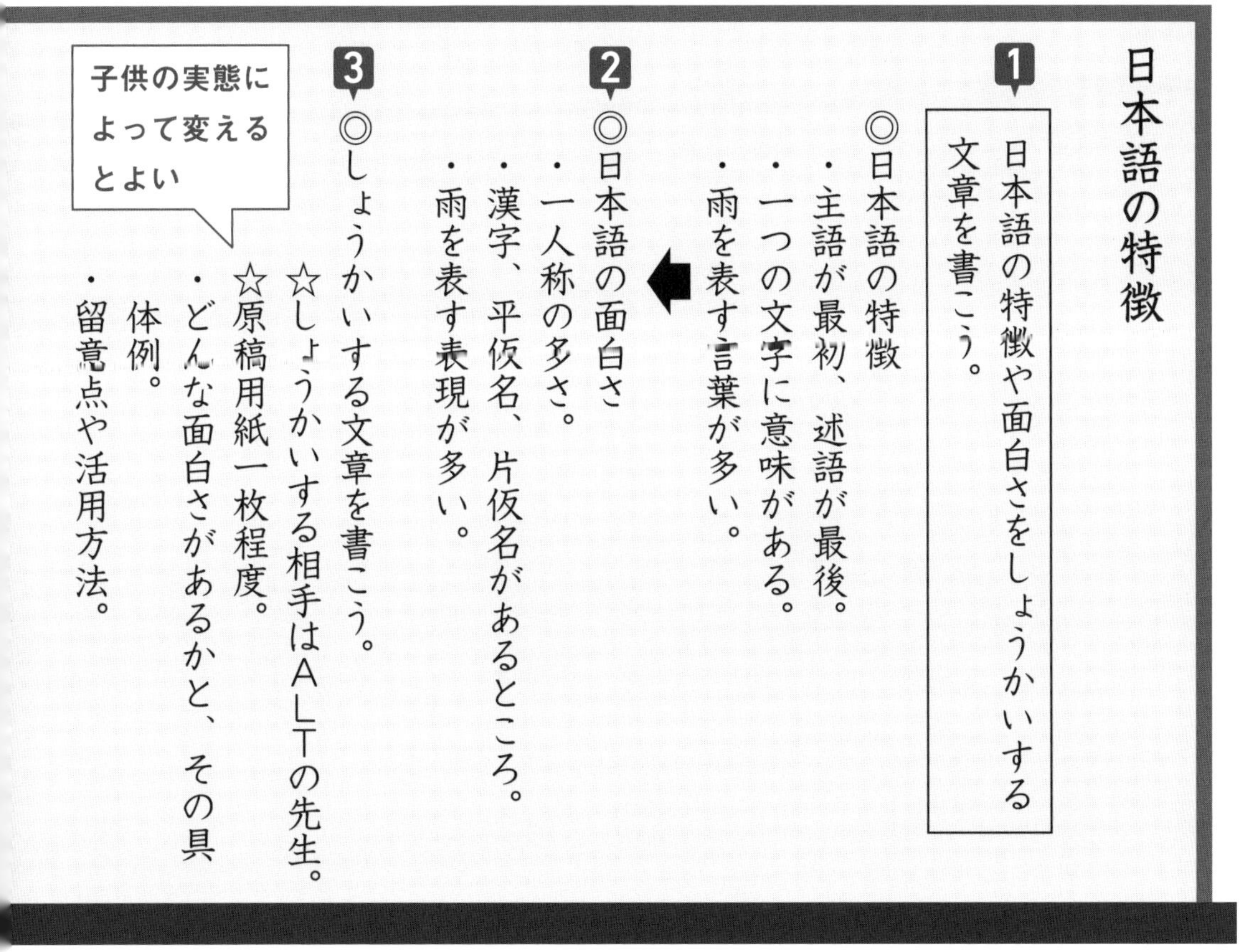
日本語の特徴
1
日本語の特徴や面白さをしょうかいする文章を書こう。
◎日本語の特徴
・主語が最初、述語が最後。
・一つの文字に意味がある。
・雨を表す言葉が多い。
2
◎日本語の面白さ
・一人称の多さ。
・漢字、平仮名、片仮名があるところ。
・雨を表す表現が多い。
3
◎しょうかいする文章を書こう。
☆しょうかいする相手はALTの先生。
☆原稿用紙一枚程度。
・どんな面白さがあるかと、その具体例。
・留意点や活用方法。
子供の実態によって変えるとよい

3 日本語の面白さを紹介する文章を書く〈25分〉

T　日本語の特徴や面白さについて紹介文を書きましょう。

〇子供と話し合って決めた紹介相手を意識させて文章を書かせる。文量は原稿用紙１枚など、子供の実態に合わせて調整したい。教師が作成した例文を提示することも有効。

〇友達との相談タイムを設け、具体例や活用方法について子供同士でアドバイスをし合うことで様々な視点から日本語の特徴・面白さを捉えることができるだろう。

ICT 端末の活用ポイント

雨を表す表現が実際にはどれくらいあるかなど、必要に応じて具体例を調べさせたい。また、子供の実態によっては紹介文を文書作成ソフトで書かせることも有効である。

4 紹介文を交流し合う〈５分〉

〇日本語の特徴や面白さについての紹介文を交流し合う。

T　紹介文を読み合って感想を伝え合いましょう。感想は付箋紙に書いて紹介文の裏に貼りましょう。

〇付箋紙を配布しておく。足りなくなった場合は子供が自分で取りに来られるように置いておくとよい。

〇誤字脱字の確認や推敲とともに、書き手の意欲につながる感想を付箋紙に書かせる。

T　単元で学んだことや、これから生かしていきたいことを振り返りましょう。

〇学習の振り返りを記入するよう促す。

〇紹介相手が学級外の人物である場合は、課外の時間に紹介文を届ける。

資料

1 第1時資料　ワークシート 20-01

日本語の特徴

名前（　　　　　　　　　　）

◎日本語にはどんな特徴があるだろう。

◎日本語と英語では、どのようなちがいや共通点があるだろう。

I　eat　bread　every day.

（私）（食べる）（パン）（毎日）

ちがい

共通点

◎他の言語とのちがいや共通点を見つけよう。

教科書p.218「他の言語も見てみよう」の画像

ちがい

共通点

2 第２時資料　ワークシート 20-02

日本語の特徴

名前（　　　　　　　　　　　　　　）

◎日本語の特徴を考えよう。

教科書p.218の日本語と英語の文と「他の言語も見てみよう」を
まとめた画像

主語や述語の順番など

使っている文字など

どんな分野の表現が多いかなど

表現	文の組み立て
その他	表記

◎日本語に多いのはどんな分野の表現だろう。
その理由も考えてみよう。

◎日本語の特徴

書き表し方を工夫して、経験と考えを伝えよう

大切にしたい言葉　6時間扱い

単元の目標

知識及び技能	・語感や言葉の使い方に対する感覚を意識して、語や語句を使うことができる。((1)オ)
思考力、判断力、表現力等	・目的や意図に応じて簡単に書いたり詳しく書いたりするとともに、事実と感想、意見とを区別して書いたりするなど、自分の考えが伝わるように書き表し方を工夫することができる。(B ウ)
学びに向かう力、人間性等	・言葉がもつよさを認識するとともに、進んで読書をし、国語の大切さを自覚して、思いや考えを伝え合おうとする。

評価規準

知識・技能	❶語感や言葉の使い方に対する感覚を意識して、語や語句を使っている。(〔知識及び技能〕(1)オ)
思考・判断・表現	❷「書くこと」において、目的や意図に応じて簡単に書いたり詳しく書いたりするとともに、事実と感想、意見とを区別して書いたりするなど、自分の考えが伝わるように書き表し方を工夫している。(〔思考力、判断力、表現力等〕B ウ)
主体的に学習に取り組む態度	❸大切にしたい言葉を積極的に集め、大切にしたい言葉に対する考えと経験が伝わるように書き表し方を工夫しようとしている。

単元の流れ

次	時	主な学習活動	評価
一	1	学習の見通しをもつ これからの生活でいつも身近に置きたい言葉について話し合う。 教科書のモデル文を読み、学習計画を立てる。	
二	2	大切にしたい言葉を選び、関連する経験を書き出す。	❸
	3	書く分量を確かめ、文章構成を考える。	❷
	4	下書きをし、友達と読み合って推敲する。	❶
	5	書き表し方を工夫して清書する。	❸
三	6	学習を振り返る 読み合って、感想を伝え合う。学習を振り返る。	

授業づくりのポイント

〈単元で育てたい資質・能力〉

　ここでは、目的や意図に応じて簡単に書いたり、詳しく書いたりするとともに、事実と感想、意見を区別して書いたりするなど、自分の考えが相手によく伝わるように工夫して書き表す力を育てる。

具体的には、自分が選んだ言葉についての説明とその言葉に関連する自分の経験を、分量に合わせながら区別して書くことができるようにする。自分の経験の中には、出来事の説明だけでなく、そのときの自分の思いや、その言葉は自分にとってどのような意味をもつのか等も含まれる。特に伝えたいことについては文を多くして詳しく書くなど、目的に合わせて軽重を付けて書くようにすることが必要である。

[具体例]
○第1時で教科書の例文を読み、言葉についての説明とその言葉に関連した自分の経験が、どこにどのように書かれているかを共有する。どのような題材でどんな文章を書くのか、何に注意するのかをつかませることで、この学習で何を学ぶのか明確にさせる。

〈教材・題材の特徴〉

自分の成長を、座右の銘や自分が変わるきっかけになった言葉とつなげて振り返り、題材にしている教材である。それゆえ「知ってほしい、この名言」と関連する単元と言える。教科書の例文は、初め・中・終わりの構成で、どの部分にどんなことを書くか明確に示されている。この枠組みを生かしながら、自分の選んだ言葉と経験を整理して書くことができるようになっている。書き上がった文章を友達同士で読み合いながら、言葉が生活に結び付いていることや、人の生き方や考え方に大きな影響を与えることなどに気付かせるとよいだろう。

[具体例]
○選んだ言葉について、漠然とした捉えだけでは自分の経験とつなげて文章化するのは難しい。その言葉の正しい意味や、その言葉が生まれた背景など、丁寧に調べて理解することが必要である。言葉を選ぶ段階で、言葉の意味や背景を調べる時間を確保したり、家庭学習と連携したりするとよい。

〈言語活動の工夫〉

推敲の際に友達同士で確認するのはもちろんのこと、題材を選んだり、文章構成を考えたりする際にも友達同士で確認する時間を取るようにする。題材や構成について、互いに交流し意見交換することで、そのまま先に進めて大丈夫なのか、あるいは修正する必要があるのか、自分たちで判断することができる。1時間の活動の中で、個人で集中して取り組む時間と、友達から意見をもらい調整する時間を使い分けるように計画するとよいだろう。

〈ICT の効果的な活用〉

調査：題材となる言葉を集める際に、インターネットを活用できる。名言については現在様々なホームページで紹介されている。また、意味や背景を調べる際にも活用できる。

表現：文書作成ソフトに基本となる構成の枠組みを用意しておき、そこに文字を入力するようにする。めやすになっている分量を意識できるので、より詳しく書いたほうがよい部分や、より簡単に書いたほうがよい部分を自分で調整しながら書くことができる。

本時案

大切にしたい言葉　1/6

本時の目標

・学習の見通しをもつことができる。

本時の主な評価

・学習の見通しをもっている。

資料等の準備

・教科書 p.224「日々の積み重ねが自信を作る」の拡大コピー（ICT 機器で代用可）
・教科書 p.221「見通しをもとう」の拡大コピー（ICT 機器で代用可）

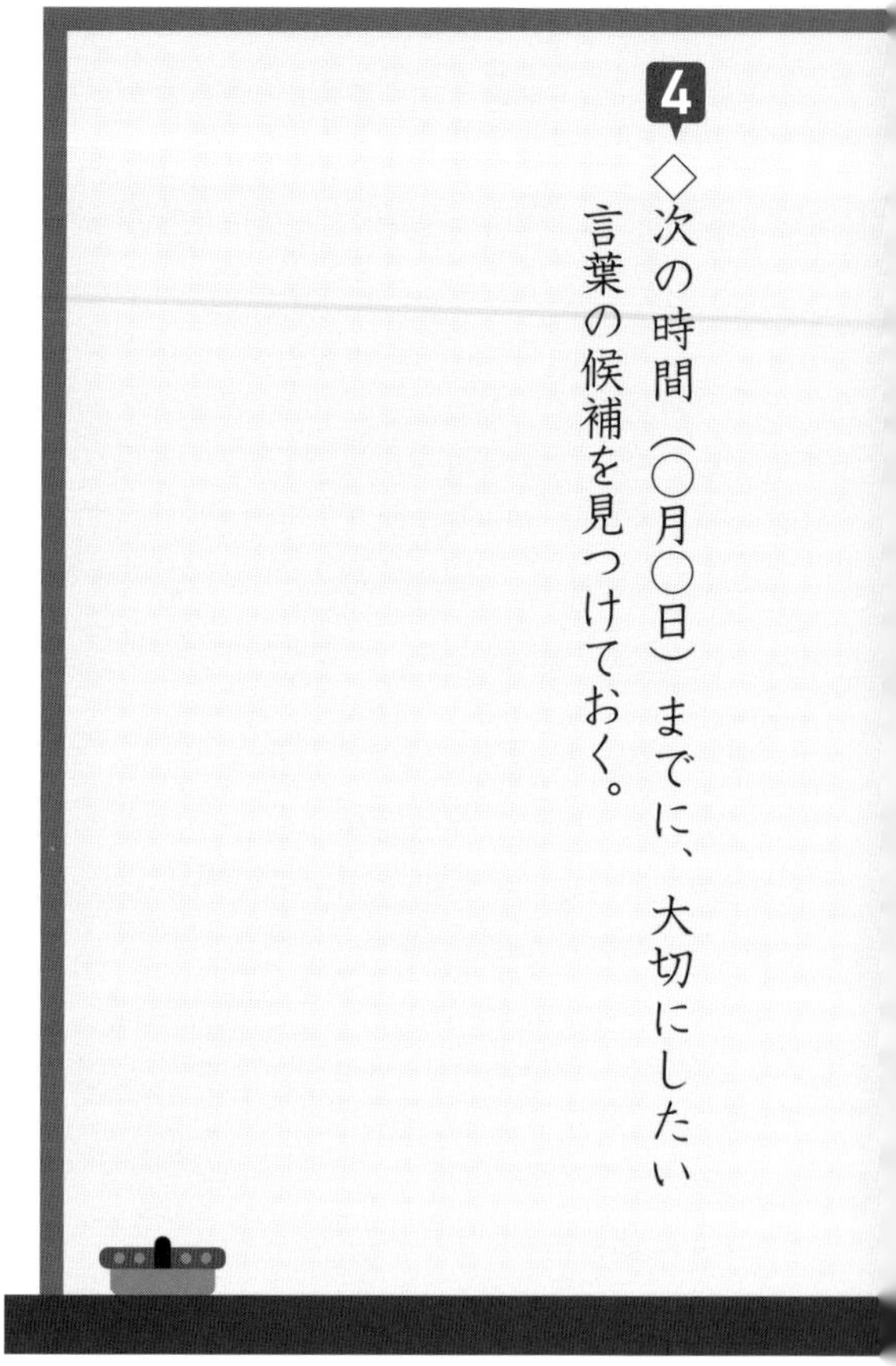
4
◇次の時間（○月○日）までに、大切にしたい
言葉の候補を見つけておく。

授業の流れ ▷▷▷

1 自分の「大切にしている言葉」について話し合う 〈10分〉

○これからの自分にとって「大切にしたい言葉」を考える。

T　自分にとって何か大切にしている言葉はありますか。また、どうしてその言葉を大切にしているのですか。

・「雨だれ石をうがつ」かな。小さな努力を積み重ねることを大事にしていきたいからです。

・「一人はみんなのために　みんなは一人のために」です。参加しているラグビーチームでコーチに教わった言葉です。

○心に残っている言葉や、大切にしている言葉について子供の発言を板書する。

○思い付かないときには、「知ってほしい、この名言」の学習を想起させる。

2 単元の目標と、どんな文章を書くのかを確認する 〈15分〉

T　この単元では、大切にしたい言葉が、自分にとってどんな意味をもっているかが伝わるように、書き表し方や表現を工夫して文章にまとめます。どんな文章を書くのか、確認しましょう。

○教科書 p.224「日々の積み重ねが自信を作る」を読み、どんな文章を書くのか見通しをもたせる。この段階では、表現や書き表し方の工夫よりも、大まかな内容や構成、文字数などを確認しておく。

・言葉の説明だけじゃなく、自分の経験と合わせて書くようだな。

・初め、中、終わりの構成になっているな。

・これくらいの文章量でまとめるとよいのだな。

大切にしたい言葉

1

この学習の見通しをもとう。

◇自分が「大切にしている言葉」
・雨だれ石をうがつ
・一人はみんなのために　みんなは一人のために

2

〈目標〉
大切にしたい言葉が、自分にとってどんな意味をもっているかが伝わるように、書き表し方や表現を工夫して書こう。

3

教科書p.224
「日々の積み重ねが自信を作る」
の拡大コピー

教科書p.221
「見通しをもとう」
の拡大コピー

3 学習計画を確認する 〈15分〉

○「決めよう　集めよう」「組み立てよう」「書こう」「つなげよう」のステップを確認し、それぞれ具体的にどんな活動をするのか、確認する。ここでは、とりわけ「書こう」の過程に重点があることも押さえる。

T　この単元では、下書きをした後に、友達と読み合って助言をし合う時間と、その助言を受けて書き方の工夫を考え清書する時間が特に大事な学習になっています。

ICT 端末の活用ポイント

文書作成ソフトを使うと、書いた文章の推敲と清書に対する子供の負担感を下げることができる。実態に応じて活用するとよい。

4 次時の学習の見通しをもつ 〈5分〉

T　次の時間は、大切にしたい言葉を選び、関係する経験を書き出します。自分が大切にしたい言葉について振り返り、いくつか候補となる言葉を見付けておくようにしましょう。

○次時までの時間を数日空け、子供が大切にしたい言葉について振り返る時間を確保する。家庭学習と連携させて、言葉と経験をノート等に整理させておいてもよいだろう。

本時案

大切にしたい言葉

2/6

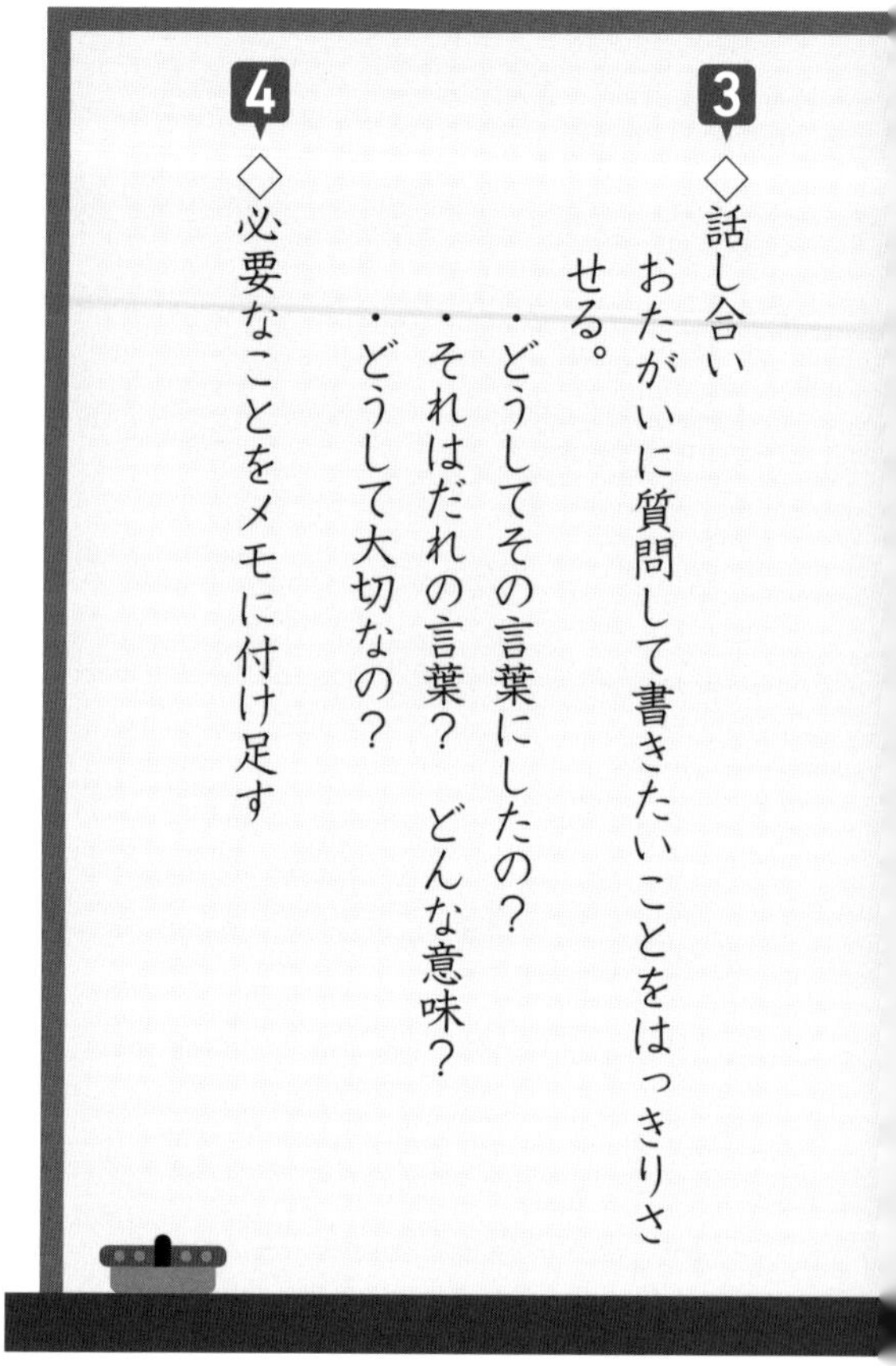
3
◇話し合い
おたがいに質問して書きたいことをはっきりさせる。
・どうしてその言葉にしたの？
・それはだれの言葉？　どんな意味？
・どうして大切なの？
4
◇必要なことをメモに付け足す

本時の目標

・自分が大切にしたい言葉を集め、その言葉につながる経験や考えについて整理し、言葉を一つ選ぶことができる。

本時の主な評価

❸自分の経験や考えとの関連を粘り強く考えて大切にしたい言葉を選んでいる。【態度】

資料等の準備

・ワークシート 21-01
・教科書 p.198「図を使って考えた例」の拡大コピー（ICT 機器で代用可）
・付箋

授業の流れ ▷▷▷

1 この時間のめあてと学習の進め方を確かめる〈5分〉

T　今日は、自分が一番伝えたい「大切にしたい言葉」について決めます。「知ってほしい、この名言」で学んだ図を使った方法を活用して整理し、絞り込みます。

○付箋に言葉を書き出し、教科書 p.198の図を使った方法で優先順位を付けて整理することを伝える。子供の実態に応じて、作業の仕方のモデルを教師が示すようにする。

・あのときのやり方で言葉を決めるようにするんだな。

2 「大切にしたい言葉」を決める〈20分〉

T　それでは、候補となる言葉をいくつか付箋に書きましょう。付箋には、①言葉、②誰の言葉か、③いつ頃、どのようにその言葉に出会ったか、④その言葉はどんな経験と結び付いているか、を簡単にメモするようにしましょう。その後、2軸に整理して一つに決めましょう。

○メモする観点を板書に示す。

○本単元の趣旨に沿って、2軸を「自分にとっての優先順位」「意味や経験の明確さ」にするとよい。

○なかなか書き出せない子供の個別指導をする。

大切にしたい言葉

1

自分の「大切にしたい言葉」を決めよう。

教科書p.198の図例
（2軸を「自分にとっての優先順位」
「意味や経験の明確さ」にするとよい）

2

◇付せんにメモする観点

①言葉

②だれの言葉か

③いつごろ、どのようにその言葉に出会ったか

④その言葉はどんな経験と結びついているか

3 自分が選んだ言葉について話し合う 〈15分〉

○決めた言葉について、友達と共有する。交流することで、その言葉についてどんなことを書くのか、より明確にさせる。

T どんな言葉にしたのか、小グループで交流します。どんな言葉を選んだのか、誰の言葉でどうやって出会ったのか、なぜ大切なのかなど、お互いに質問をすることで、自分が書くことをよりはっきりさせましょう。

○３～４人程度のグループを編成する。子供の実態に応じて、考えが広がったり深まったりすることを意図したグループにするとよい。

4 話合いを振り返り、メモの内容を整理する 〈５分〉

T 自分が選んだ言葉について、自分の経験や考えを具体的に説明することができましたか。質問されて付け足した説明があれば、メモに付け加えておきましょう。

・自分がその言葉にいつも励まされていることを書くと、どうして大切にしているのかが伝わりそうだな。

・運動会のエピソードに加えて、習い事のサッカーの出来事も書くようにしたいな。

○付箋では書き切れないこともある。ワークシートに書き直して整理させてもよい。

T 次回は、書く分量を確かめ、文章構成を考えます。

本時案

大切にしたい言葉

3/6

本時の目標

・事実と感想、意見を区別して文章の構成を考えることができる。

本時の主な評価

❷事実と感想、意見を区別して文章の構成を考えている。【思・判・表】

資料等の準備

・構成表 21-02
・構成表の拡大コピー（ICT 機器で代用可）

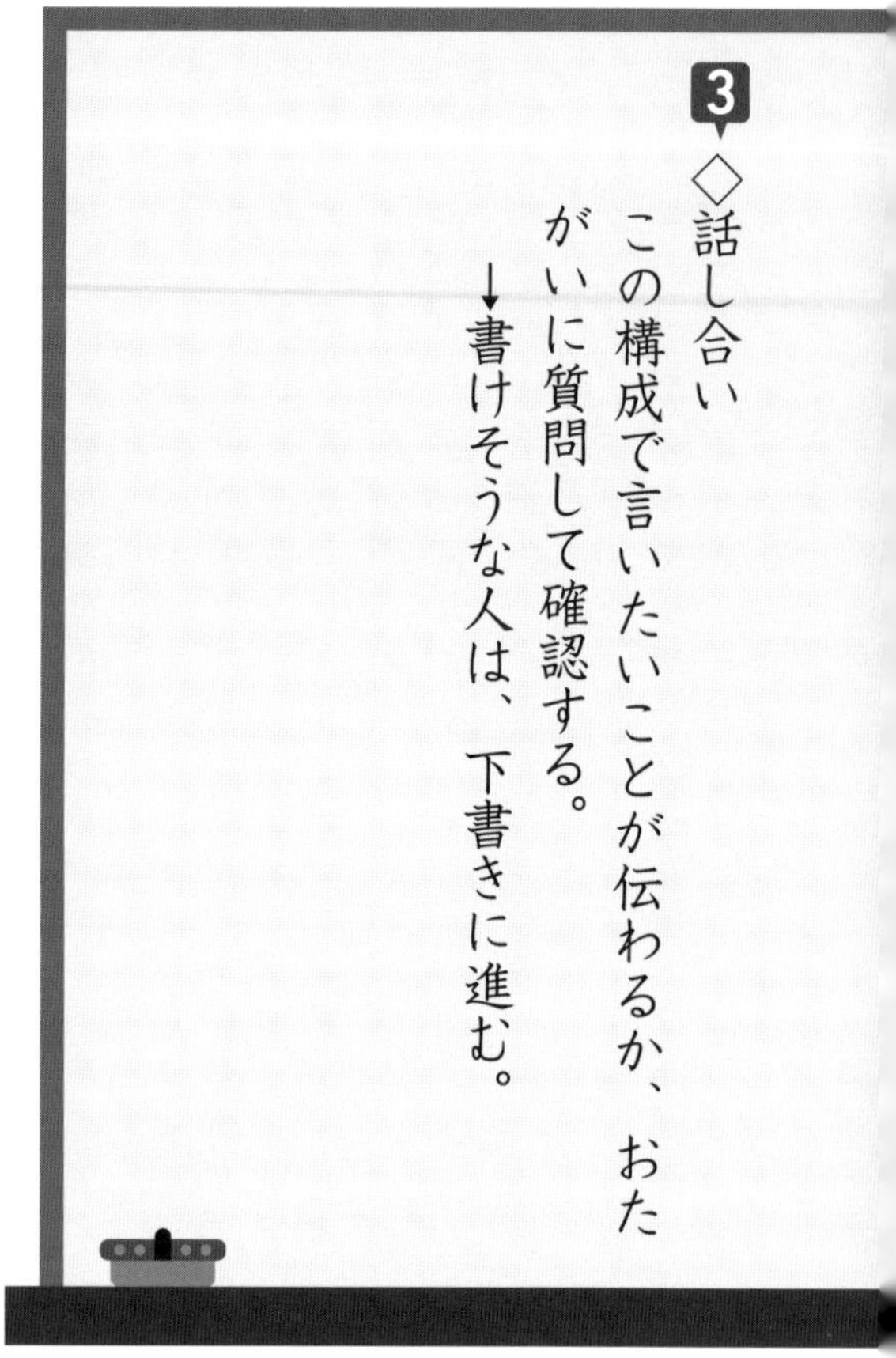

3
◇話し合い
この構成で言いたいことが伝わるか、おたがいに質問して確認する。
↓書けそうな人は、下書きに進む。

授業の流れ ▷▷▷

1 教科書の例を基に文章の構成を確かめる 〈10分〉

〇この時間のめあてを確認する。

T　伝えたいことが読み手にきちんと伝わるように書くために、文章の構成を考えましょう。教科書 p.224「日々の積み重ねが自信を作る」をもう一度読んで、どんな構成か、確認しましょう。

・たしか、初め、中、終わりの構成になっていたよね。

・初めには、選んだ言葉についての説明が書いてあります。

・中には、その言葉に結び付く自分の経験が書かれています。

〇初め、中、終わりの構成で、それぞれ具体的に何が書かれているか確かめる。

2 自分の伝えたいことに合わせた構成を考える 〈20分〉

T　文字数はおよそ800字程度、原稿用紙 2 枚程度です。自分の伝えたいことに合わせた構成を考え、構成表をつくりましょう。

〇板書で構成表の書き方を説明し、それを参考にしながら、構成表を完成させる。

・その言葉の意味を丁寧に書かないと分かってもらえなさそう。

・これからもこの言葉を大事にしたいという思いを書いて終わるようにしたいな。

ICT 端末の活用ポイント

学級の実態に応じて、構成表の共通フォーマットに入力させてもよい。加除修正がしやすいという利点を生かすことができる。

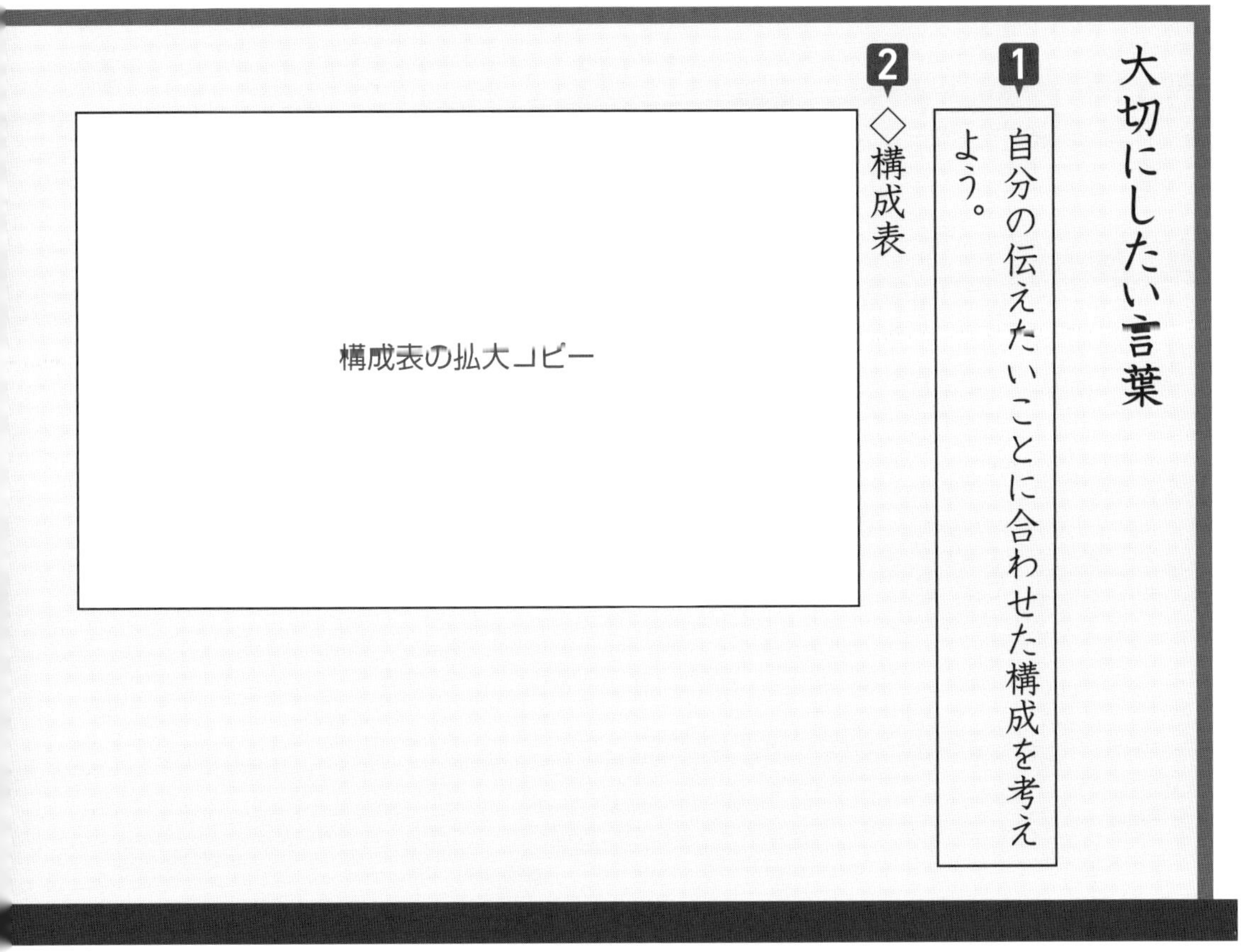

3 自分の考えた構成について話し合う 〈15分〉

○自分で考えた構成について、友達と共有する。構成がまとまらない子供は、友達の助言を受けることで、自分の伝えたいことに合わせた構成をまとめるようにする。

T どんな構成にするのか、小グループで交流します。自分が伝えたいことは、この構成で伝わるか確認し合いましょう。構成がまとまっていない人は、友達からアドバイスを受けて考えてみましょう。

○前時同様に、３～４人程度のグループを編成する。

○構成表を共有し、書ける見通しが立った子供から下書きに進んでもよい。

よりよい授業へのステップアップ

書くことにおける学び合い

書く活動は、個人作業が多い。しかし、自分が考えたことを人に説明することで、考えがよりはっきりすることが多くある。推敲場面で友達と助言し合うことはもちろんのこと、言葉の選択や文章の構成に関しても、常に考えたことを伝え合い、意見し合うことで、完成まで自信をもって取り組むことが期待できる。

その都度、意図的にグループを編成してもよいし、単元を通して３～４人の学び合いチームを編成するのもよいだろう。

本時案

大切にしたい言葉 4/6

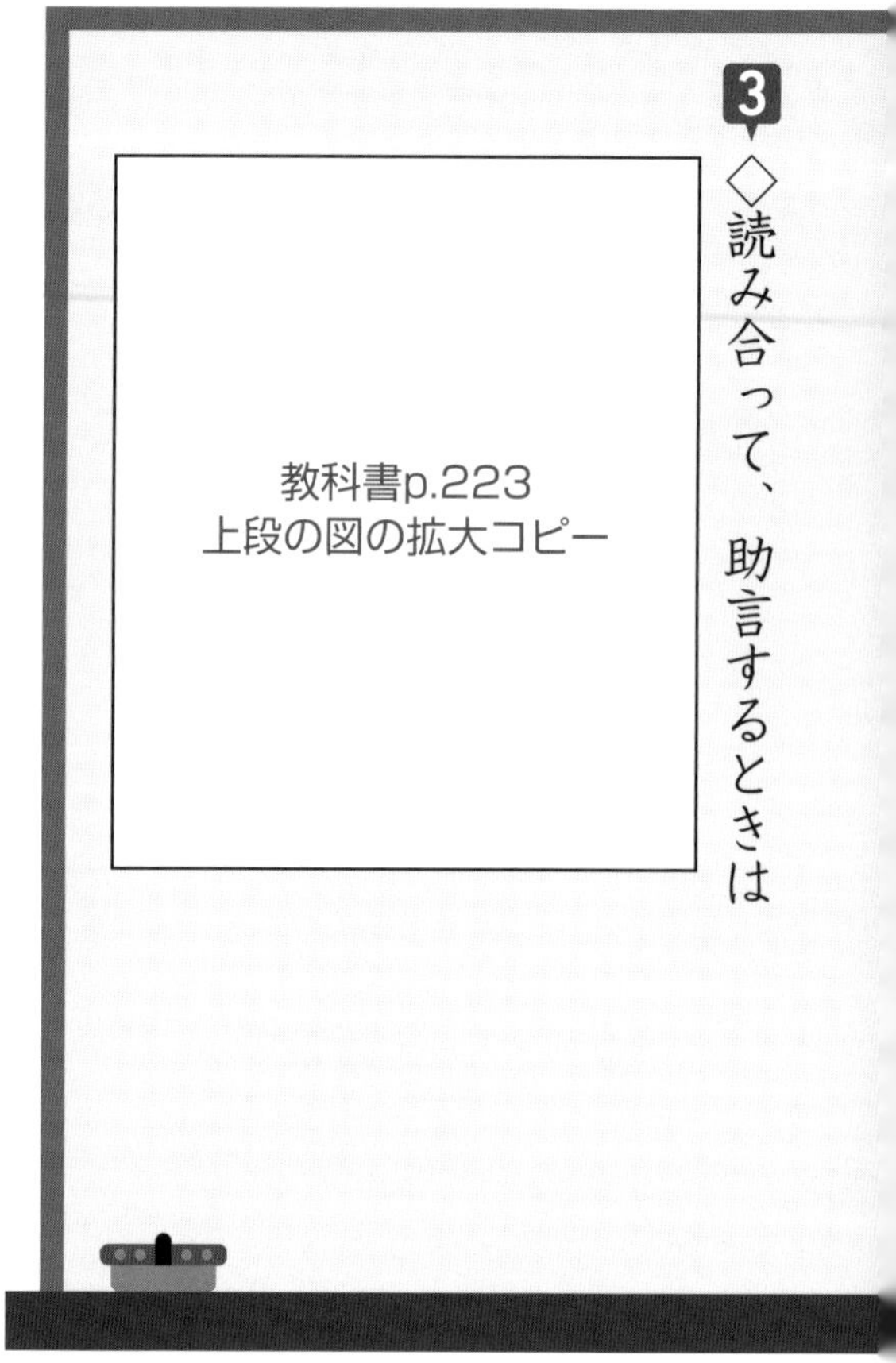

本時の目標

・自分が選んだ言葉について、自身の経験と結び付けながら自分の考えを書いたり、友達の書いたものを読んで助言したりすることができる。

本時の主な評価

❶自分が選んだ言葉について、自身の経験と結び付けながら自分の考えを書いたり、友達の書いたものを読んで助言したりしている。【知・技】

資料等の準備

・教科書 p.223上段の図の拡大コピー（ICT 機器で代用可）
・作文用紙

授業の流れ ▷▷▷

1 この時間のめあてを確かめる 〈２分〉

T　今日は、前時に作成した構成表を確かめながら、下書きを書きます。自分が大切にしたい言葉について、それに結び付く経験や考えが分かるように工夫して書くようにしましょう。原稿用紙２枚分、800字の中で、初め、中、終わりをそれぞれどのくらいの字数でまとめるか、めやすを立ててから書くとよいでしょう。
○前時で作成した構成表を確認しながら、書くようにする。

2 下書きを書く 〈30分〉

T　それでは、下書きを書き始めましょう。
○下書きを書く活動はあくまでも個人作業なので、子供が集中して取り組むことができるように座席を動かすなど工夫するとよい。
○机間指導として、なかなか書き出せない子供に個別に指導する。

ICT 端末の活用ポイント

文書作成ソフトを使って書いてもよい。その際、初め、中、終わりのテキストボックスをそれぞれつくっておくようにする。

大切にしたい言葉

1 自分の経験と考えが伝わるように下書きを書こう。

2 ◇下書きを書く

なぜその言葉が大切なのか

→ その言葉に結びつく出来事や経験
自分の考え

構成表を確認 ↓ 下書きを書く
八百字程度（原稿用紙二枚分）

3 友達と読み合い、助言し合う〈13分〉

○教科書 p.223を確認し、助言の仕方を確認する。

○「読み合って、助言するときは」を確認する。

T 教科書 p.223のように、友達の下書きを読むときは、読みにくいところや分かりにくいところに赤いサイドラインを引き、コメントを書きます。その後、どう直したらいいか提案を伝えてください。また、伝えたいことに対して、表現を変えたほうがよく伝わるところもあれば知らせるようにしましょう。

○３～４人程度のグループを編成する。

ICT 等活用アイデア

記述・推敲に文書作成ソフトを活用する

本単元では、指導事項の重点項目に記述と推敲が位置付けられている。それゆえ、書き直しが簡単にできる利点をもつ文書作成ソフトを積極的に活用するとよい。読み合い助言し合う活動の中では、傍線の代わりに文字の色を変えたり、マーカー機能で色付けしたりして、修正箇所を伝えるようにするとよい。その後の修正も簡単に行うことができ、子供の書くことに向かう抵抗感を減らす効果が期待できる。

本時案

大切にしたい言葉　5/6

本時の目標

・ここまでの学習を生かして、自分の考えが伝わるように文章を推敲し、清書することができる。

本時の主な評価

❸友達の助言を受けて、自分の考えがより伝わるように書き表し方を粘り強く吟味し、文章を書こうとしている。【態度】

資料等の準備

・作文用紙

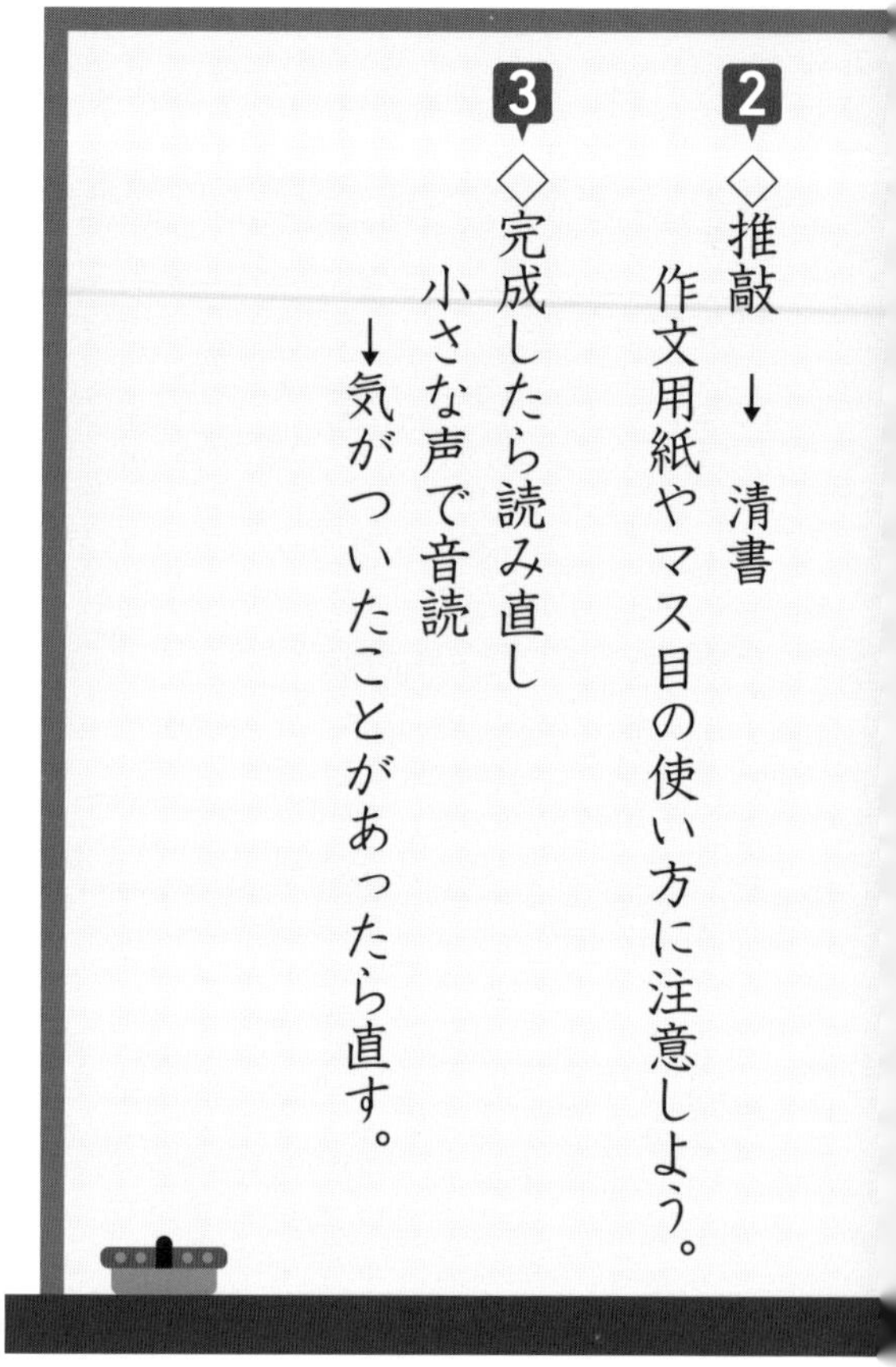

2
◇推敲　↓　清書
作文用紙やマス目の使い方に注意しよう。
3
◇完成したら読み直し
小さな声で音読
↓気がついたことがあったら直す。

授業の流れ ▷▷▷

1 この時間のめあてと下書きの推敲の仕方を確かめる 〈10分〉

T　友達からのアドバイスを生かして、下書きの文章をよりよくしていきましょう。どのように書き直したらよいか、教科書で確認しましょう。

○教科書 p.224の「書き表し方を考えるときは」を読み、事実や経験を分かりやすく書くためにはどうしたらよいか、また、思いが的確に伝わるようにするにはどうしたらよいか、具体的に気を付けることをそれぞれ確かめる。

・ぼくは、ついつい一文が長くなるから、長さに気を付けよう。

・言いたいことを強調するために、語順を入れ替えるようにしたいな。

2 友達からの助言を生かして文章を推敲し、清書する〈30分〉

T　友達からアドバイスをもらった部分を中心に、下書きを推敲しましょう。直し終わったら清書します。清書するときには、用紙やマス目の使い方にも気を付けるようにしましょう。

○推敲と清書は個人作業なので、子供が集中して取り組むことができるように座席を動かすなど工夫するとよい。

○机間指導しながら、子供の質問や相談に応えるようにする。

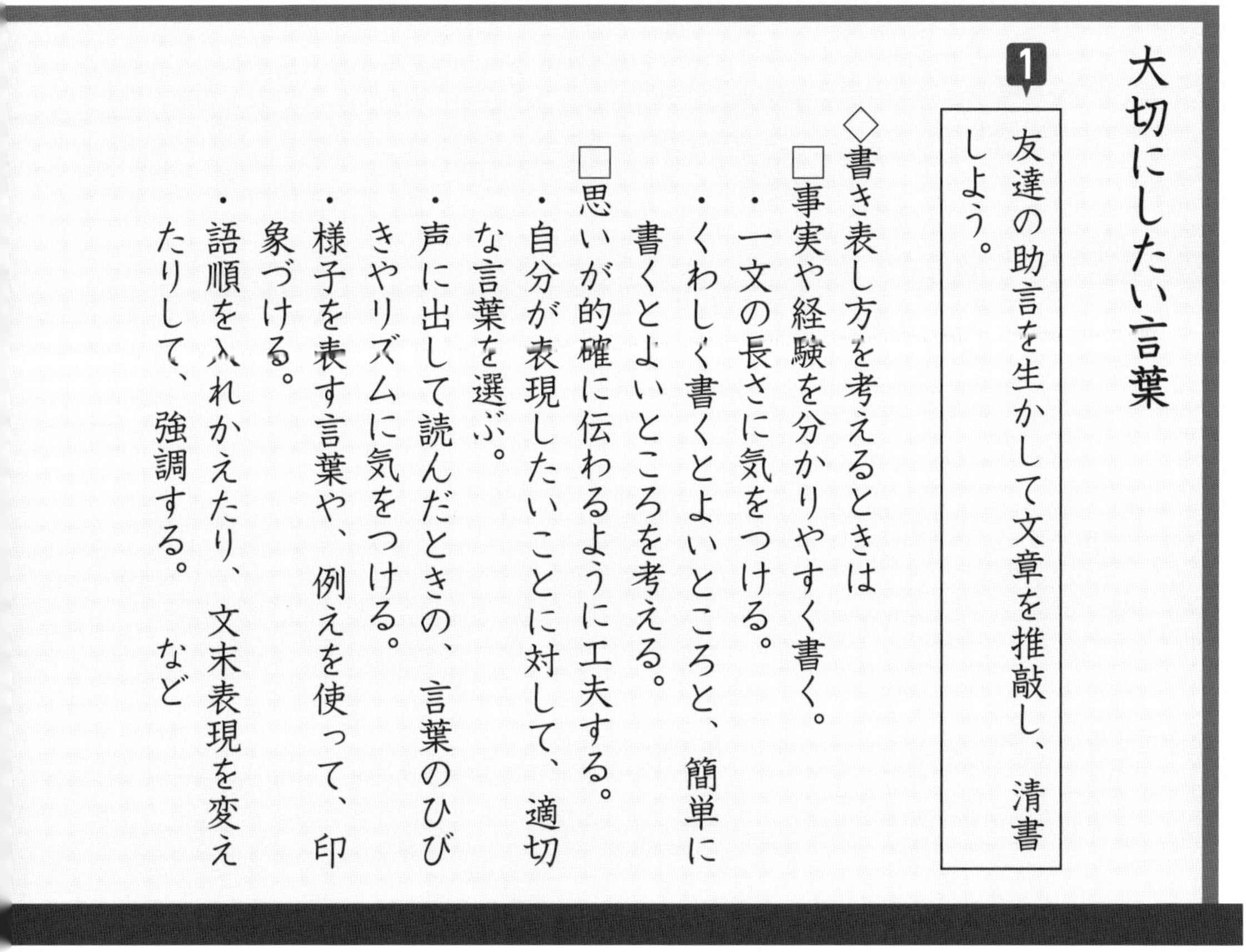
大切にしたい言葉
1
友達の助言を生かして文章を推敲し、清書しよう。
◇書き表し方を考えるときは
□事実や経験を分かりやすく書く。
・一文の長さに気をつける。
・くわしく書くとよいところと、簡単に書くとよいところを考える。
□思いが的確に伝わるように工夫する。
・自分が表現したいことに対して、適切な言葉を選ぶ。
・声に出して読んだときの、言葉のひびきやリズムに気をつける。
・様子を表す言葉や、例えを使って、印象づける。
・語順を入れかえたり、文末表現を変えたりして、強調する。
など

3 書き上げた文章を見直す〈5分〉

○清書した文章を見直す。

T　書き上げた文章を自分に聞こえるくらいの小さな声で音読しましょう。誤字や脱字はもちろん、文と文とのつながりや言い回しが適切かどうかも意識して読むようにしましょう。

・声に出して読んでみると、この部分は長くてだらだらしているな。

○修正すべき部分に気付いた子供には、書き直させる。微音読と修正を繰り返させ、納得のいく文章にするように促す。

T　一人一人が大切にしたい言葉について文章を書き上げることができました。次の時間は、書き上がった文章をお互いに読み合い、感想を伝え合いましょう。

よりよい授業へのステップアップ

推敲についての指導

子供同士の助言は必ずしも適切であるとは限らない。自分が伝えたいことは何かを踏まえて、必要な修正なのかどうかを考えるようにさせたい。また、判断の一助として教師の助言もあるとよいだろう。

微音読で読み直す習慣を

声に出して読むと、誤字・脱字、文章のつながりや言い回しの悪さに気付くことが多くある。書いて終わりではなく、常に書き終えた文章は、自分で声に出して読み直し、確認をする習慣を身に付けさせたい。

本時案

大切にしたい言葉 6/6

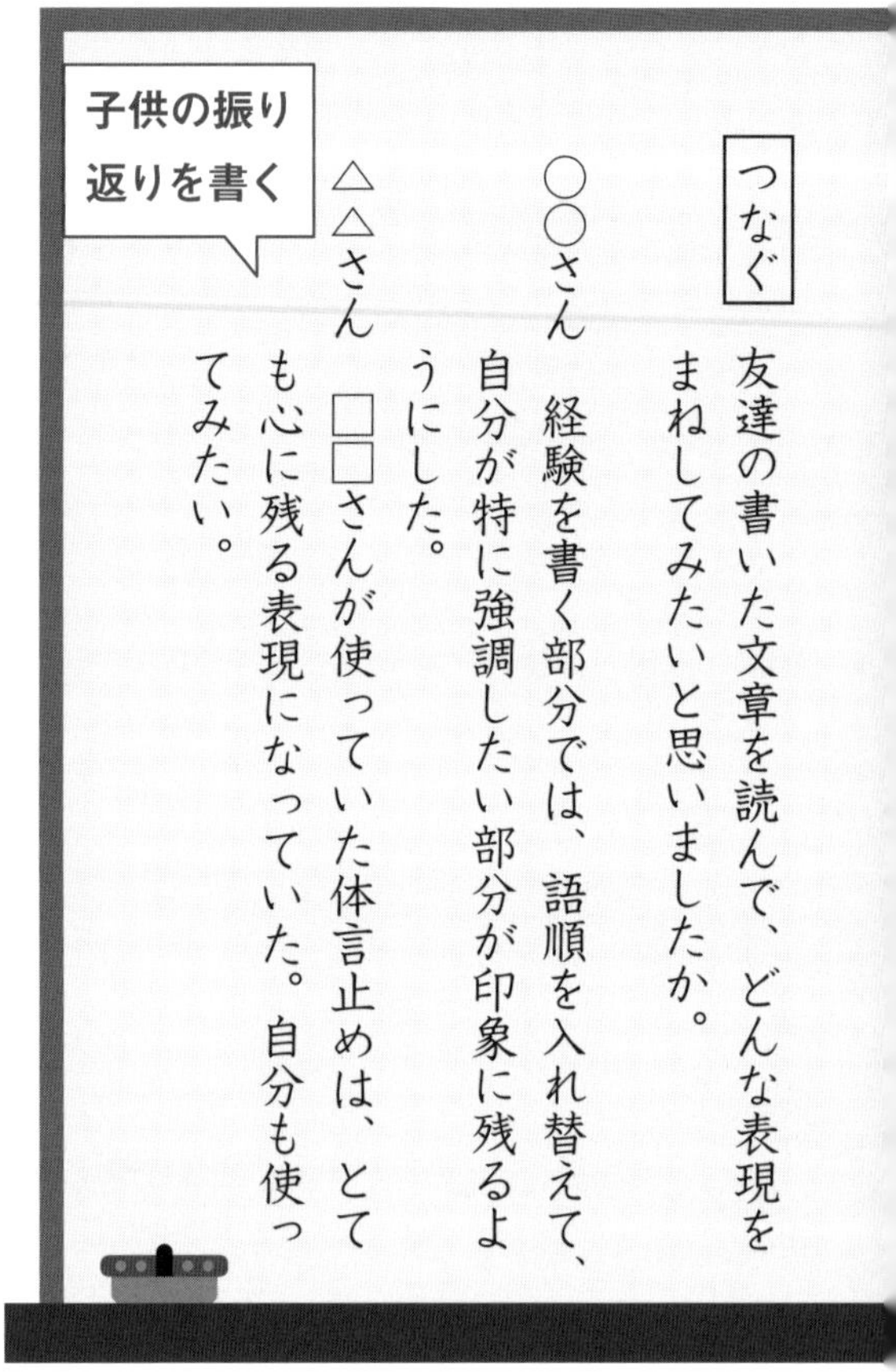

つなぐ
友達の書いた文章を読んで、どんな表現をまねしてみたいと思いましたか。
○○さん　経験を書く部分では、語順を入れ替えて、自分が特に強調したい部分が印象に残るようにした。
△△さん　□□さんが使っていた体言止めは、とても心に残る表現になっていた。自分も使ってみたい。
子供の振り返りを書く

本時の目標

・書き上げた文章を読み合い、感想や意見を伝え合うことができる。

本時の主な評価

・書き上げた文章を読み合い、感想を伝え合おうとしている。

資料等の準備

・付箋

授業の流れ ▷▷▷

1 この時間のめあてと学習の進め方を確かめる〈5分〉

T　今日は、書き上げた文章を読み合い、感想を伝え合いましょう。心を動かされた内容や表現、使っている言葉や表現の適切さ、文章の調子について、その文章からよい点を見付けて付箋に書いて伝え合いましょう。

○教科書 p.225「読み合って、感想を伝え合おう」を確認する。

2 文章を読み合い、感想を伝え合う〈25分〉

○子供の実態に合わせて、小グループで文章を回し読みしたり、時間内に自由に席を移動してそこに置いてある文章を読んだりするなど、交流の仕方を工夫する。

○付箋に気が付いたことを書いて貼り付けたら、次の文章を読むようにするとよい。誰からのコメントなのか、必ず記名させる。付箋をまとめて置き、自由に取れるようにする。

○教師は、滞っているグループがないか、また付箋のコメント内容が適切かどうか、子供の活動の様子を見る。必要に応じて指導をする。

大切にしたい言葉

1 書いた文章を読み合い、感想を伝え合おう。

付せんに感想を書く。

〈観点〉

・心を動かされた内容や表現

・使っている言葉や表現の適切さ　文章の調子　など

2 ◇交流の仕方

①机の上に作文を置き、筆記用具を持って他の席に移動。

②机の上の作文を読む。

③ふせんに感想を書いて作文に貼る。

④ふせんを補充し、空いている席に移動する。

②〜④をくりかえす。

3 《学習のふり返り》ノートにまとめよう

知る　自分の思いに、特にぴったり合っていると思うのは、どの言葉や表現ですか。

書く　自分の伝えたいことが的確に伝わるように、どのように書き表し方を工夫しましたか。

3 単元全体の学習を振り返る〈15分〉

T　単元全体の学習を振り返りましょう。

○教科書 p.225「ふりかえろう」の三つの項目を示し、ノートに書かせる。

○子供がどのような振り返りを書いているか、机間指導をして確認する。発表は自由に発言させてもよいし、紹介したい子供を意図的に指名してもよい。できるだけ多くの子供の発言を引き出すようにしたい。

T　経験を基に何かを伝えるときには、経験と伝えたいことの結び付きが大切です。その結び付きをはっきりさせて、表現を工夫するようにしましょう。

○教科書 p.225「いかそう」を使ってまとめる。

よりよい授業へのステップアップ

書いてよかったと思える終わり方を

学習を終えたときに、「頑張って書いてよかった」と子供が思えるような終わり方をするようにしたい。

読み合って感想を交流し、その文章のよい部分を伝え合う活動が一般的だが、書いた文章をまとめて文集にしたり、廊下に掲示し、幅広く読んでもらう場をつくったりするなどの工夫もできる。

学級外の人に読んでもらえるときには、読んだ感想のコメントをもらえるようにするとよい。

書くことの単元に限らず、子供の努力が報われる終わり方を常に心がけたい。

資　料

1 第2時資料　ワークシート 21-01

大切にしたい言葉　　名前（　　　　　　　　）

大切にしたい言葉　名前（　　　　　　　　）

◇構成表

初め	選んだ言葉「　　　　　　」 その言葉の説明 だれの言葉か。いつ・どうやって出会ったか。	100字～200字
中	大切にしたい言葉に結びつく経験 言葉と結びつく出来事や経験 そのときの気持ちや考え　など その言葉をどうして大切にしているのか分かるように。	400字～600字
終わり	まとめ これからの自分について	100字～200字

資料を使って、みりょく的なスピーチをしよう

今、私は、ぼくは　6時間扱い

単元の目標

知識及び技能	・話し言葉と書き言葉との違いに気付くことができる。((1)イ) ・日常よく使われる敬語を理解し使い慣れることができる。((1)キ)
思考力、判断力、表現力等	・資料を活用するなどして、自分の考えが伝わるように表現を工夫することができる。(A ウ) ・話の内容が明確になるように、事実と感想、意見とを区別するなど、話の構成を考えることができる。(A イ)
学びに向かう力、人間性等	・言葉がもつよさを認識するとともに、進んで読書をし、国語の大切さを自覚して、思いや考えを伝え合おうとする。

評価規準

知識・技能	❶話し言葉と書き言葉との違いに気付いている。(〔知識及び技能〕(1)イ) ❷日常よく使われる敬語を理解し使い慣れている。(〔知識及び技能〕(1)キ)
思考・判断・表現	❸「話すこと・聞くこと」において、資料を活用するなどして、自分の考えが伝わるように表現を工夫している。(〔思考力、判断力、表現力等〕A ウ) ❹「話すこと・聞くこと」において、話の内容が明確になるように、事実と感想、意見とを区別するなど、話の構成を考えている。(〔思考力、判断力、表現力等〕A イ)
主体的に学習に取り組む態度	❺積極的に資料を活用するなどして自分の考えが伝わるように表現を工夫し、学習の見通しをもって自分の思いや考えを伝えるスピーチをしようとしている。

単元の流れ

次	時	主な学習活動	評価
一	1	これまでの小学校生活を想起し、今、どんなことを思うかを考える。 「目標」を基に学習課題を設定する。 **学習の見通しをもつ** スピーチの話題と内容を決める。	
	2	構成を考えて、スピーチメモをつくる。	❹
	3	発表に必要な資料を準備する。	❸
	4	スピーチの練習をする。	❶
二	5	スピーチ発表会を開く。	❷❺
	6	感想を伝え合う。 **学習を振り返る**	

授業づくりのポイント

〈単元で育てたい資質・能力〉

本単元は、スピーチ学習のまとめとして、目的意識と相手意識を明確にもって資料を作成し、自分の思いや考えを効果的に伝える力を育てたい。そのためには、目的意識につながる「伝えたい自分の思いや考え」をはっきりとさせることが大切である。そして、「聞く人（保護者、同級生、下級生等）」を予め設定し、相手の知識や関心に合わせて資料をつくったり、言葉を選んだりするようにさせる。

5年生までに、資料の示し方や話し方、言葉の選び方を工夫して説得力のある話をする学習をしてきた。ここでは、それらを想起させながら、学んできたスピーチの集大成として発表会をさせたい。

［具体例］

○お世話になった人へ感謝の思いを伝えるために、自分たちの成長した姿を保護者に伝える。小学校生活の実際をあまり知らない大人に理解してもらえるような資料や、目上の人に話す言葉を選ぶことが必要となる。

○次年度からの学校を任せ引き継いでもらうために、委員会やクラブなど一緒に活動する機会があった5年生に伝える。相手の関心を予想し、説得力の増す資料をつくることなどができる。

〈教材・題材の特徴〉

本単元は、小学校で学んできたスピーチのまとめとして位置付けられている。スピーチの準備から、発表を経て、感想を交流するまでが五つの段階に分けられている。小学校卒業を意識し、それぞれの段階で、スピーチについて学習のまとめができるように構成されている。

① 話題決定。「将来どんな自分でありたいか」が示されている。

② スピーチメモの作成。「初め」「中」「終わり」の構成が示されている。

③ 資料準備。プレゼンテーションソフトを使って、資料作成時のポイントが確認できる。

④ スピーチ練習。二次元コードから動画が視聴できるようになっている。話すときの速さや間の取り方、視線の向け方などを工夫するときの参考にできる。

⑤ 感想交流。友達のスピーチを聞くときの観点や振り返りの視点が例示されている。

〈言語活動の工夫〉

卒業を控えた子供たちに、スピーチを発表する場を設定したい。卒業関連行事の一部として計画したり、保護者会開始前の時間を利用したりするとよいのではないだろうか。保護者の前でスピーチをすることは、成長した姿を披露する機会であり、感謝の気持ちを伝える場ともなる。同時に、子供たちにとっては、適度な緊張感をもって取り組むことができ、よい学習経験となると考えられる。事前に関係者と連携を取り、場を設定しておきたい。

スピーチ発表は1人で行うが、その準備過程では、ペア学習やグループ学習を活用することが考えられる。話題について相談したり、資料の分かりやすさについて助言し合ったりできる。練習するときも協力させ、学びのパートナーとして意図的に活用したい。

〈ICT の効果的な活用〉

表現：プレゼンテーションソフトを使って、自分の思いや考えを効果的に伝える資料を作成する。

記録：動画撮影機能を使い、スピーチ練習を記録し、話す速さや間の取り方等を自分で視聴し振り返る。気付いたことを基に、更に工夫して練習する。

本時案

今、私は、ぼくは 1/6

本時の目標

・自分の思いや考えを伝えるスピーチをしようと、学習の見通しをもつことができる。

本時の主な評価

・自分の思いをスピーチするための学習の見通しをもっている。

資料等の準備

・学習計画表 ⤓ 22-01
・学習計画表の拡大コピー（ICT 機器で代用可）

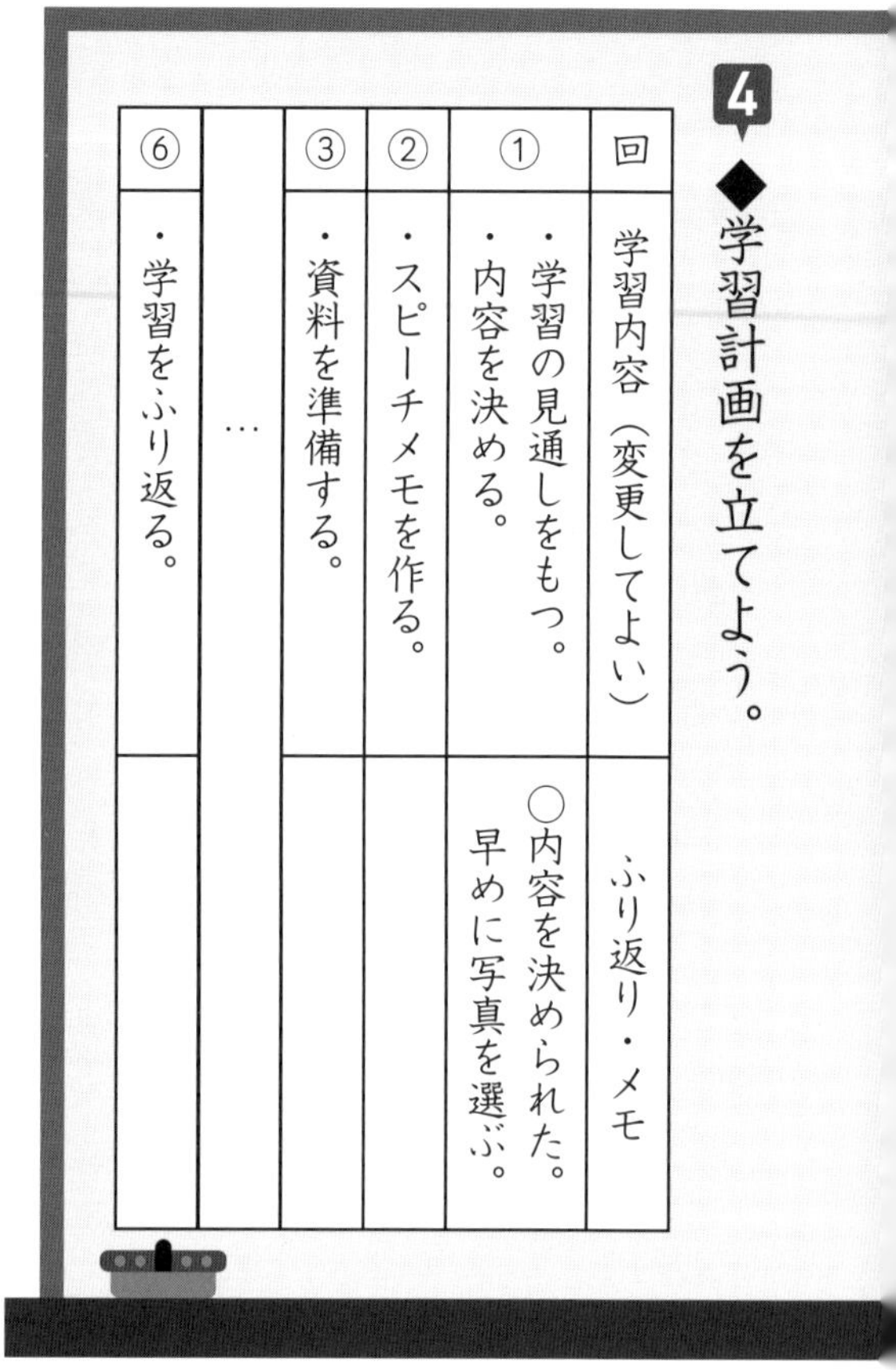

4
◆学習計画を立てよう。
回
学習内容（変更してよい）
ふり返り・メモ
①
・学習の見通しをもつ。
・内容を決める。
○内容を決められた。
早めに写真を選ぶ。
②
・スピーチメモを作る。
③
・資料を準備する。
…
⑥
・学習をふり返る。

授業の流れ ▷▷▷

1 学習のめあてを知る 〈5 分〉

T　小学校の卒業が近付いてきました。6 年間で学んだこと、体験したこと、出会った人を思い出してみましょう。そして、これからを思い描いて、今の思いを話しましょう。

○聞く相手によって、話し方や言葉の選び方が変わってくる。スピーチ発表会の場を設定しておき、日時や場所、スピーチを聞いてもらう人を知らせ、めあてを立てられるようにする。

・小学校生活最後のスピーチだから、今まで学んだことを発揮できるようにしよう。

・成長した姿を見せることで、感謝の気持ちが伝わるようにしよう。

2 6 年間で経験したスピーチを振り返る 〈10分〉

T　どんな場面でどのようにスピーチをしてきましたか。スピーチで、大切だと思うことは何ですか。

・朝の会で、心に残った出来事をスピーチしました。聞く人が聞きやすい、声の大きさや速さが大切だと思います。

・宿泊行事のことを 5 年生に伝えるために、写真を使ってスピーチしました。相手に分かりやすくすることが大切だと思います。

・学習発表会で環境について調べてスピーチをしました。グラフを使って、事例に説得力をもたせました。

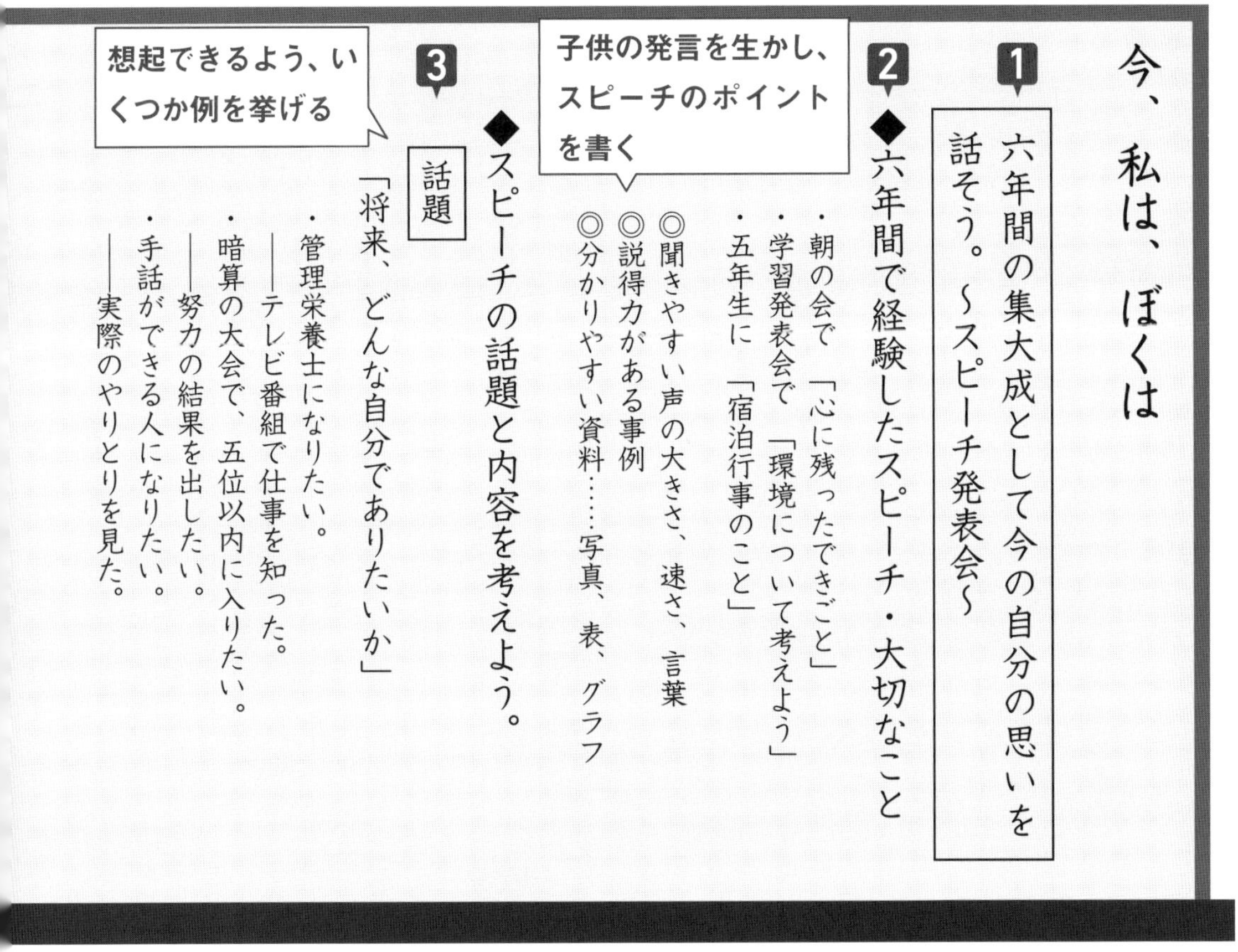
今、私は、ぼくは
1
六年間の集大成として今の自分の思いを話そう。〜スピーチ発表会〜
2
◆六年間で経験したスピーチ・大切なこと
・朝の会で「心に残ったできごと」
・学習発表会で「環境について考えよう」
・五年生に「宿泊行事のこと」
◎聞きやすい声の大きさ、速さ、言葉
◎説得力がある事例
◎分かりやすい資料……写真、表、グラフ
子供の発言を生かし、スピーチのポイントを書く
3
◆スピーチの話題と内容を考えよう。
話題
「将来、どんな自分でありたいか」
・管理栄養士になりたい。
——テレビ番組で仕事を知った。
・暗算の大会で、五位以内に入りたい。
——努力の結果を出したい。
・手話ができる人になりたい。
——実際のやりとりを見た。
想起できるよう、いくつか例を挙げる

3 スピーチの話題と内容を考える 〈20分〉

T　卒業という節目に当たって、将来、どんな自分でありたいかという話題でスピーチを考えましょう。

○卒業間近という時期に因んでスピーチの話題を考えさせたい。「将来の夢」「中学校で頑張りたいこと」「自分を成長させてくれたもの」等の話題が考えられる。

T　将来、どんな自分でありたいか、そう考えるようになったきっかけやそのときに感じたことを整理しましょう。

・憧れている職業について話そう。きっかけになったテレビの番組についても紹介すると分かりやすいかな。

・習いごとの大会の目標について話そう。努力を続ける決意を伝えたい。

4 学習の見通しをもつ 〈10分〉

T　学習計画を立てましょう。それぞれの話題に合う資料も準備できるように計画しましょう。

○確保できる授業時間と、めやすとなる学習計画を示し、個々で調整できるようにする。

・プレゼンテーションソフトで写真を入れたいから、どの写真を使うか早めに決めておこう。

・練習する時間をしっかり取らないと、緊張して話せなくなってしまうかもしれない。

T　スピーチをするのは一人一人ですが、内容について相談したり練習を聞いてもらったりするためにペアで学習を進めましょう。

○ペア（2〜3人組）で学習を進められるようにする。

本時案

今、私は、ぼくは 2/6

本時の目標

・話の構成を考えてスピーチメモをつくることができる。

本時の主な評価

❹話の構成を考えてスピーチメモをつくっている。【思・判・表】

資料等の準備

・スピーチメモ 22-02
・スピーチメモの拡大コピー（ICT 機器で代用可）
・前時で示した学習計画表

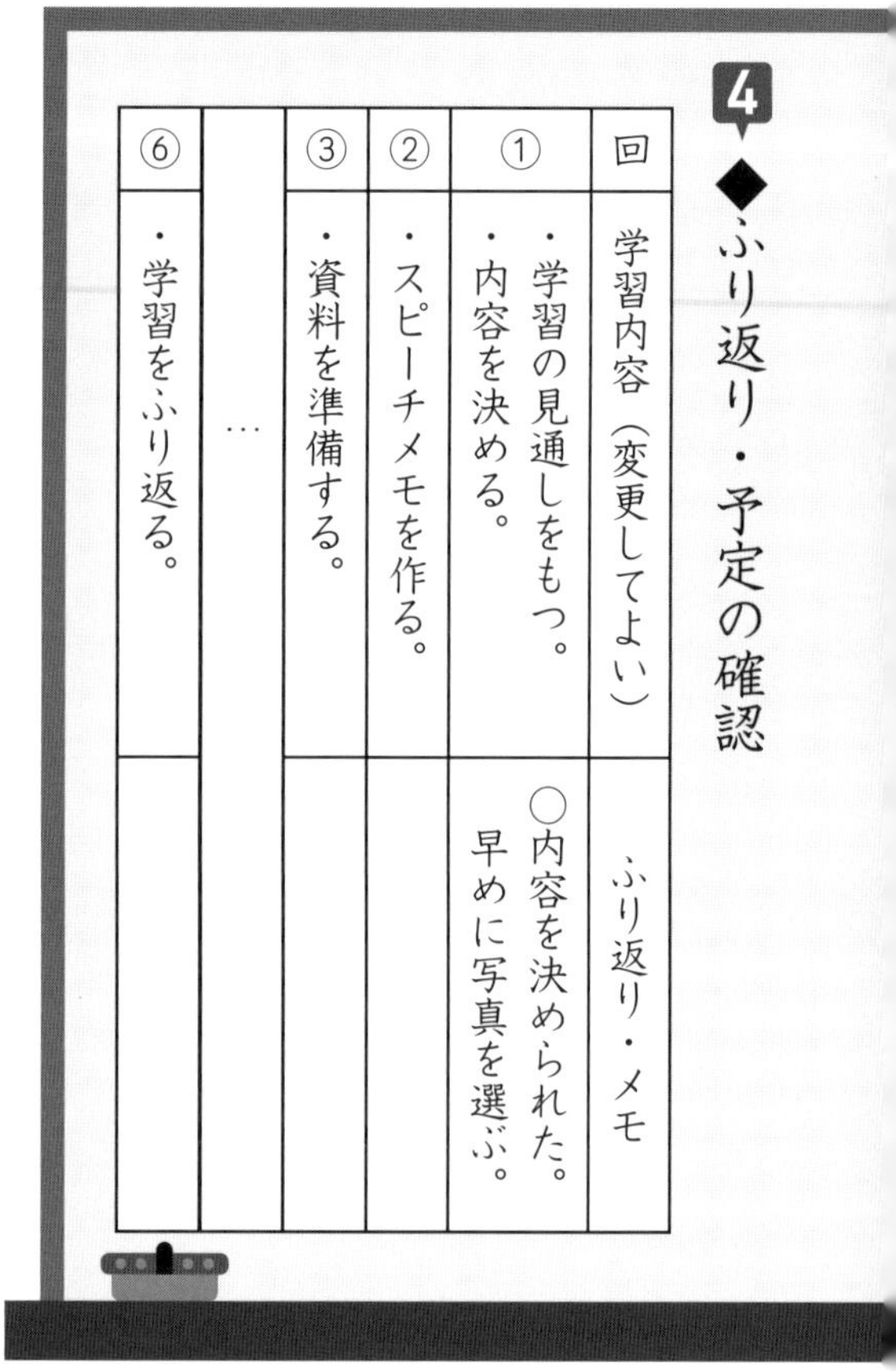

4
◆ふり返り・予定の確認
回
学習内容（変更してよい）
ふり返り・メモ
①
・学習の見通しをもつ。
・内容を決める。
○内容を決められた。
早めに写真を選ぶ。
②
・スピーチメモを作る。
③
・資料を準備する。
…
⑥
・学習をふり返る。

授業の流れ ▷▷▷

1 学習のめあてを知る 〈5 分〉

T　自分の思いや考えを伝えるために、どのような構成で話したらよいかを考えて、スピーチメモをつくりましょう。

○スピーチ原稿を書いてからメモに仕上げたいという子供もいるかもしれないので、実態に合わせて指導するとよい。ただし、原稿の読み上げにならないよう、実際に話すときには、スピーチメモだけを手元に置いておくか、見ないで話すようにさせる。

2 話の構成について考える 〈10分〉

T　教科書 p.227「岩木さんのスピーチメモ」を参考にして考えていきましょう。「初め」「中」「終わり」では、どんな項目を話していくと分かりやすいでしょう。

・「初め」には、何について話しているか分かるように、なりたい職業や自分の思いを話すといいと思います。

・「中」で、そう思ったきっかけを話すとよいと思います。自分の感じたことも話したいです。

○事実と感想、意見を区別するようにさせる。

○「終わり」が画一的にならないように、例を挙げるなどして、それぞれ考えさせたい。

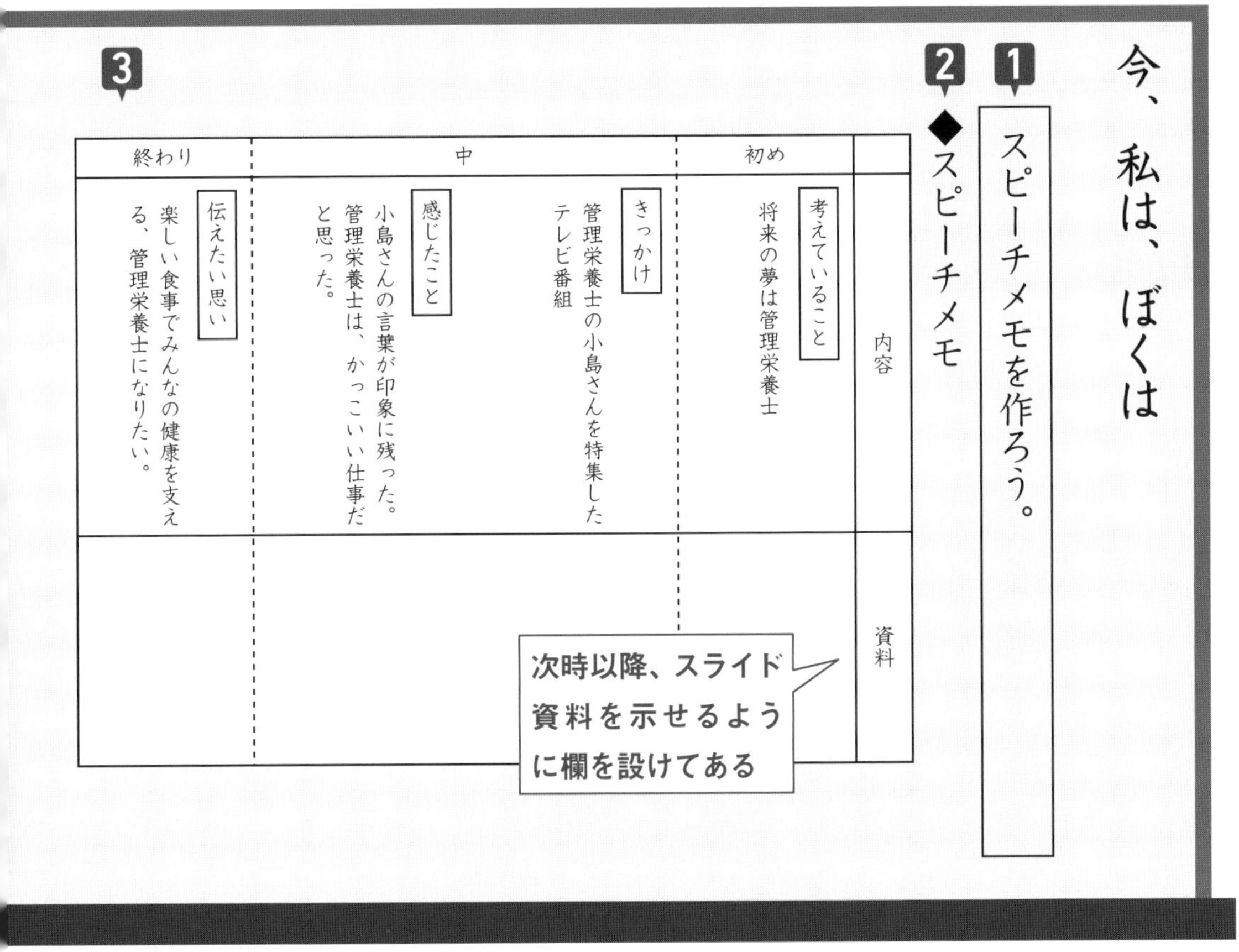
今、私は、ぼくは
1
スピーチメモを作ろう。
2
◆スピーチメモ
内容
初め
考えていること
将来の夢は管理栄養士
中
きっかけ
管理栄養士の小島さんを特集したテレビ番組
感じたこと
小島さんの言葉が印象に残った。管理栄養士は、かっこいい仕事だと思った。
終わり
伝えたい思い
楽しい食事でみんなの健康を支える、管理栄養士になりたい。
資料
3
次時以降、スライド資料を示せるように欄を設けてある

3 スピーチメモをつくる 〈20分〉

T　自分の話したい思いに合うスピーチメモをつくりましょう。でき上がったスピーチメモはペアで交流し、気付いたことや質問をし合いましょう。

・「中」の前半できっかけとなったテレビ番組の話をしよう。後半で、それを見たときの感動を話そう。

・「終わり」は、「今後の生活に生かしたいです」でなく、努力しようと思っていることを具体的に話すようにしたいな。

・○○さんは、何歳のときからこの習いごとを続けているのですか。辞めたくなった時期のことも「中」で話すといいと思います。

4 学習を振り返り、次時の予定を確かめる 〈10分〉

T　学習が計画どおりに進められたか振り返りましょう。スピーチメモはつくれましたか。

○早く進んでいるペアには、資料の準備に入るなど柔軟に計画を進めさせるようにする。

T　次の時間の学習を確認しましょう。次は、プレゼンテーションソフトを使って資料を作成します。必要な写真などは、事前に決めておくとスムーズに取り組めます。

・使いたい写真の候補を決めておこう。

・今までの大会でもらったメダルの写真を撮っておこう。

・なりたい職業についてもう少し調べておこう。

本時案

今、私は、ぼくは　3/6

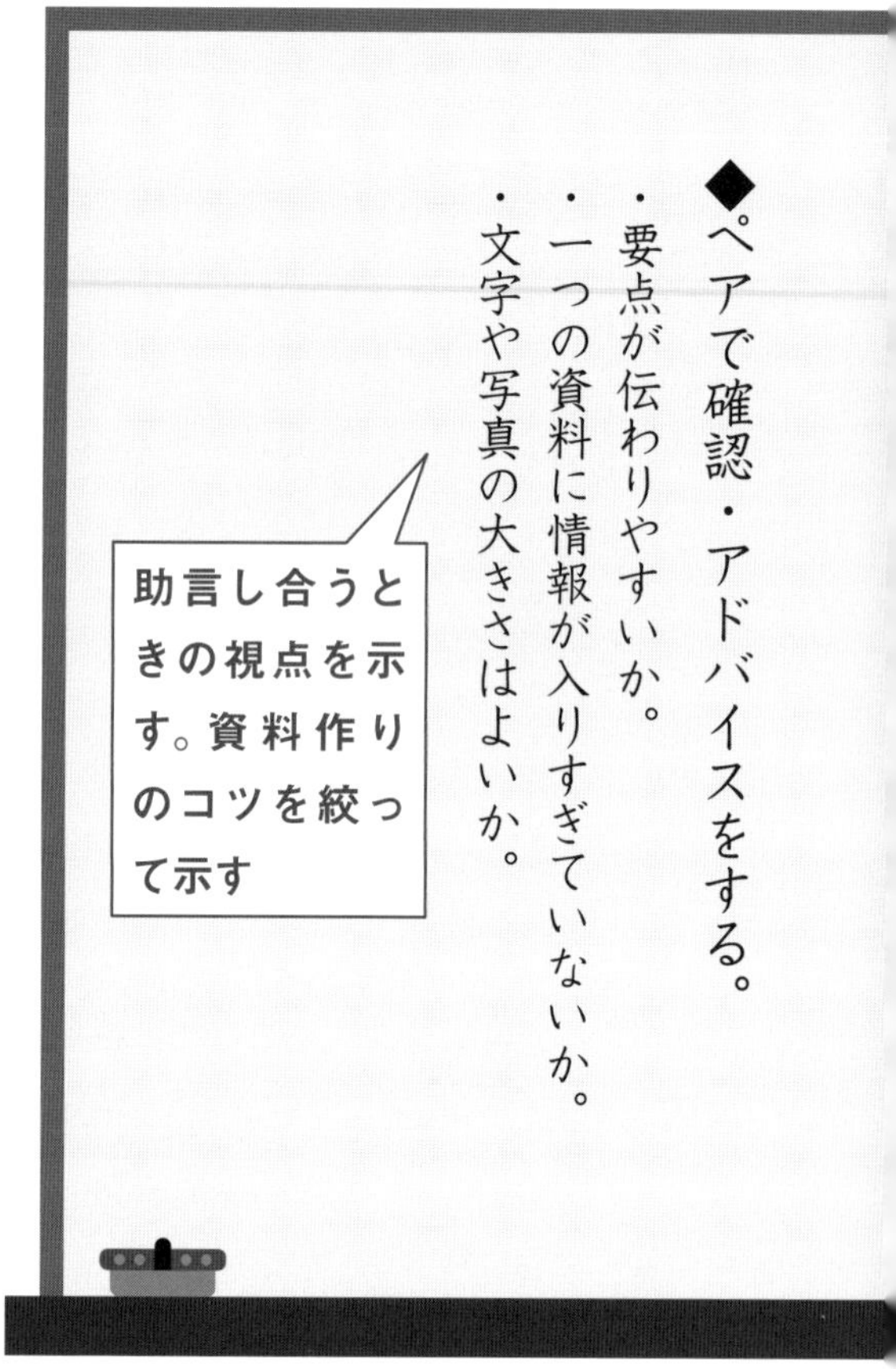
◆ペアで確認・アドバイスをする。
・要点が伝わりやすいか。
・一つの資料に情報が入りすぎていないか。
・文字や写真の大きさはよいか。
助言し合うときの視点を示す。資料作りのコツを絞って示す

本時の目標

・自分の考えが伝わるように効果的な資料を準備することができる。

本時の主な評価

❸自分の考えが伝わるように効果的な資料を準備している。【思・判・表】

資料等の準備

・特になし

授業の流れ ▷▷▷

1　学習のめあてを知る　〈5分〉

T　自分の思いを分かりやすく伝えるためにプレゼンテーションソフトを使って資料を作りましょう。

○教科書 p.228「岩木さんの作った資料」を提示し、イメージがもてるようにする。

・話の中に出てくる小島さんの写真があって身近に感じます。私も写真を入れて資料を作りたいと思いました。

・ぼくは、話に出てくる道具を実際に見せたい。でも、実物だと会場の全員が見えないかもしれないから、写真も撮って見られるようにしよう。

2　どんな資料が効果的なのか考える　〈10分〉

T　プレゼンテーションソフトを使って資料を作るときには、どんなことに気を付けたらよいでしょう。今までに学習したことを思い出したり、岩木さんの資料を見たりして、気付いたことはありますか。

・大事な言葉だけを大きくすると、分かりやすくなります。

・表になっていて、時期と出来事が整理されているのが分かりやすいと思いました。

・写真があるので、興味がもてます。

○教科書 p.228下段「資料を作るときは」を読んでポイントを確認する。

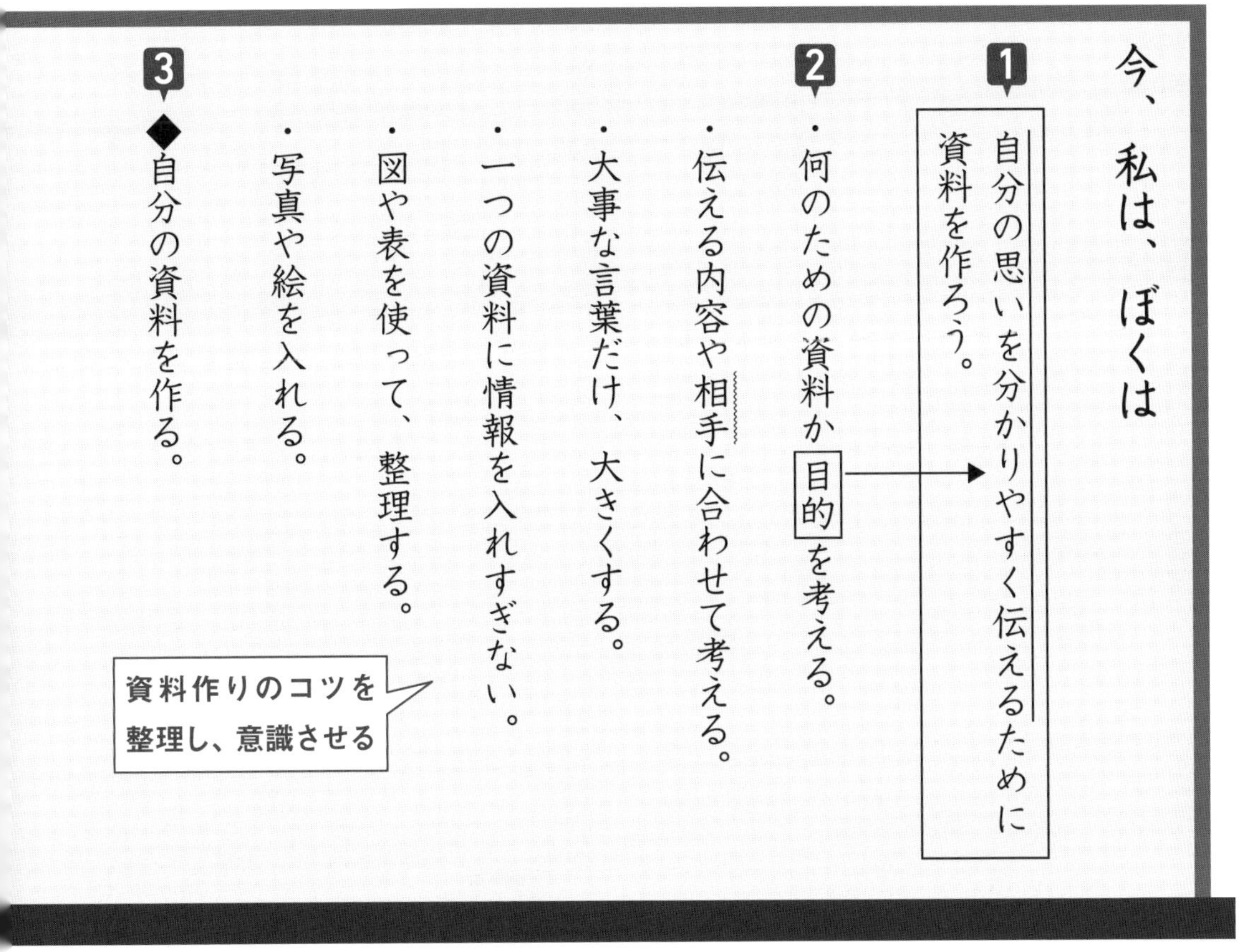
今、私は、ぼくは
1
自分の思いを分かりやすく伝えるために資料を作ろう。
2
・何のための資料か目的を考える。
・伝える内容や相手に合わせて考える。
・大事な言葉だけ、大きくする。
・一つの資料に情報を入れすぎない。
・図や表を使って、整理する。
・写真や絵を入れる。
3
◆自分の資料を作る。
資料作りのコツを整理し、意識させる

3 資料を作る 〈30分〉

T　伝えたい内容や相手に合わせて、何を資料として見せるのかを考えて作りましょう。
・写真がないから、絵で表してみよう。見てほしいところを特に大きく描くようにしよう。
・手話をしている動画を撮って、興味をもってもらえるように紹介しよう。
・きっかけとなった出来事のキーワードを大きな文字で見せて、強調しよう。
○ある程度できたら、教科書 p.228「資料を作るときは」を参考にして、思いを伝えるために分かりやすい資料になっているかをペアで確認し、アドバイスし合えるようにする。

ICT 等活用アイデア

効果的な資料作り

スピーチを分かりやすくするという資料の目的を忘れずに意識させるようにする。

子供たちは、様々な学習場面でプレゼンテーションソフトを使ってきたはずである。小学校での学習のまとめとして、資料作りのコツを整理し、確認した上で取り組ませるようにしたい。出典や閲覧したサイトも表記させるようにする。

学級の子供たちの実態に応じて、モデルとなる資料の型を作成し活用させてもよい。

本時案

今、私は、ぼくは 4/6

本時の目標

・相手に伝わるような話し言葉を意識することができる。

本時の主な評価

❶相手に伝わるような話し言葉を意識している。【知・技】

資料等の準備

・特になし

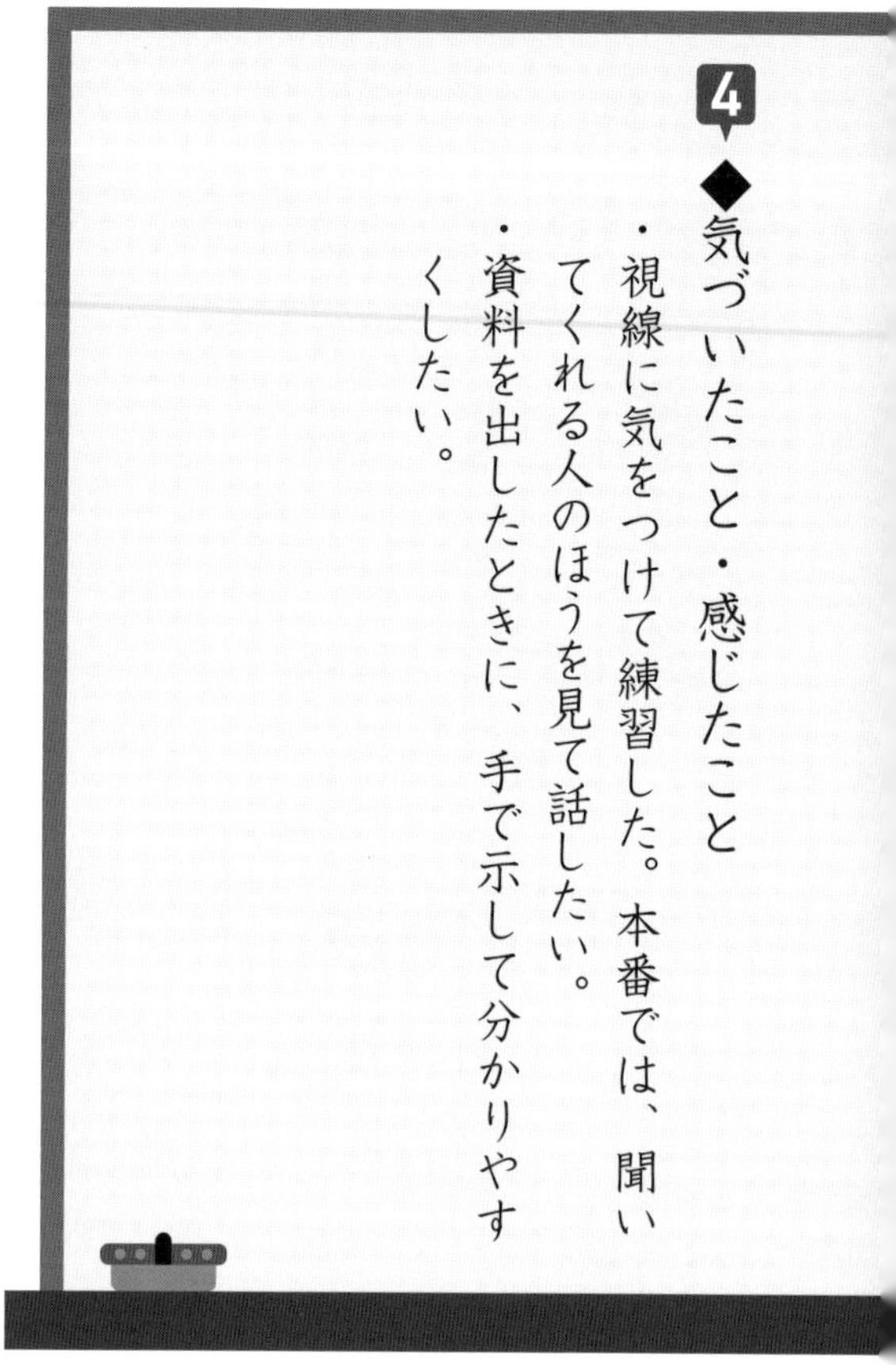
4
◆気づいたこと・感じたこと
・視線に気をつけて練習した。本番では、聞いてくれる人のほうを見て話したい。
・資料を出したときに、手で示して分かりやすくしたい。

授業の流れ ▷▷▷

1 学習のめあてを知る 〈5分〉

T　自分の思いや考えが十分に伝わるように、資料の示し方や話し方、言葉の選び方を工夫して練習しましょう。

○相手意識をもって話し方や言葉の選び方ができるようにする。保護者向けであれば、目上の人を意識した丁寧な話し方を意識し、学校のことはあまり知らないことが予想されるため学校での出来事などは丁寧に説明する必要がある。下学年の子供たち向けであれば、難しい言葉を避ける必要がある。

2 資料の示し方や話し方の工夫を見付ける 〈10分〉

T　教科書 p.229「岩木さんのスピーチ」の動画を見てみましょう。資料の示し方や話し方で、どんな工夫がされているか見付けましょう。

○ p.229の二次元コードから動画を視聴する。

・相手のほうを見て話していました。

・間をしっかり取っていて、聞きやすいです。

・資料が出るときに、手で指し示していました。分かりやすいと思いました。

T　それらの工夫は、特に伝えたいことは何かを踏まえて、強調したいときに使われていました。特に伝えたいことは何かを考えて工夫し、練習しましょう。

今、私は、ぼくは

1 自分の思いを伝えるスピーチを練習しよう。

2 ◆スピーチの工夫

特に伝えたいことは何かを考えて工夫する。

形式的な工夫や練習にならないように押さえる

話し方
・声の強弱
・間の取り方

言葉の選び方
・ていねいな言葉づかい（敬語）

資料の示し方
・見てほしい部分を指し示す。

視線
・聞いている人の表情を見ている。

必要に応じて、言葉をくり返したり、補ったりする。

この部分だけ写真を撮っておき、次時のスピーチ発表会が始まる前に提示するとよい

3 ◆スピーチの練習
・練習→撮影→ふり返り

3 スピーチの練習をする 〈20分〉

T　練習が進んだら、スピーチを撮影して見返してみましょう。自分自身で話し方や言葉の選び方を振り返ってみましょう。

・思ったよりも早口でした。自分では、もっと間を取っているつもりでした。

・「えっと」とか必要ない言葉が多かったから、直したいな。もう１回練習してみよう。

T　ペアで聞き合ったり、一緒に撮影動画を見返したりしてアドバイスしましょう。

○ペア学習を活用して気付きを伝え合えるようにする。

ICT 端末の活用ポイント

スピーチの練習で録画再生すると、何度も振り返ることができる。

4 学習の振り返りをする 〈10分〉

T　次は、いよいよスピーチ発表会の本番を迎えます。この学習でできるようになったことや、本番のときに気を付けたいことはありますか。

○学習の振り返りとしてノート等に書いておく。スピーチ発表会の自分のめあてにもつながる。

・視線を向けてスピーチができるように練習しました。本番では、聞いてくれる人のほうを見て話したいです。

・資料を出したときに、手で示して分かりやすくしました。言葉を忘れてしまったときも、資料を見ると思い出せそうです。

T　練習の成果を出すようにしましょう。

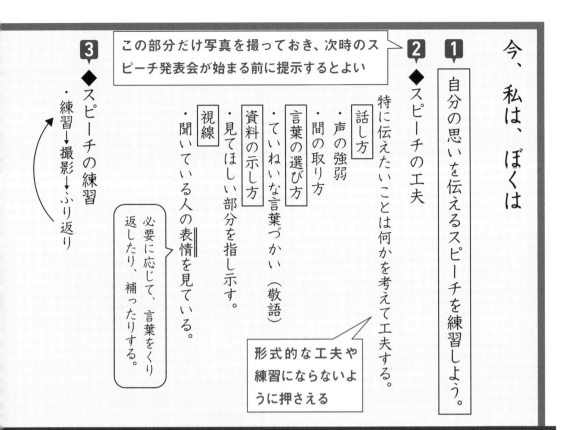

本時案

今、私は、ぼくは 5/6

本時の目標

・スピーチにふさわしい言葉や敬語を理解し使い慣れることができる。
・自分の考えが伝わるように表現を工夫してスピーチをしようとする。

本時の主な評価

❷スピーチにふさわしい言葉や敬語を理解し使い慣れている。【知・技】
❺自分の考えが伝わるように表現を工夫してスピーチをしようとしている。【態度】

資料等の準備

・ワークシート 22-03
・前時の板書の写真

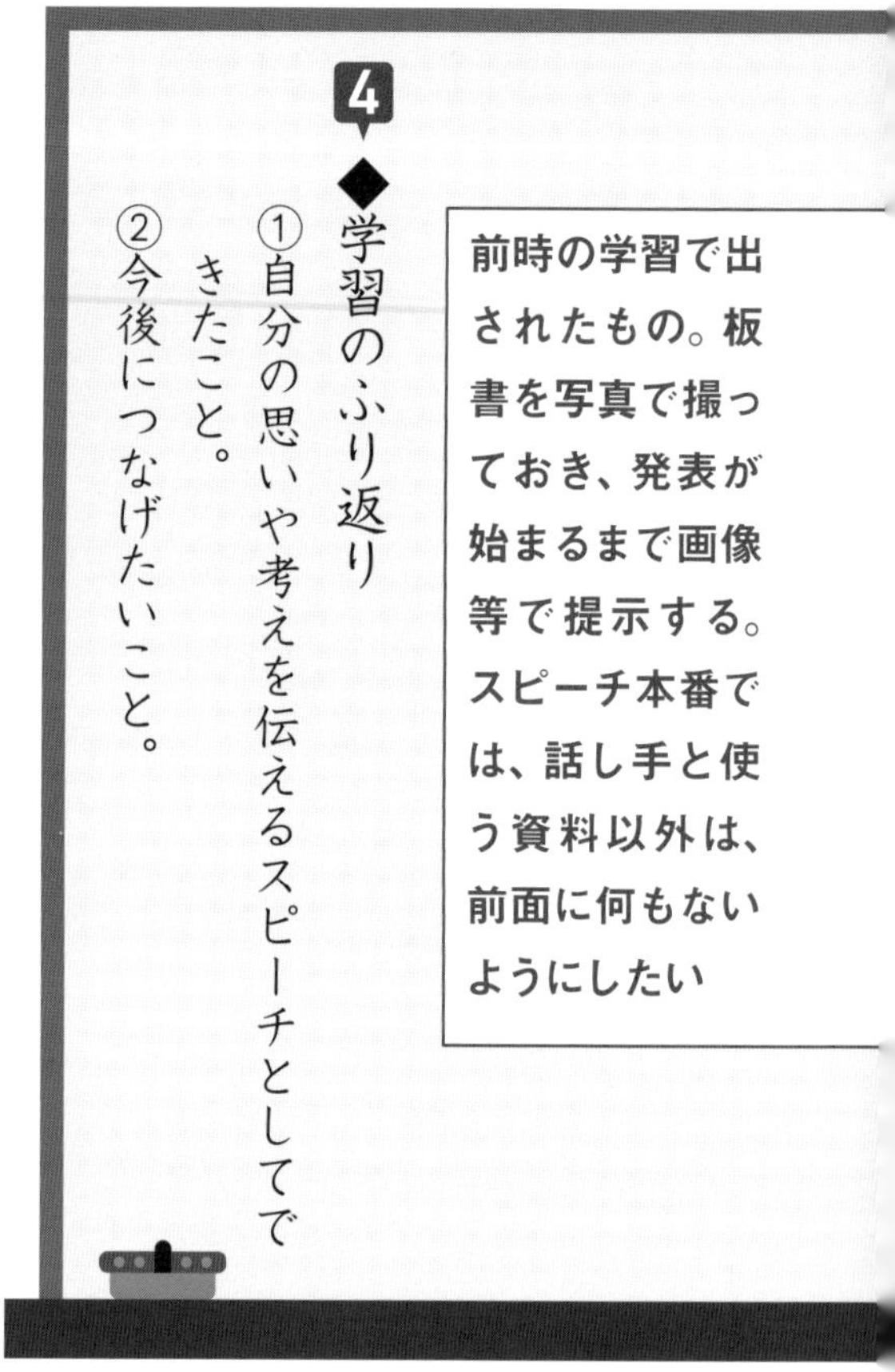
4
◆学習のふり返り
①自分の思いや考えを伝えるスピーチとしてできたこと。
②今後につなげたいこと。

前時の学習で出されたもの。板書を写真で撮っておき、発表が始まるまで画像等で提示する。スピーチ本番では、話し手と使う資料以外は、前面に何もないようにしたい

授業の流れ ▷▷▷

1 学習のめあてを知る 〈5分〉

T　いよいよ、スピーチ発表会の本番です。練習してきたことを生かし、自分の思いや考えを伝えるようにしましょう。
○それぞれが特に伝えたい考えを確認させる。言い間違えや言いよどむことを過度に気にせず、本来の目的を達成させるようにしたい。

2 スピーチ発表会の準備をする 〈5分〉

T　スピーチ発表会の準備をしましょう。
○資料提示ができるよう準備をする。司会等の役割を分担していた場合は、それらの用意もする。
T　話し手が伝えたいことは何かに気を付けて聞きましょう。話し手は、聞いているみなさんの表情も見ていますので、それに応えるようにして聞きましょう。
○聞く側の態度や聞く視点を確認する。
○交代の時間を利用して、一言感想が書けるようなワークシートを用意しておいてもよい。全員に書けないとしても、できるだけ書くことで友達のスピーチから工夫に気付くことができる。

今、私は、ぼくは

1

スピーチ発表会をしよう。

2

特に伝えたいことは何かを考えて工夫する。

話し方
・声の強弱
・間の取り方

言葉の選び方
・ていねいな言葉づかい（敬語）

資料の示し方
・見てほしい部分を指し示す。

視線
・聞いている人の表情を見ている。

必要に応じて、言葉をくり返したり、補ったりする。

3

3 スピーチをしたり、聞いたりする 〈30分〉

T　スピーチ発表会を始めましょう。

○予め順番を決めておき、スムーズに発表できるようにする。

○時間が許せば、質問時間や感想を述べる時間を取ってもよい。

○司会なども分担し、子供たちで進行できるようにしておくとよい。

○ペアのスピーチを動画撮影させておく。

4 学習を振り返る 〈５分〉

T　学習を振り返りましょう。自分の思いや考えを伝えるスピーチはできましたか。できたこと、今後につなげたいことを書いておきましょう。ペアのスピーチについても書いておきましょう。

・緊張したけれど、練習したとおりに、聞き手の表情を見ながら話すことができたと思います。

・間を空けようと思っていたけれど、うまくできませんでした。資料を出すときに一息入れるようにすればよかったです。

ICT 端末の活用ポイント

発表会でのスピーチを撮影しておき、次時の学習の振り返りで活用できるようにする。

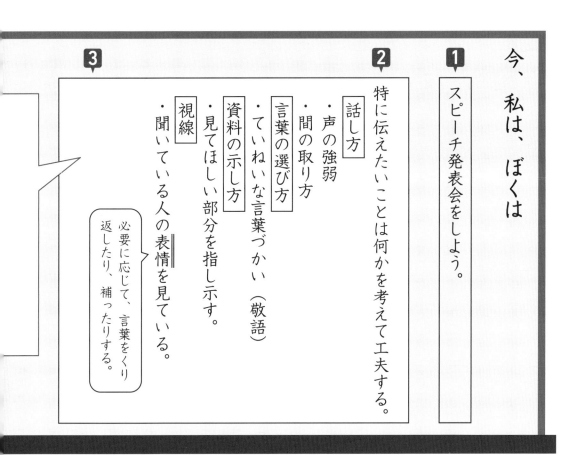

本時案

今、私は、ぼくは 6/6

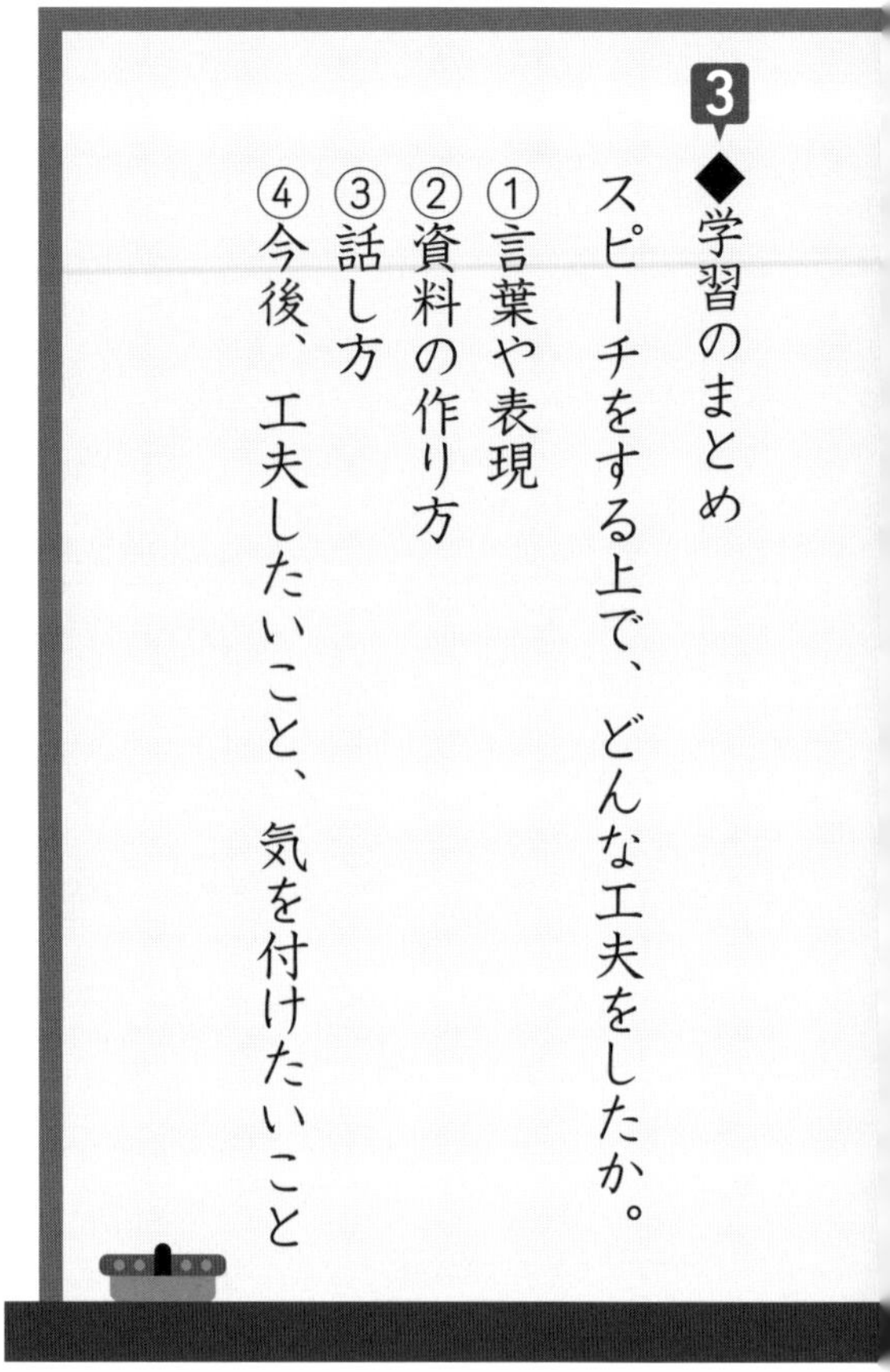
3
◆学習のまとめ
スピーチをする上で、どんな工夫をしたか。
①言葉や表現
②資料の作り方
③話し方
④今後、工夫したいこと、気を付けたいこと

本時の目標

・積極的にスピーチの感想を伝え合おうとする。

本時の主な評価

・積極的にスピーチの感想を伝え合おうとしている。

資料等の準備

・特になし

授業の流れ ▷▷▷

1 学習のめあてを知る 〈5分〉

T　お互いのスピーチを聞いて、感想を伝え合いましょう。

○必要に応じて、ペア同士やグループ内で撮影した動画を視聴して振り返る。

2 友達のスピーチを聞いてよかったところを伝える 〈20分〉

T　友達のスピーチを聞いて、よかったところを伝えましょう。

○伝える視点「資料について」「話し方について」を伝える。「内容について」の感想も入れてよいが、よかったところというよりは、話し手の思いや考えに対する温かい反応になるはずである。

○第4時で書いた振り返りも参考にさせる。

・見せてくれた資料の文字が大きくて分かりやすかったです。注目してほしい言葉だけ色が違うのも印象に残りました。

・決意を述べる前に、少し間を取って話していました。○○さんの強い思いが伝わってきました。

今、私は、ぼくは

1 スピーチの感想を伝え合おう。

2 ◆友達のスピーチを聞いてよかったところ

資料について

・文字が大きくて分かりやすかった。

・注目してほしい言葉だけ色がちがっていて印象に残った。

話し方について

・間をとっていてよかった。

内容について

・将来の夢に向かって努力していてすごいと思った。

発言を生かして書く

3 学習のまとめをする 〈20分〉

T スピーチ発表会の準備や本番を含めて、この学習で学んだことをまとめましょう。

○まとめる視点を示す。第４時で書いた振り返りも参考にさせる。

①聞く人に合わせてどんな言葉や表現を使ったか。

②資料の作り方で工夫したのはどんなことか。

③話し方で工夫したのはどんなことか。

④これから自分の思いや考えを伝えるときには、どんなことに気を付けたいか。

○中学校での学びに意欲や希望がもてるよう意識してまとめるようにしたい。

よりよい授業へのステップアップ

節目となるスピーチ発表会を

卒業を前にしたスピーチ発表会である。保護者や後輩である５年生などの協力を得て、学習への意欲につなげたい。できれば、発表会の後に感想をもらえるようにしたい。よかったところに着目してもらえるよう、事前にお願いしておくとよい。

保護者であれば、家で感想を伝えてもらうか、一言感想を書いてもらうなどができる。発表会に来られない保護者もいるので、動画を視聴できるようにしたり、担任が代理をしたりするなど配慮する。

資 料

1 第1時資料　学習計画表 22-01

学習計画表　名前（　　　　）

回	学習内容（変更してよい）	ふり返り・メモ
①	・学習の見通しをもつ。 ・内容を決める。	
②	・スピーチメモを作る。	
③	・資料を準備する。	
④	・スピーチの練習をする。	
⑤	・スピーチ発表会（本番）	
⑥	・学習をふり返る。	

2 第2時資料　スピーチメモ 22-02

スピーチメモ　名前（　　　　）

	初め	中	終わり
内容	考えていること	きっかけ 感じたこと	伝えたい思い
資料			

3 第2時資料　スピーチメモ（記入例）

スピーチメモ　名前（　　　　）

	初め	中	中	終わり
内容	考えていること 将来の夢は管理栄養士	きっかけ 管理栄養士の小島さんを特集したテレビ番組	感じたこと 小島さんの言葉が印象に残った。管理栄養十は、かっこいい仕事だと思った。	伝えたい思い 楽しい食事でみんなの健康を支える、管理栄養士になりたい。
資料		資料① 話題	資料② 要点まとめ 資料③ 特に伝えたいこと	資料④ 今の決意

4 第5時資料　ワークシート 22-03

スピーチ発表会　　　　名前（　　　　　　　　）

順番	話し手	一言感想

登場人物の生き方について、考えたことを話し合おう

海の命　6時間扱い

単元の目標

知識及び技能	・比喩や反復などの表現の工夫に気付くことができる。((1)ク)
思考力、判断力、表現力等	・人物像や物語などの全体像を具体的に想像したり、表現の効果を考えたりすることができる。(C エ) ・文章を読んでまとめた意見や感想を共有し、自分の考えを広げることができる。(C カ)
学びに向かう力、人間性等	・言葉がもつよさを認識するとともに、進んで読書をし、国語の大切さを自覚して、思いや考えを伝え合おうとする。

評価規準

知識・技能	❶比喩や反復などの表現の工夫に気付いている。(〔知識及び技能〕(1)ク)
思考・判断・表現	❷「読むこと」において、人物像や物語などの全体像を具体的に想像したり、表現の効果を考えたりしている。(〔思考力、判断力、表現力等〕C エ) ❸「読むこと」において、文章を読んでまとめた意見や感想を共有し、自分の考えを広げている。(〔思考力、判断力、表現力等〕C カ)
主体的に学習に取り組む態度	❹積極的に文章を読んでまとめた意見や感想を交流し、学習課題に沿いながら、登場人物の生き方について考えを広げようとしている。

単元の流れ

次	時	主な学習活動	評価
一	1	**学習の見通しをもつ** 全文を読み、物語の概要をつかむ。 感想を基に学習課題を設定し、学習の見通しをもつ。	
二	2	場面や出来事、太一と他の登場人物との関係を捉え、物語の構成と内容を確かめる。	❷
	3 4	周囲の人物との関わりが太一の生き方や考え方にどのような影響を与えたのかについて考え、まとめる。	❶❷
	5	題名にある「海の命」とは何か、またそれぞれの人物の生き方とそれに対する自分の考えをまとめる。	
三	6	**学習を振り返る** 考えたことをグループで伝え合う。 単元の学びを振り返る。	❸❹

授業づくりのポイント

〈単元で育てたい資質・能力〉

本教材では、登場人物の行動や会話、情景などから、人物の心情や生き方について想像を広げて読むことができる。また、物語の山場を通して、中心人物「太一」が変化するところを、人物の相互関係や様々な描写を基に読み深めることもできる。象徴性や暗示性の高い表現に触れることで、物語が自分自身に強く語りかけてきたことを考え、伝え合う必然性が生まれる。感想や考えを交流し、人物の生き方についての考えを多面的に捉えたり、より深く考えようとしたりする力を育みたい。

[具体例]

○導入で、作品を一読した感想を交流する時間を設定する。心に残った部分やその理由について話し合うことで、作品の叙述や表現の効果、人物の相互関係を確かめる必然性が生まれる。

〈教材・題材の特徴〉

「海の命」は、中心人物「太一」が、父や与吉じいさ、母などの周りの人物との関わりを通して、その考え方や生き方に学び、成長していく物語である。海を物語の舞台とし、自然への畏敬の念や、命のつながりの豊かさを考えることのできる描写がちりばめられている。また、人物の生き方が表れている言葉や、山場の場面での瀬の主の詳細な描写、母にまつわる記述など、物語の表現に多様な工夫がされていることにも着目させたい作品である。更に、子供の読後の感想から「どうして太一はクエを殺さなかったのだろう」という疑問が生まれやすく、学習課題へと発展させていくきっかけとすることができる。

[具体例]

○父や与吉じいさの生き方が表れている言葉に着目させる。
「父はじまんすることもなく言うのだった」「海のめぐみだからなあ」「千びきに一ぴきでいいんだ」
○瀬の主の詳細な描写に着目して読む。
「青い宝石の目」「ひとみは黒いしんじゅのよう」「刃物のような歯が並んだ灰色のくちびる」
○母の思いや、母から見た太一の変化について考えさせる。
「母が毎日見ている海は、いつしか太一にとっては自由な世界になっていた」

〈言語活動の工夫〉

作品を読んで感じたことや考えたことについて、根拠となる叙述を明らかにしながら自分の考えをまとめていく。登場人物の相互関係が中心人物にどのような影響を与え、それを読み手である自分はどのように感じたのか、表現の効果にも触れながら整理させるとよいだろう。また、それを共有することが重要で、様々な感じ方・考え方に触れ、更に自分の考えを深めることができるよう展開を工夫したい。その際、ノートだけではなく、交流しやすいワークシートを用意することも効果的である。

〈ICT の効果的な活用〉

共有：学習支援ソフトを活用し、学級全体で意見を交流しやすい環境を整える。
記録：語句の意味を調べた際、学習支援ソフト等でいつでも見られるようにしておく。

本時案

海の命

1/6

本時の目標

・物語のあらすじを捉え、学習課題をつかみ、単元の学習の見通しをもつことができる。

本時の主な評価

・物語「海の命」の話の大枠を捉え、読んで感じたことや考えたことを基に、学習課題や学び方について進んで考えている。

資料等の準備

・物語に出てくる語句に関連する写真（クエ、もり、黒いしんじゅ等）

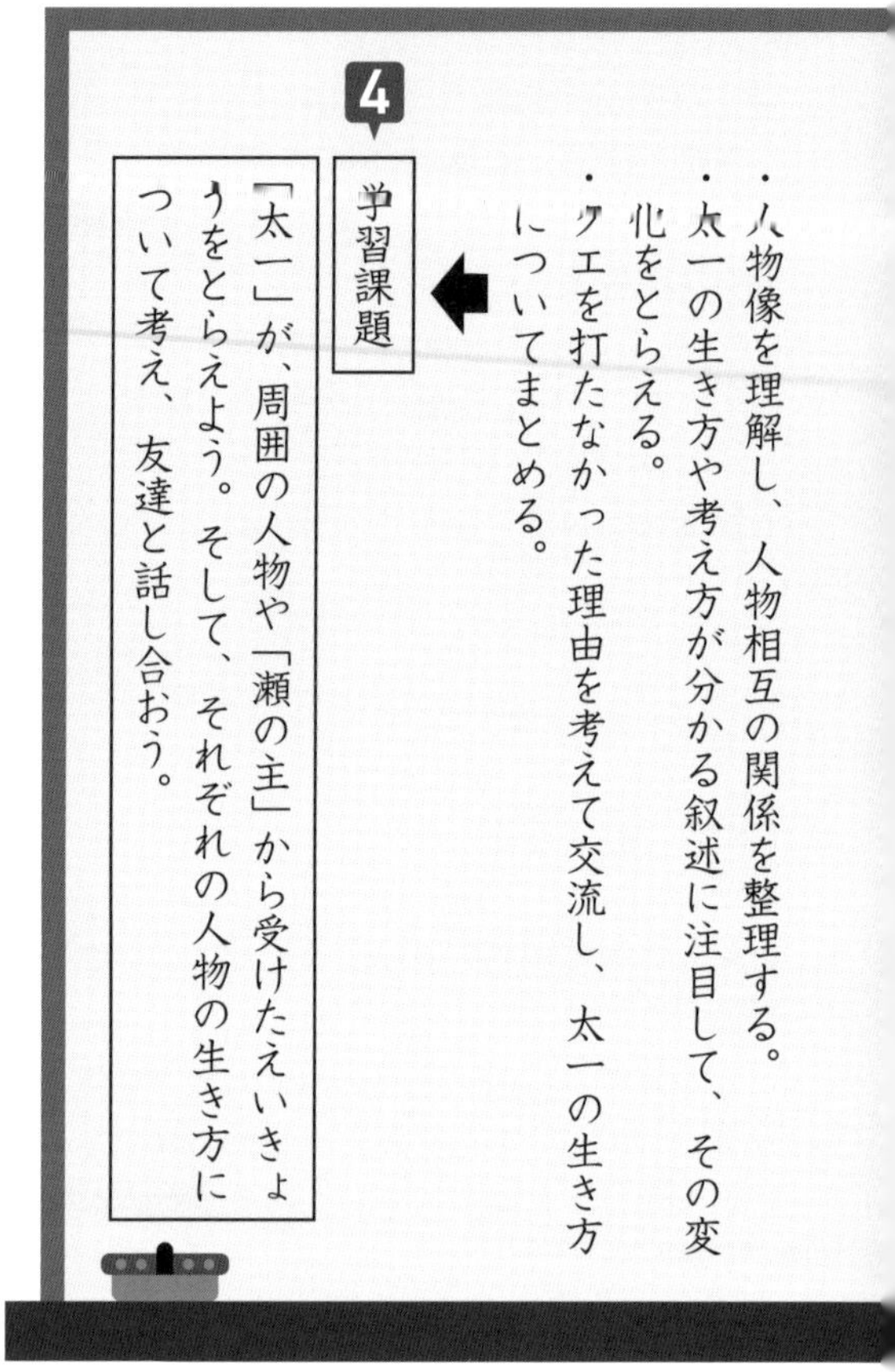

・人物像を理解し、人物相互の関係を整理する。
・太一の生き方や考え方が分かる叙述に注目して、その変化をとらえる。
・クエを打たなかった理由を考えて交流し、太一の生き方についてまとめる。
4
学習課題
「太一」が、周囲の人物や「瀬の主」から受けたえいきょうをとらえよう。そして、それぞれの人物の生き方について考え、友達と話し合おう。

授業の流れ ▷▷▷

1 本文を通読し、物語のあらすじを確認する 〈10分〉

○教師による範読を行う。範読の際には、子供に聞く視点を与えておく。

T　これから「海の命」を読みます。聞きながら、分からない言葉や初めて知った言葉に線を引いておきましょう。

○あらすじは、これまでの学習を生かして確認する。例えば、「山場」「中心人物の変化、人物の相互関係」といった内容である。その上で、「〔中心的な人物〕が、〔ある出来事〕を通して、〔変容する／○○になる〕」という物語の大枠に照らして内容を捉えるようにする。

T　これは、どんな物語ですか。

○太一が、与吉じいさの弟子になることを通して、一人前の漁師になる物語です。

2 初発の感想を共有する 〈15分〉

T　本文を読んで、どんな感想をもちましたか。

○感想や印象に残った描写だけでなく、疑問に思ったことやみんなで考えてみたいことについても書くよう指示する。

○どの叙述に着目したのかを明確にするために、本文に傍線を引かせる。

○ ICT 端末を活用しながら、子供の考えを整理する。

・太一はなぜクエを打たなかったのだろう。

・「海の命」とは何かを考えたいです。

・太一は、なぜ生涯話さなかったのかな。

ICT 端末の活用ポイント

学習支援ソフトを活用し、子供の初発の感想を、内容に応じて即時に整理・分類できるようにする。

海の命

立松和平

1

物語のあらすじをとらえ、学習課題を設定しよう。

○太一が、与吉じいさの弟子になることを通して、一人前の漁師になる物語。

○太一が、クエを打たずに海の命を守ったことで、村一番の漁師でありつづけた物語。

2

人物について

・太一は、多くの人の影響で成長していると思う。

・太一や父、与吉じいさは、海に対する思いが強いと思う。

印象に残った描写

・「千びきに一ぴきでいいんだ」

・とうとう、父の海にやって来たのだ。

・大魚はこの海の命だと思えた。

子供の初発の感想を内容ごとに整理し、板書をする

疑問に思ったこと・みんなで考えてみたいこと

・題名の「海の命」とは何を意味しているのか。

・「村一番の漁師」とは、どんな漁師なのか。

・太一は、なぜクエを打たなかったのか。

・太一が生涯だれにも話さなかったのはなぜだろう。

3

○どのように読めば、これらの疑問は解決するだろう。

3 整理した初発の感想を基に、学習課題を設定する 〈15分〉

○物語文を読む際の既習事項を確認する。

T 物語文を読むには、どのような観点で読んでいけばよかったでしょうか。

・人物相互の関係を捉えます。

・山場や中心人物の変化を見付けます。

・情景描写を見付け、その効果を考えます。

○初発の感想を取り上げ、出た疑問を解決するためにはどのように読んでいけばよいのかを確認する。

・太一の生き方や考え方の変化が分かる叙述に注目して、その過程を整理したいです。

・人物像を整理し、人物相互の関係を図で表すといいのではないかな。

・クエを打たなかった理由を話し合い、太一の生き方について考えを整理したいです。

4 単元のゴールとなる言語活動のイメージをもつ 〈5分〉

T 感想にもあったように、登場人物の成長や生き方について考えることは、みなさんの今後にも生かすことができそうですね。クラスでまとめたことを交流して、自分の考えを広げていきましょう。

○「海の命」を読むことでどのような力が付けばよいのかを子供と共有し、学習の見通しをもたせる。

本時案

海の命

2/6

本時の目標

・場面の構成を確かめるとともに、出来事などから登場人物の人物像や物語の全体像を捉えることができる。

本時の主な評価

❷登場人物の会話や行動の叙述から、それぞれの関係や心情の変化を考えたり、物語の全体像を具体的に想像したりしている。【思・判・表】

資料等の準備

・ワークシート 23-01
・ワークシートの拡大コピー（ICT 機器で代用可）

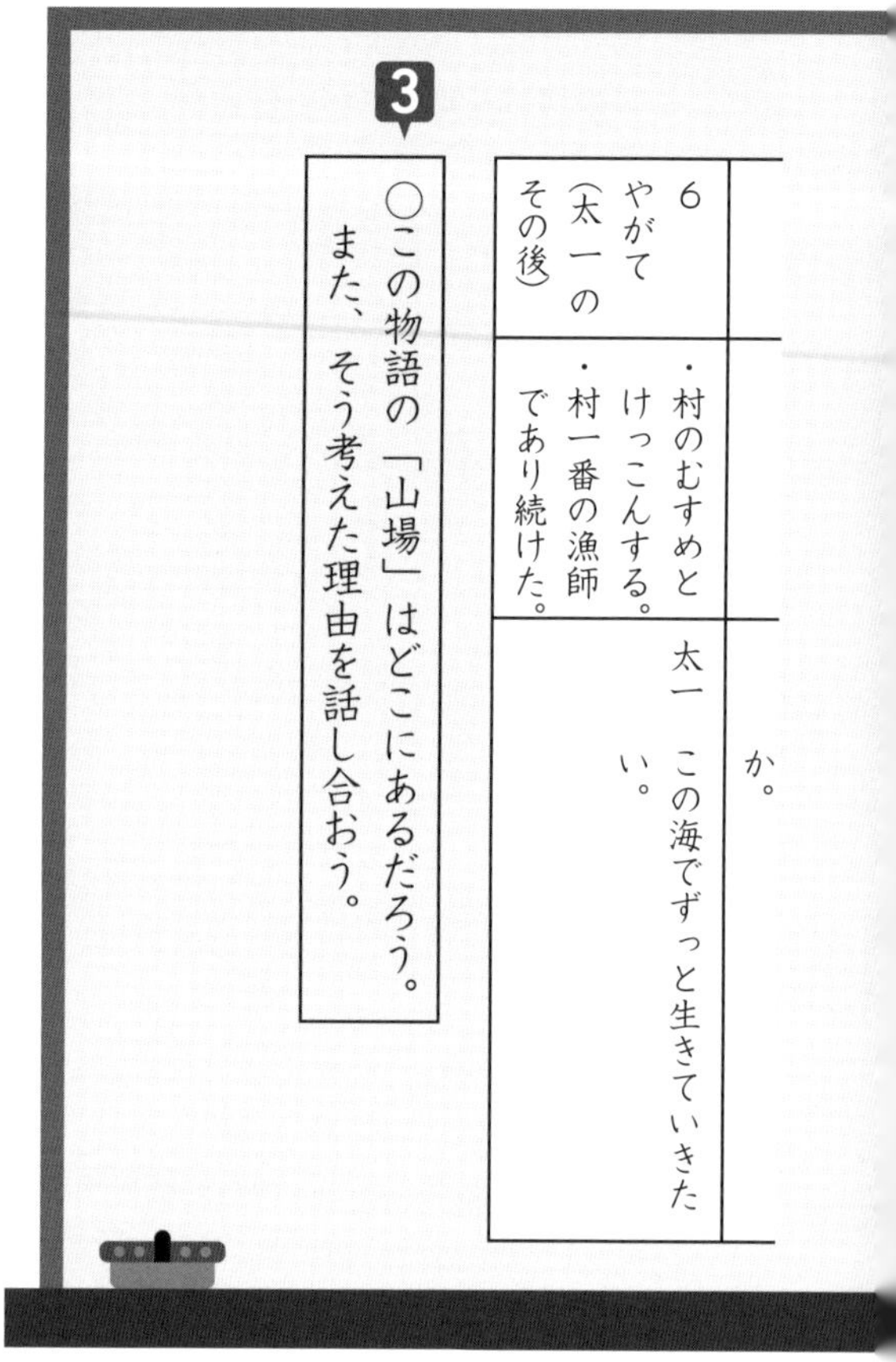

授業の流れ ▷▷▷

1 物語全体を 6 場面に分ける 〈10分〉

T　この物語を、時間の流れに沿って六つの場面に分けてみましょう。

○教科書の 1 行空きの部分や、時間の経過を表す語句や文に着目させながら、場面を分けさせる。

T　場面ごとに出来事を整理して、登場人物の心情や関係性に気を付けながら、物語の全体を捉えていきましょう。

2 学習シートにまとめる 〈30分〉

T　第 1 場面ではどのような出来事がありましたか。また、この場面から分かる登場人物の気持ちについて想像しましょう。

○登場人物の気持ちを想像する際には、人物の行動や会話の内容、文章の表現に着目することを押さえる。

○まず第 1 場面を全体で確認し、第 2 場面以降を個別または 3 人組やグループで取り組ませる。進捗状況を見ながら、全体で確認をする時間も設定する。

ICT 端末の活用ポイント

学習支援ソフト等を活用して場面ごとの整理をする方法も考えられる。同時に共有が図れる利点を生かしたい。

海の命

立松和平

出来事や人物そうごの関係に着目し、物語全体を整理しよう。

1 2

学級の実態に即して、言葉は適宜変えるとよい

時期	出来事	登場人物の気持ち
1 子ども時代	・「ぼくは漁師になる」 ・父が海でなくなる。	太一　父を尊敬している。 太一　父のような漁師になりたい。
2 中学卒業の夏	・与吉じいさの弟子になる。	太一　父のような漁師になりたい。 与吉　太一が立派な漁師になれるよう、いろいろと教えてやろう。
3 弟子になり、何年もたったある朝	・与吉じいさがなくなる。	太一　与吉じいさが漁を教えてくれたことをとても感謝しています。 太一　教えてもらったことを大切に、立派な漁師になります。
4 ある日	・母の悲しみを知る。 ・父が死んだ瀬にもぐる。	母　太一は父と同じように、海で死んでしまうのではないか。そうさせたくはない。 太一　母の気持ちは分かるが、漁師として海にもぐりたい。
5 瀬にもぐり続けて一年	・瀬の主と対峙する。 山場	太一　父が打てなかった瀬の主をしとめたい。 太一　瀬の主をどうしても打つことができない。本当の一人前の漁師にはなれないのではない

3 物語の全体像を振り返る〈5分〉

T 「海の命」における「山場」はどこだと考えますか。

・太一が最も変化をした、クエと対峙したところではないかな。

・そこに至るまでの、父や与吉じいさとの関わりも印象的でした。物語を盛り上げていると思います。

○物語の山場や、それに関連する作者の描写の工夫について確認するとよい。また、全体で振り返ることで、子供が自分だけでは気が付かなかった叙述や、そこから分かる心情の変化があることに気付かせ、考えを広げさせる。

よりよい授業へのステップアップ

3人組やグループでの学習を生かす

個人での時間とグループでの時間とを分けることも効果的である。学習材との対話という点からも、1人でじっくり読む時間を確保しつつ、交流によって互いの読みを確かめる時間も設定するなど、効果的に組み合わせたい。

ICT 端末を効果的に活用する

学習支援ソフト等で互いの読みを同時に共有できるようにすることで、学習時間の短縮になる。また、支援が必要な子供にとっては、手助けとなることもあろう。

本時案

海の命

3/6

本時の目標

・父の人物像や生き方について考え、太一への影響を捉えることができる。

本時の主な評価

❶比喩や反復などの表現の工夫とその効果について気付き、記述している。【知・技】
❷登場人物の会話や行動の叙述から、人物像や心情を具体的に想像したり、表現の効果を考えたりしている。【思・判・表】

資料等の準備

・初発の感想で共有した「疑問に思ったこと・みんなで考えてみたいこと」や、前時にまとめたワークシート（掲示もしくはデータで共有）
・ワークシート 23-02
・ワークシートの拡大コピー（ICT 機器で代用可）

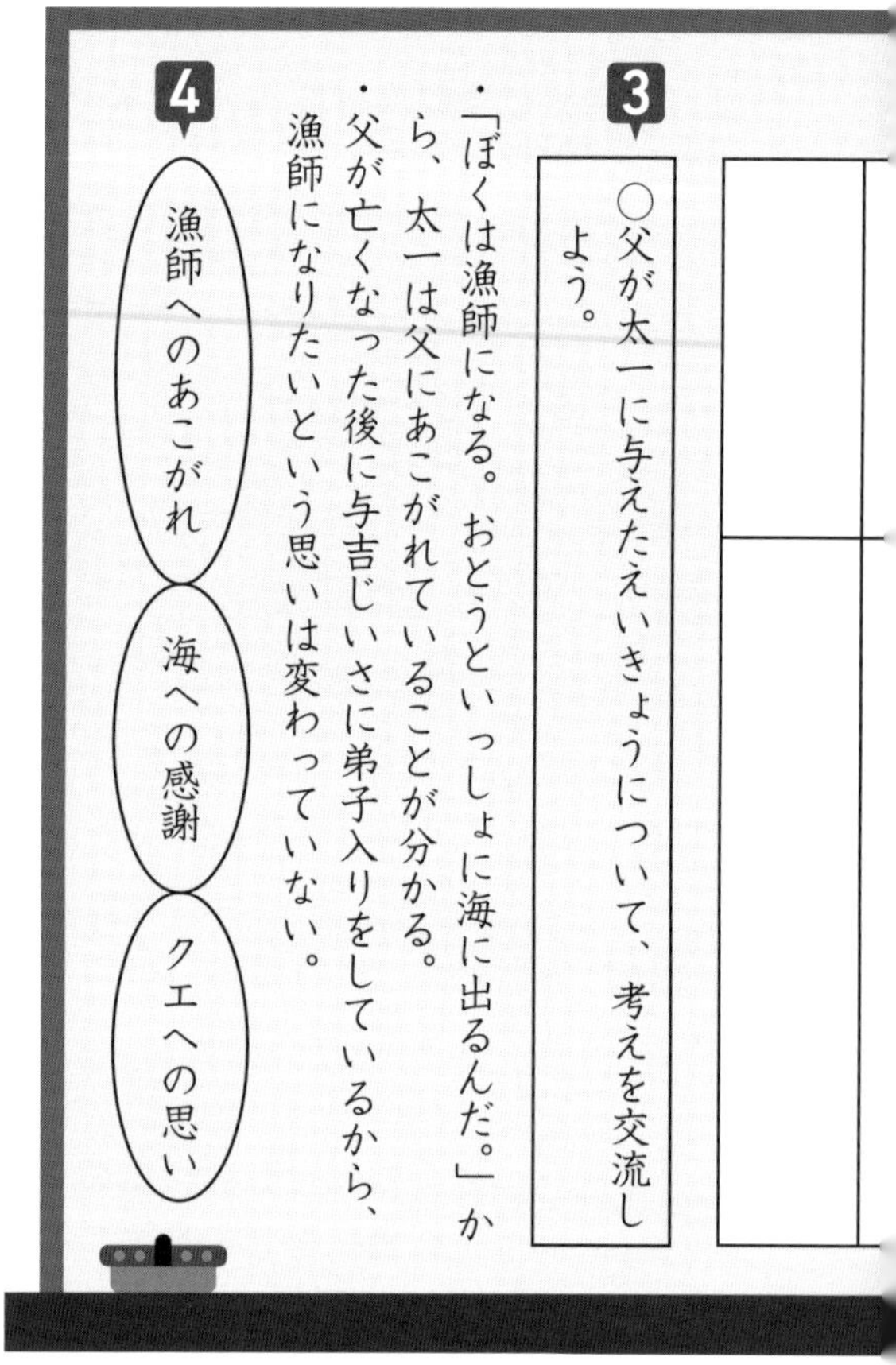
3
○父が太一に与えたえいきょうについて、考えを交流しよう。
・「ぼくは漁師になる。おとうといっしょに海に出るんだ。」から、太一は父にあこがれていることが分かる。
・父が亡くなった後に与吉じいさに弟子入りをしているから、漁師になりたいという思いは変わっていない。
4
漁師へのあこがれ
海への感謝
クエへの思い

授業の流れ ▷▷▷

1 学習課題を確かめ、父について読むことを押さえる 〈5 分〉

○第 1 時において、子供から出た「疑問に思ったこと・みんなで考えてみたいこと」の中から、父に関係するものを取り上げ、めあてにつなげるとよい。
・父の死の原因となったクエなのに、太一が打たなかったのはどうしてだろう。
・父が太一にどんな影響を与えたのか、みんなで話し合ってみたいです。
T　太一に影響を与えた人物として、今日は父について考えていきましょう。みなさんの初発の感想を振り返ります。
○教師主導の授業ではなく、子供が課題を解決する学習となるように、初発の感想を活用していく。

2 父の人物像や生き方を整理する 〈20分〉

T　太一の父の言葉や行動から、どのような人物像や生き方を想像することができるでしょう。
○教科書の叙述に線を引いたり、ワークシートを活用したりして、子供が具体的に想像することを支援する。
・「だれにももぐれない瀬に、たった一人でもぐっては」とあるから、勇敢な人物だったと思います。
・「じまんすることもなく」という叙述から、謙虚に生きていたのではないかな。
○学級で考えを交流し、父親の人物像や生き方を全体で整理し、板書をするとよい。

海の命

立松和平

1 疑問に思ったこと・みんなで考えてみたいこと

・太一は、なぜクエを打たなかったのか。

・与吉じいさのえいきょう？
・父のかたきだったのに、どうして打たなかったのだろう。
・あこがれていた父の生き方と関係している？

2 太一の父はどのような人物なのだろう。また、太一にどのようなえいきょうを与えたのかを考え、まとめよう。

父の言葉や行動	そこから想像できる人物像や生き方
だれにももぐれない瀬に、たった一人でもぐっては	・勇気がある。勇敢な人。 ・怖いもの知らず。
じまんすることもなく	・職人のような人？ ・謙虚に生きている。
「海のめぐみだからなあ。」	・海への感謝を忘れない生き方。

3 父が太一に与えた影響についてまとめる 〈15分〉

T　父の人物像や生き方は、太一にどのような影響を与えたのかを考えましょう。

・太一が「漁師になりたい」という夢をもったきっかけだと思います。
・海への感謝の気持ちを、太一も感じていたのではないかな。
・父が死んでしまったことで、太一にはどんな変化があったのだろう。

○叙述に即さない勝手な想像に流れてしまわないよう、どの言葉や文章からそう考えるのかという根拠を述べさせるようにする。
○太一の憧れや今後の生き方に影響を与えていった部分について、全体で確認をする。

4 振り返り、次時につなげる 〈5分〉

○本時の学習で捉えた、父の人物像や生き方と、太一への影響を振り返り、まとめる。
○簡単なキーワードとしてまとめておくと、単元の終わりに自分の考えをまとめるときに活用できることを押さえておくとよい。

・父の死が、太一とクエの対峙の場面に生きているような気がしました。
・もぐり漁師だった父への憧れが、太一を村一番の漁師にしたのではないかと感じました。

ICT端末の活用ポイント

父が太一に与えた影響について、学習支援ソフトや文書作成ソフトを用いて共有してもよい。

本時案

海の命

4/6

本時の目標

・与吉じいさの人物像や生き方について考え、太一への影響を捉えることができる。

本時の主な評価

❶比喩や反復などの表現の工夫とその効果について気付き、記述している。【知・技】
❷登場人物の会話や行動の叙述から、人物像や心情を具体的に想像したり、表現の効果を考えたりしている。【思・判・表】

資料等の準備

・初発の感想で共有した「疑問に思ったこと・みんなで考えてみたいこと」や、前時にまとめたワークシート（掲示もしくはデータで共有）
・ワークシート 23-03
・ワークシートの拡大コピー（ICT 機器で代用可）

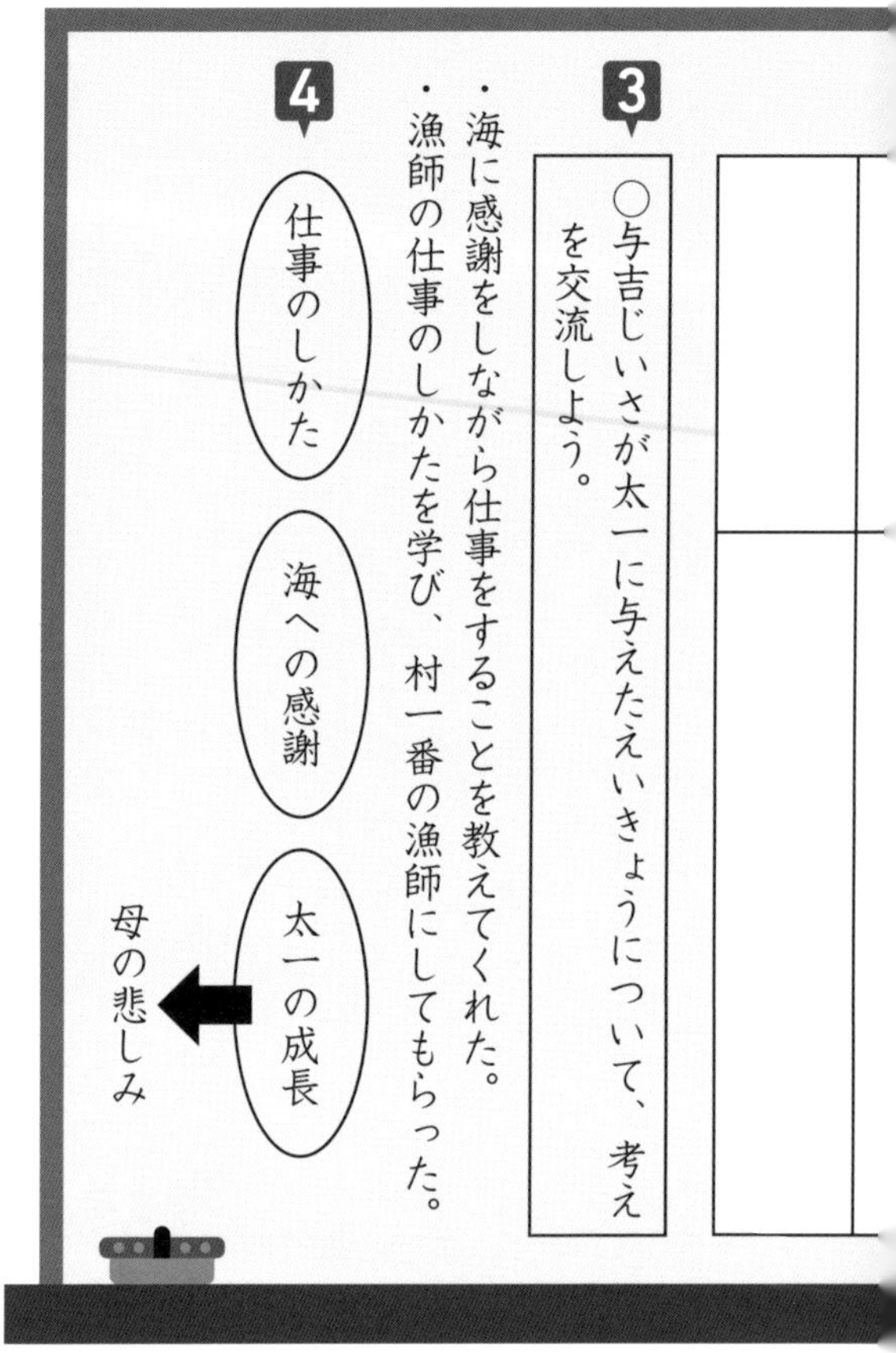
3
○与吉じいさが太一に与えたえいきょうについて、考えを交流しよう。
・海に感謝をしながら仕事をすることを教えてくれた。
・漁師の仕事のしかたを学び、村一番の漁師にしてもらった。
4
仕事のしかた
海への感謝
太一の成長
母の悲しみ

授業の流れ ▷▷▷

1 与吉じいさについて読むことを押さえる 〈5 分〉

○第 1 時において、子供から出た「疑問に思ったこと・みんなで考えてみたいこと」の中から、与吉じいさに関係するものを取り上げ、めあてにつなげるとよい。
・漁について教わった与吉じいさの考え方が、太一の生き方に大きく影響していると思います。
・「千びきに一ぴきでいいんだ。（中略）ずっとこの海で生きていけるよ」という言葉の意味を考えたいです。
T　太一に影響を与えた人物として、今日は与吉じいさについて考えていきましょう。みなさんの初発の感想を振り返ります。
○前時と同様、初発の感想を活用していく。

2 与吉じいさの人物像や生き方を整理する 〈20分〉

T　与吉じいさの言葉や行動から、どのような人物像や生き方を想像することができるでしょう。
○教科書の叙述に線を引いたり、ワークシートを活用したりして、子供が具体的に想像することを支援する。
・「太一は、なかなかつり糸をにぎらせてもらえなかった」とあるから、漁師の仕事に対して厳しい人だったのではないかな。
・太一が感謝している様子から、とても優しい人だったのではないかと感じました。
○学級で考えを交流し、与吉じいさの人物像や生き方を全体で整理し、板書をするとよい。

海の命

立松和平

疑問に思ったこと・みんなで考えてみたいこと

・太一は、なぜクエを打たなかったのか。

・与吉じいさのえいきょう？
・父のかたきだったのに、どうして打たなかったのだろう。
・あこがれていた父の生き方と関係している？

1 与吉じいさはどのような人物なのだろう。また、太一にどのようなえいきょうを与えたのかを考え、まとめよう。

2

与吉じいさの言葉や行動	そこから想像できる人物像や生き方
太一は、なかなかつり糸をにぎらせてもらえなかった。	・漁師という仕事に対して厳しい人。
「千びきに一ぴきでいいんだ。」	・海に感謝しながら漁をしている。

3 与吉じいさが太一に与えた影響についてまとめる〈15分〉

T　与吉じいさの人物像や生き方は、太一にどのような影響を与えたでしょうか。
・「千びきに一ぴきでいい」という考え方は、父の海に感謝をする生き方につながっているように感じます。
・父に続いて、与吉じいさも死んでしまったことで、太一にはどんな変化があったのだろう。
○叙述に即さない勝手な想像に流れてしまわないよう、どの言葉や文章からそう考えるのかという根拠を述べさせるようにする。
○母の思いと、母から見た太一の変化について、ここで押さえておく。
・母は、成長した太一が、父のように海で死んでしまうのではないかと考えています。

4 振り返り、次時につなげる〈5分〉

○本時の学習で捉えた、与吉じいさの人物像や生き方と、太一への影響を振り返り、まとめる。
○簡単なキーワードとしてまとめておくと、単元の終わりに自分の考えをまとめるときに活用できることを押さえておくとよい。
・与吉じいさは、太一を村一番の漁師と認めてくれています。
・海に感謝して仕事をすることを教わり、太一は大きく成長したと思います。
・母の悲しみも影響していそうです。

ICT端末の活用ポイント

前時同様、与吉じいさが太一に与えた影響について、学習支援ソフトや文書作成ソフトを用いて共有してもよい。

本時案

海の命

5/6

本時の目標

・太一が瀬の主を打たなかった理由や、題名の意味を考えることを通して、それぞれの生き方とそれに対する自分の考えをまとめることができる。

本時の主な評価

・文章を読んで意見や感想をまとめている。

資料等の準備

・初発の感想で共有した「疑問に思ったこと・みんなで考えてみたいこと」や、前時までにまとめたワークシート（掲示もしくはデータで共有）

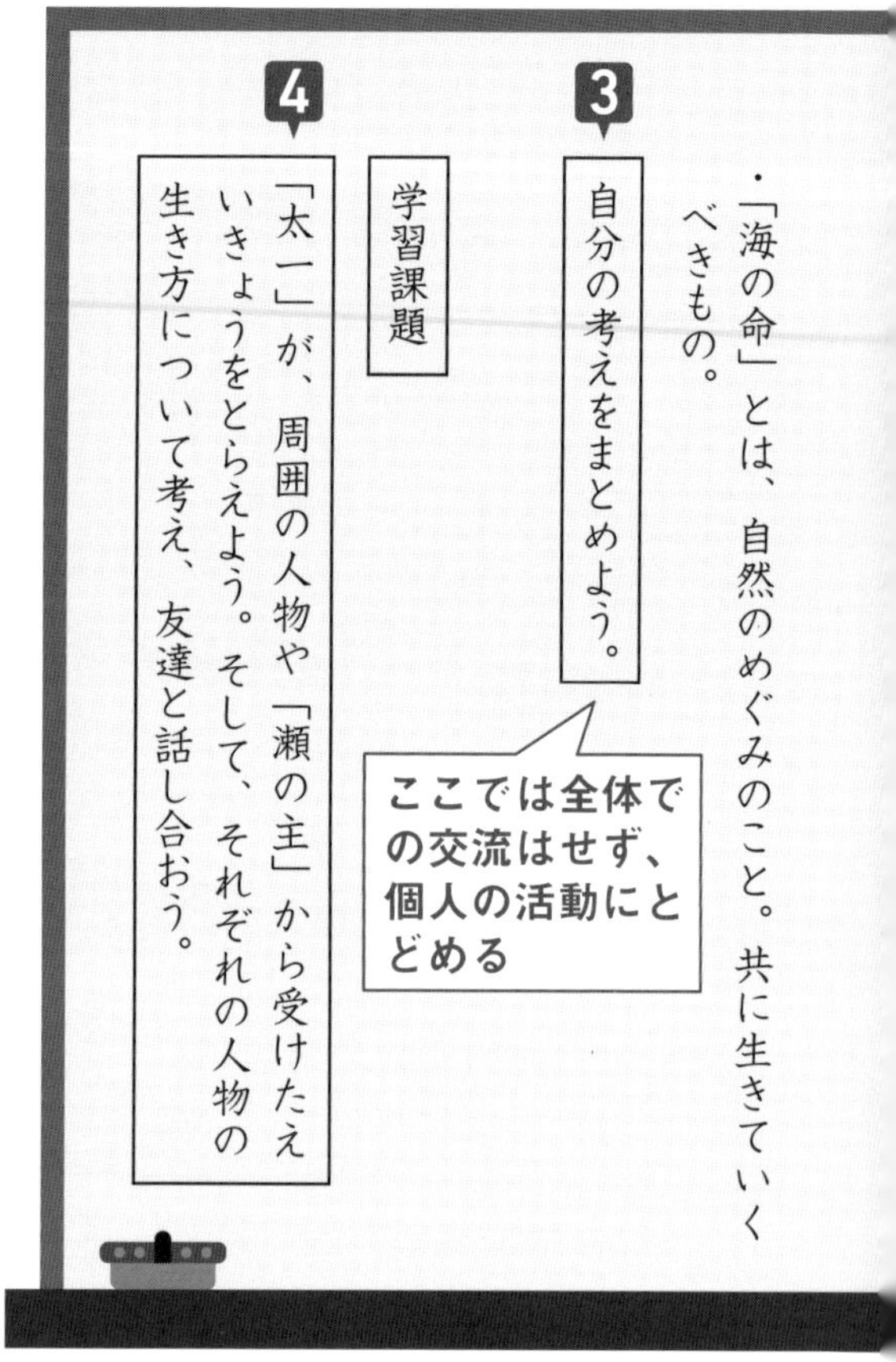
・「海の命」とは、自然のめぐみのこと。共に生きていくべきもの。
3
自分の考えをまとめよう。
ここでは全体での交流はせず、個人の活動にとどめる
学習課題
4
「太一」が、周囲の人物や「瀬の主」から受けたえいきょうをとらえよう。そして、それぞれの人物の生き方について考え、友達と話し合おう。

授業の流れ ▷▷▷

1 太一が瀬の主を打たなかった理由を考える 〈10分〉

T　追い続けてきた瀬の主を目の前にしたのに、なぜ太一はクエを打たなかったのでしょう。

・「おとう、ここにおられたのですか」とあるように、クエに父の姿を重ねたからだと思います。

・「大魚はこの海の命だと思えた」と書かれていることから、瀬の主を殺すことは「海の命」を殺してしまうことになり、父や与吉じいさの教えと違ってしまうと感じたからではないかな。

〇叙述を根拠に考えをもつよう指導する。

〇「海の命」とは何かを考える発問につなげていくため、子供の考えを丁寧に見取りたい。

2 題名でもある「海の命」とは何かを考え、交流する 〈15分〉

T　では、題名にもある「海の命」とは何なのでしょう。

・「大魚はこの海の命だと思えた」とあるから、クエそのものが「海の命」ということだと思います。

・「この大魚は自分に殺されたがっている」と書かれていて、太一が迷っている様子が分かります。「海の命」とは、父や与吉じいさや自分も入れた、海に生きるもの全てのことを言っているのではないでしょうか。

〇これまでの読みを生かしながら、太一の成長とつなげて捉えさせたい。また、明確な正解を導くような展開ではなく、子供それぞれが叙述を基に導き出した考えを大切にしたい。

海の命

立松和平

それぞれの生き方と、それに対する自分の考えをまとめよう。

1

○太一が「瀬の主」を打たなかったのは、なぜだろう。

・「おとう、ここにおられたのですか。」とあるように、クエに父の姿を重ねたから。
・クエは、父の生まれ変わりだと思ったから。
・クエを殺すと、父や与吉じいさの大切にしてきた海を守れないと思ったから。
・成長とともに父や与吉じいさの教えの本当の意味が理解でき、海を守らなければならないと思ったから。
・光る緑色の目や刃物のような歯をもつクエは、父を殺したかたきだったのに、おだやかな目をした「海の命」そのものに見え、太一の考え方が変わったから。

子供の考えを板書に整理していく。「海の命」というキーワードを囲い、次の発問へとつなげる

2

○題名でもある「海の命」とは何だろう。

・「大魚はこの海の命だと思えた。」とあるから、クエそのものが「海の命」だということ。
・「海の命」とは、父や与吉じいさや自分も入れた、海に生きるものすべてのことを言っているのではないか。

3 それぞれの生き方と、自分の考えをまとめる 〈15分〉

T　学習したことを基に、それぞれの生き方やそれに対する自分の考えをまとめましょう。

○心に残った表現や人物の描写に着目し、考えをまとめさせる。初発の感想と結び付けながら整理させるとよい。

・ぼくは、与吉じいさの「千びきに一ぴきでいいんだ。（中略）ずっとこの海で生きていけるよ」という言葉が心に残りました。海に感謝しながら生きることが、「海の命」を守ることにつながると考えたからです。

ICT 端末の活用ポイント

学習支援ソフトや文書作成ソフトを活用し、互いの考えがその場で共有できるようにするとよい。

4 振り返り、次時につなげる 〈5 分〉

T　登場人物それぞれの生き方や、それに対する自分の考えをまとめましたね。次の時間は、友達と考えを読み合い、単元全体を振り返りましょう。

○次時にグループで考えを読み合うことを知らせ、単元全体を振り返るという見通しをもたせる。また、学習課題に立ち返り、自分の考えがどのように変化したり広がったりしたのかについてもまとめることを示唆しておくとよい。

本時案

海の命

6/6

本時の目標

・単元の学習を通して、自分の考えの広がりや深まりを確かめることができる。

本時の主な評価

❸意見や感想を共有することで、自分の考えを深めたり広げたりしている。【思・判・表】

❹登場人物の生き方や考え方を考えることを通して、粘り強く学習課題を解決しようとしている。【態度】

資料等の準備

・付箋や ICT 端末など、感想を交流するためのツール

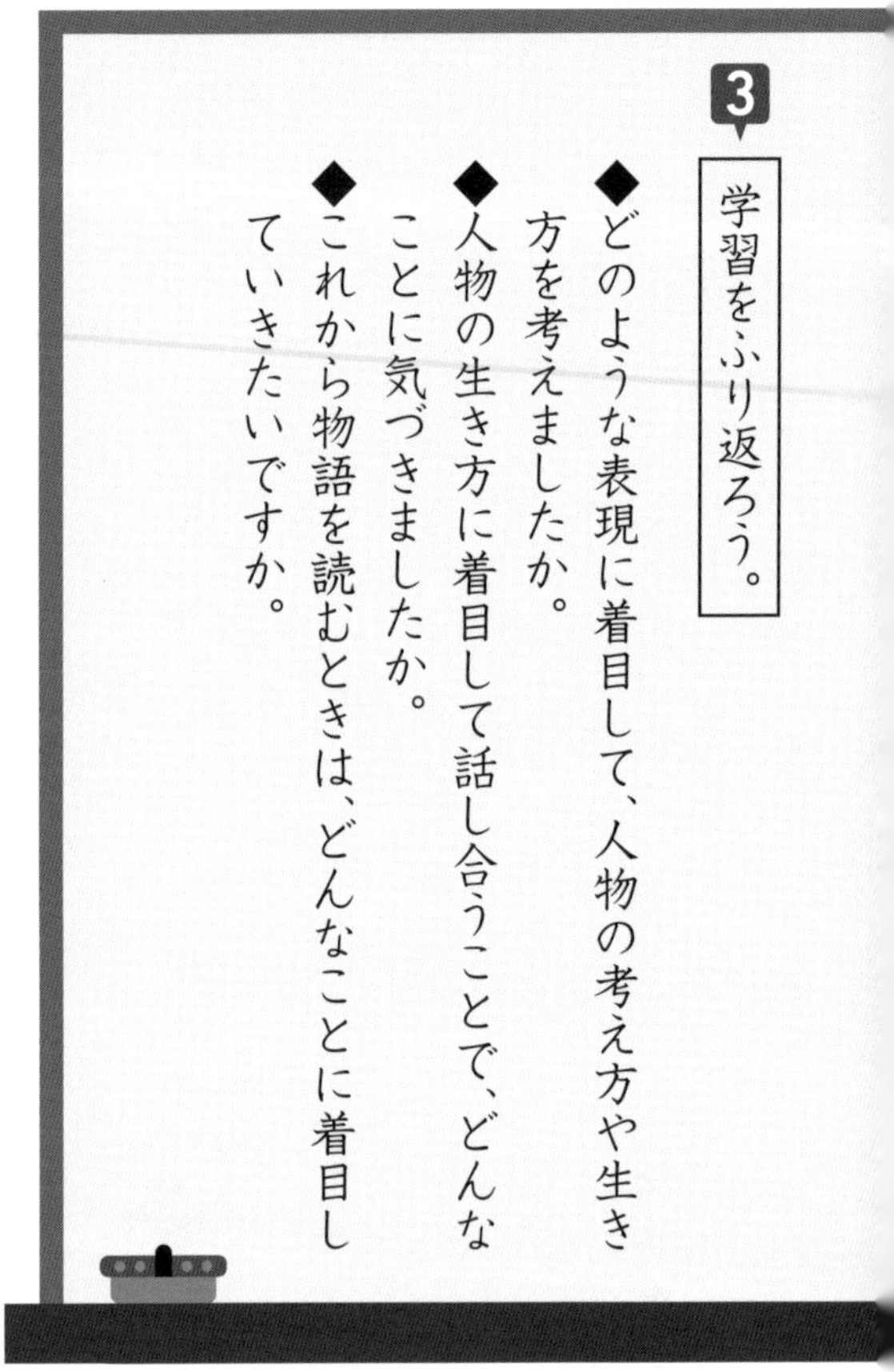

3
学習をふり返ろう。
◆どのような表現に着目して、人物の考え方や生き方を考えましたか。
◆人物の生き方に着目して話し合うことで、どんなことに気づきましたか。
◆これから物語を読むときは、どんなことに着目していきたいですか。

授業の流れ ▷▷▷

1 本時のめあてを確かめる 〈5分〉

T　今日は学習のまとめを通して、自分の考えを広げる時間です。前の時間に書いた自分の考えを友達と読み合い、感想を交流しましょう。

・友達が、誰の生き方や考え方について考えをまとめたのか知りたいです。

・自分の考えを友達に読んでもらい、感想をもらいたいです。

○学習課題に沿って学習を進めてきたことを押さえながら、単元を振り返るというめあてを確かめる。

2 前時にまとめた考えを、友達と交流する 〈30分〉

○考えを読み合い、付箋や ICT 端末などを活用して感想を交流させる。

○まずはグループでの交流活動を行い、全体交流の素地をつくるとよい。

T　友達の考えを読んだら、それについて自分はどう思ったかや、考えが変わったとしたらそのことも伝えましょう。

・与吉じいさとの関わりに着目した○○さんの意見を聞いて、ずっと海で生きていくために命を大切に扱った生き方だということに共感しました。理由は、「千びきに一ぴきでいいんだ」という言葉に対する○○さんの考えから、私も同じように考えたからです。

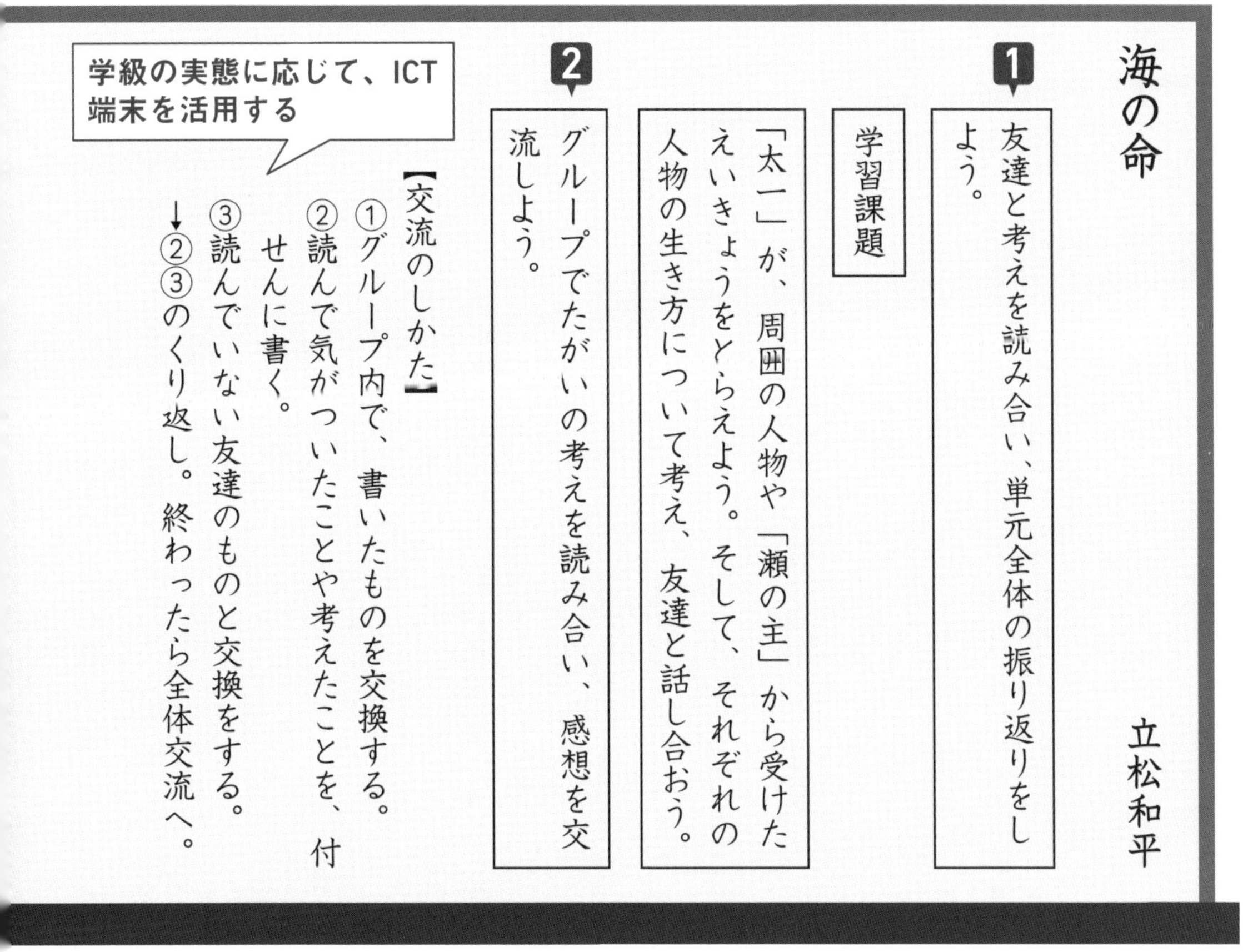
海の命
立松和平
1
友達と考えを読み合い、単元全体の振り返りをしよう。
学習課題
「太一」が、周囲の人物や「瀬の主」から受けたえいきょうをとらえよう。そして、それぞれの人物の生き方について考え、友達と話し合おう。
2
グループでたがいの考えを読み合い、感想を交流しよう。
【交流のしかた】
①グループ内で、書いたものを交換する。
②読んで気がついたことや考えたことを、付せんに書く。
③読んでいない友達のものと交換をする。
→②③のくり返し。終わったら全体交流へ。
学級の実態に応じて、ICT端末を活用する

3 単元全体を振り返り、学習をまとめる 〈10分〉

T 物語「海の命」を通して、登場人物の生き方について考えたことを話し合う学習は終わりです。この学習を通して、どのような力が付いたかを振り返りましょう。

○知識及び技能の面からどのような表現に着目したか押さえさせたい。また、思考力、判断力、表現力等の面から、それがどのような効果を生んでいたか、人物の生き方に着目して話し合うことで、どのようなことが分かったかをまとめさせたい。

ICT 等活用アイデア

ICT 端末を用いて交流をする

学習を通してまとめた自分の考えを友達と読み合う交流活動は、対話的な学びの点からも価値のある学習である。交流活動に ICT 端末を活用することで、より効率的に進めることができる場合がある。

例えば、学習支援ソフトの意見交流ツールを用いて、リアルタイムで感想を読み合うことも考えられる。その際、交流を通して書いた感想についても即時に読み合うことができ、紙面のみよりも活動量が増えることが期待される。

資料

1 第2時資料　ワークシート 23-01

登場人物の生き方について、考えたことを話し合おう
「海の命」

名前（　　　　　　　　）

出来事や人物そうごの関係に着目し、物語全体を整理しよう。

時期	出来事	登場人物の気持ち

学習のふり返り

2 第2時資料　ワークシート（記入例）

登場人物の生き方について、考えたことを話し合おう
「海の命」

名前（　　　　　　　　）

出来事や人物そうごの関係に着目し、物語全体を整理しよう。

時期	出来事	登場人物の気持ち
1 子ども時代	・「ぼくは漁師になる」 ・父が海でなくなる。	太一　父を尊敬している。 太一　父のような漁師になりたい。
2 中学卒業の夏	・与吉じいさの弟子になる。	太一　父のような漁師になりたい。 与吉　太一が立派な漁師になれるよう、いろいろと教えてやろう。
3 弟子になり、何年もたったある朝	・与吉じいさがなくなる。	太一　与吉じいさが漁を教えてくれたことをとても感謝しています。 太一　教えてもらったことを大切に、立派な漁師になります。
4 ある日	・母の悲しみを知る。 ・父が死んだ瀬にもぐる。	母　太一は父と同じように、海で死んでしまうのではないか。そうさせたくはない。 太一　母の気持ちは分かるが、漁師として海にもぐりたい。
5 瀬にもぐり続けて一年	・瀬の主と対峙する。	太一　父が打てなかった瀬の主をしとめたい。 太一　瀬の主をどうしても打つことができない。本当の一人前の漁師にはなれないのではないか。
6 やがて（太一のその後）	・村のむすめとけっこんする。 ・村一番の漁師であり続けた。	太一　この海でずっと生きていきたい。

学習のふり返り

3 第3時資料　ワークシート 23-02

登場人物の生き方について、考えたことを話し合おう
「海の命」

名前（　　　　　）

太一の父はどのような人物なのだろう。また、太一にどのようなえいきょうを与えたのかを考え、まとめよう。

父の言葉や行動	そこから想像できる人物像や生き方

父が太一に与えたえいきょうについて、考えを書こう。

学習のふり返り

4 第4時資料　ワークシート 23-03

登場人物の生き方について、考えたことを話し合おう
「海の命」

名前（　　　　　）

与吉じいさはどのような人物なのだろう。また、太一にどのようなえいきょうを与えたのかを考え、まとめよう。

与吉じいさの言葉や行動	そこから想像できる人物像や生き方

与吉じいさが太一に与えたえいきょうについて、考えを書こう。

学習のふり返り

漢字の広場⑥　1時間扱い

単元の目標

知識及び技能	・第5学年までに配当されている漢字を書き、文や文章の中で使うことができる。((1)エ)
思考力、判断力、表現力等	・書き表し方などに着目して、文や文章を整えることができる。(B オ)
学びに向かう力、人間性等	・言葉がもつよさを認識するとともに、進んで読書をし、国語の大切さを自覚して、思いや考えを伝え合おうとする。

評価規準

知識・技能	❶第5学年までに配当されている漢字を書き、文や文章の中で使っている。(〔知識及び技能〕(1)エ)
思考・判断・表現	❷「書くこと」において、書き表し方などに着目して、文や文章を整えている。(〔思考力、判断力、表現力等〕B オ)
主体的に学習に取り組む態度	❸漢字の読み書きに親しみ、進んで文や文章を書こうとしている。

単元の流れ

次	時	主な学習活動	評価
一	1	ペアで漢字の読み方や正しい書き方を確認する。 教科書の挿絵と漢字を照らし合わせ、6年間の学校生活を想像する。 漢字を正しく使って、学校生活についての文章を書く。 書いた文章を読み合う。	❶❷ ❸

授業づくりのポイント

〈単元で育てたい資質・能力〉

本単元のねらいは、5年生までに学習した漢字を正しく読んだり書いたりし、文や文章の中で適切に使う力を育むことである。

高学年になると、教科を問わず習熟の時間を確保することが困難であるが、今までの学習の積み上げにより、子供は、学習内容や学び方について見通しをもてているだろう。中心となる活動に十分に時間を取れるよう時間の使い方に配慮したい。また、1時間単元であるからこそ、教材の特性を生かして、子供が漢字に親しみながら正しく漢字を使って文章を書けるようにしていきたい。

〈教材・題材の特徴〉

この教材は、漢字を活用できる具体的な状況が挿絵や漢字によって楽しく想像できるものとなっている。また、書く題材が学校生活に設定されていることで、自分の経験と照らし合わせやすい。扱っている漢字も5年生のものであるため、漢字の読み書きが苦手な子供でも進んで文章を書くことができる教材である。

〈言語活動の工夫〉

本単元では、「教科書の挿絵や漢字を基に想像を広げ、6年間の学校生活について文章を書く」という言語活動を設定する。これまでの学校生活を想像豊かに振り返り、文章を書いていくという過程が卒業式の呼びかけと似ている。教科書の例文を参考にしながら、卒業式の呼びかけの続きを小グループで書いていく活動を取り入れ、楽しく文章を書ける場を設定したい。

[具体例]

○「卒業式の呼びかけの続きを考えよう」と子供に投げかけ、小グループでコミュニケーションを取りながら楽しく漢字に親しめる場をつくりたい。

・六年前、校舎の周りの桜が満開の頃に、小学校に入学しました。

・読書タイムでは、たくさんの本を読み、家でも本を読む習慣がつきました。

・体育の時間には、サッカーが得意な友達から、基本を学び、所属するチームの勝利を目指しました。

など、2～3文をモデルとして提示し、呼びかけのイメージをもたせるとよい。その中で、友達と楽しみながら学校生活を振り返り、漢字を正しく使って文章を書いていけるようにする。

〈ICT の効果的な活用〉

共有：でき上がった文章を ICT 端末で写真に撮り、学習支援ソフトで共有することで、語句や文の意味、受ける印象などを比較できるとよい。漢字を綴ることは大切な学習であるが、子供の実態に応じて文書作成ソフトなどで文をつくることも考えられる。

本時案

漢字の広場⑥

1/1

本時の目標

・第5学年までに配当されている漢字を書き、出来事を説明する文や文章の中で使うことができる。

本時の主な評価

❶第5学年までに配当されている漢字を書き、文や文章の中で使っている。【知・技】
❷書いた文章を読み直し、表現の適切さを確かめている。【思・判・表】
❸漢字の読み書きに親しみ、進んで文や文章を書こうとしている。【態度】

資料等の準備

・教科書 p.247の拡大コピー（ICT 機器で代用可）
・国語辞典、漢字辞典

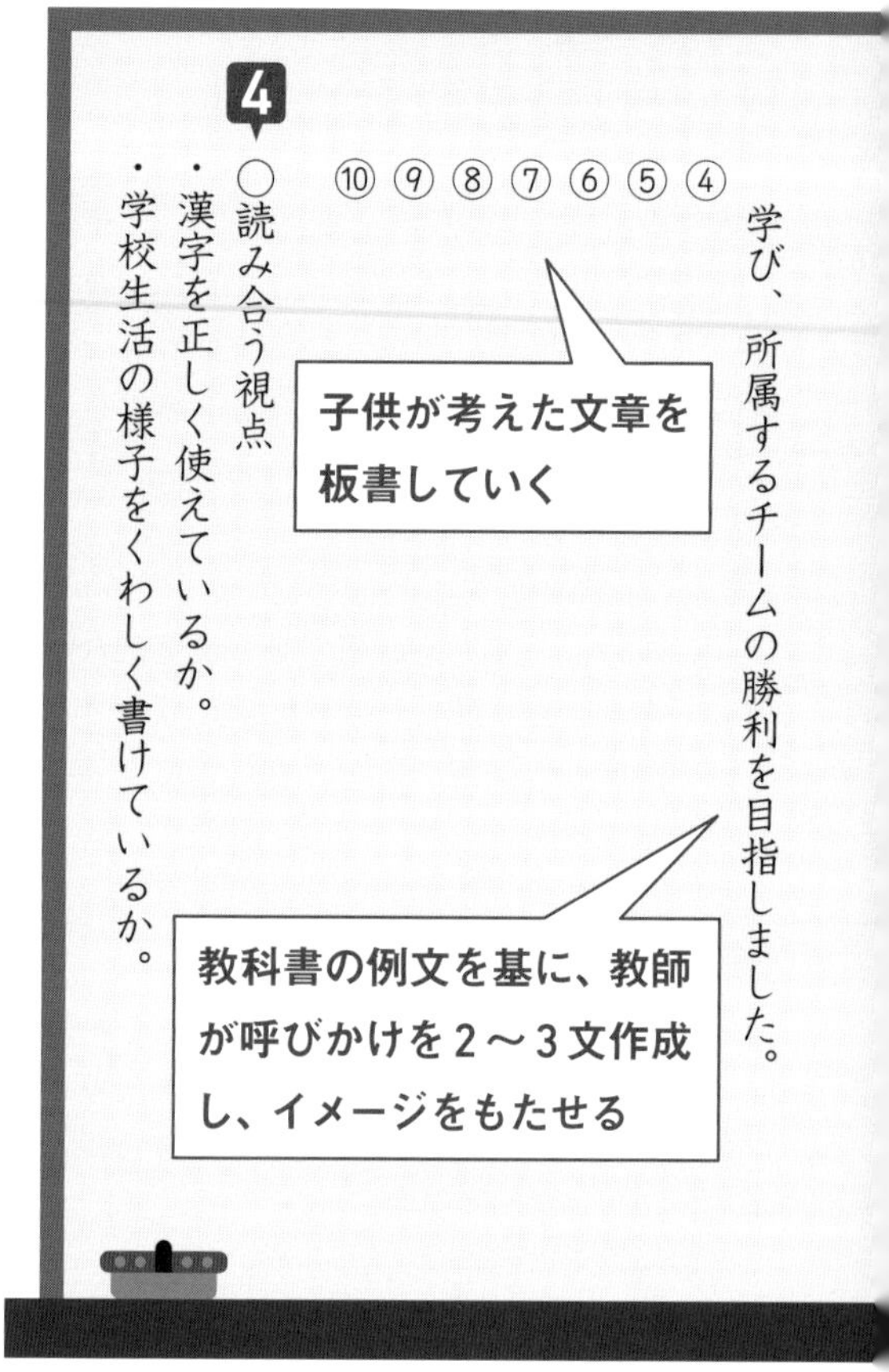

学び、所属するチームの勝利を目指しました。
④⑤⑥⑦⑧⑨⑩
子供が考えた文章を板書していく
教科書の例文を基に、教師が呼びかけを2～3文作成し、イメージをもたせる
4
○読み合う視点
・漢字を正しく使えているか。
・学校生活の様子をくわしく書けているか。

授業の流れ ▷▷▷

1 5年生で習った漢字の読み方や書き方を確認する 〈10分〉

T　教科書を見て、漢字の読み方や書き方を確認しましょう。
○教科書 p.247を拡大表示し、漢字の読み方を確認していく。次に、ペアで問題を出し合い、書き方や漢字の意味について確認する。
○挿絵に出てくる言葉は、実態に応じて家庭学習などで事前に漢字の意味調べを学習させておくとよい。

2 挿絵と漢字を照らし合わせ、学校生活を想起する 〈5分〉

T　挿絵と漢字を照らし合わせながら、これまでの学校生活を振り返ってみましょう。
○挿絵と漢字を照らし合わせ、いつ、どんなことがあったか、そのときどのような気持ちだったかなど、自分の経験を振り返らせる。
○教科書の例文や教師のモデル文を基に、卒業式の呼びかけをつくろうと子供に投げかける。

漢字の広場⑥

1

教科書p.247の拡大コピー

2

今までに習った漢字を正しく使って、卒業式の呼びかけを作ろう。

○学習の流れ

1 漢字の読み方や書き方を確認する。

2 絵と漢字を照らし合わせて、六年間の学校生活を想像する。

3 漢字を正しく使って文章を書く。

4 書いた文章を読み合う。

○今までの学校生活をふり返ろう。

いつ、どんなことがあったか

そのとき、どんな気持ちだったか

3

①六年前、校舎の周りの桜が満開のころに、小学校に入学しました。

②読書タイムでは、たくさんの本を読み、家でも本を読む習慣がつきました。

③体育の時間には、サッカーが得意な友達から、基本を

3 漢字を適切に使って文章を書く〈20分〉

T　5年生で習った漢字を正しく使って、6年間の学校生活について文章を書きましょう。

○挿絵を基に学校生活を振り返りながら、文章を書く。

・六年前、校舎の周りの桜が満開の頃に、小学校に入学しました。

・読書タイムでは、たくさんの本を読み、家でも本を読む習慣がつきました。

・体育の時間には、サッカーが得意な友達から、基本を学び、所属するチームの勝利を目指しました。

など、2～3文をモデルとして提示し、漢字を正しく使って文章を書いていけるとよい。

4 書いた文章を読み合う〈10分〉

T　友達が書いた文章を読んで、漢字の使い方と、文や表現が適切かどうかを確認しましょう。

○ペアで文章を読み合い、漢字が正しく使われているか、学校生活の様子を詳しく書けているかなどを確認する。間違いを指摘し合うだけではなく、上手に書けているところを見付け、互いに褒め合うことができる雰囲気をつくっていくことが、次への意欲や態度につながっていく。

ICT端末の活用ポイント

でき上がった文章をICT端末で写真に撮り、学習支援ソフトで共有する。絵で表された場面と言葉との結び付きを考えさせ、自分が書いた文章を見直し、よりよい文章にさせていきたい。

卒業するみなさんへ　（4時間扱い）

単元の目標

知識及び技能	・比喩や反復などの表現の工夫に気付くことができる。((1)ク) ・文章を朗読することができる。((1)ケ)
思考力、判断力、表現力等	・目的や意図に応じて、感じたことや考えたことなどから書くことを選び、伝えたいことを明確にすることができる。(B ア) ・文章を読んで理解したことに基づいて、自分の考えをまとめることができる。(C オ) ・文章を読んでまとめた意見や感想を共有し、自分の考えを広げることができる。(C カ)
学びに向かう力、人間性等	・言葉がもつよさを認識するとともに、進んで読書をし、国語の大切さを自覚して、思いや考えを伝え合おうとする。

評価規準

知識・技能	❶比喩や反復などの表現の工夫に気付いている。(〔知識及び技能〕(1)ク) ❷文章を朗読している。(〔知識及び技能〕(1)ケ)
思考・判断・表現	❸「書くこと」において、目的や意図に応じて、感じたことや考えたことなどから書くことを選び、伝えたいことを明確にしている。(〔思考力、判断力、表現力等〕B ア) ❹「読むこと」において、文章を読んで理解したことに基づいて、自分の考えをまとめている。(〔思考力、判断力、表現力等〕C オ) ❺「読むこと」において、文章を読んでまとめた意見や感想を共有し、自分の考えを広げている。(〔思考力、判断力、表現力等〕C カ)
主体的に学習に取り組む態度	❻積極的に文章を読んで理解したことに基づいて、これまでの学習を生かして自分の考えをまとめ、感じたことを伝え合おうとしている。

単元の流れ

次	時	主な学習活動	評価
一	1	6年間の国語の学習で取り組んできた活動を想起し、身に付けた言葉の力を振り返る。 学習の見通しをもつ	
二	2	「生きる」を読み、感じたことを話し合ったり、朗読したりする。	❶❷
三	3	「人間は他の生物と何がちがうのか」を読み、筆者の考えに対する自分の考えをまとめる。	❸❹
	4	これからの生活や学習で、どのように言葉と向き合っていきたいかを考える。 学習を振り返る	❺❻

授業づくりのポイント

〈単元で育てたい資質・能力〉

本単元が、小学校での国語学習の最後の単元となる。6年間の言葉の学びを振り返り、どのようなことができるようになったのかを自分自身で認識するようにさせたい。そして、中学校での学びにつなげようという意識をもてるようにさせたい。

自分の成長として、身に付けたと感じる力を教科書 p.251で明記する。その力を意識しつつ、二つの教材「生きる」「人間は他の生物と何がちがうのか」を読み、自分の感じたことや考えたことを話したり書いたりできるようにしたい。最後に、筆者の問いかけに応えるような形で、これからの生活や学習で、どのように言葉と向き合っていきたいかを考え、学習のまとめとする。

〈教材・題材の特徴〉

扉のページでは、「話す・聞く」「書く」「読む」の領域ごとの学習活動例が挿絵とともに提示されている。今まで学習したことを具体的に思い出すための手がかりになるだろう。

「中学校へつなげよう」には、扉のページで示された領域ごとに必要なことや要点がチェックできるリストが用意されている。それを参考にして、今までの学習を想起し、成長した言葉の力とこれから生かしていきたい言葉の力を書き込めるようになっている。

「生きる」は、その題名にあるように、「生きること」「命」についての詩である。5連にわたる壮大な詩は、小学校の最後にふさわしい内容であり、繰り返しのリズム等も朗読にも適している教材である。

「人間は他の生物と何がちがうのか」は、生物学者である筆者が、人間の特性をツチハンミョウの生態と引き比べながら述べている文章である。筆者の考えを読み、それに対する自分の考えをもたせたい。筆者は、最後に読者へ語りかけている。「みなさんは、言葉の力をみがかなければなりません。(中略) けんきょさをもちつつ、言葉で世界を解き明かしていってほしい」。この思いを受け、言葉とどのように向き合っていきたいかを考えることができる。

〈言語活動の工夫〉

教科書 p.248～249の挿絵や学習活動を手がかりにし、子供たちが経験してきた言葉の学びをできるだけ具体的に思い出せるようにしたい。ノートや学習記録を見返したり、友達との会話から思い出したりできるようにする。一人一人が自分の言葉の学びを振り返る単元であるが、その過程ではペアやグループなどの友達と話し合ったり、朗読する際に群読したりするなど、共に活動することが効果的だと考える。

また「中学校へつなげよう」で自分が書き出した「こんな力がついたよ」(p.251) を意識して、本単元の学習に取り組ませるようにすると、より学びへの自覚をもてるようになると考える。

[具体例]

○「相手から話を引き出す質問ができるようになった」と振り返っている子供には、その力を積極的に生かすよう促す。例えば、「生きる」を読んで感じたことを話し合うときに、友達の思いを引き出すような質問をするようにさせる。

〈ICT の効果的な活用〉

共有：学習支援ソフトを活用し、自分の考えを共有する。友達の考えを見て、更に考えたり見方を広げたりする。

記録：朗読の練習や成果などを、記録して振り返る。

本時案

卒業するみなさんへ／中学校へつなげよう 1/4

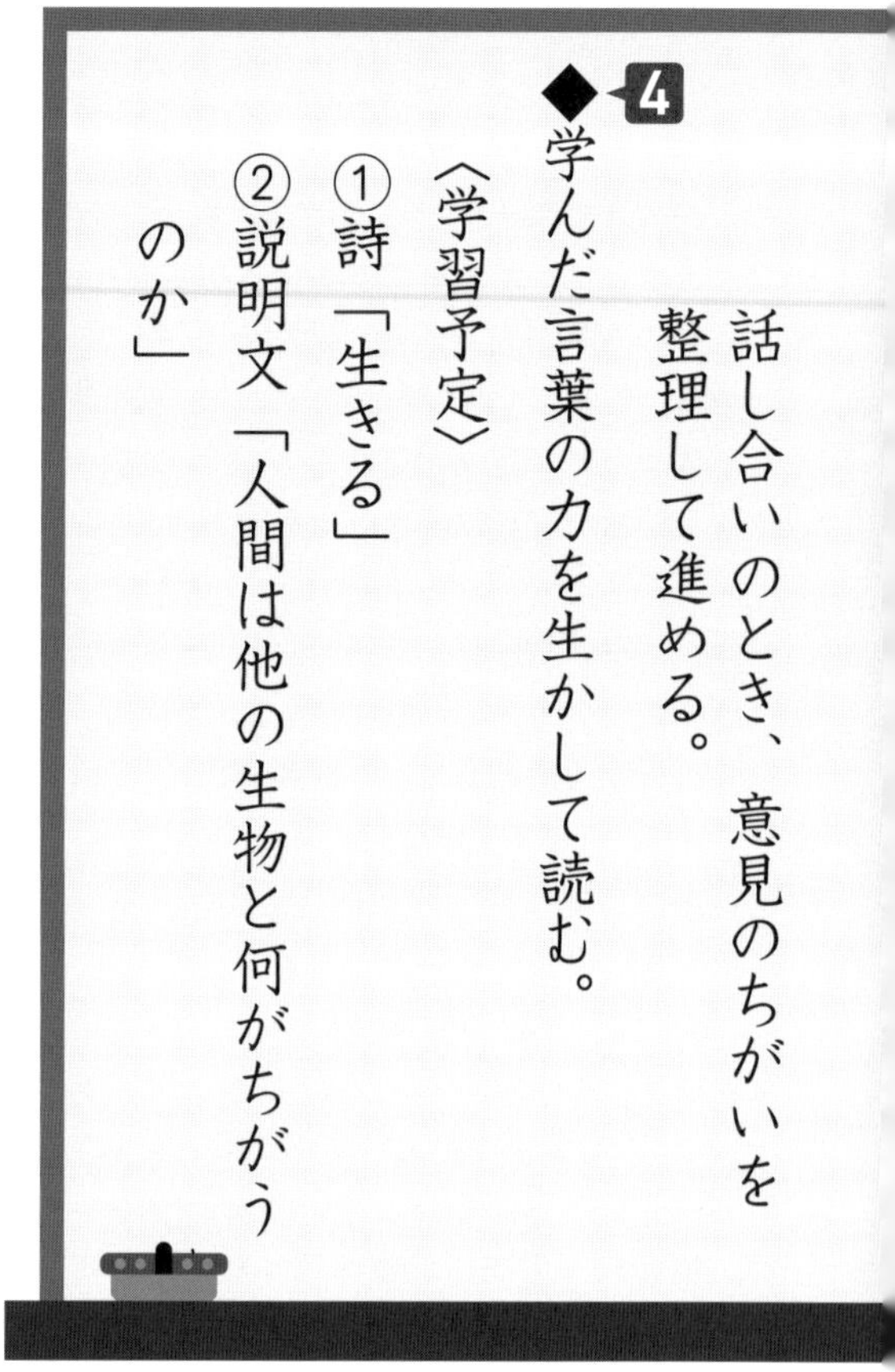
話し合いのとき、意見のちがいを
整理して進める。
◆4
学んだ言葉の力を生かして読む。
〈学習予定〉
①詩「生きる」
②説明文「人間は他の生物と何がちがう
のか」

本時の目標

・6年間の国語の学習で取り組んできた活動を想起し、身に付けた言葉の力を振り返ることができる。

本時の主な評価

・6年間の国語の学習で取り組んできた活動を想起し、身に付けた言葉の力を振り返ろうとしている。

資料等の準備

・今までの学習の記録や学習場面の写真など（提示できるものがあれば）
・教科書 p.250の拡大コピー（ICT 機器で代用可）

授業の流れ ▷▷▷

1 学習のめあてを知る 〈5分〉

T　小学校での最後の国語の学習です。6年間で学んだ言葉の力を確かめましょう。そして、その力を今後どんな場面で生かしていきたいかを考えましょう。

○ノートや学習記録、学習場面の写真や動画など提示できるものがあれば提示し、想起しやすくする。

T　今までの国語の学習で心に残っていることは、どんなことですか。

・園芸ボランティアの人にインタビューしたことです。緊張しながらインタビューをしました。

・調べたことをグループで協力して、まとめたことです。大変だったけれど、達成感がありました。

2 6年間で学んだ言葉の力を振り返る 〈10分〉

T　教科書 p.250の項目を見ましょう。国語の学習で取り組んだことが書かれています。一つ一つを見ながら、思い出していきましょう。特に、頑張ったと思うことや身に付いたと思うことには、チェックを入れてみましょう。

T　ペアで見合います。どうしてその項目にチェックを入れたのか尋ねてみましょう。

・「聞くとき」の「相手の話を引き出す質問をする」にチェックが入っているのは、どうしてですか。

・インタビューするときに、相手の考えをどうしたら引き出せるか考えて、事前に質問をいくつも考えたからです。

卒業するみなさんへ
中学校へつなげよう

1 ○六年間で学んだ言葉の力を確かめよう。

◆言葉の力

2 教科書p.250のコピー

発言で出た項目をチェックしたり、傍線を引いたりして共有する

◆**3** こんな力がついたよ。

・相手の話を引き出す質問をする力 ←
中学校で初めて会う友達と話すときに生かす。

数名の子供の考えを例として挙げる

・反論を想定し、それに対する考えを書く力 ←

3 身に付いた言葉の力を書き出す 〈20分〉

T 一人一人、様々な言葉の力が付いたことが感じられます。チェックを付けた項目から、特に身に付いた言葉の力を書き出してみましょう。そして、その力をどんなときに生かすとよいか考えましょう。

○教科書 p.251「こんな力がついたよ」「こんなときにいかそう」の欄に、考えたことを書かせる。

・「相手の話を引き出す質問をする」力が付いたから、中学校で初めて会う友達と話すときにも生かせそうです。

・「反論を想定し、それに対する考えを書く」力が付いたと思うので、話合いのときに生かしたいです。意見の違いを整理して進めたいです。

4 学習の見通しをもつ 〈10分〉

T それぞれが身に付けたと思う言葉の力を意識しながら、詩「生きる」と説明文「人間は他の生物と何がちがうのか」を読んでいきましょう。

・「情景などの表現の効果を考える」力を生かして詩を読むようにしよう。

・「反論を想定し、それに対する考えを書く」力を生かして、自分の考えを述べるようにしよう。

・話合いをするときに「相手の話を引き出す質問をする」力を生かして取り組もう。

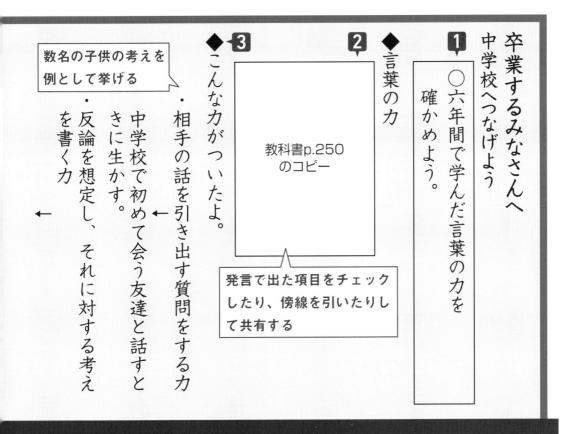

本時案

卒業するみなさんへ／生きる　2/4

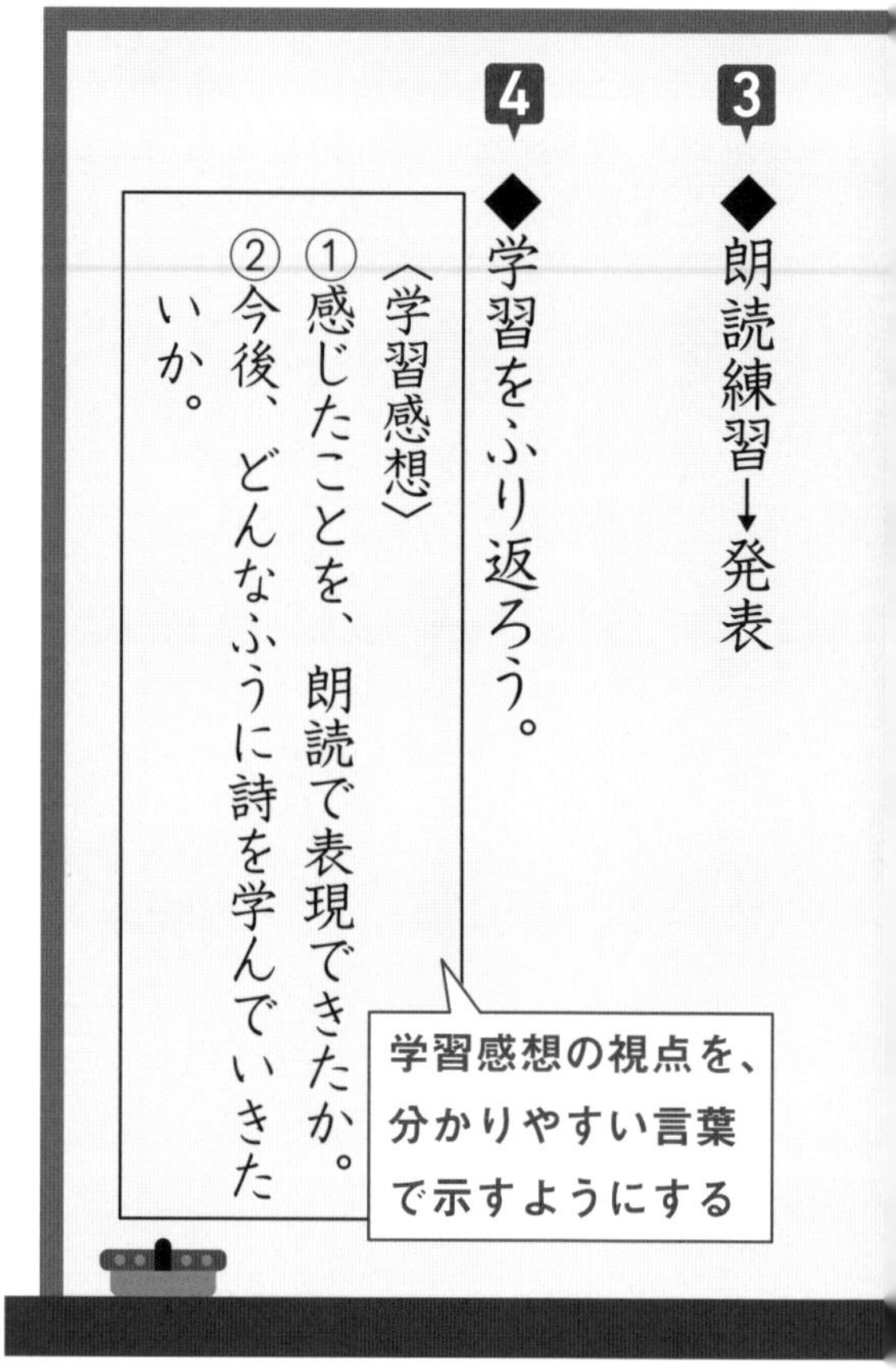
3
◆朗読練習→発表
4
◆学習をふり返ろう。
〈学習感想〉
①感じたことを、朗読で表現できたか。
②今後、どんなふうに詩を学んでいきたいか。
学習感想の視点を、分かりやすい言葉で示すようにする

本時の目標

・比喩や反復などの表現の工夫に気付くことができる。
・詩を朗読することができる。

本時の主な評価

❶比喩や反復などの表現の工夫に気付いている。【知・技】
❷詩を朗読している。【知・技】

資料等の準備

・教科書 p.252〜255「生きる」の拡大コピー(ICT 機器で代用可)

授業の流れ ▷▷▷

1　学習のめあてを知る　〈5 分〉

T　身に付けた力を生かして、詩「生きる」を朗読しましょう。
○「音読」と「朗読」の違いを示し、読み深めたことを意識しながら、思いを込めて読むことを確認する。
T　朗読するためには、感じたことを共有し、整理することも必要です。自分の感想を伝え、友達の感じたことも受け止めて朗読に生かしましょう。

2　詩を読んで気付いたことを話し合う　〈10分〉

T　まずは、音読してみましょう。
○範読後、子供が音読。音読の仕方は実態に合わせて選ぶようにする。指名読みの他に、一人一人がつぶやき声で音読する方法や、交互に読むペア音読などが考えられる。
T　どのようなことに気付いたり、感じたりしましたか。グループで話し合ってみましょう。
○黙読後、傍線を引くなど書き込みをさせ、グループで感想を話し合い、交流したり共有したりさせる。教科書 p.250「話す・聞く」にある言葉の力を活用するように意識させる。

卒業するみなさんへ

生きる　谷川俊太郎

1

○「生きる」を朗読しよう。

↓

感情・読み深めたことを表現する。

2

◆読んで感じたことを話し合おう。

「生きる」の拡大コピー

連の初め↓共通

くり返し
・リズムが生まれる
・たたみかけるよう

グループの話合いから拾い上げたり、いくつか発表させたりして、主な感想や着目させたい表現を書き込んでいく

3 詩を朗読する　〈20分〉

T　お互いの感じたことを生かして、詩を朗読しましょう。読む箇所を分担したり、読む人数を変えたりして、工夫して練習しましょう。

○朗読であることを押さえ、気持ちを込めて読むこと、表現に合った抑揚や音量を工夫することを促す。

・連の最後の1行は、雰囲気が変わっているから、間をしっかり取って意味を味わうように朗読しよう。

ICT 端末の活用ポイント

朗読の練習を録画しておくと、何度も振り返って見たり、修正したりすることができる。

4 発表し合い、学習を振り返る　〈10分〉

T　グループごとに、朗読を発表しましょう。

○朗読発表のときに、どんな点を工夫したのか紹介してから朗読すると、聞くほうも意識して聞くことができる。

T　学習を振り返り、学習感想を書きましょう。

○学習感想の視点としては、「情景を想像したり、表現の工夫に気付いたりできたか」「自分の感じたことを話合いや朗読の中で表出できたか」「6年間の詩の学習で心に残っていること、今後どのように学んでいきたいか」などの視点が考えられる。

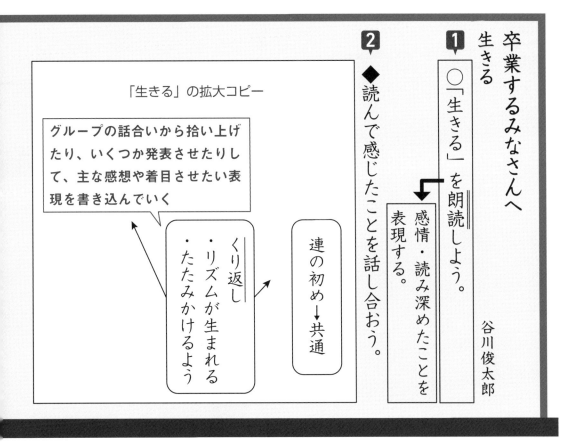

本時案

卒業するみなさんへ／人間は他の生物と何がちがうのか　3/4

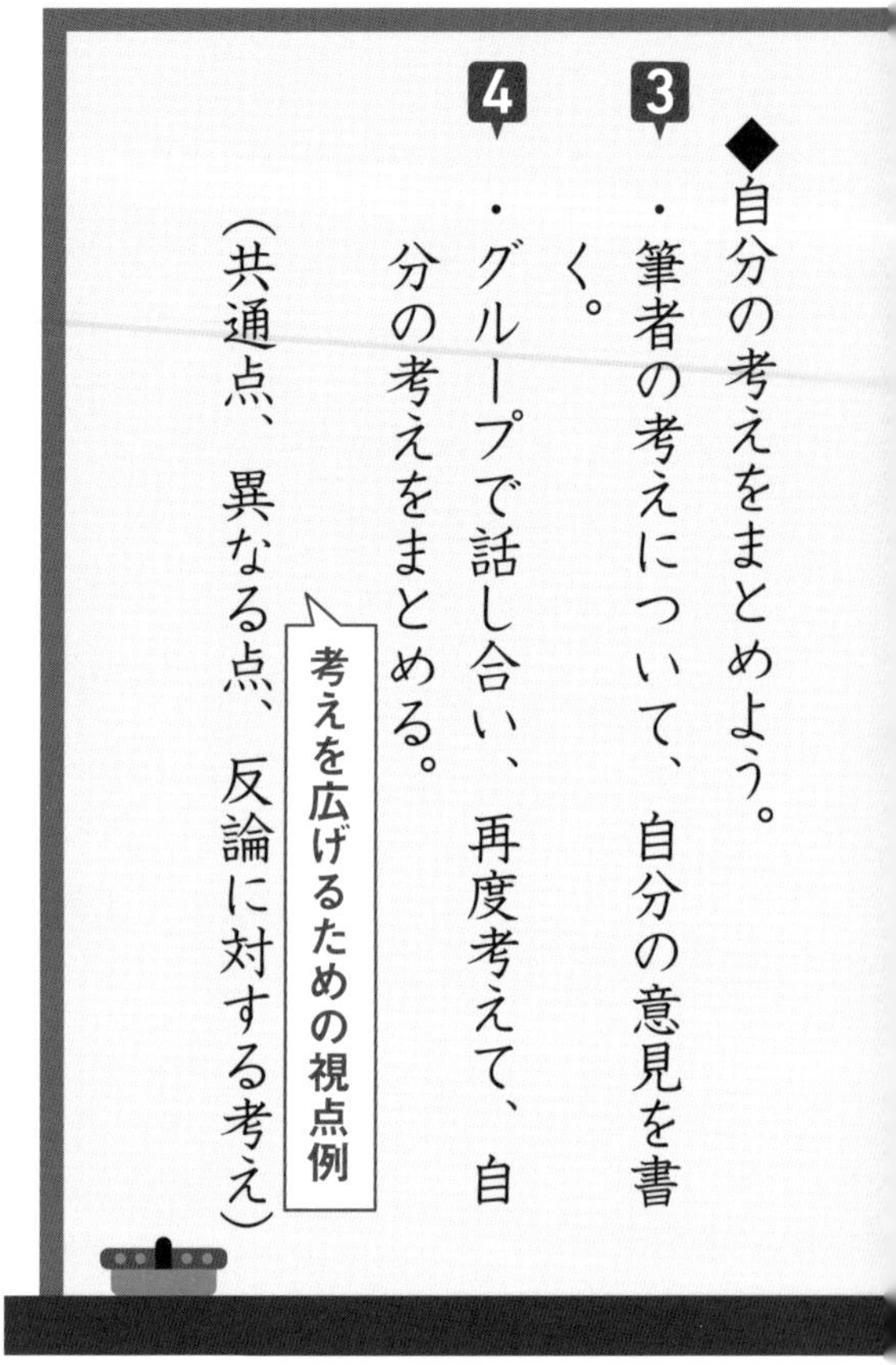
◆自分の考えをまとめよう。
3
・筆者の考えについて、自分の意見を書く。
4
・グループで話し合い、再度考えて、自分の考えをまとめる。
（共通点、異なる点、反論に対する考え）
考えを広げるための視点例

本時の目標

・文章を読んで理解したことに基づいて、伝えたいことを明確にし、自分の考えをまとめることができる。

本時の主な評価

❹文章を読んで理解したことに基づいて、伝えたいことを明確にし、自分の考えをまとめている。【思・判・表】

❸筆者の考えに対し、感じたことや考えたことなどから書くことを選び、伝えたいことを明確にしている。【思・判・表】

資料等の準備

・特になし

授業の流れ ▷▷▷

1　学習のめあてを知る　〈5分〉

T　説明文「人間は他の生物と何がちがうのか」を読んで、筆者の考えに対する自分の考えをまとめましょう。題名に注目して、文章の内容を予想してみましょう。

・人間と他の生物を比べて説明している文章だと思います。

・「生命」をもっている点で考えれば、生物は同じだと思います。筆者は、何か違う点を言おうとしているのではないかと予想します。

2　筆者の考えをつかむ　〈10分〉

T　筆者は、「ツチハンミョウ（他の生物）」と「人間」の違いはどんなところにあると考えているのかを整理して、読みましょう。

○全文を通読し、今までの学習を想起させ、小見出しや表を使うなどして、それぞれ内容を整理させるようにする。教科書 p.250「説明する文章を読むとき」の力を意識するよう促す。

T　人間は、他の生物とどんなことが違うと筆者は考えていますか。

・ツチハンミョウは、種の保存を何よりも大切にし、人間は、個体の命を最重要に考えていると筆者は言っています。

・人間だけが言葉を生み出していると言っています。

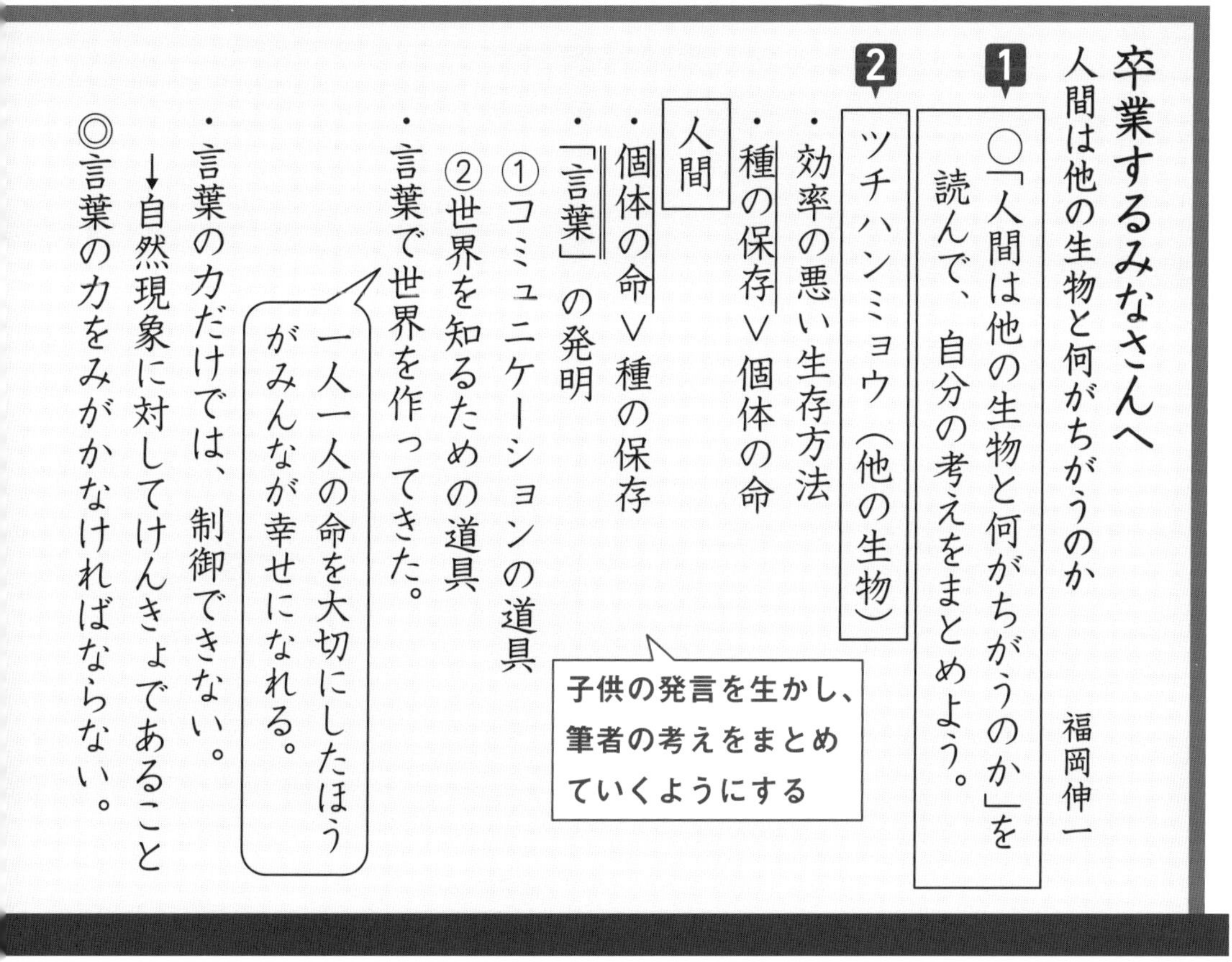
卒業するみなさんへ
人間は他の生物と何がちがうのか
福岡伸一
1
○「人間は他の生物と何がちがうのか」を
読んで、自分の考えをまとめよう。
2
ツチハンミョウ（他の生物）
・効率の悪い生存方法
・種の保存＞個体の命
人間
・個体の命＞種の保存
・「言葉」の発明
①コミュニケーションの道具
②世界を知るための道具
・言葉で世界を作ってきた。
一人一人の命を大切にしたほうがみんなが幸せになれる。
・言葉の力だけでは、制御できない。
→自然現象に対してけんきょであること
◎言葉の力をみがかなければならない。
子供の発言を生かし、筆者の考えをまとめていくようにする

3 筆者の考えについて、自分の考えを書く 〈15分〉

T　筆者の考えについて、自分の意見を書きましょう。そのように考えた理由も書きましょう。

○筆者の言葉（動画：教科書 p.260の二次元コードより）も活用できる。

○筆者の考えのどの点に対しての意見かを明確に書かせるようにする。

○教科書 p.250「調べたことや、自分の考えを書くとき」の力を意識して書くように促す。

・意見や理由と一緒に自分の経験を書くと、説得力が増すかもしれない。

・どんな反論が出るか予想して、それに対する考えも書いておこう。

4 友達と交流し、自分の考えをまとめる 〈15分〉

T　グループで考えを交流し、話し合いましょう。話合いの後で、付け加えたり訂正したりして自分の考えをまとめましょう。

○教科書 p.250「話し合うとき」の力を意識して話し合うようにさせる。

・筆者の考えに賛成です。人間は、言葉があるからこそ分かり合えると思います。

・違いは、言葉以外もあるのではないでしょうか。テレビ番組で動物たちもコミュニケーションを取っているという研究が紹介されていました。

T　話合いで出された考えを踏まえ、自分の考えをまとめましょう。

本時案

卒業するみなさんへ

4/4

本時の目標

・文章を読んでまとめた意見や感想を共有し、自分の考えを広げることができる。

本時の主な評価

❺文章を読んでまとめた意見や感想を共有し、自分の考えを広げている。【思・判・表】

❻自分の考えをまとめ、感じたことを伝え合おうとしている。【態度】

資料等の準備

・学習計画表

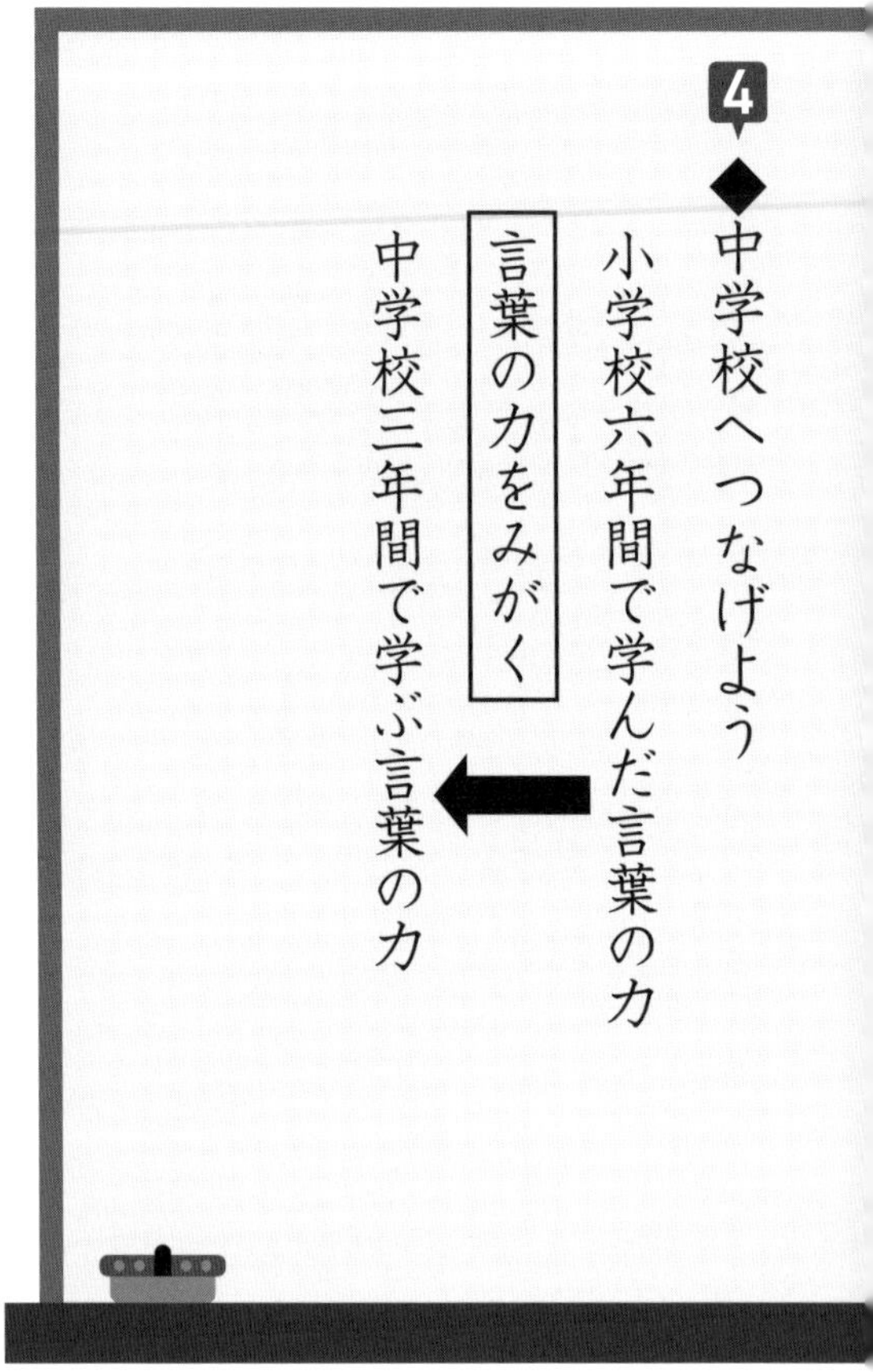

4
◆中学校へつなげよう
小学校六年間で学んだ言葉の力
言葉の力をみがく
中学校三年間で学ぶ言葉の力

授業の流れ ▷▷▷

1 学習のめあてを知る 〈５分〉

T 「卒業するみなさんへ」という学習のまとめになります。「人間は他の生物と何がちがうのか」で投げかけられた「言葉の力をみがく」ということについて考えていきましょう。

○単元の流れを振り返り、本時の学習のめあてを明確にもたせるようにする。

2 どのように言葉と向き合っていきたいか考える 〈10分〉

T 「人間は他の生物と何がちがうのか」の筆者が、「言葉の力をみがく」という点について更に述べている動画があります。視聴してみましょう。

○教科書 p.260の二次元コードから動画を視聴する。特に後半が考えるきっかけとなる話題に言及している。動画視聴ができない場合は、本文後半の関連箇所を読むようにする。

T 「言葉の力をみがく」大切さと、具体的に「本を読むこと」「自分の思いを表現する努力を続けること」が提案されています。みなさんは、これからの生活でどのように言葉と向き合っていきたいですか。自分の考えを書きましょう。

卒業するみなさんへ

1 ○「人間は他の生物と何がちがうのか」

2 ◆「言葉の力をみがく」とは

〈筆者の考え〉

・「学ぶ」ということ。

・けんきょさをもちつつ、言葉で世界を解き明かしていってほしい。

・本を読む。他の人の文章を学ぶ。

・自分の思いを表現する努力を続ける。

本文の最終段落や動画から抜き出して書く

◆どのように言葉と向き合っていきたいか。

3 〈自分の考え〉

・中学校でたくさんの本を読みたい。

↓好きな作家の表現に着目して言葉の力をみがく。

・季節の移り変わりを言葉にしたい。

↓俳句を作ってみる。

・体験を言葉にする。

↓部活日記を書いてみる。

話合いや発言で出たことを取り上げる

3 グループで話し合う 〈20分〉

T　グループで考えを交流し、話し合いましょう。

・中学校でたくさんの本を読みたいと思いました。好きな作家がいるので、その人がどんなふうに景色を書いているのか気を付けて読もうと思いました。

・季節の移り変わりを書こうとすることも言葉の力をみがくことなのだと気付かされました。俳句の学習をしたことを思い出しました。ときどき、俳句をつくって言葉の力をみがいていけたらいいと考えています。

・部活日記をつくって、自分の体験を表現しようと思います。

4 学習のまとめをする 〈10分〉

T　友達の思いを聞いて、付け加えたり訂正したりして自分の考えをまとめましょう。

○中学校での学びに向けて希望をもって締め括れるようにする。数名の考えを発表させたり、学習した詩「生きる」を音読（朗読）させたりすることもよいであろう。

ICT 端末の活用ポイント

学習支援ソフトを活用し、自分の考えを共有する。グループ以外の友達の考えを見て、更に考えたり見方を広げたりすることもできる。

監修者・編著者・執筆者紹介

＊所属は令和６年６月現在。

［監修者］

中村　和弘（なかむら　かずひろ）　東京学芸大学 教授

［編著者］

西川　義浩（にしかわ　よしひろ）　東京都 文京区立駕籠町小学校 主幹教諭

秦　美穂（はた　みほ）　東京都 東久留米市立第九小学校 主任教諭

［執筆者］ ＊執筆順。

中村　和弘	（前出）	●まえがき　●「主体的・対話的で深い学び」を目指す授業づくりのポイント　●「言葉による見方・考え方」を働かせる授業づくりのポイント　●学習評価のポイント　●板書づくりのポイント　● ICT 活用のポイント
西川　義浩	（前出）	●第６学年の指導内容と身に付けたい国語力　●やまなし／［資料］イーハトーヴの夢　●知ってほしい、この名言　●大切にしたい言葉
新野　皓紀	東京都 目黒区立東根小学校 主任教諭	●漢字の広場③　●カンジー博士の漢字学習の秘伝　●漢字の広場④　●日本の文字文化／［コラム］仮名づかい　●漢字の広場⑤　●漢字の広場⑥
岩崎　佳美	東京都 文京区立林町小学校 主任教諭	●熟語の成り立ち　●みんなで楽しく過ごすために／［コラム］伝えにくいことを伝える
髙桑　美幸	東京都 板橋区立志村第四小学校 指導教諭	●秋の深まり　●冬のおとずれ　●海の命
来栖　称子	東京都 文京区立大塚小学校 主任教諭	●話し言葉と書き言葉　●「考える」とは　●使える言葉にするために
秦　美穂	（前出）	●古典芸能の世界／狂言「柿山伏」を楽しもう　●今、私は、ぼくは　●卒業するみなさんへ
大熊　啓史	東京都 台東区立石浜小学校 主幹教諭	●『鳥獣戯画』を読む／発見、日本文化のみりょく
浪久　隼斗	東京都 稲城市立稲城第一小学校 主任教諭	●ぼくのブック・ウーマン　●詩を朗読してしょうかいしよう
松脇　伸之	東京都 文京区立小日向台町小学校 主幹教諭	●おすすめパンフレットを作ろう　●日本語の特徴

『板書で見る全単元の授業のすべて 国語 小学校6年下～令和6年版教科書対応～』付録資料について

本書の付録資料は、東洋館出版社オンラインショップ内にある「付録コンテンツページ」からダウンロードすることができます。

【付録コンテンツページ】

URL https://toyokan-publishing.jp/download/

対象書籍の「付録コンテンツ」ボタンをクリック。表示される入力フォームに下記記載のユーザー名、パスワードを入力してください。

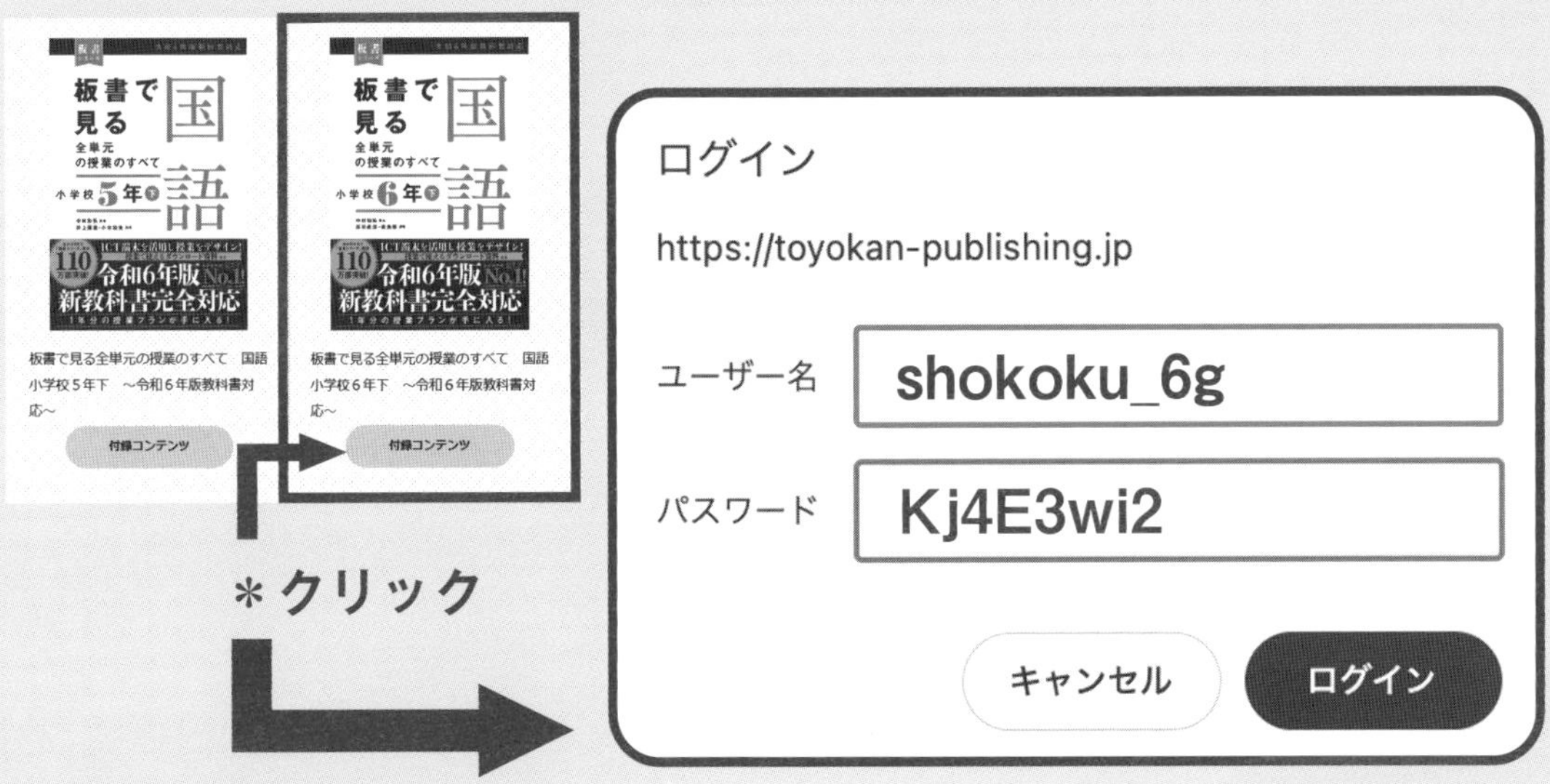
板書で見る全単元の授業のすべて 国語 小学校5年下 ～令和6年版教科書対応～
付録コンテンツ
板書で見る全単元の授業のすべて 国語 小学校6年下 ～令和6年版教科書対応～
付録コンテンツ
＊クリック
ログイン
https://toyokan-publishing.jp
ユーザー名
shokoku_6g
パスワード
Kj4E3wi2
キャンセル
ログイン

【使用上の注意点および著作権について】

・リンク先にはパソコンからアクセスしてください。スマートフォンではファイルが開けないおそれがあります。
・PDFファイルを開くためには、Adobe Readerなどのビューアーがインストールされている必要があります。
・収録されているファイルは、著作権法によって守られています。
・著作権法での例外規定を除き、無断で複製することは法律で禁じられています。
・収録されているファイルは、営利目的であるか否かにかかわらず、第三者への譲渡、貸与、販売、頒布、インターネット上での公開等を禁じます。
・ただし、購入者が学校での授業において、必要枚数を生徒に配付する場合は、この限りではありません。ご使用の際、クレジットの表示や個別の使用許諾申請、使用料のお支払い等の必要はありません。

【免責事項・お問い合わせについて】

・ファイル使用で生じた損害、障害、被害、その他いかなる事態についても弊社は一切の責任を負いかねます。
・お問い合わせは、次のメールアドレスでのみ受け付けます。tyk@toyokan.co.jp
・パソコンやアプリケーションソフトの操作方法については、各製造元にお問い合わせください。

板書で見る全単元の授業のすべて
国語 小学校６年下
～令和６年版教科書対応～

2024(令和６)年８月20日　初版第１刷発行

監 修 者：中村　和弘
編 著 者：西川　義浩・秦　美穂
発 行 者：錦織　圭之介
発 行 所：株式会社東洋館出版社
〒101-0054　東京都千代田区神田錦町２丁目９番１号
コンフォール安田ビル２階
代　表 TEL：03-6778-4343　FAX：03-5281-8091
営業部 TEL：03-6778-7278　FAX：03-5281-8092
振　替 00180-7-96823
U R L https://www.toyokan.co.jp

印刷・製本：藤原印刷株式会社

装丁デザイン：小口翔平＋村上佑佳（tobufune）
本文デザイン：藤原印刷株式会社
イラスト：赤川ちかこ・すずき匠（株式会社オセロ）

ISBN978-4-491-05405-6　　Printed in Japan